関節リウマチの診かた，考えかた ver.4

編著

岸本暢将
杏林大学医学部 腎臓・リウマチ膠原病内科

岡田正人
聖路加国際病院 Immuno-Rheumatology Center

中外医学社

執筆者（執筆順）

岸 本 暢 将　杏林大学医学部 腎臓・リウマチ膠原病内科

岡 田 正 人　聖路加国際病院 Immuno-Rheumatology center

仲 村 一 郎　帝京平成大学健康メディカル学部

伊 藤 勝 己　平成横浜病院リウマチ科

六 反 田 諒　聖路加国際病院 Immuno-Rheumatology center

津田篤太郎　聖路加国際病院 Immuno-Rheumatology center

改訂の序

　"関節リウマチ"の診断，治療は難しい……とお考えの先生は多いかもしれない．確かに関節リウマチの診断，治療にまつわるここ数年の進歩は著しく，診断では抗 CCP 抗体，MRI や超音波を使用した早期診断法の有用性，治療に至っては生物学的製剤の登場と，疾患修飾性抗リウマチ薬 disease modifying anti-rheumatic drugs（DMARDs）を早期から導入することで関節破壊や身体機能障害を予防し，早発死亡など予後を改善する，といったさまざまなエビデンスが出てきて，数年前の常識が今の非常識になり，めまぐるしく情報が update され，我々専門医にとっても簡単な作業ではない．しかし膠原病全般にいえることだが，診断，治療の難しさを認識し，ある一定のルールを習得することで対応でき，あとは何とも楽しい知的作業となる．情報はインターネットで毎日 update され，1990 年後半から生物学的製剤を含めた最新の薬剤が大きな流れをつくっている昨今，リウマチ診療のグローバルスタンダードの達成は急務である．わが国でも生物学的製剤が 2003 年に認可され，15 年以上が経過し欧米と同等の治療が行えるようになっている．実際，筆者の 2 人がそれぞれ欧州，米国でリウマチ膠原病診療に携わっていた 2000 年代初頭には，何人もの日本人の患者さんが TNF 阻害薬 tumor necrosis factor inhibitor の注射を受けるためだけに 2 カ月に 1 回はるばる日本から海外に訪れており，我々は"欧米で学んだ最新の治療のノウハウを日本のリウマチ膠原病臨床に貢献したい"と強く願い，2006 年に帰国した．

　日本では"まれ"とされていた乾癬性関節炎を含む脊椎関節炎に関しても欧米では common disease の一つであり，RA 同様，治療薬の開発により医師の認知度が高まり，昨今診断の遅れもなくなっている．これを維持するには，各疾患の分類（診断）基準の日常診療での応用法の熟知，治療推奨の最新情報を update することが必要である．特に，乾癬性関節炎においては本邦においても乾癬患者さんの最大で 5 人に 1 人でみられ，関節リウマチの鑑別疾患として非常に重要であり，その治療法の進歩も今では関節リウマチをしのぐほどになっている〔表：本邦で承認されている（現在臨床治験中

| 表 | 本邦での生物学的製剤とその適応（2020 年 5 月時点） |||||

MOA	製品名	RA	SpA		IBD	
			Pso/PsA	AS	CD	UC
TNF 阻害薬 （受容体製剤）	Etanercept	☑				
TNF 阻害薬 （モノクローナ ル抗体製剤）	Infliximab	☑	☑	☑	☑	☑
	Adalimumab	☑	☑	☑	☑	☑
	Golimumab	☑				☑
	Certolizumab	☑	☑			
IL-6 受容体 拮抗薬	Tocilizumab	☑				
	Sarilumab	☑				
T 細胞選択的 共刺激調節薬	Abatacept	☑				
IL-17 阻害薬	Secukinumab		☑	☑		
	Ixekizumab		☑	☑		
	Brodalumab		☑	申請中： 2020		
	Bimekizumab		Ⅲ相： 2020-21?	Ⅲ相： 2022?		
IL-12/23 阻害薬	Ustekinumab		☑		☑	☑
IL-23 阻害薬	Guselkumab		☑		治験中	治験中
	Risankizumab		☑		治験中	治験中
	Tildrakizumab		☑ （Pso のみ）			

も含む）生物学的製剤の一覧とその適応〕.

　リウマチ膠原病専門医，さらには一般臨床医をはじめ研修医も含めた幅広い読者に対して日常診療の参考となるように，関節リウマチおよび脊椎関節炎および乾癬性関節炎を「エビデンス」と「実臨床では」という切り口でできる限りわかりやすく解説した本書を 2011 年に出版してからすでに 9 年が経過した．この数年の間に新規経口 DMARDs や生物学的製剤も加わり，新しい治療ガイドラインや推奨の update が発表された．さらには関節超音波

検査など新たなエビデンスや臨床応用が日常診療で広がっている．このような状況を踏まえ，今回の改訂では，前回同様リウマチ診療をより身近なものとして捉えていただけるよう，診断や治療においてわかりやすい構成を心がけ，新規治療薬の解説に加え，挙児希望患者や困ったときの DMARDs 選択の update を行った．治療推奨やガイドラインにおいては ACR2015 および EULAR2019 関節リウマチ治療推奨や ACR/SPARTAN2019 および 2016 年 ASAS/EULAR 体軸関節脊椎関節炎治療推奨を含む最新情報を盛り込んだ．さらに生物学的製剤の選択肢が，RA 以上に広がってきている乾癬性関節炎の治療推奨として，GRAPP2015 年，ACR2018 年および，EULAR2019 update を掲載した．また，整形外科手術エッセンスの update，さらにエビデンスでは図ることが難しい治療効果も重要であり，コミュニケーション法や東洋医学（漢方）のエッセンスも紹介し，診断法においては非侵襲的に行える関節超音波検査についても要点をわかりやすく解説している．

　関節リウマチおよび乾癬性関節炎を含む脊椎関節炎の診療のグローバルスタンダードな治療をわが国の患者さんにも幅広く提供できるように，リウマチ膠原病を専門とする内科医および整形外科医ばかりでなく，皮膚科医や一般臨床医にも最新の情報をお伝えすることができれば幸いである．

　2020 年 7 月

岸 本 暢 将
岡 田 正 人

目次

▶ **chapter A**

関節リウマチの診断・薬物治療
岸本暢将・岡田正人

Overview　関節リウマチ治療のパラダイムシフト
　　　　　～スフィンクスもびっくり逆ピラミッド～ ························ 2

1. 診断時のこころえ ··· 5
　A. 早期診断のコツ八カ条 ·· 5
　　1. Windows of opportunity～治療開始のタイミングを逃すな～ ······· 5
　　2. 海外の診断基準も参考にしよう ···························· 8
　　3. 多関節炎患者の鑑別疾患に注意！ ························· 12
　　4. リウマトイド因子・抗 CCP 抗体に頼りすぎないこと ·········· 15
　　5. 関節エコーや MRI を活用しよう ·························· 24
　　6. 2005 年早期 RA 診断基準を理解しておくこと ··············· 27
　　7. 新しい分類基準とその問題点も知っておこう ··············· 28
　　8. 問題点を踏まえたうえで，2010 年分類基準を使ってみよう！ ···· 36
　B. 活動性モニター（画像も含めて） ······························ 43

2. 治療戦略 ·· **53**
　　1. 治療開始前にまず病期・予後診断 ························· 53
　　2. 合併症 ··· 54
　　3. Treating RA To Target（T2T）
　　　　～日常診療での治療効果判定と治療目標～ ················ 62
　　4. 2019 年 EULAR RA の治療推奨 update と 2015 年 ACR RA
　　　　治療推奨 update について ······························ 69

i

      5. コントローラーとリリーバーという考え方 ················· 84
      6. 最後にやっぱり個別化医療 ································· 90

3. よく使われる消炎鎮痛薬（NSAIDs およびステロイド） ··············· 96
  A. NSAIDs の使い方＋注意事項 ································· 96
      1. NSAIDs の副作用 ······································· 96
      2. NSAIDs とは？ ··· 97
      3. NSAIDs の適応 ··· 97
      4. NSAIDs の禁忌や注意事項 ······························· 98
      5. NSAIDs の使い分け ····································· 98
      6. まとめ ··· 105
  B. ステロイドの使い方＋注意事項 ····························· 105
      1. ステロイドの種類 ····································· 106
      2. ステロイドの副作用 ··································· 107
      3. ステロイドの投与法・減量法 ··························· 109
      4. 2007 年ステロイド使用に関する欧州リウマチ学会の推奨
         （EULAR recommendation） ····························· 111

4. よく使われる抗リウマチ薬 ································· 121
      1. サラゾスルファピリジン ······························· 121
      2. ブシラミン ··· 125
      3. メトトレキサート ····································· 128
      4. イグラチモド ··· 136
      5. トファシチニブ ······································· 140
      6. バリシチニブ ··· 145
      7. ペフィシチニブ ······································· 148
      8. ウパダシチニブ ······································· 150
      9. アプレミラスト ······································· 152
  生物学的製剤 ··· 158
      • ポイント ··· 158
      • 生物学的製剤とは何か ··································· 158

- 生物学的製剤の種類と作用機序 ………………………… 164
- 生物学的製剤の適応基準 ………………………… 169
- RA に対する TNF 阻害薬の効果の違い ………………… 174
- どの TNF 阻害薬を選ぶのがよいか ………………… 175
- TNF 阻害薬に MTX の併用は絶対に必要か ………… 176
- TNF 阻害薬で MTX が併用できない場合に他の
  DMARDs の併用はどうか ………………………… 178
- TNF 阻害薬を開始するとき MTX 用量は減らせないの? …… 178
- トシリズマブやアバタセプトでは MTX 併用しなくても
  いいの? ………………………………………… 179
- TNF 阻害薬で十分な疾患コントロールの得られない
  場合はどうするか ………………………………… 181
- 生物学的製剤は一生続けるの? ………………… 182
- 生物学的製剤の副作用 …………………………… 184

10. インフリキシマブ ……………………………………… 190
11. エタネルセプト ………………………………………… 195
12. アダリムマブ …………………………………………… 201
13. トシリズマブ …………………………………………… 206
14. サリルマブ ……………………………………………… 212
15. アバタセプト …………………………………………… 213
16. ゴリムマブ ……………………………………………… 218
17. セルトリズマブペゴル ………………………………… 224
18. セクキヌマブ …………………………………………… 229
19. イキセキズマブ ………………………………………… 232
20. ブロダルマブ …………………………………………… 234
21. グセルクマブ …………………………………………… 240
22. リサンキズマブ ………………………………………… 244
23. ウステキヌマブ ………………………………………… 246

5. その他の抗リウマチ薬 ……………………………… **261**
1. タクロリムス …………………………………………… 261

2. レフルノミド ……………………………………………… 266

　　3. ミゾリビン ……………………………………………… 269

6. 脊椎関節炎（SpA）……………………………………… **273**

　　1. SpA とは ……………………………………………… 273

　　2. SpA の臨床的特徴 …………………………………… 273

　　3. SpA の臨床所見の感度と特異度 …………………… 280

　　4. SpA の分類基準 ……………………………………… 281

　　5. SpA の診断のポイント―原因検索― ……………… 283

　　6. 強直性脊椎炎（AS）について ……………………… 285

　　7. 乾癬性関節炎（PsA）について ……………………… 306

▶ **chapter B**

こんな時どうする？　困った時の DMARDs 選択

岸本暢将・岡田正人

　　1. 肝障害がある患者の RA 治療 ……………………… 342

　　2. 腎障害がある患者の RA 治療 ……………………… 352

　　3. 肺障害がある患者の RA 治療 ……………………… 353

　　4. 挙児希望のある患者の RA 診療 …………………… 355

　　5. 授乳中の抗リウマチ薬やその他の薬剤使用について ……… 368

　　6. 高齢者での注意点 …………………………………… 370

▶ **chapter C**

内科医が知っておきたい関節リウマチの手術療法・装具療法

仲村一郎・伊藤勝己

　　1. 関節リウマチ治療における手術療法の位置づけ ………… 380

　　2. 関節リウマチにおける手術療法の基本的な考え方 ……… 380

　　3. リウマチ手術療法のタイミング …………………… 384

　　4. リウマチ下肢の手術①：股関節と膝関節 ………… 387

　　5. リウマチ下肢の手術②：足関節・足部の手術 …………… 394

目次

6. リウマチ上肢の手術 ……………………………………… 401

7. リウマチ脊椎の手術 ……………………………………… 410

8. 生物学的製剤時代のリウマチ手術 ……………………… 413

9. 関節リウマチのリハビリテーションと生活指導 ……… 413

10. 関節リウマチと骨粗鬆症 ………………………………… 416

▶ **chapter D**

日常臨床に活かす関節超音波（関節エコー）（関節超音波の基礎）

六反田 諒

1. 関節超音波検査の特徴 …………………………………… 436

2. 機器の設定 ………………………………………………… 436

3. RA 早期診断への応用 …………………………………… 439

4. 疾患活動性評価への応用 ………………………………… 440

5. 予後予測への応用 ………………………………………… 440

6. その他の利点 ……………………………………………… 441

▶ **chapter E**

プライマリで役立つリウマチ膠原病の漢方

津田篤太郎

1. 胃部不快感・食欲不振・るい痩 ………………………… 446

2. 便秘 ………………………………………………………… 446

3. 感冒・上気道炎 …………………………………………… 448

4. 月経不順・月経困難・不妊 ……………………………… 448

5. 冷え症・レイノー ………………………………………… 449

6. 乾燥症状 …………………………………………………… 450

7. 関節炎に対する漢方治療 ………………………………… 451

8. 原因のハッキリしない発熱 ……………………………… 452

9. 漢方薬の副作用 …………………………………………… 454

v

▶ **chapter F**

Dr. 岡田の関節リウマチ診療実況中継

岡田正人

1. 診察 ……………………………………………………… 458
2. 検査 ……………………………………………………… 466
3. 治療と説明 ……………………………………………… 477
4. 再診 ……………………………………………………… 477
5. DMARDs の開始と併用療法 ………………………… 483
6. サラゾスルファピリジンとブシラミン ……………… 484
7. イグラチモド …………………………………………… 488
8. リリーバー ……………………………………………… 489
9. 経口ステロイド ………………………………………… 490
10. ステロイド関節注射 …………………………………… 493
11. メトトレキサート ……………………………………… 496
12. 薬剤の副作用と注意点の説明 ………………………… 499
13. 生物学的製剤 / JAK 阻害薬 ………………………… 500
14. 治療目標 ………………………………………………… 512

索引 ………………………………………………………… 521

chapter A

関節リウマチの
診断・薬物治療

関節リウマチ治療の パラダイムシフト
～スフィンクスもびっくり逆ピラミッド～

　40年前の関節リウマチ rheumatoid arthritis（RA）治療は，まず関節を安静に保ち，非ステロイド性抗炎症薬 non-steroidal anti-inflammatory drugs（NSAIDs）やステロイドを十分使用し RA の症状を軽減させる治療が中心であった．抗リウマチ薬の使用は骨びらんなどの進行が明らかな時に行われ，有名な図 A-1 に示すようなピラミッド式の治療方針が常識であった．そのような治療による結果が 1990 年代後半に発表されている（図 A-2）．炎症は burn-out すると徐々に治まっていくようにみえるが，骨破壊は進行し，平行して機能障害も進行していく．何十年も前に発症したリウマチが重度に進行し車いすで来院される患者さんはいらっしゃるが，現在の治療手段を正しく用いれば，このような障害はほぼ防止できる．フェローシップの時に米国でよく指導医に教えられた言葉があるので紹介する．

　　今はさまざまな治療法があるのだから，このような重度な
　　変形を起こしてしまってはリウマチ科医として失格である！

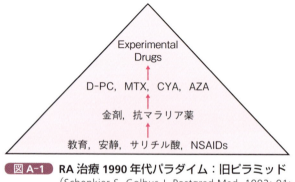

図 A-1 RA 治療 1990 年代パラダイム：旧ピラミッド
（Schenkier S, Golbus J. Postgrad Med. 1992; 91: 285-6）

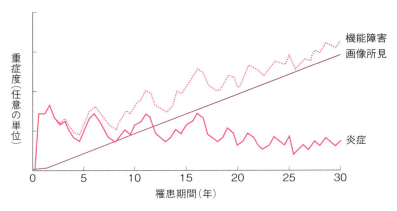

図 A-2 旧ピラミッド治療の失敗
（Kirwan JR. J Rheumatol. 1999; 26: 720-5）

　1980年代後半から1990年代前半にはアンカードラッグ（"要の薬剤"）としてメトトレキサート（MTX）が登場，普及した．1994年にはMTXとシクロスポリンの併用が，1996年にはMTX，サラゾスルファピリジンおよびヒドロキシクロロキンの3剤併用がそれぞれ単剤より効果があることがNew England Journal of Medicineに発表されてDMARDs併用治療が主流になり，1990年代後半には生物学的製剤の登場とともに，RAに対する治療戦略，治療目標が大きく変わり，RAの臨床的寛解remissionが大きな治療目標となってきた．新しいRA治療のパラダイムを図A-3に示す．ここでは旧ピラミッド（図A-1）で頂点付近にあった治療が一番下（はじめ）にきたため"逆ピラミッド"と呼ばれている．発症後4ヵ月ですでにMRIでみると約45％に骨びらんが起こっているというショッキングな研究報告もあり，DMARDsを診断後速やかに，少なくとも3ヵ月以内に開始するといった推奨も納得である．また，基本的には骨びらん抑制効果がないとされるNSAIDsとステロイドは補佐的な治療（後述）としてピラミッドの外に追いやられている．

chapter A ●関節リウマチの診断・薬物治療

各項目の日常動作について，この1週間のあなたの状態を平均して右の4つから1つを選んで✓印をつけてください．	何の困難もない（0点）	いくらか困難である（1点）	かなり困難である（2点）	できない（3点）
[1] 衣類着脱，及び身支度 A. 靴ひもを結び，ボタンかけも含め自分で身支度できますか B. 自分で洗髪できますか	☐	☐	☐	☐
[2] 起床 C. 肘無し，背もたれの垂直な椅子から立ち上がれますか D. 就寝，起床の動作ができますか	☐	☐	☐	☐
[3] 食事 E. 皿の肉を切ることができますか F. いっぱいに水が入っている茶碗やコップを口元まで運べますか G. 新しい牛乳のパックの口を開けられますか	☐	☐	☐	☐
[4] 歩行 H. 戸外で平坦な地面を歩けますか I. 階段を5段登れますか	☐	☐	☐	☐
[5] 衛生 J. 体全体を洗い，タオルで拭くことができますか K. 浴槽につかることができますか L. トイレに座ったり立ったりできますか	☐	☐	☐	☐
[6] 伸展 M. 頭上にある5ポンドのもの（約2.3kgの砂糖袋など）に手を伸ばしてつかみ，下に降ろせますか N. 腰を曲げ床にある衣類を拾い上げられますか	☐	☐	☐	☐
[7] 握力 O. 自動車のドアを開けられますか P. 広口のビンの蓋を開けられますか（既に口が切ってあるもの） Q. 蛇口の開閉ができますか	☐	☐	☐	☐
[8] 活動 R. 用事や，買い物で出かけることができますか S. 車の乗り降りができますか T. 掃除機をかけたり，庭掃除などの家事ができますか	☐	☐	☐	☐

0点：何の困難もない 　　　　1点：いくらか困難である
2点：かなり困難である 　　　3点：できない
注意：赤字は簡易版のmHAQでの評価する8項目

図 A-4 身体機能評価（QOL 指標）（mHAQ）

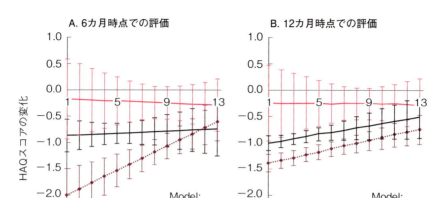

図 A-5 RCT における罹病期間と HAQ 改善との関係
（Aletaha D, et al. Ann Rheum Dis. 2008; 67: 238-43）

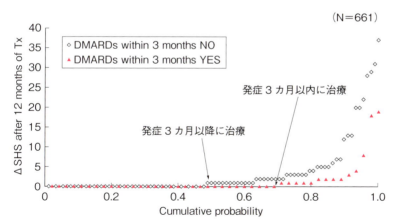

図 A-6 Demonstration of the structural efficacy of very early DMARDs initiation in EIA in clinical practice
（Lukas C, et al. Ann Rheum Dis. 2011; 70: 1251）

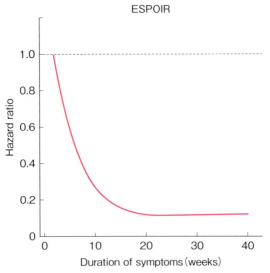

図 A-7 DMARDs フリー寛解維持の Hazard ratio
（Kuijper M. EULAR. 2014）

持がより高くなったという研究も2014年欧州リウマチ学会にてオランダから発表[1]（図 A-7）されており，これらの概念が window of opportunity として広く受け入れられるようになり，早期診断の重要性が強調されている．

> **check!**
> ● 関節破壊による身体機能障害が不可逆的になる前にできるかぎり早期に治療を開始する～ windows of opportunity（図 A-8）～

2 海外の診断基準も参考にしよう

　RA の診断には，1987 年に提唱された米国リウマチ学会（ACR）分類基準（表 A-1）が使用されてきたが，早期 RA に対する感度は 68～84％ と低く，発症早期では 1/3 以上の症例がこの基準を満たさない．それもそのはず，この基準は平均約 8 年罹病期間のある患者をもとにして作られたものであり，早期の RA の診断を目的とはしていない．前述のように炎症が進行し，以前の方法で RA の確定診断がつく（旧 ACR-RA 分類基準を満たす）

1. 診断時のこころえ

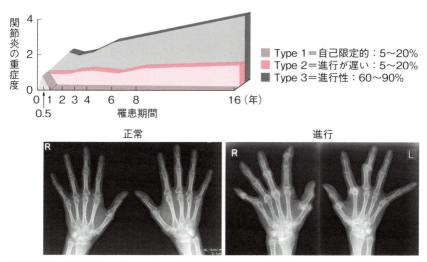

図 A-8　構造破壊の前に早期 RA で加療開始
（Pincus T. Rheum Dis Coin North Am. 1995; 21: 619-54 より改変）

表 A-1　ACR 1987 RA 分類基準

以下の 7 つのうち 4 つを満たす．
1. 朝のこわばり 1 時間以上*
2. 3 つ以上の関節の腫脹（14 カ所：MCP，PIP，手首，肘，膝，足首，MTP）*
3. 手の関節（MCP，PIP，手首）の腫脹*
4. 左右対称性の関節腫脹*
5. 手の X 線写真にて骨びらんあるいは関節傍骨量減少
6. リウマトイド結節
7. リウマトイド因子陽性

*少なくとも 6 週間以上持続
発症 1 年以上の RA に対する　感度：79％（71〜85％）特異度：90％（84〜94％）
早期 RA（1 年以内）に対する　感度：77％（68〜84％）特異度：77％（68〜84％）

頃には，既に骨びらんが進行している例もある．よって旧 ACR-RA 基準に縛られて治療が遅れることは望ましくないため，早期診断と治療開始のための試みがなされてきた（表 A-2）（早期診断のスクリーニング，squeeze テストは 467 頁参照）．

実際，上記を総合すると朝のこわばりが 30 分以上あるいは，1 つまたは 2 つ以上の関節炎を持つ患者では早期 RA 疑いとしてフォローする．ただ全

表 A-2 欧州 2 カ国の早期関節炎クリニックのフォロー基準

■オランダ
　1. 朝のこわばりが 30 分以上持続
　2. 2 つ以上の関節腫脹
■オーストリア
　1. 症状発症から 3 カ月未満
　2. 非外傷性で 1 つ以上の関節炎
　3. 赤沈＞20 mm/時または CRP＞0.5 mg/dl

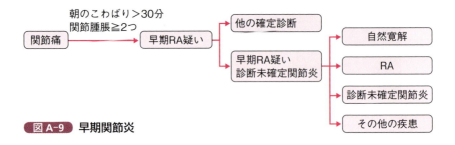

図 A-9 早期関節炎

例が RA になるわけではないことは言うまでもない．図 A-9 は，1987 年 RA 分類基準を満たさず"早期 RA 疑い"ということで経過観察された患者の転帰であるが，自然軽快する患者も 3〜5 割いる．また，パルボウイルス B19 感染などのウイルス性関節炎，Sjögren 症候群や全身性エリテマトーデス，脊椎関節炎などの他の膠原病，結晶性関節炎や OA など他の疾患であることもある．それでは，どのような患者が早期治療の必要な RA なのだろうか．オランダの早期関節炎クリニックで約 300 人の"早期 RA 疑い"患者をフォローした研究が参考になる．約 300 人の患者のうち約 40％が 1987 年 RA 分類基準を満たした．ここでベースラインの抗 CCP 抗体陽性者と陰性者で分けてみると，抗 CCP 抗体陽性患者の約 8 割が 1 年後に，約 9 割が 3 年後に 1987 年 RA 分類基準を満たした．一方，抗 CCP 抗体陰性患者ではどちらも約 20％前後であった．この結果を解析した，"早期 RA 疑い"患者が 1 年後 RA 分類基準を満たす RA 患者になるベースラインの危険因子を表 A-3 に示す．なんと抗 CCP 抗体陽性"早期 RA 疑い"患者では，抗 CCP 抗体陰性患者にくらべ，1 年後 RA となる危険が 38 倍も高いことが示されている．

1. 診断時のこころえ

表 A-3 抗 CCP 抗体が RA 発症を予測
・関節炎発症時の症状 / 検査がどれぐらい RA 発症を予測するか
・1 年後の RA になる危険度は？

	オッズ比	95%CI
朝こわばり＞1h	2.1	0.8-5.3
≧3 関節炎	5.0	1.8-13.2
関節炎 (MCP/PIP/ 手)	1.2	0.4-3.3
両側性	6.1	2.0-19.0
RA 結節	0.0003	0.0-∞
X 線にて骨びらん	8.7	2.4-31.2
IgM-RF	1.7	0.5-5.6
抗 CCP 抗体＞25units	38.6	9.9-151.0

（van Gaalen FA, et al. Arthritis Rheum. 2004; 50: 709-15）

コラム

RA 発症リスクの高い関節痛とは～ EULAR による Clinically Suspect Arthralgia（CSA）～

　2016 年に欧州リウマチ学会から，診察にて関節の腫脹などの関節炎の所見はないが，こわばり，関節痛など初期症状がある患者で，特に以下表に示す 4 つ以上の項目を認める場合，将来関節リウマチを発症する可能性が高いことが示された．

表 A-4 欧州リウマチ学会による関節腫脹のない原因不明の関節痛などの症状を有する患者の関節リウマチ発症予測因子

以下 7 項目中 4 項目以上認めた場合，感度 70%，特異度 94%の確率で関節リウマチ発症リスクあり

病歴：
1. 関節症状が最近発症した（1 年未満）
2. 中手指節関節（指の先から第 3 関節である MCP 関節）の症状がある
3. 朝のこわばり 60 分以上
4. 朝早くに症状が最も強い
5. 第 1 親等に RA 患者がいる

理学的検査：
6. 握り拳を作るのが困難
7. 中手指節関節（MCP 関節）を手で握ると痛い（squeeze test ＋）

（Ann Rheum Dis. 2017; 76: 491-6）

chapter A ●関節リウマチの診断・薬物治療

> ╺ᴄʜᴇᴄᴋ!╺
> ● 早期 RA 疑い患者では，抗 CCP 抗体が陽性ならほとんどが RA となる

3 多関節炎患者の鑑別疾患に注意！

　関節炎を呈するリウマチ性疾患の多くが多関節炎を起こしうる．しかし，急性発症の場合は，多関節であればまずパルボウイルス B19 などのウイルス感染や心内膜炎，淋菌を含む化膿性関節炎などの感染症の除外が重要となる．多関節炎の原因で最も頻度が高いのは RA であるが，これは人口の約1％，つまり 100 人に 1 人の割合で日常診療にて必ず遭遇する．その発症は少関節 44％＞多関節 35％＞単関節 21％とさまざまであるが，数週～数カ月の経過で付加的に多関節にひろがっていく．その他多関節炎の代表疾患を表 A-5 に示す．RA 以外の膠原病では通常関節炎以外の所見が先行することが多いため，詳細な病歴聴取と身体診察が重要となる．

　また，多関節炎の罹患関節の分布も重要である．RA では通常約 9 割で発症時 PIP や MCP 関節を，約 8 割で手首など手・手指関節などの上肢を，左右対称性に侵すのが一般的である（表 A-6）．しかし，下肢優位の左右非対称性の多関節炎患者をみたら必ず全身の皮膚を観察して，乾癬病変がないか，反応性関節炎の原因となるクラミジア感染の危険がないか，下痢や血便など炎症性腸炎を示す所見がないかなど，脊椎関節炎を考えた診察を行い，

表 A-5　代表的な炎症性多関節炎

リウマチ性疾患	RA，SLE，Sjögren 症候群，全身性硬化症，混合性結合組織病，Behçet 病，脊椎関節炎*，血管炎，リウマチ性多発筋痛症，成人発症 Still 病，急性リウマチ熱
感染症	パルボウイルス B19，HBV，HCV，HIV，感染性心内膜炎，淋菌
結晶性関節炎	痛風，偽痛風，アパタイト結晶性関節炎
薬剤性	薬剤誘発性ループス
その他	サルコイドーシス，溶連菌感染後反応性関節炎，Whipple 病

*乾癬性・反応性・強直性・腸炎性関節炎を含む．

1. 診断時のこころえ

表 A-6　RA 発症時罹患関節

Joint Involvement	% Patients（Mean）	% Patients（Range）
MCP, PIP	91	74–100
Wrists	78	54–82
Knees	64	41–94
Shoulders	65	33–75
Ankles	50	10–67
Feet	43	15–73
Elbows	38	13–60
Hips	17	0–40
Temporomandibular	8	0–28
Spine	4	0–11
Sternoclavicular	2	0–6
Para-articular sites	27	20–29

（Am J Med. 1992; 16: 451-60）

表 A-7　関節炎の分布による鑑別疾患 （図 A-10〜A-12）

下肢の関節優位	脊椎関節炎，変形性関節症，サルコイドーシス，淋菌性関節炎，感染性心内膜炎
手指 DIP 関節	変形性関節症（Heberden 結節）[*1]，乾癬性関節炎，MRH[*2]
PIP/MCP/ 手関節	RA（90％以上が発症時 PIP/MCP を侵す），SLE
MTP 関節	変形性関節症（第一 MTP のみ），結晶性関節炎，脊椎関節炎，RA
左右対称性	RA，SLE，ウイルス性，Sjögren 症候群，急性リウマチ熱，サルコイドーシス，リウマチ性多発筋痛症，変形性関節症
軸関節（仙腸関節や脊椎）	脊椎関節炎，Whipple 病

[*1] 変形性手指関節症では他に PIP 関節（Bouchard 結節），第一 CMC 関節も侵す.
[*2] multicentric reticulohistiocytosis（多中心性細網組織球症）

感染性心内膜炎を疑い感染症徴候や心雑音がないかチェックする．表 A-7 に関節炎の分布による鑑別疾患を示す.

chapter A ●関節リウマチの診断・薬物治療

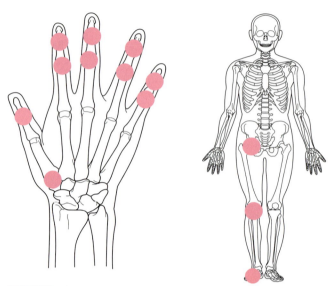

図 A-10 変形性関節症における関節炎好発部位
軟骨に荷重のかかる関節．軟骨の菲薄化．DIP＞PIP，1CMC，股関節，膝．1MTP に多い．

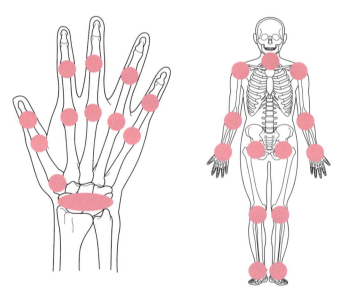

図 A-11 RA における関節炎好発部位
滑膜と関節面の比の大きな関節．大きく動かす関節は潤滑油が必要で滑膜が大きい．IP&PIP，MCT，手首に見られ，DIP には起こらない．

1. 診断時のこころえ

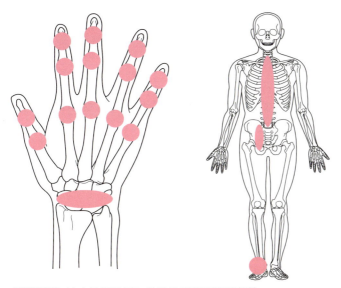

図 A-12　乾癬性関節炎における関節炎好発部位
深部 Köbner 現象．てこの原理（腱付着部を引っ張る関節に多い）．DIP＞PIP＞MCP．Ray 現象．アキレス腱．

4 リウマトイド因子・抗 CCP 抗体に頼りすぎないこと

　リウマトイド因子 rheumatoid factor（RF）は，RA の診断マーカーとして最も一般的に測定されている．ACR の 1987 年 RA 分類基準の 1 項目として挙げられているが，その診断感度と特異度はそれほど高くない．人間ドックで RF を測定する場合もあるため，以下 RF につき少し解説する．

a RF の種類

　RF は，ヒト IgG の Fc 部分に対する抗体で，RA の全経過を通じ約 80〜85％の患者で陽性となると言われているが，発症早期ではその感度は 50％前後で，RF 陰性でも決して RA を除外することはできない．一般的に IgM RF が測定されているため，しばしば臨床研究で出てくる RF は IgM RF のことである．その他，IgG，IgA，IgE クラスの RF があるが，一般検査で測定しているのは IgM RF である．IgG RF は IgM RF 同様関節炎の進行や関節外症状である血管炎発症との相関があるという報告もあるが，IgM RF が

chapter A ●関節リウマチの診断・薬物治療

陰性で IgG RF が陽性になることは稀であり，IgG RF を測定する意義はあまりない．

b RF 検査のタイミング

RF は健常若年者では最大で 4%，高齢者では最大で 25% で陽性（通常，弱陽性〜中等度陽性）を認め，人間ドックなどでの RA のスクリーニング検査としての有用性は確立していない．

一方，持続性の関節炎（特に 6 週間以上持続）を認め RA を疑う場合は，RF の測定を行う．ただ，RA 診断の感度は早期では 50% 以下であると言われ，RA 全期間でさえその陽性率は 7〜8 割であり，陰性でも RA の診断を否定できないことを覚えておく．

chEck!

- RF は関節炎所見のある患者において陽性の時に役立つ検査

c RF 陽性患者のアプローチ

健常人でも陽性になることをふまえ，無症状の場合には，診察で関節炎所見がないことを確認し，現時点では"関節リウマチではない"と安心してもらう．他の疾患でも RF が陽性になることは多く，表 A-8 に挙げるような疾患がないか注意深く問診と身体診察を行う．膠原病では特に Sjögren 症候群，クリオグロブリン血症性血管炎で RF が強陽性になることも知られており，RF が陽性の関節炎だからといって RA とは限らないことも覚えておく．また，感染症，悪性腫瘍，肺，肝疾患でも陽性になることが知られており，注意が必要である．感染性心内膜炎による関節炎に対して，RF が陽性だからといって RA の診断を下し，免疫抑制薬を使用する，といったことのないように留意する．

d 抗 CCP 抗体の登場

病歴と診察から RA が疑われ RF 陽性でも特異度が約 7 割とも報告されている．そこで，より特異度の高い検査として現れたのが抗 CCP 抗体（anti-cyclic citrullinated protein antibody）である．抗 CCP 抗体は，RA 発症

表A-8 RF が陽性となる疾患

膠原病	Sjögren 症候群 全身性エリテマトーデス 混合性結合組織病 全身性硬化症 多発性筋炎・皮膚筋炎 クリオグロブリン血症性血管炎
感染症	感染性心内膜炎 B 型肝炎，C 型肝炎 ウイルス感染症（パルボウイルス B19，風疹，ムンプス，HIV，インフルエンザ） 結核 梅毒 Hansen 病
肺疾患	間質性肺炎 珪肺症
肝疾患	原発性胆汁性肝硬変 肝硬変
その他	回帰性リウマチ サルコイドーシス 一部の悪性腫瘍 ワクチン接種後

注意：健常若年者では最大で 4%，高齢者では最大で 25%で陽性．

の数年前から陽性になることもあり（図 A–13），早期 RA における診断感度も RF より若干高いとされる．

　この抗 CCP 抗体は，登場してまだ数年である．Schellekens GA らにより，1998 年および 2000 年に，フィラグリンにみられる環状シトルリン化ペプチドに対する抗体が RA 患者に感度 68%，特異度 98%でみられることが報告され，その特異度の高さより注目された．現在では第 2 世代の抗 CCP 抗体が測定され，その高い特異度は維持し，感度は RF と同程度とされている．本邦の厚生労働省研究班の報告によれば，抗 CCP 抗体陽性であった診断未確定関節炎患者の 88.4%が 1 年後に RA に進展したのに対し，陰性の患者で RA に進展したのは 48.9%であった．また，弱陽性の患者よりも強陽性の患者の方が関節破壊進展が早い（図 A–14）．

　ただこれらの抗体検査で注意すべきは，RA に対する診断感度はいずれも高くなく（抗 CCP 抗体で 67%，RF で 69%，早期 RA ではさらに低い[2]），

chapter A ●関節リウマチの診断・薬物治療

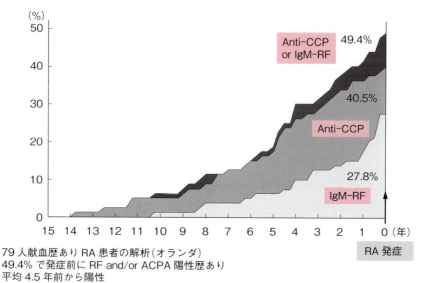

79人献血歴あり RA 患者の解析（オランダ）
49.4％で発症前に RF and/or ACPA 陽性歴あり
平均 4.5 年前から陽性

図 A-13 関節リウマチ発症数年前から抗 CCP 抗体陽性
（Nielen MM, et al. Arthritis Rheum. 2004; 50: 380-6）

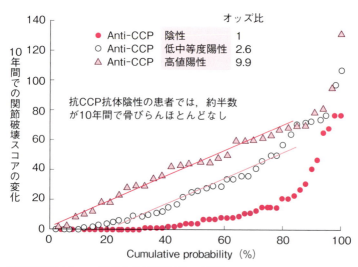

図 A-14 抗 CCP 抗体価と関節予後の関係
（Syversen SW, et al. Ann Rheum Dis. 2008; 67: 212-7）

1. 診断時のこころえ

表 A-9 早期リウマチにおける抗 CCP 抗体と RF

	感度（%）	特異度（%）
抗 CCP 抗体陽性	41〜63	91〜100
RF 陽性	41〜66	87〜97
抗 CCP 抗体もしくは RF 陽性	52〜67	72〜82
抗 CCP 抗体と RF 陽性	33〜58	98〜100

（Aggarwal R, et al. Arthritis Rheum. 2009; 61: 1472-83）

これらが陰性でも，特に早期では RA は除外できないことである．逆に，抗
CCP 抗体と RF の両方が陽性であれば，診断特異性がさらに向上するとも
報告されている（表 A-9）．

　ちなみに CRP，赤沈などの炎症反応も上昇していれば重要な予測因子で
あるが，RA 診断時，約 40％で炎症反応がみられないことがあるという報
告もあり，炎症反応がないからといって RA の除外にはならないことも知っ
ておく必要がある．

コラム

抗 CCP 抗体陽性の膠原病

　抗 CCP 抗体が陽性となる早期関節炎患者では確かに RA の可能性は非常
に高いことは既に述べた．しかし，100％ということはなく，他の膠原病で
も陽性となる疾患が存在する（表 A-10）．特に Sjögren 症候群や SLE では
RA のような関節炎を起こすが，診断のポイントは他の膠原病では通常関節
炎以外の所見が先行することが多いということと，骨びらんを起こすことは
少ないということである．特に Sjögren 症候群は RA に 2 次的に起こってく
ることも多いため，Sjögren 症候群による滑膜炎か，関節炎の原疾患は RA
で 2 次的に Sjögren 症候群を合併する場合もある．この場合，発症早期で単
純 X 線では骨びらん同定が困難な時は，MRI で骨びらんを同定すれば RA の
診断，同定しなければ Sjögren 症候群の診断，という状況もありえる．これ
らの疾患の除外は治療方針の決定において必須であり，2007 年に発表され
た欧州リウマチ学会（EULAR）の早期関節炎の治療に関する推奨[3]では初
期のスクリーニング検査として抗核抗体（ANA）の測定を勧めている．通

chapter A ●関節リウマチの診断・薬物治療

表A-10 抗 CCP 抗体の RA 以外の疾患での陽性率

	患者数	抗 CCP 抗体（%）
乾癬性関節炎	1,343	8.6
SLE	1,078	8.4
Sjögren 症候群	609	5.7
脊椎関節炎	431	2.3
全身性硬化症	380	6.8
C 型肝炎	285	3.5
変形性関節症	182	2.2
B 型肝炎	176	0.6
若年性特発性関節炎	169	7.7
リウマチ性多発筋痛症	146	0
血管炎	107	4.7
結核	96	34.3
筋炎	75	0
線維筋痛症	74	2.7
痛風・偽痛風	58	0

（Aggarwal R, et al. Arthritis Rheum. 2009; 61: 1472-83）

常，抗核抗体が陽性となるような疾患を診療していない場合は，抗核抗体が陽性の患者には一度だけでも総合内科や膠原病科を受診してもらうと安全かもしれない．

　RA 以外の疾患で手指の関節炎を呈し，骨びらんも起こす関節炎ということでは，乾癬性関節炎も鑑別としては重要で，稀ではあるが抗 CCP 抗体も陽性になることもある．鑑別のポイントは，皮膚の乾癬の病歴および家族歴（2 親等まで）の聴取，身体所見では患者が否定しても肘や膝，頭皮，臍や鼠径部の皮疹の診察を行い，関節炎の分布で DIP 関節を侵したり，左右非対称性の下肢優位の関節炎，付着部炎の合併，点状陥没や爪甲剥離症などの爪の変化がみられた場合には乾癬性関節炎を疑う．進行した際の X 線では特徴的な pencil-in-cup 変形（productive marginal erosion）をきたすことも多い．RA では DIP を侵さず，X 線にて骨新生像 productive になることはないため区別できる．

　また，抗 CCP 抗体の落とし穴としては結核がある．健康診断で RF 陽性で

1. 診断時のこころえ

抗CCP抗体を測定したらそちらも陽性だったので紹介されたという患者でも，全く関節症状がないこともあり，よくよく聞いてみると結核の病歴があったというケースに何回か遭遇したことがある．関節炎での鑑別ではないが，理由がわかると患者も納得するので覚えておいて損はないかもしれない．

> コラム

RA発症リスクの高い患者では抗CCP抗体が発症予測する

メキシコで行われた研究で，第一親等内の家族に関節リウマチ患者を持ち発症リスクが高いと考えられる819人の健常者を平均約8年間フォローし，ベースラインの血清反応とRAの発症の関係を検討した．その結果，819名中17人（2.1%）がRAを発症した．ベースラインで抗CCP抗体陽性者は23人，リウマトイド因子陽性者は27人であったが，リウマトイド因子の有無にかかわらず抗CCP抗体陽性者はその約6割がRAを発症した．一方，ともに陰性であった患者では3名（0.4%）のみRAを発症した．
（Arthritis Rheumatol. 2015; 67: 2837-44）

> cHEck!

- 早期リウマチ患者の約3人に1人はRFも抗CCP抗体も陰性
- 早期リウマチ患者の40%までは炎症反応正常のことがある

> コラム

禁煙励行

第一親等内にRA患者を持つ発症リスクの高い患者を前向きにフォローしているSERAコホートの解析結果が2016年に発表になった．図A-15に示すように年齢にかかわらず喫煙量が高いほどRA発症リスクが増加していることが示された．2006年に米国リウマチ学会誌に喫煙者の肺胞上皮細胞においてシトルリン化蛋白が発現していることが示されており，抗環状シトルリン化蛋白抗体である抗CCP抗体の発現との関連が示唆されている．

RA発症リスクの高いと思われる患者では，歯周病とシトルリン化蛋白との関連と合わせ環境因子を極力減らすため，禁煙や洗口液などによる口腔ケ

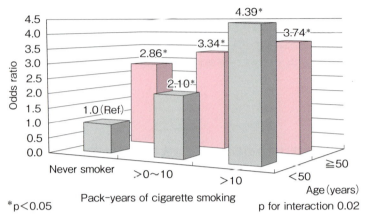

図 A-15　RA 患者の第 1 親等家族
The SERA cohort: multicenter, prospective FDR cohort study
(Arthritis Rheum. 2016; 68: 1828-38)

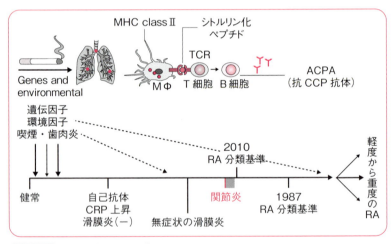

図 A-16　RA 発症メカニズム
(van de Sande MG, et al. Ann Rheum Dis. 2011; 70: 772-7 より改変)

アの指導を行うようにしている.
　また, Sweden からの報告で, 喫煙者は非喫煙者と比較し TNF 阻害薬や MTX に対する治療効果（EULAR good response 率）がより低いことも示されており, RA 患者においても禁煙を勧めるようにしている.
　図 A-16 に上記環境因子を含めた関節リウマチ発症メカニズムを示す.

RF/Anti-CCP 抗体以外の新しい予後不良因子の検討

　RF/Anti-CCP 抗体陽性患者は陰性患者より関節破壊の進行が速く，予後不良因子として広く使用されている．しかし，両者とも陰性なのに進行する患者も日常診療ではみる．このような患者で今後候補となるマーカーが報告されている[4]．

　一つめは抗 Carbamylated 蛋白抗体（Anti-CarP 抗体）である．Carbamylation とはイソシアン酸と特定のアミノ酸残基（ここではリシン）との非酵素反応に起因するタンパク質の翻訳後修飾（ここではホモシトルリン化）で，タンパク質の構造および機能特性を変化させ，分子の老化に寄与する．関節リウマチ患者においても，抗 Carbamylated 蛋白抗体陽性患者では陰性患者より関節破壊進行が有意に高かったことが示されており，最近，発症予測因子としても期待されている[5]．

　もう一つが 14-3-3 η（エータ）で，クロイツフェルト・ヤコブ病でも有用なマーカーとして検討されている血清の pro-inflammatory marker である．最近 RA および脊椎関節炎の予後不良因子マーカーとして注目されており，2014 年の報告では，早期 RA（n=99），established RA（n=135），とコントロール群（n=385）および健常者コントロール（n=189）で検討を行ったところ，cutoff≧0.19 とすると，早期 RA 患者で感度 64％で，RF 57％，anti-CCP 抗体 59％より優れており，3 つを組み合わせることで早期 RA の診断感度 78％まで上昇した．また，陽性者の方が，X 線進行が有意に認められ予後不良因子としてもその可能性が報告されている[6]．

　以上 RF/anti-CCP 抗体陰性の血清陰性 RA 患者で早期の診断，また予後不良因子として今後大規模な臨床研究を期待する．

chapter A ●関節リウマチの診断・薬物治療

5 関節エコーや MRI を活用しよう

　実際の診療で朝のこわばりや疼痛があり早期 RA を疑うが，他覚的に関節の腫脹はなく，圧痛が軽度なことはよく経験される．単純 X 線では早期の骨変化は同定できず，このような時には役に立たない．そこで，直接滑膜炎を同定でき，早期の骨病変もみることができる関節エコーや関節 MRI が RA の早期診断において重要な役割を果たしている．

　以下に挙げる状況でエコーや MRI は使用されるであろう．

　　①身体所見で迷う時〔例：患者の訴えまたは圧痛はあるか，触診による関節腫脹の評価が難しい大関節（肩・膝）の評価，線維筋痛症の合併か真の関節炎か触診で迷う時，関節所見に比して炎症反応が高値に感じられる時〕

　　②他の膠原病で関節炎があり RA の診断との鑑別を迷う時，骨びらんの有無を早期に同定したい時（Sjögren 症候群，全身性エリテマトーデス，リウマチ性多発筋痛症など）

　　③生物学的製剤導入時に骨びらんを同定し患者説明に使用したり，一次無効の早期判断

　このような場合，MRI は単純 X 線ではわからない滑膜炎や骨髄浮腫などの炎症所見があるか，骨びらんがあるかを早期にとらえることができる．また RA 患者において単純 X 線より約 2 年早く新生骨びらんをみつけることができたとの報告もあり，その役割は拡大している．実際，MRI では発症から 6 カ月で利き手の手首には 45％で骨びらんが認められると報告されている[7]（図 A–17，A–18）.

　RA の MRI 所見で注目すべきポイントを表 A–11 にまとめた．

24

1. 診断時のこころえ

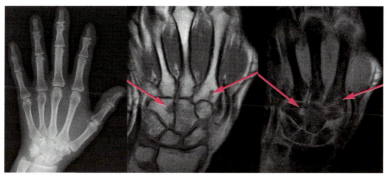

図 A-17　関節破壊は発症 4 カ月でも始まっている
単純 X 線では同定できない骨びらんを MRI で同定している．
（岡田正人．medicina. 2008; 45: 90-3）

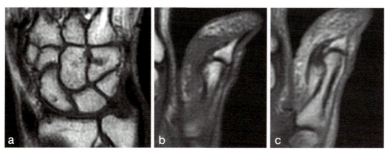

図 A-18　右手関節（a），右母指（b, c）の MRI 所見
a：T1 強調冠状断像．有頭骨，有鉤骨，舟状骨に骨びらんを認める．
b：T1 強調画像，c：造影 T1 強調画像．IP 関節の滑膜増殖，周囲の炎症が Gd 造影でより明らかになっている．

表 A-11　RA の MRI 画像所見

病変	MRI 撮像法	診断基準
滑膜炎	造影前後の T1 強調像	滑膜が正常より肥厚し，造影される
骨びらん	T1 強調像	骨皮質の小さな欠損（欠損部低信号域）
骨髄浮腫	脂肪抑制 T2 強調像（STIR など） T1 強調像	海綿骨内の高信号域 海綿骨内の低信号域

（Borrero CG, et al. Nat Rev Rheum. 2011; 7: 85-95）

抗CCP抗体陽性の関節腫脹のない患者で関節エコー所見がRA発症を予測（図A-19）

　関節痛や関節のこわばりで紹介になった患者を想像していただきたい．診察にて明らかな関節腫脹がなくても抗CCP抗体が陽性で関節超音波検査にてパワードップラーシグナル陽性の滑膜炎を認める患者ではその後炎症性関節炎の発症リスクが増加することが示されている．当たり前の結果であるが，日常診療でも有用である．

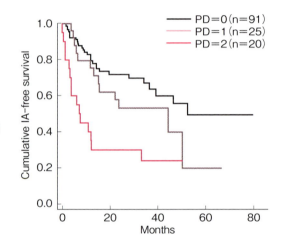

図A-19 US PDシグナルが症状＋ACPA陽性患者のIA発症の予測因子
（Ann Rheum Dis. 2016; 75: 2060-6）

1. 診断時のこころえ

6 2005 年早期 RA 診断基準を理解しておくこと

表 A-12 に厚生労働省研究班による早期 RA の診断基準案を示した．前述した抗 CCP 抗体や MRI の登場が大きな役割を果たしている．MRI のコストが欧米の約 1/10 以下の日本では，診断に迷う早期関節炎患者において有用な基準と考えられる．

cHEck!

- 2005 年早期 RA 診断基準案では，前述の抗 CCP 抗体や MRI の登場が大きな役割を果たしている

表 A-12 早期 RA の診断基準案（江口研究班．2005）

1. 抗 CCP 抗体または IgM-RF
2. MRI 画像による対称性手・指滑膜炎
3. MRI 画像による骨髄浮腫あるいは骨びらん
　　2 項目以上で早期 RA と診断

RA の診断感度 81.5%，特異度 95.2%（Ann Rheum Dis. 2006; 65: 134）
補足：2009 年度日本リウマチ学会で，上記 3 点以上の患者が 1 年後に表 A-1 の分類基準を満たす感度は 75% で，RF 陽性あるいは抗 CCP 抗体陽性で MRI で骨髄浮腫を認めた患者では 100% が分類基準を満たすという報告がある（表 A-13）．

表 A-13 分類不能関節炎患者の抗 CCP 抗体と造影 MRI 所見

抗 CCP 抗体	関節炎のある手の造影 MRI (1.5T)における骨髄浮腫	対象患者数	RA 進行例（%）	RA 非進行例（%）
+	+	16	16(100)	0(0)
+	−	31	27(87.1)	4(12.9)
−	+	10	5(50)	5(50)
−	−	72	27(37.5)	45(62.5)

*この研究においては MRI における骨びらんも評価されているが，骨髄浮腫が感度は同様で特異度は勝っているとされている．
（Tamai M, et al. Arthritis Rheum. 2009; 61: 772-8）

chapter A ●関節リウマチの診断・薬物治療

7 新しい分類基準とその問題点も知っておこう

a 2010 年 RA の分類基準改定

2009 年 10 月 18 日フィラデルフィアで開催された第 75 回 ACR 年次総会において，ACR と EULAR の共同作成により 20 年ぶりの新しい RA 分類基準が発表され，2010 年 6 月の EULAR で最終決定した[8]．昨今の生物製剤を含めた治療の進歩に加え，早期に診断し，機能障害・構造異常が起きる前から tight に疾患活動性をコントロールすることによる予後の改善などのさまざまなエビデンスが蓄積され，もはや 20 年以上も使用されている分類基準では限界となってきていた．今回の分類基準の改定はそのような臨床現場からの強い要請に応えるべく，"早期に抗リウマチ薬による治療開始が必要な患者を同定すること"を目標に作業が進められた．

b 背景～1987 年 ACR RA 分類基準の限界～

広く使用されていた 1987 年 ACR RA 分類基準[10] は表 A–1 として既に示した（9 頁）．ご存知のように 7 項目中 4 項目以上当てはまると RA と分類する基準であるが，例えば，数カ所の関節炎（少関節炎）で発症した早期の患者を考えてみると，単純 X 線写真で異常もなく，リウマトイド結節もみられず，RF も陰性（早期では陽性率は約 50％前後）であることも多く，発症早期の段階では，臨床上明らかな RA であっても RA と分類できない．ある研究[11] では，5 年で全例 RA と分類される患者を遡って検討してみると 2 年の段階でさえその約 20％が基準を満たさない．しかしながら，2 年間無治療で経過すると約 2/3 の患者ですでに骨びらんをきたすと報告されており，早期診断においてこの基準を当てはめるのには限界がある．前述したとおりこの分類基準は約 8 年もの罹病期間のある RA 患者をもとに作られた基準であり，早期診断を念頭に作られてはいない．早期診断・治療の重要性が認識され，ここ数年，欧州を中心に早期関節炎クリニックで患者をフォローした疫学研究がいくつも発表されてきた．これらは 1987 年 ACR RA 分類基準を満たさないが RA が疑われる関節炎患者を undifferentiated arthritis（診断未確定関節炎：UA）と定義し，経過中 RA を発症（1987 年 ACR RA 分類基準を満たす）する予測因子スコア[12] なども検討されてきた．

28

1. 診断時のこころえ

> **コラム**
>
> **早期関節炎患者における MTX 治療による RA 進展予防効果**
>
> 早期関節炎患者を対象に行われた PROMPT 試験[9]は，ACR の 1987 年 RA 分類基準を満たさない発症 2 年以内の診断未確定関節炎患者を MTX 治療群（n = 55）と placebo 治療群（n = 55）に分けた double blind RCT である．RA の分類基準を満たした場合を primary endpoint として，X 線学的進行度の評価も行った．30 カ月後に RA の分類基準を満たした患者は，MTX 群で 40%（22/55），placebo 群で 53%（29/55）と治療による有意差を認めず，X 線学的進行も p = 0.15 と両群で有意差を認めなかった．ただ，抗 CCP 抗体陽性患者のみをサブ解析すると，MTX 使用により有意に RA への進行患者数および X 線学的進行度（p = 0.03）を低下させることができた．この研究以外にも，抗 CCP 抗体は，早期 RA における診断的および関節破壊予測因子として重要であり，旧 RA 分類基準を満たさない場合でも，少〜多関節炎を起こす明らかな原因を除外した段階で，抗 CCP 抗体陽性なら積極的な治療となることを示した研究であった．しかし，逆に抗 CCP 抗体が陰性であった患者群では早期 MTX 導入が予後改善につながった患者は少数派であり，この群では積極的な早期治療の対象患者の選定を慎重に行う重要性を示している．図 A-20 に現時点で考えられる RA に至る段階を示す．

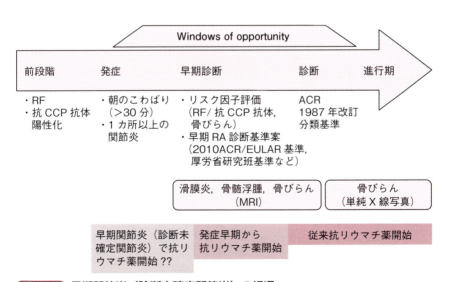

図 A-20 早期関節炎（診断未確定関節炎）の経過

このような背景から，早期 RA の診断においてより感度が高く，国際的に標準として使用できる基準が作成された．

C ACR/EULAR 関節リウマチ分類基準 2010（図 A-21）

2010 年新基準は，2009 年 EULAR で発表された表 A-14 と比べると簡略化された基準となっている．大きな変更は，まずはじめに上記必須項目の

(1) 少なくとも 1 カ所の関節で滑膜炎（診察で腫脹）の存在
(2) 関節炎の原因として他疾患の可能性がない（除外診断）

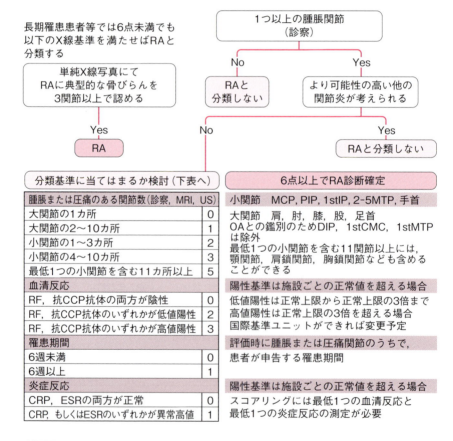

図 A-21　ACR/EULAR 関節リウマチ分類基準 2010
（平成 22 年 7 月 1 日発行 No.101 日本リウマチ財団ニュースより改変）

1. 診断時のこころえ

表 A-14 RA 発症の可能性を判断するためのスコアリングシステムと重み付け

血清学的検査陽性（抗 CCP 抗体，RF）		
i	RF（−）および抗 CCP 抗体（−）	0
ii	低値：RF（＋）および／または抗 CCP 抗体（＋）	22
iii	高値：RF（＋）または抗 CCP 抗体（＋）	34
急性期反応物質（CRP，ESR）（感染症など他の原因を除外）		
i	正常	0
ii	異常	6
関節炎の数と分布*		
i	1 カ所の中〜大関節	0
ii	非対称性の中〜大関節（少なくとも 2 カ所）	10
iii	対称性の中〜大関節（少なくとも 2 カ所）	16
iv	1〜3 カ所の手指・足趾関節（MCP，PIP，MTP2〜5）あるいは手関節	21
v	4 カ所以上の非対称性の手指・足趾関節（MCP，PIP，MTP2〜5）あるいは手関節	28
vi	4 カ所以上の対称性の手指・足趾関節（MCP，PIP，MTP2〜5）あるいは手関節	29
vii	10 カ所以上の手指・足趾関節	50
関節炎の持続期間		
i	＜4 週間	0
ii	4〜8 週間	8
iii	＞8 週間	10
合計スコア（最高点は 100）		

＊滑膜炎だけでなく，腫脹／圧痛関節を含む．

を満たすことが大前提となったことである．つまり，診察にて腫脹がない患者にはこの基準は適応されない（RA と分類されない）．また除外診断が重要で，除外診断に自信が持てない場合，リウマチ膠原病専門医の評価を推奨している．その他の変更として，「左右対称性」は MCP 関節，手関節以外では鑑別に有用性が認められなかったために削除され，中関節の項目はなくなり，小関節以外はすべて大関節に分類されている．

chapter A ●関節リウマチの診断・薬物治療

①診断基準ではなく分類基準になったのはなぜか？

　分類基準は世界的に RA の研究を行っていく上で同等の母集団を分類するために使用されるという側面を持つ．今回の 2010 年基準は当初 "診断基準および分類基準" になる可能性もあったが，各国の診療環境や保険制度も異なり，"診断基準" としてしまうと基準が独り歩きして，臨床的には RA に間違いないと思っていても "診断基準" を満たさない患者では治療ができない，などの弊害も出かねない．最終的には 1987 年の分類基準と同様に 2010 年分類基準となった．筆頭著者の Aletaha も言及しているが，日常診療においてはこの分類基準を診断のガイドとして使用するよう勧められている．

②長期罹患患者での対応はどうすればよいか？

　RA に準ずる病歴があるが分類基準を満たすための十分な活動期の記録が残っていない場合でも，X 線上 RA に典型的な骨びらんがみられれば，新基準でも RA と分類される．また，新基準を過去に満たしていた患者の場合，現在は非活動性で新基準を満たさなくても，患者は RA のままとする（以前の基準と同様）．

③ "RA の典型的な骨びらん" とは何か？

　2010 年の RA 新分類基準発表時には "典型的な骨びらん" の定義は言及されなかった．というのも，そもそもこの基準は骨びらんがなくても早期に診断を行い骨びらんを起こさないように DMARDs 治療を開始するための基準であり，図 A-21 にあるように骨びらんの有無は問わない．しかし，長期罹病期間があり骨びらんがすでに存在するが現在活動性があまりなく新基準で 6 点未満の患者や，早期関節炎ですでに骨びらんがあり新基準で 6 点未満の患者などでは問題となる．そこで 2013 年，RA に典型的な骨びらんの定義が発表になり，辺縁の骨びらん（図 A-22）を 3 関節以上で認めた場合，新基準 6 点未満でも RA と分類できるようになった（6 点未満のときの分類アルゴリズム，図 A-23）．これはオランダの Leiden およびフランスの ESPOIR コホートの患者で，Baseline で新分類基準は 6 点未満で満たさないが 1 年以内に DMARDs が開始され，関節炎が 5 年以上持続している患者を RA と定義したところ，Baseline で 3 関節以上 [PIP 関節，MCP 関節，手首（手根骨のびらんはいくつあっても 1 関節と数える），MTP 関節の評

1. 診断時のこころえ

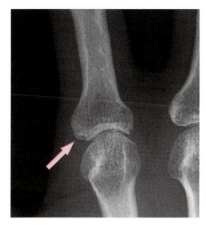

図 A-22 RA に典型的な骨びらん
3 関節以上で RA と分類

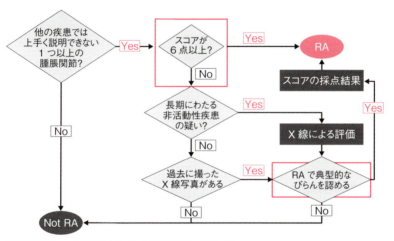

図 A-23 5 点以下のときの分類アルゴリズム
(Ann Rheum Dis. 2013; 72: 479-81)

価]に骨びらんを認めた場合の診断特異度はそれぞれのコホートで 95%,91%と高く 3 関節が選ばれた.

d 今後の課題

以下は日本リウマチ学会ウェブサイト[13]に掲載されている新分類基準の問題点である.

chapter A ●関節リウマチの診断・薬物治療

今回の分類基準は，早期 RA の診断にはきわめて有用であるが，偽陽性が多く出る可能性があり，本基準を使用する医師は，広範な関節疾患の鑑別診断ができることが前提である．

　　例1：全身性エリテマトーデス（SLE），皮膚筋炎，Behçet 病などでみ
　　　　　られる多発性あるいは少関節炎と RA の鑑別
　　例2：Bouchard 結節の多発した変形性関節症（OA）と RA との鑑別

十分な鑑別を行わずに分類基準を当てはめることにより，適応のない患者が MTX を処方される可能性も指摘されている．

つまり，この基準は"早期診断および MTX を用いた治療に精通した医師が使用することが前提"であり，RA とその類似疾患に慣れていない医師が使用した場合にどうなるか，今後の検討が必要である．また，基準作成委員に日本からの代表者は含まれておらず，必ずしも本邦の意見は反映されていないことに加え，この基準は主に欧州のコホート（下記の column で述べた Phase 1 参照）から提出された患者症例をもとに作成されており，人種差，診療環境の違いなどが存在することは否定できず，今後日本での検証も必要である．

コラム

新分類基準作成過程の詳細

"持続性関節炎や骨びらんをきたす確率がきわめて高く（DMARDs による）治療を開始すべき早期炎症性関節炎患者を同定する"という目的のもと，以下の 3 つの作業を経て新基準が作成された．

① Phase 1：統計的手法を用いた解析
② Phase 2：RA 専門医パネルによる検討
③ Final phase: RA 専門医パネルによるコンセンサス
①〜③の詳細を以下に示す．

① **Phase 1**

まず，ACR/EULAR Task Force で解析を行った．ここでは，3,115 例（9 コホート：8 つは欧州から，1 つはカナダからのコホート）の基準（炎症性関節炎，関節炎症状は 3 年未満，DMARDs や MTX 治療歴はない，2000 年以降に登録，関節炎の原因として他の疾患は考えられない）をすべて満たす患

1. 診断時のこころえ

表A-15 Phase 1 で同定された RA 発症の予測因子*

① PIP 腫脹
② MCP 腫脹
③手関節腫脹
④手関節圧痛
⑤ CRP あるいは ESR の上昇
⑥血清学的検査で RF あるいは抗 CCP 抗体陽性
*手指関節所見（PIP 腫脹，MCP 腫脹，手関節腫脹，手指関節圧痛）は非常に重要

者をもとに，単変量解析，因子分析，多変量解析を用いて"炎症性関節炎から RA 発症の予測因子"を同定する作業が行われた．ここで最も重要な"RA 発症"の定義は"炎症性関節炎発症後 1 年の時点で MTX を使用している患者"と定められた．これは欧米の RA 治療において MTX がアンカードラッグでありファーストチョイスとして広く使用されているため"MTX をリウマチ専門医が開始＝ RA"といった前提がある．表 A-15 に Phase 1 で同定された RA 発症予測因子を示す．

＜ 1987 年分類基準との相違点＞

「朝のこわばり」の項目であるが，朝のこわばりが 1 時間未満の RA 患者も多く存在し，他の疾患との鑑別に有意な差がでなかったため削られた．リウマトイド結節は早期では頻度が低く早期診断には有用でないため削られた．

② Phase 2

次に，ACR Classification & Response Criteria Committee にて検討が行われた．ここでは，まず ACR/EULAR により選定された 22 名の RA 専門医（パネルメンバー）が，症状発現から 12 カ月以内の診断未確定関節炎で，"RA を発症する"可能性の程度の異なる症例を 1 名あたり 3〜5 症例提出した．提出された全 86 症例から 30 症例を選別し，Phase 1 の結果のレビュー，RA を発症する可能性の程度の 5 段階にランク付け，MTX による治療開始の是非を検討し，最終的に RA を発症する可能性の程度を，患者が保有する因子をもとに検討し，RA 発症の予測因子を同定する作業が行われた．

その結果，Phase 2 では，RA 発症予測因子の必須条件として

（1）少なくとも 1 カ所の関節で滑膜炎の存在

（2）関節炎の原因として他疾患の可能性がない

が定められ，以下の基準項目

（1）血清学的検査による RF および抗 CCP 抗体陽性

（2）関節炎の数と分布

chapter A ●関節リウマチの診断・薬物治療

 （3）急性期反応物質（CRP, ESR）
 （4）関節炎の持続期間
を検討してRAの診断を行うよう2009年6月に行われたEULAR 2009年次総会にて表A-14が発表された．この基準4項目の最大スコアをそれぞれ合計すると100点になり，"100分の何点以上がRAの診断になるのだろう？"といった議論がEULAR 2009では飛び交っていた．
 ③ Final phase
　表A-14の発表後，最後に，RA専門医パネルメンバーによるコンセンサス，予測因子の簡略化と診断のカットオフスコアの決定，56症例でそれら基準を検証するといった作業が行われ，RA新分類基準（図A-21）が2010年EULAR年次総会で最終発表となった．

8 問題点を踏まえたうえで，2010年分類基準を使ってみよう！

　新基準は平均罹病期間8年の患者を基に作成された1987年のACR分類基準と比して，より早期の患者を対象に解析された結果を基に作成されているため，早期の患者の診断において感度が高く，早期治療の実現を目標にしている．特異度に関しては，より可能性の高い他の関節炎を起こす疾患の除外が前提となっているため，これまでの基本的な関節の診察と単純X線の読影能力があれば均一的な適用が可能であった基準と比べ，医師のバックグラウンドと臨床経験に左右されるので一般的には検証が難しいと考えられる．逆に，定義上は旧基準ではRAと分類されうる多くの乾癬性関節炎の患者などが除外されるという利点もある．まず，簡単に新基準を旧基準と比較して解説する．

a 腫脹関節の同定

　新基準では，RAを疑う患者において関節腫脹があるかを判定することから始まる（図A-21）．RAを疑う理由は関節痛，血清反応，炎症反応の上昇などさまざまであるが，診察にて関節腫脹が客観的に示されることが第一のステップとなる．

36

1. 診断時のこころえ

b 除外診断

次に，その関節腫脹が他の疾患でより可能性が高く説明できるかの解析となる．他の疾患として鑑別に挙げられるものの例としては，高齢者では変形性関節症，リウマチ性多発筋痛症，CPPD 結晶性関節炎，更年期における一過性の関節腫脹と関節痛，どの年齢でも見られる SLE，Sjögren 症候群などの抗核抗体関連疾患，乾癬性関節炎や反応性関節炎などの脊椎関節炎，ヒトパルボウイルス B19 などのウイルス性関節炎が日常遭遇する関節リウマチの鑑別診断である（表 A–16）．乾癬性関節炎に関しては CASPAR 分類（表A–17），SLE（表 A-18 および ACR2017 発表新基準，表 A–19）や Sjögren症候群（2016 年発表新基準，表 A–20）においても分類基準が存在する．

表 A-16 RA の鑑別診断（下線は特に RA との鑑別に役立つ所見）

鑑別診断	RA と異なる診察所見	RA と一致する診察所見	RA と異なる病歴	RA と異なる検査所見	年齢
変形性関節症	DIP 関節腫脹，MCP 関節正常	PIP 関節腫脹	より高齢	血清反応，炎症反応正常	高齢者
リウマチ性多発筋痛症	近位筋の痛み，手の浮腫	PIP，手関節腫脹	高齢，寝返りにおける疼痛	抗 CCP 陰性，高度の炎症反応	
CPPD	軟骨の石灰化 単関節が多い 指趾が多い	手関節炎	高齢 糖尿病，甲状腺疾患など 急な発症	血性反応陰性 関節液内結晶	
更年期	関節熱感なし	PIP，MCP 関節腫脹，こわばり	更年期に発症し数カ月で寛解	血清反応，炎症反応正常	更年期
SLE	蝶形紅斑，脱毛，口腔潰瘍	PIP，膝関節腫脹	光線過敏，移動性関節炎	ANA，補体低下，血球減少	いかなる年齢でも
ウイルス性（HPVB19，肝炎，風疹，HIV）	皮疹，肝脾腫	PIP，MCP，手関節腫脹	子供（HPVB19；リンゴ病）への曝露，STD	肝酵素上昇，ウイルス抗体検査	
乾癬性関節炎	皮疹，DIP，nail pitting，腱付着部炎，脊椎炎	PIP 関節腫脹	乾癬の家族歴，大動脈弁閉鎖不全	血清反応陰性	

chapter A ●関節リウマチの診断・薬物治療

表 A-17 CASPAR 乾癬性関節炎分類基準

炎症性関節病変（関節炎，脊椎炎，腱付着部炎）
　　　　　　＋
1. 乾癬の病歴
　　乾癬皮膚病変　　　　　　　　　　　　　　2
　　もしくは乾癬家族歴（1, 2 親等）　　　　　1
2. 乾癬の爪病変　　　　　　　　　　　　　　1
3. RF 陰性　　　　　　　　　　　　　　　　1
4. 指炎（dactylitis）　　　　　　　　　　　　1
5. 傍関節骨新生　　　　　　　　　　　　　　1

3 点以上で基準を満たすと定義
特異度 98.7%，感度 91.4%

（Taylor W, et al; the CASPAR Study Group. Arthritis
Rheum. 2006; 54: 2665-73）

表 A-18 ACR SLE 分類基準 1982 年（1997 年改訂）

1. 蝶形（頬部）紅斑
2. ディスコイド疹
3. 光線過敏症
4. 口腔内潰瘍
5. 関節炎
6. 神経障害
　　　a）けいれん　b）精神障害
7. 漿膜炎
　　　a）胸膜炎　b）心膜炎
8. 腎障害
　　　a）蛋白尿　b）細胞性円柱
9. 血液学的異常
　　　a）溶血性貧血　b）白血球減少症　c）リンパ球減少症　d）血小板減少症
10. 免疫学的異常
　　　a）抗 dsDNA 抗体　b）抗 Sm 抗体　c）抗リン脂質抗体
11. 抗核抗体

（Hochberg MC for the Diagnostic and Therapeutic Criteria Committee of the American
College of Rheumatology. Arthritis Rheum. 1997; 40: 1725）

①変形性関節症（OA）

　手指 OA は，50 歳以上の女性の 3 人に 2 人，50 歳以上の男性の 2 人に 1
人に見られると考えられており非常に頻度が高い．OA は単純化すれば軟骨
の菲薄化から関節部の骨に荷重がかかることにより変形をきたす疾患であ

1．診断時のこころえ

表 A-19 **2019 EULAR/ACR SLE 分類基準**

10 点以上で SLE
臨床基準

	点数
全身症状：発熱	2
皮膚	
非瘢痕脱毛	2
口腔内潰瘍	2
SCLE or DLE	4
Acute 皮膚 Lupus	6
関節：滑膜炎 ≧ 2 関節 or 圧痛 ≧ 2 関節＋朝のこわばり ≧ 30 分	6
神経	
せん妄 /Psychosis/ けいれん	2/3/4
漿膜	
胸水・心嚢水	5
急性心膜炎	6
血液：WBC（< 4000)/Plt ↓ /AIH	3/4/4
腎臓：蛋白尿 > 0.5 g/24 h	4
腎生検 Class Ⅱ or Ⅴ腎炎	8
腎生検 Class Ⅲ or Ⅳ腎炎	10

組み入れ基準：抗核抗体（HEP2 IF）≧ 80 の既往
以下スコアー時の注意点：
・SLE 以外（感染症，悪性腫瘍，酒さ，内分泌疾患，他の自己免疫疾患）で出ている所見はスコアーしない
・少なくとも 1 回以下の所見があればよい
・所見は同時に起きる必要ない
・少なくとも 1 つの臨床基準満たす
・各 Domain で最高スコアーをとる

免疫学的基準

	点数
抗リン脂質抗体	
ACL IgG > 40 GPL units or β2GP1 IgG > 40 units or ＋ LAC	2
低補体血症	
低 C3 or 低 C4	3
低 C3 and 低 C4	4
高特異度の抗体	
抗 dsDNA 抗体	6
抗 Smith 抗体	6

（Ann Rheum Dis. 2019; 78: 1151）

る．よって，荷重が軟骨に垂直にかかりやすい DIP や 1st CMC や 1st MTP 関節に頻発し，今回の新しい RA 分類基準でも鑑別のためこれら関節のみでなく，1st CMC 関節，1st MTP 関節は罹患関節から除外されている．逆に MCP 関節が変形性関節症で侵されることは，過去の外傷やヘモクロマトーシス以外では非常に稀である．局所に軽度の炎症所見を呈すことは少なくないが，一般に血液検査での炎症反応は陰性で，倦怠感，微熱，慢性貧血などの全身性に炎症を示唆する所見は認めない．単純 X 線上も，関節面の骨硬化像や erosive OA と呼ばれる早期にびらんを呈する型においても，RA が関節辺縁からの骨びらんであるのに対して，erosive OA では関節裂隙の狭

chapter A ●関節リウマチの診断・薬物治療

表A-20　ACR/EULAR2016 Sjögren 症候群分類基準

Inclusion：1. 3 カ月以上口腔乾燥もしくはドライアイの症状（AECD 基準の質問）
　　　　　　2. Or ESSDAI で陽性所見あり Sjögren 症候群が疑われる患者

	スコア
FS ≧ 1 唾液腺生検	3
抗 Ro/SS-A 抗体陽性	3
OSS ＞ 5 角結膜検査	1
シルマーテスト　5 mm/5 分以下	1
無刺激唾液分泌量　0.1 m/分以下	1

スコア 4 点以上で Sjögren 症候群と分類する
AECG and ACR criteria で示した除外診断
・抗コリン作用薬剤服用中は OSS, Schirmer, and UWS flow 検査
行う場合十分な休薬期間をおいて行うこと
(Ann Rheum Dis. 2017; 76: 9-16)

小化と軟骨被覆面の不整を伴うびらんが特徴的である．

（http://images.rheumatology.org/albums.php?albumId=75691）

②抗核抗体関連膠原病

　早期関節炎患者において RA の確定診断を下し治療を開始する前に抗核抗体を測定することが，EULAR の指針においても推奨されている．抗核抗体が疾患特異性が高い疾患には，SLE，Sjögren 症候群，炎症性筋炎，全身性強皮症などの膠原病があり，骨びらんを通常伴わない関節炎を呈することがあり鑑別として重要である．抗核抗体低力価 40× で陽性になる患者は中年健常女性でも 5 人に 1 人ほど認められることが示されており健診の項目には適さない．しかし，関節炎患者においては抗核抗体陽性を認める場合では，明らかな膠原病の所見が診察上認められなくても SLE や Sjögren 症候群などの検索が必須である．その他，抗核抗体が陽性となる疾患に甲状腺疾患，自己免疫性肝炎，アトピー性皮膚炎などは膠原病以外の抗核抗体陽性病態として念頭においておく．Sjögren 症候群では口腔粘膜や目の乾燥症状とともに抗 Ro（SS-A）抗体陽性となるため，容易に診断できるが関節リウマチ患者でも乾燥症状を呈することが多く，血清検査が重要となる．抗 SSA 抗体は ANA の細胞質パターンを呈し，ANA 陰性となることがあるため関節炎患者では ANA と抗 SSA 抗体をセットで提出する．Sjögren 症候群の関節炎は通常一過性であり，診察上熱感を伴うような関節炎が安静と NSAIDs にもかかわらず遷延する場合は，RA の合併として治療した方がよいことが多い．SLE に関しては，蝶形紅斑，脱毛，口腔内潰瘍，光線過敏症などの

皮膚症状 (http://images.rheumatology.org/albums.php?albumId=75695) に加えて，胸部 X 線での胸水貯留，血液検査での白血球・血小板減少，尿検査による蛋白・クレアチニン比などの評価が必要になる．整形外科開業医の先生から，関節炎の鑑別で RA の治療開始前に測った抗核抗体が高力価陽性であり精査を，とご紹介いただいた患者が，白血球減少，抗 DNA 抗体（RIA 法）陽性，低補体血症などを認め SLE による関節炎の診断で治療を開始した患者がいた．治療経過中に腎障害，血球減少などを発症してくることも少なくなく，医療連携システムの構築が重要と考えられる疾患を経験した．

c 単純 X 線における骨びらん

次に，単純 X 線検査にて RA に一致する骨びらん，つまり典型的な関節における典型的な部位があれば通常この時点で RA と診断がつく（前述）．骨びらんが既に存在する場合には，十分な治療が行われなければびらんの増悪や他の関節における新たな骨びらん形成のリスクが高いことを考えると，早期治療が適応となるからである．腱付着部炎を合併する乾癬性関節炎，反応性関節炎，強直性脊椎炎，炎症性腸炎関連関節炎などは，付着部での炎症性刺激による骨新生が認められ，正常な関節幅を越えた骨棘が認められることが特徴的であり，進行するといわゆる pencil-in-cap の像を呈する (http://images.rheumatology.org/albums.php?searchField=&searchstring=&page=1&numperpage=20&albumId=75694&sort=&sortorder=&orient=&plboxId=)．

d スコアリングシステム

この時点で RA と分類も除外もされていない症例では，スコアリングが行われる．旧基準と比して，朝のこわばりが削除されている．これは決して朝のこわばりが RA に特徴的でないというわけではないが，1 時間というカットオフでは他の疾患との区別に有用とされなかった．また，関節分布の対称性に関しても，MCP と手首以外では鑑別診断に有用性が認められなかったために外されている．しかしながら，罹患関節数に多くの点数が割り当てられており，関節数が多くなれば対称性分布が認められやすくなるということで補完されている．抗 CCP 抗体と RF に関しては，偽陽性の確率の高い弱陽性と特異度の高い高値陽性では区別されている．罹患期間や炎症反応より

41

chapter A ●関節リウマチの診断・薬物治療

も罹患関節数と血清反応により大きなスコアが付けられていることも新基準の特徴である．

　このように，新基準は旧基準と比して感度が飛躍的に改善していると考えられる．新基準でも分類不能であるが最終的には RA になっていく患者も存在するが，新基準のように感度が高くより早期に基準を満たすように作られている場合は基準を満たすまで抗リウマチ薬による治療を待つべきか否かに関しては迷うことが少なくなる．というのは，この基準における RA という診断のゴールドスタンダードは，専門医が 1 年後に MTX を継続した RA と考えられる患者であるからである．

·cHeck!

● 新基準はより早期に RA の診断をつける助けとなるため，早期治療介入による関節予後の改善が期待できる

コラム
関節エコーの有用性〜 2010 年分類基準診断感度上昇〜

　千葉大学を中心に行われた研究が 2013 年米国リウマチ学会誌に発表になった[14]．研究は，早期関節炎（発症 3 年未満）患者 109 人を対象に "1 年後に MTX を使用する＝RA" と定義して Baseline の 2010 年新基準にある臨床評価に加え，関節エコーによる関節炎の評価の有用性を検討した．一般的に日常診療で行われる初期評価のように関節エコーを使用せず 2010 年基準を当てはめた場合の診断感度・特異度はそれぞれ 58.5%，79.4% であったが，関節エコーを使用して関節炎（Gray Scale で 1 以上を滑膜炎と定義）の検出感度を上げた場合，診断感度・特異度はそれぞれ 78.0%，79.4% であり，特異度を落とさず感度を上げることが示された．実際 2010 年分類基準でもファーストステップは "診察による 1 関節以上の滑膜炎（関節腫脹）の存在" が必須条件であるが，スコアリングにおける罹患関節数においては関節エコーの使用も認められており，今後世界的にさらなる検討が進んでいくと考えられる．

1. 診断時のこころえ

B 活動性モニター（画像も含めて）

日常外来でどのように RA 患者を診ているだろうか？

a 疾患活動性の指標と治療効果判定

RA の活動性は 1 つの診察所見や検査所見で表すことはできない．患者の症状，関節の腫脹や圧痛，炎症反応などの血液検査を総合し一貫した指標を用いて活動性の評価を行う．

① SDAI および CDAI について

DAS28 の計算は DAS 計算機あるいは Web サイトへのアクセス（表 A–21 注参照）があればすぐに行えるが，そうでない場合には診察時に DAS28 を計算することは難しい．そこで計算機がなくても計算でき，DAS28 とも相関する Simplified Disease Activity Index（SDAI）が Smolen らによって提唱された（表 A–21)[15]．しかし，SDAI も DAS28 同様 CRP を評価する必要がありクリニックで当日みることが困難な場合も考えられ，検査値なしで単純計算できる活動性の指標として Clinical Disease Activity Index（CDAI）が提唱された（表 A–21)[16]．これらは DAS28 より短時間に評価時の活動性を定量できる日常診療で使用できるツールとして，特にヨーロッパにおいて積極的に使用されている．EULAR 改善基準に準じた CDAI，SDAI の改善基準をともに表 A–22 に示す．

② DAS について

1990 年 van der Heijde らにより評価時点での疾患活動性を定量できる DAS（Disease Activity Score）が提唱された．DAS は ACR response（改善）と同様に治療効果判定も同時に行うことができ有用である．DAS は 53（圧痛 Ritchie index)/44（腫脹）関節の評価をもとに計算されるが，28 関節の評価で代用可能であり，日常診療ではより短時間でできる DAS28 が使用されることが多い（DAS28 の計算式および 28 関節部位は図 A–24 参照）．

DAS28 による評価時点での疾患活動性判定を表 A–21 に示す．DAS を継続してモニターし活動性を抑えることで身体機能障害や X 線学的進行を抑えるというエビデンスも蓄積されている[17-19]．また，DAS28 を使用した治

chapter A ●関節リウマチの診断・薬物治療

表 A-21 DAS，DAS28，SDAI，CDAI を使用した疾患活動性評価判定

指標	低疾患活動性	中等度疾患活動性	高度疾患活動性	寛解
DAS	2.4 以下	>2.4, 3.7 以下	>3.7	1.6>
DAS28	3.2 以下	>3.2, 5.1 以下	>5.1	2.6>
DAS28-CRP	2.7 以下	—	>4.1	2.3>
SDAI	11 以下	26 以下	>26	3.3以下
CDAI	10 以下	22 以下	>22	2.8以下

注 1: DAS28-CRP の疾患活動性，寛解基準に関しては Inoue E らによる本邦からの研究に基づく（Ann Rheum Dis. 2007; 66: 407-9).

注 2: SDAI ＝圧痛関節数（0～28）＋腫脹関節数（0～28）＋医師の疾患活動性全般評価（VAS で 0～10 cm）＋患者の疾患活動性全般評価（VAS で 0～10 cm）＋CRP 値（mg/dl）

注 3: CDAI ＝圧痛関節数（0 ～ 28）＋腫脹関節数（0～28）＋医師の疾患活動性全般評価（VAS で 0～10 cm）＋患者の疾患活動性全般評価（VAS で 0～10 cm）

例: 図 A-24 の 28 関節を評価し圧痛関節 10，腫脹関節 10，医師の疾患活動性全般評価が 8 cm，患者の疾患活動性全般評価が最大の 10 cm，CRP 10 mg/dl であった場合，SDAI＝10＋10＋8＋10＋10＝48 と高度疾患活動性 CDAI は SDAI から検査値 CRP を省いた値，CDAI＝10＋10＋8＋10＝38 と高度疾患活動性

療効果判定には EULAR が提唱した改善基準が用いられる（表 A-20）[20]．治療効果判定を行う際，臨床研究においては ACR20 あるいは moderate EULAR response がプラセボと比較して有意に高ければ最低限の有効性が認められたと判断する．同様に good EULAR response あるいは ACR50（特に ACR70 あるいは ACR90）が得られればすばらしい改善がみられたと判断する．しかし，繰り返すが，日常診療での治療目標はこれら改善率ではなく，評価時点でできる限り疾患活動性を低く抑えることであり，理想的には臨床的寛解（Treating RA To Target, 62 頁参照）を達成することである．

CHECK!

● CDAI, SDAI, DAS28 は日常診療でも役立つ治療効果判定→積極的に活用を！

③ ACR コアセットについて

さて，RA の疾患活動性の指標はさまざまあるがそれぞれ一長一短があ

1. 診断時のこころえ

表 A-22 DAS28 を使用した欧州リウマチ学会改善基準（EULAR response）および SDAI/CDAI 改善基準

現在の DAS28	DAS28 の改善（治療前 DAS28 －現在の DAS28）		
	＞1.2	0.6～1.2	＜0.6
＜3.2	反応良好（good）	反応中等度（moderate）	反応なし
3.2～5.1	反応中等度（moderate）	反応なし	
＞5.1			
反応基準	Major	Minor	No
Δ SDAI	≧22	10 以上，22＞	10＞
Δ CDAI	14 以上	6.7 以上，14＞	6.7＞

（Saevarsdottir S, et al. Ann Rheum Dis. 2011; 70: 469-75）

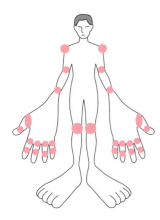

図 A-24 DAS28 の評価関節
注：指は PIP および IP，MCP 関節．
DAS28 計算法：
DAS28 ＝ 0.56×√圧痛関節（28）＋0.28×√腫脹関節（28）＋0.70×ln（赤沈 1 時間値）＋0.014×［患者の疾患活動性全般評価（VAS にて 0～100）］
DAS28（CRP）＝ 0.56×√圧痛関節（28）＋0.28×√腫脹関節（28）＋0.36×ln［CRP（mg/l）＋1］＋0.014×［患者の疾患活動性全般評価（VAS にて 0～100）］＋0.96
ln：自然対数．日本での CRP の単位は mg/dl であることに注意．武田薬品工場から DAS Calculator が配布されている．計算式，Calculator は DAS ホームページからダウンロード可能（http://www.das-score.nl/）．

る．ACR コアセットは治療効果を効率的に評価するために必要な疾患活動性判定項目を抽出したもので，治療前後の反応性を評価する指標として主に臨床試験で使用されている[21]．たとえば次の（1）および（2）を満たす場合に "ACR 20 response（改善）" と判定する．

(1) 圧痛関節数および腫脹関節数が 20％以上の改善
(2) 患者の疼痛評価，疾患活動性全般評価，医師の疾患活動性全般評価，mHAQ スコア（患者による身体機能評価），急性炎症検査（CRP あるいは赤沈）の 5 項目中 3 項目で 20％以上の改善

しかし，限られた時間で行う日常診療で使用するには時間がかかり過ぎる

chapter A ●関節リウマチの診断・薬物治療

し，個々の患者におけるその時点での活動性を定量的に評価できない．例えば，圧痛および腫脹関節数がともに 20 から 16 になった患者と 10 から 8 になった患者は，ともに 20％の改善を認め ACR 20 の基準の上記（1）を満たすが，前者の方が現時点での活動性が高いのは明らかである．

CHECK!

● 日常診療において ACR コアセットの活用は難しいが，臨床研究で使用されるので内容を把握しておこう

b 単純 X 線による疾患活動性評価

骨破壊は一般的に骨びらん，関節裂隙の狭小化で評価される．これら骨破壊が起こると通常は不可逆性であり，よって骨破壊を予防することが大きな治療目標となる．これら骨びらんや関節裂隙の狭小化を定量的に評価し，疾患活動性もしくは治療効果判定に使用されているのが modified Sharp/van der Heijde スコア（SHS）である（図 A–25）[22]．ただ，これも時間の限られた日常診療では使用できるものではない．日常診療では，RA 診断時とその後活動性が残っている時期 6 カ月ごと，寛解期でも 1 年ごとの手，足，その他侵されている関節の単純 X 線のモニターを推奨する．SHS のスコアリングは日常診療では難しいが，関節裂隙の狭小化，骨びらんを前回のものと比較し，評価を行う．

c MRI による疾患活動性評価

RA 患者の手根骨を単純 X 線および MRI の両方で 5 年間追跡調査した研究では，MRI の方が約 2 年新生骨びらんを早く発見できることが示された．特に早期 RA では単純 X 線で同定できない骨変化も同定可能で，早期 RA の診断に役立つ．また，MRI による骨変化の有無が今後積極的な治療が必要かどうかを判断する際に役立つこともある．第 6 回 The Outcome Measures in Rheumatology Clinical Trials（OMERACT）Meeting にて Rheumatoid Arthritis Magnetic Resonance Imaging Score（RAMRIS）system が提案され，手関節の骨びらん，骨髄浮腫，滑膜炎を定量的に評価し疾患活

1. 診断時のこころえ

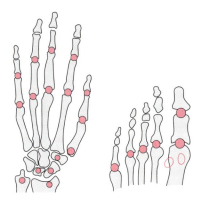

・骨びらんスコア（手 0〜160, 足 0〜120）

左記関節（手 16 関節, 足 6 関節）を両側で評価. 関節部位の表面積におけるびらんの範囲から, 手の関節は 0〜5（0＝びらんなし, 5＝表面積の 50％ 以上）の 6 段階で, 足の関節は 0〜10（0＝びらんなし, 10＝表面積の 50％ 以上）の 11 段階で判定.

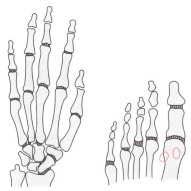

・関節裂隙狭小化スコア（手 0〜120, 足 0〜48）

左記関節（手 15 関節, 足 6 関節）を両側で評価. 関節腔の消失および脱臼の程度から, 0〜4〔0＝異常なし, 1＝局所的または疑い, 2＝全般的（関節腔の 50％ 以内の消失）, 3＝全般的（関節腔の 50％ 以上の消失）もしくは亜脱臼, 4＝関節の強直もしくは完全脱臼〕の 5 段階で判定.

図 A-25 modified Sharp/van der Heijde スコア（SHS）
総スコアは 0〜448（骨びらんスコア＋関節裂隙狭小化スコア）.

動性のモニターに使用できる可能性が示されている. しかし, 身体診察では発見できない軽度の滑膜炎も MRI ではかなりの割合で同定できることもわかっているが, それがどれほど疾患活動性, 疾患予後にかかわるかは確定していない. しかしながら MRI は他の評価手段のみで治療方針に迷う症例においてはとても有用な検査となりうる.

chapter A ●関節リウマチの診断・薬物治療

> コラム

MBDA スコアー〜医者いらずスコアー〜

　MBDA スコアーは米国の Crescendo Bioscience 社により開発された RA 患者さんのバイオマーカースコアである．RA 患者における 396 のバイオマーカーの候補を評価し，最終的に 12 のバイオマーカー（図 A-26）の総合スコアーが活動性と相関することが示された．スコアーは 1〜100 の範囲で算出され，MBDA スコアーは，30 未満が低疾患活動性（LDA），30-44 点が中疾患活動性（MDA），＞44 を高疾患活動性（HDA）と評価され，BeSt study のデータでは総合的疾患活動性である DAS, SDAI, CDAI と相関することが示されている（図 A-27）．また，インフリキシマブ＋MTX と経口 DMARDs

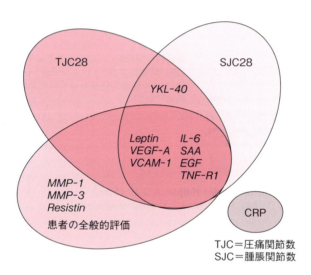

接着分子： VCAM-1 (vascular cell adhesion molecule-1)
成長因子： EGF (epidermal growth factor),
　　　　　VEGF-A (vascular endothelial growth factor-A)
サイトカイン： IL-6 (interleukin-6),
　　　　　　　TNF-R1 (tumor necrosis factor receptor-1)
マトリックスメタロプロテアーゼ：
　MMP-1 (matrix metalloproteinase-1 または collagenase-1),
　MMP-3 (matrix metalloproteinase-3 または stromelysin-1)
骨関連蛋白： YKL-40 (human cartilage glycoprotein 39)
ホルモン： Leptin, Resistin
急性期蛋白質： SAA (serum amyloid), CRP (C-reactive protein)

図 A-26 MBDA スコアーにおける 12 のバイオマーカー
（vectra-DA® 資料より）

1. 診断時のこころえ

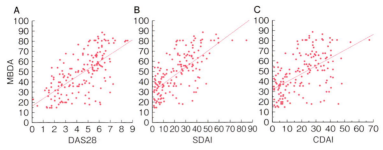

図 A-27 MBDA スコアーと疾患活動性の相関〜BeSt study〜
(Hirata S, et al. Rheumatology. 2013; 52: 1202-7)

3剤併用療法を比較した RCT である SWEFOT 研究のデータを解析したところベースラインの MBDA スコアーが 30 未満で低疾患活動性であった場合，1年後に骨びらんが進行した患者は 0% でまったく進行せず，一方 HAD であった場合 20.9% の患者に進行がみられたことが示された．現時点では検査費用が高価であり開発された米国でも日常診療で広く使用されているわけではないが，現時点の疾患活動性を定量できる指標としてばかりでなくベースラインで計測できる予後不良スコアー（図 A-28）（治療強化必要スコアー？）として今後使用される可能性が示されている．

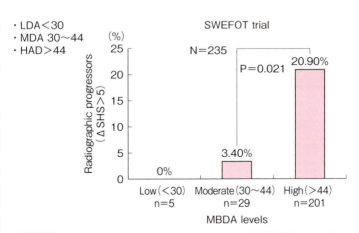

図 A-28 BaselineMBDA score が1年後の X 線学的進行を予測
(Ann Rheum Dis online on May 8, 2014)

chapter A ●関節リウマチの診断・薬物治療

コラム

うつ病スクリーニング

　RA 患者さんの合併症でどんな疾患が多いと思いますか？　世界共同研究（COMORA 研究）で約 4000 人の患者さんを対象に行われた調査では[23]，なんと RA の合併症としてうつ病は約 15％と最も頻度が高かったのです．慢性疾患ではうつ病合併が多いと言いますが，実は炎症性サイトカインが脳内のセロトニントランスポーターに影響してうつ病を引き起こし，TNF 阻害薬を使用するとうつ症状も改善したという臨床研究もあることには驚きました[24]．うつ病を合併しているとうつからくる全身痛，痛みを強く感じたり，QOL が悪化することは言うまでもありません．生物学的製剤使用中で腫脹関節や炎症反応上昇もないのに非常に強い痛みを訴える患者さんが先日来院され，よくよくお聞きしてみると最近仕事が忙しくときどき早朝覚醒もあり，食欲も少し落ちていたとのことでした．リウマチの活動性からの痛みではないことをお伝えして睡眠導入剤で睡眠サイクルを整え，ストレス環境の是正の指導をしただけで痛みはすみやかに軽快しました．以下日常診療で使えるうつ病スクリーニング "SIGECAPS" です．

S: Sleep changes　不眠

I: Interest（loss）　興味の減退

G: Guilt（worthless）　罪悪感や無価値観

E: Energy（Lack）　易疲労感，倦怠感

C: Cognition/concentration　集中力の低下

A: Appetite（wt loss）　食欲不振，体重減少

P: Psychomotor　精神運動停止，焦燥感（そわそわ）

S: Suicide ideation　希死念慮・自殺企図

　抑うつか興味減退を含む 5 つ以上の症状がほぼ 1 日中，2 週間以上あればうつ病の可能性が非常に高いと言われています．私は外来では抑うつ状態に加え，眠れない，普段やっていた趣味ができなくなる，食欲がなくなってないかの 3 点はお聞きするようにしています．

　1. 不眠：いつも通りに眠れていますか？　最近の睡眠はどうですか？　よく目が覚めますか？　朝は何時に目が覚めますか？

　2. 食欲：食欲は増えました，減りました，いつもと同じですか？　体重変化ありますか？

　3. 興味：テレビをみたり新聞・本を読んだり普段通りできますか？

　日常診療で役立ててください．

文献

1) Kuijper M, et al. EULAR. 2014.
2) Nishimura K, et al. Meta-analysis: diagnostic accuracy of anti-cyclic citrullinated peptide antibody and rheumatoid factor for rheumatoid arthritis. Ann Intern Med. 2007; 146: 797-808.
3) Combe B, et al. EULAR recommendations for the management of early arthritis: report of a task force of the European Standing Committee for International Clinical Studies Including Therapeutics (ESCISIT). Ann Rheum Dis. 2007; 66: 34-45.
4) Shi J, et al. Anti-carbamylated protein antibodies are present in arthralgia patients and predict the development of rheumatoid arthritis. Arthritis Rheum. 2013; 65: 911-5.
5) Yee A, et al. Anti-CarP antibodies as promising marker to measure joint damage and disease activity in patients with rheumatoid arthritis. Immunol Res published online 13 Nov, 2014.
6) Maksymowych WP, et al. Serum $14-3-3\eta$ is a novel marker that complements current serological measurements to enhance detection of patients with rheumatoid arthritis. J Rheumatol. 2014; 41: 2104-13.
7) McQueen FM, et al. Magnetic resonance imaging of the wrist in early rheumatoid arthritis reveals a high prevalence of erosions at four months after symptom onset. Ann Rheum Dis. 1998; 57: 350-6.
8) Aletaha D, et al. 2010 rheumatoid arthritis classification criteria: an American College of Rheumatology/European League Against Rheumatism collaborative initiative. Ann Rheum Dis. 2010; 69: 1580-8.
9) van Dongen H, et al. Efficacy of methotrexate treatment in patients with probable rheumatoid arthritis: A double-blind, randomized, placebo-controlled trial. Arthritis Rheum. 2007; 56: 1424-32.
10) Arnet FC, et al. The American Rheumatism Association 1987 revised criteria for the classification of rheumatoid arthritis. Arthritis Rheum. 1988; 31: 315-24.
11) Wiles N, et al. Estimating the incidence of rheumatoid arthritis: trying to hit a moving target? Arthritis Rheum. 1999; 42: 1339-46.
12) Annette HM. Validation of a prediction rule for disease out-

come in patients with recent-onset undifferentiated arthritis. Arthritis Rheum. 2008; 58: 2241-7.

13) 日本リウマチ学会ホームページhttp://www.ryumachi-jp.com/ info/news091030.html （2009年12月にアクセス）

14) Nakagomi D, et al. Ultrasound can improve the accuracy of the 2010 American College of Rheumatology/EULAR classification criteria for rheumatoid arthritis to predict the requirement for methotrexate treatment. Arthritis Rheum. 2013; 65: 890-8.

15) Smolen JS, et al. A simplified disease activity index for rheumatoid arthritis for use in clinical practice. Rheumatology. 2003; 42: 244-57.

16) Aletaha D, et al. Acute phase reactants add little to composite disease activity indices for rheumatoid arthritis: validation of a clinical activity score. Arthritis Res Ther. 2005; 7: 796-806.

17) O'Dell JR. Therapeutic strategies for rheumatoid arthritis. N Engl J Med. 2004; 350: 2591-602.

18) Grigor C, et al. Effect of a treatment strategy of tight control for rheumatoid arthritis (the TICORA study): a single-blind randomized controlled trial. Lancet. 2004; 364; 263-9.

19) van der Bijl AE, et al. Infliximab and methotrexate as induction therapy in patients with early rheumatoid arthritis. Arthritis Rheum. 2007; 56: 2129-34.

20) American College of Rheumatology Subcommittee on Rheumatoid Arthritis Guidelines. Guidelines for the management of rheumatoid arthritis: 2002 Update. Arthritis Rheum. 2002; 46: 328-46.

21) Felson DT, et al; American College of Rheumatology. Preliminary definition of improvement in rheumatoid arthritis. Arthritis Rheum. 1995; 38: 727-35.

22) van der Haijde DM. How to read radiographs according to the Sharp/van der Heijde method. J Rheum. 1999; 26: 743-5.

23) Dougados M, et al. Prevalence of comorbidities in rheumatoid arthritis and evaluation of their monitoring: results of an international, cross-sectional study (COMORA). Ann Rheum Dis. 2014; 73: 1 62-8.

24) McInnes IB, et al The pathogenesis of rheumatoid arthritis. N Engl J Med. 2011; 365: 2205-19.

2 治療戦略

1 治療開始前にまず病期・予後診断

前述の疾患活動性とともに，病期（表 A-23, A-24）と予後不良因子（表 A-25）の有無は治療方針の決定において非常に重要である．特にベースラインで活動性が高く，予後不良因子を持つ患者では，活動性が高くても予後不良因子を持たない患者と比較すると X 線学的進行が早いため，治療計画

表 A-23 RA の病期分類（Steinbrocker の stage 分類）

Stage I: 初期 • 破壊像を認めない • 骨粗鬆症はあってもよい	関節周囲骨量減少
Stage II: 中等度進行期 • 軟骨に軽度の破壊を認めるが関節の変形はない • 関節付近筋萎縮や結節が認められる場合もある	骨びらん
Stage III: 高度進行期 • 軟骨破壊，関節変形の X 線所見を認める • 関節の変形がある • 広範な筋萎縮あり	変形
Stage IV: 末期 • 線維性強直または骨性強直を認める	強直

（Steinbrocker O, et al. JAMA. 1949; 140: 659-62）

表 A-24 RA の機能分類（Steinbrocker の class 分類）

Class I	不自由なし
Class II	日常生活にて自立して活動できる
Class III	日常生活にて介助が必要
Class IV	身の回りのことがほとんどできず，寝たきりか車いす

（Steinbrocker O, et al. JAMA. 1949; 140: 659-62）

chapter A ●関節リウマチの診断・薬物治療

表 A-25　RA の予後不良因子

ACR 関節リウマチ診療指針 2008 に取り上げられているもの
- 日常生活制限，機能障害
- 関節外症状
  - リウマトイド結節
  - 二次性 Sjögren 症候群
  - リウマチ性血管炎
  - Felty 症候群
  - リウマチ肺
- リウマトイド因子陽性
- 抗 CCP 抗体陽性
- 単純 X 線における骨びらん

その他
- 治療開始時の高活動性（腫脹関節数，圧痛関節数，CRP，ESR）
- MMP3 高値
- パワードップラー超音波における活動性滑膜炎および骨びらん
- MRI における骨髄浮腫，骨びらん，活動性滑膜炎
- 喫煙

を立てる際，早い段階で DMARDs の増量，追加，生物学的製剤の導入が必要になるであろうという予測が立つ．ここでも，治療開始前にまず行うのが前述の早期診断および活動性の評価，そして病期および予後不良因子の評価と推奨されている．

cHeck!

- 積極的に治療する患者を見分けることが治療戦略の第一歩

2 合併症

　RA は関節炎，関節破壊が病態の中心であるが，図 A-29 に示すように全身どの臓器にも病変を起こす可能性がある．特に関節炎が重度な患者や RF 高値の患者では臓器障害も起こしやすいとされ，このような患者は予後が悪い．早期の積極的な治療の普及により，重篤な関節外症状の合併は減少傾向ではあるが，治療戦略を立てる上で初期に予後不良因子としての合併症の評価をしっかり行うことは重要である．また，本邦では表 A-26 に示すように関節外症状を認める患者では悪性関節リウマチ（海外では rheumatoid vas-

2. 治療戦略

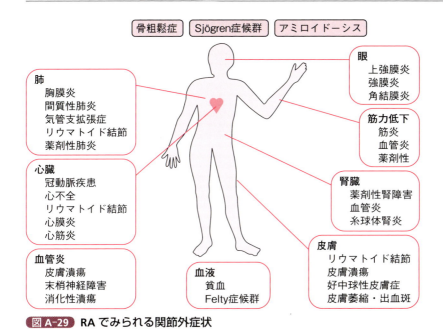

図 A-29 RA でみられる関節外症状

表 A-26 悪性関節リウマチ診断基準（厚生労働省指定難病診断基準を参照）

1. 臨床症状
   - （1）多発単神経炎
   - （2）皮膚潰瘍または梗塞または指趾壊疽
   - （3）皮下結節
   - （4）上強膜炎または虹彩炎
   - （5）滲出性胸膜炎または心嚢炎
   - （6）心筋炎
   - （7）間質性肺炎または肺線維症
   - （8）臓器梗塞
   - （9）RF 高値：2 回以上の検査で，RAHA ないし RAPA テスト 2,560 倍以上（RF 960 IU/ml 以上）の高値を示すこと
   - （10）血清低補体値または血中免疫複合体陽性：2 回以上の検査で C3，C4 などの血清低補体成分の低下または CH50 による補体活性化の低下をみること，または 2 回以上の検査で血中免疫複合体陽性（C1q 結合能を基準とする）をみること
2. 組織所見
   皮膚，筋，神経，その他の臓器の生検による小ないし中動脈壊死性血管炎，肉芽腫性血管炎ないしは閉塞性内膜炎を認めること
3. 判定基準
   RA 診断基準〔ACR/EULAR 分類基準（2010）〕を満たし，上記項目の中で
   ・臨床症状（1）〜（10）のうち 3 項目以上満たすもの　または
   ・臨床症状（1）〜（10）の項目の 1 項目以上と，組織所見の項目があるもの

chapter A ●関節リウマチの診断・薬物治療

culitis という）の特定疾患の申請も可能である．

a 骨粗鬆症

　ステロイドの副作用として骨粗鬆症が問題となる．またステロイドを使用していなくても，炎症によるプロスタグランジンやサイトカインの作用により，RA 自体が骨粗鬆症のリスクとなることが知られており，また同程度の骨粗鬆症であっても RA 患者は骨折リスクが通常より高いことに留意が必要である．RA 治療開始前と，開始後は最低 1～2 年に 1 回の頻度で骨密度を測定し，骨粗鬆症の予防・治療に努める（115 頁「GIO 新治療ガイドライン」参照）．

b 筋力低下

　RA 患者での筋力低下の原因として以下の 5 つが挙げられる．
　　（1）痛みによる廃用性筋力低下
　　（2）多発単神経炎による末梢神経障害
　　（3）Nodular myositis：リンパ球と形質細胞浸潤による活動性筋炎
　　（4）血管炎：筋力低下のみならず筋痛も生じる
　　（5）薬剤性：コルチコステロイド，コレステロール降下薬
　実際には（1）が多く，特に膝関節炎に伴う大腿四頭筋の筋力低下がよく経験される．ADL の著明な低下を引き起こすため，関節炎のコントロールとともに，リハビリ体操などで大腿四頭筋の筋力維持に努める．

c 皮膚

　最も多いのはリウマトイド結節であり，RA 患者の 20～35％でみられる．肘の伸側など，圧力のかかる部分にできやすいが，指や耳など体中どこにできてもよい．一般的に治療は必要ないが，痛みを伴ったり，関節可動制限をきたす場合はステロイドの結節内注射で緩和することがある．手掌紅斑はよくみられるが，Raynaud 症状は RA ではほとんどみられない．Raynaud 症状をみた場合は，他の膠原病の合併や RA の診断自体を疑う必要がある．血管炎をきたした場合，皮膚潰瘍（図 A–30）や壊疽性膿皮症，紫斑（図 A–31）など多彩な皮膚所見をみる．薬剤による皮膚変化もきたしやすく，例え

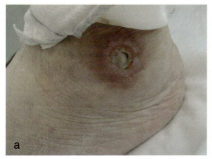
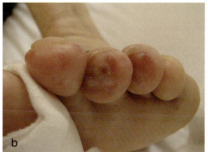

図 A-30 皮膚潰瘍

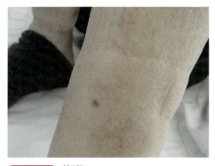
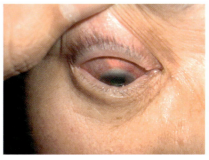

図 A-31 紫斑 図 A-32 強膜炎

ばステロイドによる皮膚萎縮や紫斑，薬剤性血小板減少による紫斑などが挙げられる．

　RF 陽性の長期罹患患者においては関節周囲に非感染性瘻孔を認めることもある．

d 眼

　眼の充血をみた場合，乾燥性角結膜炎が最も多い．RA 患者の 10〜35％にみられ，Sjögren 症候群の合併も多い．しかし，5％未満の患者で，上強膜炎と強膜炎を合併する．上強膜炎では急速な眼の充血をきたすが，結膜炎のような分泌物はない．上強膜炎は一般に良性の経過をたどり，自然軽快することも多いが，初期の段階で強膜炎と見分けるのは難しく，必ず眼科に紹介する．上強膜炎の進行したものが強膜炎で，痛みを伴い，稀に穿孔に至り失明する（図 A-32）．眼痛を自覚し，羞明感がある場合必ず眼科に紹介す

chapter A ●関節リウマチの診断・薬物治療

る．一般的に強膜炎をみた場合，約50％は何らかの全身性疾患によるものであり，最も多いのはRAである．強膜炎の出現は，RAの関節予後や他の関節外症状出現のリスク因子であり，適切な治療をしない場合，生命予後は悪い．強膜炎の治療は重症度によって個別化され，ステロイド点眼薬に加えて，以下に治療例をあげる．いずれにせよ眼科医との密なコミュニケーションが重要である．

- 軽症：NSAIDs単独
- 中等度から重症（例：重篤なびまん性または結節性強膜炎）：プレドニゾロン1mg/kg/日，時にTNF阻害薬（抗体製剤）
- 壊死性強膜炎：コルチコステロイドに加えて，メトトレキサート，シクロホスファミド，シクロスポリンなどを使用することあり

e 肺

RAの肺合併症には図A-29に挙げたように様々なものがあるが，実際によく遭遇するのは気道病変，間質性肺炎と薬剤性肺炎である．合併頻度はスクリーニング方法（胸部X線写真，CT）によって異なるが，胸部CTを用いた場合，気管支拡張症は30％で，間質性肺炎は50％近くでみられるという報告がある．同様に呼吸機能検査では半数以上に異常が認められる．

これら多くの症例で，自覚症状はほとんどなく，長期にわたって画像所見も安定しており，肺疾患そのものの治療は一般的には不要であるが，呼吸器感染症や薬剤性肺障害を発症するリスクが高い．具体的には以下のような問題がある．

①気道病変

気管支拡張症や中葉舌区症候群が多くみられ，非定型抗酸菌などの感染症合併例の頻度が高い（図A-33）．その場合，メトトレキサートや生物学的製剤の導入は感染症の悪化を招くので基本的には禁忌となる．

また稀に輪状披裂関節が侵され上気道閉塞の原因となることがあり，喘息と間違われていることがある．

②間質性肺炎

CT所見では，蜂窩肺，スリガラス影，網状影および索状影などさまざまな所見があるが，UIPパターンが比較的多い（図A-34）．無症状で長期安

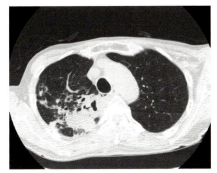
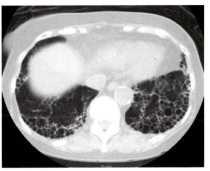

図 A-33 非定型抗酸菌感染　　図 A-34 UIP パターンの間質性肺炎

定しているものが多いが，問題となるのは治療薬の選択である．特に間質性肺炎の存在はメトトレキサート肺炎（MTX pneumonitis）のリスク因子となることが知られており，単純胸部 X 線で明らかな間質性肺炎が認められる症例では MTX は避ける．その他にも MTX pneumonitis のリスクファクターとしては，高齢，糖尿病，低アルブミン血症，DMARDs 多剤併用歴などがあげられる．

実際に MTX を処方する前には，上記のリスク評価と酸素濃度（SpO$_2$）および聴診にて捻髪音（fine crackle）など異常所見がないか，胸部 X 線写真にて異常所見がないか，確認する．また適宜肺機能検査も考慮する．

以下に日本リウマチ学会 MTX 診療ガイドラインでの MTX 使用禁忌項目を示す．

1. 低酸素血症の存在：PaO$_2$＜70Torr（room air）
2. 呼吸機能検査で％VC＜80％の拘束性障害
3. 胸部画像検査での高度の肺線維症の存在

前述のように RA 患者の HRCT では軽度なものを含めると約半数に間質性肺炎が認められるとされているが，胸部 X 線写真で問題のない患者においては，リスクは低いとされている．よってスクリーニングとしては HRCT は感度が高すぎる可能性があることは留意したい．

では，MTX が使えない場合どうするのか．肺障害を起こすリスクが低く，かつ骨びらんをつくらない治療目標を達せられる DMARDs は限られている．具体的にはサラゾスルファピリジンや，エタネルセプト，トシリズマ

chapter A ●関節リウマチの診断・薬物治療

g 心臓

心外膜炎による心囊液貯留が起こる．無症状のことが多いが，心エコー検査で30％に認められる．ほとんどは自然消退するが，NSAIDsを治療に用いることもある．心外膜炎は関節炎の活動性と相関するとされ，治療は関節炎のコントロールである．

またRAは単独で虚血性心疾患のリスクになることが知られており，欧米ではRA患者の死因の第1位を占める．虚血性心疾患の他のリスク因子も見落とさないようにし，併せてコントロールする必要がある．ベースの心電図は必ずとっておく．

h 腎臓

RAで腎炎をきたすことは血管炎合併以外では極めて稀である．尿蛋白はしばしば認められ，その場合，金剤やブシラミン，NSAIDsによる薬剤性腎障害，アミロイドーシスの合併などを考える．定期的に検尿でチェックする．

3 Treating RA To Target（T2T） ～日常診療での治療効果判定と治療目標～

日常フォローしている患者を想像してみよう．高血圧患者では何を指標に治療するか？　馬鹿にするな！　と声が聞こえそうだが，もちろん「血圧値」である．通常は140/90 mmHg以下，糖尿病患者では130/80 mmHgだろうか．それでは，糖尿病患者ではどうだろう．「血糖値，HbA1c」とすぐに答えが返ってくるだろう．網膜症がないか，蛋白尿がないか，神経障害がないか定期的にフォローしていく．それでは，RAではどうか．患者の主観的な「痛み」「こわばりの持続時間」だろうか．CRP，赤沈，MMP3などの血液検査所見だろうか．それとも医師の診察だろうか．そこで登場したのがDAS28（前述）を使用したフォロー法である．DAS28は腫脹関節，圧痛関節など医師の診察，患者の主観的感覚である患者RA全般性評価，および血液検査（炎症反応：CRPあるいは赤沈）を総合的に判断している指標である．その他にも，より簡便なCDAI，SDAIも使用される．DAS28にて疾患活動性をモニタリングし，1～3カ月おきに治療調節（tight control）を

62

行うことにより寛解率の改善を達成したいくつかの RCT が発表されている．

1つめは TICORA study である[2]．発症5年以内の RA 患者に対して1カ月おきに DAS を評価して3カ月おきに目標である DAS＜2.4（44関節で評価して低疾患活動性）を満たしていなければ治療調節を行った研究である．結果は，tight control 群の寛解率（DAS＜1.6）は65％で，従来どおり DAS を使わずフォローした control group の寛解率16％と比較すると有意な違いが示された．2つめは CAMERA study[3] である．TICORA study と同様に1カ月おきにフォローを行い，コンピューターを使用した tight control により寛解率50％を得た．また，たびたび登場する BeSt study[4] では，4群すべての群が3カ月おきの tight control を行っている．結果，どの群でも寛解率（DAS＜1.6）は高く約40〜50％といい2〜3人に1人は寛解を達成している．従来のスタディでみられる寛解率が約1〜3割であることを考えると，tight control による寛解率の改善が示された結果である．

さらに，2013年に行われた米国リウマチ学会（ACR）にて BeSt study 開始10年後のデータが示された．これによるといかなる治療法（4群に分け，低疾患活動性を達成するよう3カ月毎に治療調節，図 A-36）であろう

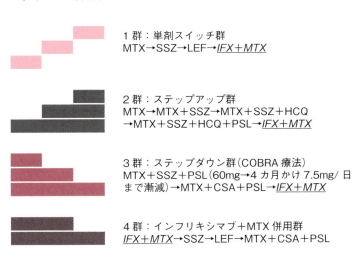

1群：単剤スイッチ群
MTX→SSZ→LEF→*IFX＋MTX*

2群：ステップアップ群
MTX→MTX＋SSZ→MTX＋SSZ＋HCQ
→MTX＋SSZ＋HCQ＋PSL→*IFX＋MTX*

3群：ステップダウン群（COBRA 療法）
MTX＋SSZ＋PSL（60mg→4カ月かけ7.5mg/日まで漸減）→MTX＋CSA＋PSL→*IFX＋MTX*

4群：インフリキシマブ＋MTX 併用群
IFX＋MTX→SSZ→LEF→MTX＋CSA＋PSL

IFX：インフリキシマブ

図 A-36 BeSt 試験　各群の治療戦略
（De Vries-Bouwstra JK, et al. Arthritis Rheum. 2003; 48: 3649）

chapter A ●関節リウマチの診断・薬物治療

表A-28 BeSt 試験 10 年フォローの結果
（Arthritis Rheum. 2013; 65 (10) Suppl: S620）

	Group 1 n＝126	Group 2 n＝121	Group 3 n＝133	Group 4 n＝128	P value
DAS＜1.6 （%）*	50	46	57	56	0.507
DAS＜1.6 Drug free （%）*	14	15	15	13	0.604
初期治療継続率 （%）*	28	19	43	59	＜0.001**
観察時 IFX 使用率 （%）*	18	10	12	24	0.08
10 年間の平均 HAQ ±SD*	0.6±0.6	0.7±0.6	0.5±0.5	0.6±0.6	0.121
10 年間の TSS 進行 median （IQR）	2.0 (0-11)	2.5 (0-13.5)	3.0 (0.3-11.3)	1.5 (0-6)	0.39
重症副作用患者数 （%）	60 (48)	50 (41)	61 (46)	63 (49)	0.63
ドロップアウト （%）	50 (40)	53 (44)	55 (41)	36 (28)	0.16

*Completers analysis
**G1-2 vs G4: p＜0.001, G3 vs G4: p＜0.05, G2 vs G3: p＜0.05

と全体の 10〜20％の患者が drug free の状態で寛解（DAS＜1.6），いわゆる "cure" に近い状態を達成することができたとのことで，薬剤を使用せず寛解を維持することさえ可能になってきている．また骨破壊や機能障害も非常に少なく今や RA は機能障害や構造破壊をほぼ完全に防止できる時代となった（表 A-28）．

　これらのスタディから学んだことは，どの治療を選ぶかというよりも，疾患活動性をモニターしてできるかぎり低く抑えるように治療調節を tight に行うことの重要性である．糖尿病の HbA1c，高血圧における血圧測定のように RA の治療目標の国際基準を作るために，最近欧米，日本を含む世界各国から 60 人以上の専門家が参加し "Treating RA To Target（T2T：到達目標を持った RA 治療）" の委員会が組織され，T2T の 4 つの大原則と 10 の推奨が 2010 年に発表[5] され，2014 年には，より同意度の高い推奨として Update が行われた（表 A-29）．治療目標を達成することで予後が改善することが多くの研究で示されており "RA の治療目標は臨床的寛解（または低疾患活動性）である" と明確に推奨されている．

2. 治療戦略

表 A-29

「目標達成に向けた治療（Treat to Target, T2T）」の 基本的な考え方（Overarching Principles）

A	関節リウマチの治療は，患者とリウマチ医の合意に基づいて行われるべきである
B	関節リウマチの主要な治療ゴールは，症状のコントロール，関節破壊などの構造的変化の抑制，身体機能の正常化，社会活動，**労働活動**への参加を通じて，患者の長期的 QOL を最大限まで改善することである
C	炎症を取り除くことが，治療ゴールを達成するために最も重要である
D	疾患活動性の評価とそれに基づく治療の適正化による「目標達成に向けた治療（Treat to Target; T2T）」は，関節リウマチのアウトカム改善に最も効果的である

Treat to Target, T2T のリコメンデーション 2014 改訂版

1	関節リウマチ治療の目標は，まず臨床的寛解を達成することである
2	臨床的寛解とは，疾患活動性による臨床症状・徴候が消失した状態と定義する
3	寛解を明確な治療目標とすべきであるが，現時点では，長期罹患患者は，低疾患活動性が当面の目標となり得る
4	日常診療における治療方針の決定には，関節所見を含む総合的疾患活動性指標を用いて評価する必要がある
5	疾患活動性指標の選択や治療目標値の設定には，合併症，患者要因，薬剤関連リスクなどを考慮**すべきである**
6	疾患活動性の評価は，中～高疾患活動性の患者では毎月，低疾患活動性または寛解が維持されている患者では **6 カ月**ごとに，定期的に実施し記録しなければならない
7	治療方針の決定には，総合的疾患活動性の評価に加えて関節破壊などの構造的変化および身体機能障害，**併存疾患**もあわせて考慮すべきである
8	治療目標が達成されるまで，薬物治療は少なくとも 3 カ月ごとに見直すべきである
9	設定した治療目標は，疾病の全経過を通じて維持すべきである
10	**リウマチ医は，**治療目標の設定と「目標達成に向けた治療（T2T）」を**患者と共有すべきである**

Evidence Level: Increased Compared to 2010 Level of Agreement: All Items > 9.0!

	エビデンスレベル	リコメンデーションの推奨度	同意レベル	最終投票時の得票率
1	1b	A	9.53 ± 0.80	100%
2	2c	B	9.50 ± 0.69	100%
3	1b, 4[#]	A, D	9.68 ± 0.57	97%

chapter A ●関節リウマチの診断・薬物治療

表 A-29 （つづき）

	Evidence Level: Increased Compared to 2010 Level of Agreement: All Items ＞ 9.0!			
	エビデンスレベル	リコメンデーションの推奨度	同意レベル	最終投票時の得票率
4	1b, 4V##	A, D	9.26 ± 1.13	97%
5	4	D	9.18 ± 1.09	67%
6	1b, 4###	A, D	9.21 ± 1.09	94%
7	4	D	9.47 ± 1.06	67%
8	1b, 4####	A, D	9.08 ± 1.08	67%
9	2c	B	9.61 ± 0.75	67%
10	4	D	9.73 ± 0.77	67%

（Smolen JS, et al. Ann Rheum Dis. 2015; 0: 1-13）
（Smolen et al. Ann Rheum Dis. 2015 published online May 12, Smolen et al. Ann Rheum Dis. 2010; 69: 631-7）

cнεcκ!

- 疾患活動性を 1～3 カ月おきにモニターし寛解を目標に 3 カ月おきに治療調節

a 治療目標としての寛解基準～30 年ぶりの ACR/EULAR 寛解基準変更～

　ACR が 1981 年に臨床的寛解を表 A-30 のように定めた[6]．これは自覚症状および他覚所見を含んでおり，寛解目標としては理想ではあるが実際の臨床では 10 人に 1 人も到達できない厳しい基準である．一方，DAS28 寛解基準（DAS28＜2.6）では，"寛解"と言いつつも複数の関節が腫脹している場合もあり，かなり"甘い"基準と言われている．いくつもの臨床研究で「DAS28 が寛解に達していても，1～2 年たってみると関節破壊が進行してしまう患者も少なからずいる」といったデータも出てきていた．

　そこで，もう少し厳しく，達成可能でかつ実臨床で短時間で評価できる基準として，2010 年 11 月開催された ACR 年次総会において，ACR と EULAR の共同作成による 30 年ぶりの新寛解基準が発表された（表 A-31）.

2. 治療戦略

表 A-30 ACR 臨床的寛解基準 (1981)

1. 朝のこわばりがないか, あっても 15 分を超えない
2. 疲労感 fatigue なし
3. 病歴で関節痛なし
4. 関節の圧痛なし
5. 関節または腱鞘の腫脹がない
6. 赤沈 (ESR) <20 mm/h (男性), <30 mm/h (女性)

判定基準: 上記 1～6 が 5 つ以上少なくとも 2 カ月以上認められた場合 ACR 寛解

表 A-31 ACR/EULAR 寛解基準

臨床研究での寛解基準	実臨床での寛解基準
Boolean (ブーリアン) 評価	
腫脹関節数, 圧痛関節数, 患者疾患活動性全般評価 (VAS にて 0～10 cm), CRP (mg/dl) のすべてが 1 以下	腫脹関節数, 圧痛関節数, 患者疾患活動性全般評価 (VAS にて 0～10 cm) のすべてが 1 以下
総合的疾患活動性指標を用いた評価	
SDAI ≦ 3.3	CDAI ≦ 2.8

SDAI＝圧痛関節数 (0～28)＋腫脹関節数 (0～28)＋医師の疾患活動性全般評価 (VAS で 0～10 cm)＋患者の疾患活動性全般評価 (VAS で 0～10 cm)＋CRP 値 (mg/dl)
CDAI＝圧痛関節数 (0～28)＋腫脹関節数 (0～28)＋医師の疾患活動性全般評価 (VAS で 0～10 cm)＋患者の疾患活動性全般評価 (VAS で 0～10 cm)

b 実際の症例をみてみよう

　圧痛は左手首のみ (圧痛関節数：TJC＝1), 腫脹が左右の手首と左右の第 2 PIP 関節に残っていて (腫脹関節数：SJC＝4), 患者の疾患活動性全般評価が 5 mm (CDAI では 0.5 cm), 医師の疾患活動性全般評価が 10 mm (1 cm), CRP は 0.05 mg/dl の場合, DAS28 (CRP) は 2.3 となり, DAS28 の寛解基準を満たしている. しかし CDAI は 6.5 (1＋4＋0.5＋1) 点になり, 2.8 以下の寛解基準は満たさない (表 A-31). また, ブーリアン評価 (On or Off, ある or なしなど二者択一条件を表すために使われる表現型) による寛解基準でも, 腫脹関節, 圧痛関節, 患者の疾患活動性全般評価がすべて 1 以下でないといけないので, 4 カ所も腫脹している時点で寛解ではない. 実際, この患者に詳しく日常生活動作について聞いてみると, 手首

chapter A ●関節リウマチの診断・薬物治療

コラム

Treating RA To Target

オランダで糖尿病コントロールの改善に貢献したと言われているキャンペーンに「7」（Zeven ゼーヴェン）というのがある．オランダで広い年代層に人気の音楽グループの 1 人が 1 型糖尿病患者で，「7」と大きく数字が出てくるテレビ広告を展開し，糖尿病患者に，病院に行ったら難しいことはさておいて，とにかくヘモグロビン A1c を聞こう，7 以下でなければ改善のための対策をお医者さんと相談しよう，と呼びかけた．良くも悪くもテレビの影響というのは大きく，たちまち適切な糖尿病のコントロールの重要性が認知されるようになったということである．このようなキャンペーンが成功する理由は，患者側の認識もそうだが，それ以上に医師へのプレッシャーということもあるようだ．患者がヘモグロビン A1c を 7 以下にしないといけないんでしょと言っているのに，改善してるし合併症も出てないのでこのまま SU 剤を続けましょうとはやはり言えない．RA に関しても，EULAR が陣頭指揮をとって世界中で「臨床的寛解が治療目標」というキャンペーンを行っている．フランスのある大学病院では，3 カ月に一度の診察のある月以外は，患者が自分で腫脹関節と圧痛関節数をネットで電子カルテにアクセスして入力する制度をとっているそうである．もしかしたら，診察室で患者に炎症反応を聞かれて，私の CDAI は"2.8"以上ですがどうしましょう，と聞かれる日も近いかもしれない．その時に備えて，経口 DMARDs，生物学的製剤，リリーバーと選択肢の幅の広い装備（armamentarium）をそろえて，寛解を目指した個別化医療に備えておかないといけないのかもしれない．

の症状で家事を行うのが困難なこともあり，相談の上，治療を強化することになった．

このように今後はより簡便な CDAI や SDAI を指標とした活動性モニタリングが日常診療ではおすすめで，新しい寛解基準がスタンダードとして広く使われていくであろう．さらに，どの基準を使うか以上に大切なのは，"疾患活動性を客観的に数値で評価する"ことである．生物学的製剤などの治療の進歩により，寛解を目指して，明確な評価指標を持ちながら治療する重要性がますます高まっていることを，忘れないようにしたい．

2. 治療戦略

> ・cʜᴇᴄᴋ！
>
> ● 日常診療で使用する寛解基準は DAS 計算機や検査値がいらない CDAI ≦ 2.8 !!

4 2019 年 EULAR RA の治療推奨 update と 2015 年 ACR RA 治療推奨 update について

a EULAR RA 治療推奨: 2019 年 update（表 A-32, 図 A-37, A-38）

　Treat-to-Target（T2T）戦略によって形作られた骨組みに沿って，RA 治療について実臨床レベルでより具体的な情報を提供するものが各治療ガイドラインおよび治療推奨である．欧州リウマチ学会（EULAR）が 2013 年に RA 治療推奨 update を発表し広く知られていたが，TNF 阻害薬やそれ以外の生物学的製剤（bDMARDs）の新たなエビデンスも蓄積され，JAK 阻害薬も登場し，2016 年に RA 治療推奨の改定が行われた．さらにバイオスイッチや JAK 阻害薬のエビデンスが蓄積され 2019 年に EULAR RA 治療推奨 update においていくつかの変更が行われた（Smolen JS, et al. Ann Rheum Dis. 2020; 79: 685-99）．2013 年，2016 年 EULAR RA 治療推奨と同様 3 つのフェーズに分けられており，各フェーズで 3 カ月以内に疾患活動性の指標にて 50%以上の改善を認めない，または 6 カ月以内に治療目標（寛解，長期罹病期間を有する場合，低疾患活動性も許容範囲）を達成できない場合には次のフェーズへと進んでいくことになる．

　大まかに以下 4 点が変更となった．

　①包括的な原則（overarching principles）（表 A-32 参照）

　包括的な原則の 4 番目の項目が追加となった．多くの DMARDs を使用しても治療抵抗性の患者も日常診療では見られること，生物学的製剤に加え，JAK 阻害薬を含め多くの薬剤が新規に承認され多剤抵抗例に対するエビデンスも発表されてきたことによる．

　②フェーズⅠ（図 A-37 参照）

　2013 年治療推奨では，フェーズⅠとして MTX 使用の禁忌がなければ MTX の単剤または併用療法が推奨されていたが，経口 DMARDs 3 剤併用

chapter A ●関節リウマチの診断・薬物治療

表 A-32 **EULAR RA 治療推奨：2019 年 update**

	包括的な原則	エビデンスレベル	推奨の強さ	同意のレベル(0 ～ 10)
A	RA 患者の治療は最善のケアを目指すべきであり，患者とリウマチ医との協働的意思決定に基づかなければならない.	n.a.	n.a.	9.7
B	治療法の決定は，疾患活動性や安全性の問題，その他の患者因子（合併症，構造的損傷の進行など）に基づき行われる.	n.a.	n.a.	9.8
C	リウマチ専門医は RA 患者のケアを中心となって行うスペシャリストである.	n.a.	n.a.	9.9
D	RA の多様性に対処するために，患者は作用機序の異なる複数の薬剤を利用できる必要がある．患者は生涯を通して複数の治療を連続的に必要とする場合がある.	n.a.	n.a.	9.9
E	RA 診療は，個人的，社会的，医療費的に大きな負担を生ずるものであり，リウマチ専門医はこれらすべてを勘案して治療に当たらねばならない.	n.a.	n.a.	9.4

n.a.: not applicable
同意のレベル: Task Force（患者，リウマチ専門医など 47 名）により，それぞれのリコメンデーションを 0（全く同意しない）～ 10（完全に同意）のスケールで無記名投票した際の平均値. (Smolen JS, et al. Ann Rheum Dis. 2020;79: 685-99)

療法（おもに MTX ＋ SASP ＋ HCQ）と MTX 単剤で治療開始した場合，臨床効果が変わらなかったというエビデンスがいくつか発表され，2016 年治療推奨では単剤治療のみを勧め，今回 2019 年 update においても単剤の使用開始を勧めている．また，MTX 使用禁忌がある場合にはサラゾスルファピリジンまたはレフルノミドを含む単剤治療を行う（日本人においてはレフルノミドによる間質性肺炎の報告が多いため，注意が必要である）.

少量経口ステロイドの短期間併用に関しては前回同様 csDMARDs の効果発現までのブリッジング治療としてその使用を推奨している．ただし，あくまで短期間の使用（約 3 カ月以内に中止を目標に）である．また csDMARDs の効果が認められたならばすみやかに減量を行い，減量時に活動性が再燃した場合には目標達成失敗として次のフェーズⅡへ進むよう推奨している.

2. 治療戦略

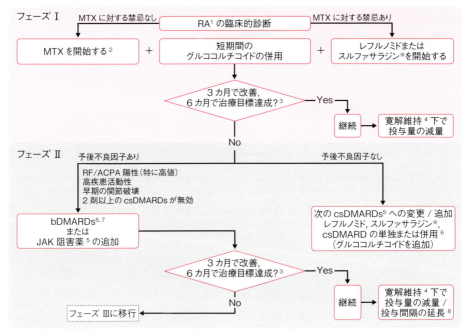

図 A-37 EULAR RA 治療推奨：2019 年 update（フェーズⅠ, Ⅱ）
(Smolen JS, et al. Ann Rheum Dis. 2020; 79: 685-99)

③フェーズⅡ（図 A-37）

フェーズⅡは，1剤目の csDMARDs 無効時の対応である．予後不良因子がない場合には，前回同様他の csDMARDs を開始するよう推奨され，予後不良因子を有する場合には，tsDMARDs/bDMARDs を追加併用を開始する

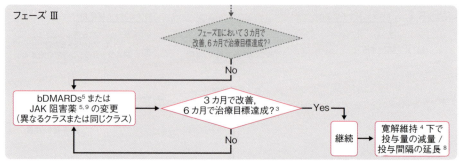

3, 4, 5, 8：図 A-37 と同じ
9：JAK 阻害薬無効後の bDMARDs の有効性，安全性は知られていない．他の薬剤で失敗後の IL-6 経路阻害薬の有効性，安全性についても現在不明である．先行する JAK 阻害薬で効果不十分であった場合の JAK 阻害薬の有効性，安全性は知られていない．

図 A-38 EULAR RA 治療推奨：2019 年 update（フェーズⅢ）
（Smolen JS, et al. Ann Rheum Dis. 2020; 79: 685-99）

よう推奨している．ここで MTX 治療抵抗性の患者を対象とした RCT における ACR70 達成率を図 A-39a, b に示す．bDMARDs および tsDMARDs である JAK 阻害薬の効果は同等であり，長期使用の安全性のエビデンスも蓄積されたことから，前回の推奨では「経験から bDMARDs がファーストチョイス」として書かれていた bDMARDs の優越性を削除し，MTX 併用下にて，ファーストチョイスとしてどの製剤（bDMARDs or JAK 阻害薬）も並列に推奨している．ただし JAK 阻害薬の副作用として VTE（静脈血栓塞栓症）についての注意惹起もあり VTE のリスク因子を持つ患者では特に注意する．また MTX 併用に関しては，図 A-39c～e に示すようにトシリズマブ，アバタセプトや JAK 阻害薬でも MTX を併用した方が単剤使用より効果が優れており，フェーズⅡでは原則併用を勧めている．ただし安全性を考慮して，MTX と TNF 阻害薬（おそらく他の bDMARDs も）併用時高用量の MTX は必要ではなく 10 mg/ 週以下まで減量するよう記載している．実臨床では bDMARDs を使用している患者の約 40％が単剤で使用されているという現状と bDMARDs 単剤治療のエビデンスの蓄積から，csDMARDs（主に MTX）を併用できない患者では，IL-6 阻害薬，JAK 阻害薬の優越性を推奨文の中に記載している．

④フェーズⅢ（図 A-38）
1 剤目の bDMARDs/JAK 阻害薬治療抵抗性患者における治療推奨であ

2. 治療戦略

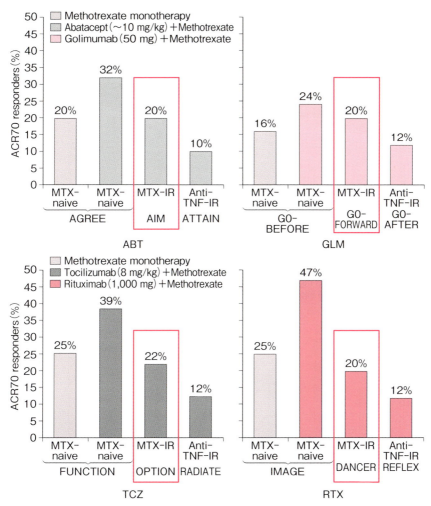

図 A-39a　MTX 不応例に対する各製剤 ACR 70 達成率
（Smolen JS, et al. Lancet Published online. 2016 May 3）

る．TNF 阻害薬に抵抗性の患者を対象とした RCT における ACR70 達成率を図 A-40a，b に示す．フェーズ II 同様，どの製剤も同様の効果があり並列に推奨している．ただし，TNF 阻害薬抵抗性の患者を対象に行われた RCT において TNF 阻害薬を 2 剤目に使用する群より，非 TNF 生物学的製剤（アバタセプト，トシリズマブ，リツキシマブ）を使用した群の方が効果が

chapter A ●関節リウマチの診断・薬物治療

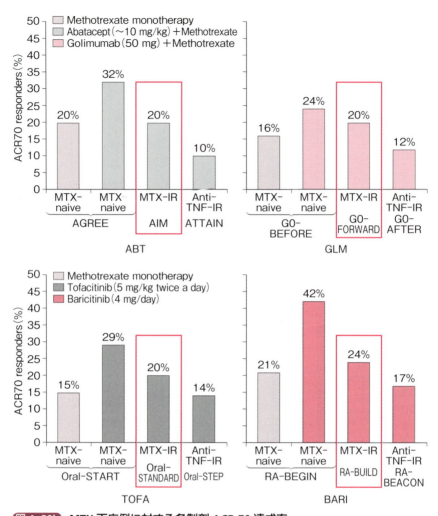

図 A-39b MTX不応例に対する各製剤 ACR 70 達成率
(Smolen JS, et al. Lancet Published online. 2016 May 3)

有意に高かった．このRCTの結果と他の観察研究の結果を踏まえ，2019updateでは，フェーズⅡの1剤目でTNF阻害薬を使用した場合，2剤目（フェーズⅢ）は，他の作用機序の薬剤を推奨している．

最後に薬剤減量（投与間隔延長含む）についての記載もある．bDMARDs使用時長期の寛解（LDAではない）を維持した際考慮してもよいことが前

2. 治療戦略

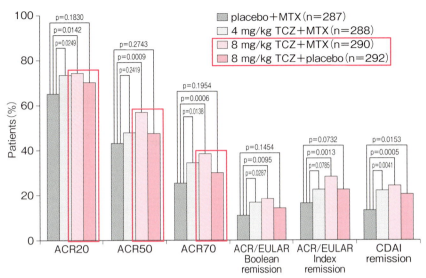

図 A-39c 早期 RA TCZ 単剤 vs MTX 併用：FUNCTION 試験 52 週の結果
（Ann Rheum Dis. 2016; 75: 1081-91）

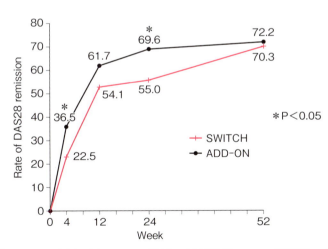

図 A-39d MTX 不応例に対する TCZ 単剤 vs 追加併用 DAS28 寛解率 52 週結果
（Kaneko Y, et al. Ann Rheum Dis online. 2016 Jan 5）

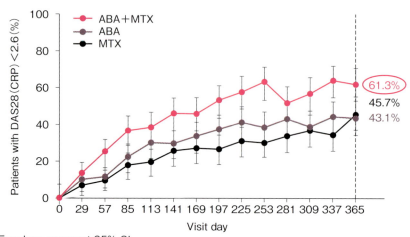

Error bars represent 95% CI
ABA: Abatacept, CRP: C-reactive protein,
DAS28: disease activity score in 28 joints, MTX: methotrexate

図 A-39e AVERT 試験　早期 RA アバタセプト単剤 vs MTX 併用 52 週寛解率
（Emerry P, et al. Ann Rheum Dis. 2015; 74: 19）

回同様記載されここに tsDMARDs を追加された．bDMARDs/tsDMARDs フリー（中止）に関しては高確率で再燃する可能性が高く，関節破壊のリスクも考慮してあまり推奨していない．特に LDA（残存する活動性あり）の患者や関節破壊を認める患者では継続をすすめている．csDMARDs については上記同様減量もありえるが中止は推奨していない．これは bDMARDs を中止しても再開によりその約 8 割以上で再度低疾患活動性以下の状態に戻るが csDMARDs のみの治療を完全薬剤フリーにして再燃して再開してももとのよい状態に戻るのが約半数のみであることによる．

b 米国リウマチ学会関節リウマチ治療推奨 2015（2015 Recommendation for the Treatment of RA）

2014 年の米国リウマチ学会（ボストン）で，2012 年から 3 年ぶりの改定となる関節リウマチ治療推奨の試案が発表された．今回はアラバマ大学の Jasvinder Singh 医師と Tufts 大学の Timothy McAlindon 医師のリードのもと，まず治療推奨作成法として日本の治療ガイドラインの作成法同様 GRADE システムが採用され，最新論文検索ソフトを使用してエビデンスと

2. 治療戦略

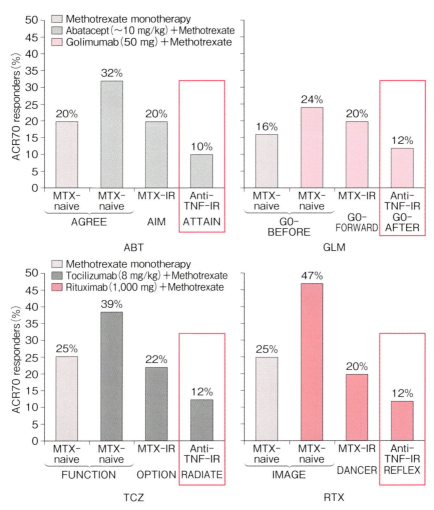

図 A-40a TNF阻害薬不応例に対する各製剤ACR 70達成率
(Smolen JS, et al. Lancet Published online. 2016 May 3)

なる論文が選択された．20人ほどのエキスパートによりエビデンスを確認し，意見を集約し最終の推奨度が作成されたとのことである．また，COIについても管理され，上記リーダーの2人はCOIがないことが義務付けられた．実際の推奨においてはDMARDs（従来型）のリストの拡大，トシリズマブを含む生物学的製剤の追加，EULAR治療推奨同様，Treat to target

chapter A ●関節リウマチの診断・薬物治療

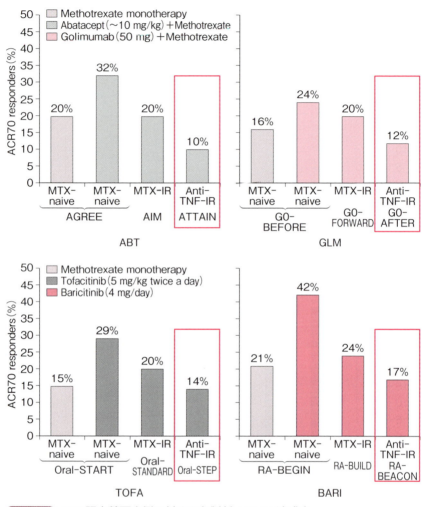

図 A-40b TNF 阻害薬不応例に対する各製剤 ACR 70 達成率
(Smolen JS, et al. Lancet Published online. 2016 May 3)

の戦略が推奨され，ステロイドやトファシチニブの使用，生物学的製剤を含む DMARDs の漸減法についても盛り込まれた．さらに新たな安全性への配慮として「重篤な感染症の既往のある患者の治療推奨」「ワクチン接種」についても触れられている．

①治療推奨の原則

1. 治療推奨は例外的な患者ではなく，あくまで一般的に見られる患者に焦点を当てつくられた．

2. 治療強化または切り替え前の3カ月間に投与されていた薬剤の至適投与量を投与すること．

3. ACRが推奨している総合的疾患活動性の指標のいずれか1つを用いた疾患活動性評価を行うこと．

4. 系統的な費用効果分析は実施していないが，推奨に至る多くの条件の1つとして費用を考慮したこと．

5. MTXはほとんどのRA患者における最初の治療薬であること．

6. DMARDs単剤治療では，MTXを用いることがほとんどであるが，スルファサラジン（SSZ），ヒドロキシクロロキン（HCQ）あるいはレフルノミド（LEF）を用いることもありうること．

7. 全てのRA患者はリウマチ専門医を受診すべきであること．

8. グルココルチコイド（GC）治療は，患者にベストのベネフィット–リスク比を提供するため，"最低有効量での最短期間の使用"に限定されるべきであること．

9. 患者の状態が良好で，RAがコントロールされているなら，他の治療への切り替えは，主治医の判断の下でのみ，患者と相談の上に行われるべきである．独断による治療の切り替えは行うべきではないこと．

10. RA患者には標準化され検証された指標を用いて機能状態評価を定期的に行う．少なくとも年1回，活動性であればより高頻度に行うべきであること．

②治療目標：T2T

1. 目標を定めない治療よりも，目標達成へ向けた治療（T2T戦略）を行うことが強く推奨される．

2. 理想的な治療目標は，低疾患活動性または寛解であり，それは医師と患者の合意により決定される．場合によっては，リスクへの許容度，合併症などを考慮して他の治療目標が選択されることもある．

③ 2012年からの変更点としては

1. 初期の治療選択に影響を及ぼす因子として，発症からの罹患期間（6

chapter A ●関節リウマチの診断・薬物治療

カ月未満の早期と 6 カ月以上の確立期）と疾患活動性は残ったが，予後不良因子（抗 CCP 抗体，既存の骨びらんなど）は今回から外れている．

2. ステロイドが DMARDs 治療中の再燃や効果不十分例での短期使用として組み入れられた．

3. 確立期に疾患活動性が中等度から重度の場合は，初期治療としての csDMARDs として MTX が他の DMARDs よりも推奨されるが，それ以外では MTX とその他の csDMARDs に優位性を持たせていない．

4. JAK 阻害薬が確立期の治療に組み入れられた．

5. 生物学的製剤が通常の症例では同列に扱われている．

6. 重篤な感染症の既往のある患者においては csDMARDs 併用もしくはアバタセプトが推奨されている．

7. 寛解維持されている患者においては，治療の漸減が推奨されている．

④治療推奨フローチャート

以下フローチャートと特別な場合での治療選択についての表を示す（図 A–41, A–42, 表 A–33 ～ A–37）．

単純化すると，csDMARDs から開始して，十分な改善が認められなければ csDMARDs の併用，もしくは生物学的製剤の併用が勧められ，安定していた患者が増悪したり，DMARDs の治療にて十分な効果が得られなければ短期にステロイドを併用する．発症から 6 カ月以上経過している症例では，JAK 阻害薬も第 2 段階の治療として，csDMARDs の併用，生物学的製剤と同様に考慮対象となる．寛解が十分に達成され維持されている症例では，慎重に徐々に個々の薬物療法の減量中止を試みるということになる．

C 副作用の高リスク患者（悪性腫瘍の既往，ウイルス性肝炎，心不全）のある患者への生物学的製剤選択

2008 年 ACR 治療推奨（表 A–38）にはなかった項目として 2015 年 ACR 治療推奨では表 A–33 ～ A–37 のように生物学的製剤選択の候補を呈示している．

注 1．経口抗リウマチ薬（DMARDs）選択には 2012 年，2015 年 ACR

80

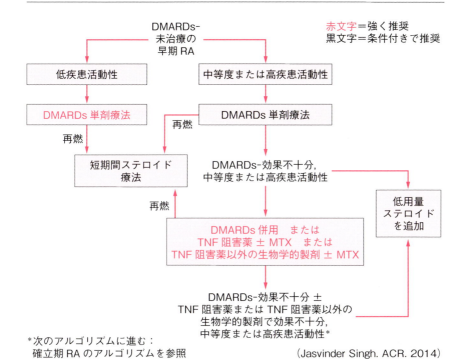

図 A-41 早期 RA に対する治療アルゴリズム案

　治療推奨ともに，ヒドロキシクロロキン，レフルノミド，メトトレキサート，ミノサイクリン，サルファサラジンが経口 DMARDs として定義されている．日本の臨床の場で頻繁に用いられているブシラミン，タクロリムス，イグラチモド，ミゾリビンなどは定義上含まれていない．

　注 2．予後不良因子：臨床的に重要な予後不良因子としては，関節外症状（血管炎，リウマチ肺など），X 線上の骨びらん，機能障害（HAQ の上昇など），血清反応陽性（リウマトイド因子，抗 CCP 抗体）が選ばれている．

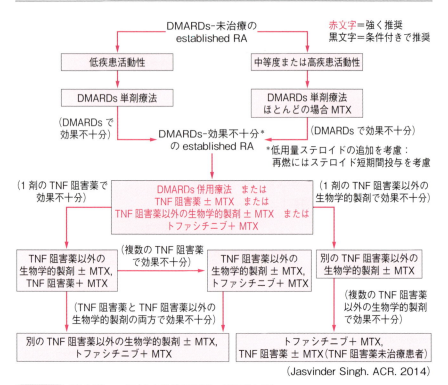

図 A-42 確立期 RA に対する治療アルゴリズム案

表 A-33 悪性腫瘍治療歴のある RA 患者
赤文字＝強く推奨　黒文字＝条件付きで推奨

悪性腫瘍	推奨
皮膚悪性腫瘍（悪性黒色腫以外）の治療・未治療歴	TNF 阻害薬よりも DMARDs 併用療法または TNF 阻害薬以外の生物学的製剤
悪性黒色腫の治療・未治療歴	トファシニチブよりも TNF 阻害薬
リンパ増殖性疾患の治療歴	TNF 阻害薬よりも DMARDs 併用療法または TNF 阻害薬以外の生物学的製剤 （アバタセプト，トシリズマブ， またはリツキシマブ）
固形悪性腫瘍の治療歴	本疾患のない患者と同じ治療

条件付きで推奨：主に専門家の意見や臨床経験に基づいた低レベルのエビデンスによって支持された条件付きの推奨

(Jasvinder Singh. ACR. 2014)

2. 治療戦略

表 A-34 肝炎（B 型, C 型）のある RA 患者

赤文字＝強く推奨　黒文字＝条件付きで推奨

肝炎	推奨
活動性の B 型肝炎で 抗ウイルス薬治療を受けている 患者	DMARDs, TNF 阻害薬, TNF 阻害薬以外の生物学的製剤 またはトファシチニブ
C 型肝炎で 抗ウイルス薬治療を受けている 患者	DMARDs, TNF 阻害薬, TNF 阻害薬以外の生物学的製剤 またはトファシチニブ

強く推奨：主に肝臓疾患研究，症例シリーズ報告，臨床経験に関する最近の米国 協会に基づいた強い推奨

表 A-35 うっ血性心不全（NYHA 心機能分類ⅢまたはⅣ）のある RA 患者

	推奨
うっ血性心不全のある established RA 患者	TNF 阻害薬よりも DMARDs 併用療法または TNF 阻害薬以外の生物学的製剤 またはトファシチニブ
現在の TNF 阻害薬治療で うっ血性心不全の悪化がみられる established RA 患者	別の TNF 阻害薬よりも DMARDs 併用療法または TNF 阻害薬以外の生物学的製剤 またはトファシチニブ

条件付きで推奨：TNF 阻害薬の臨床経験と FDA 安全性警告により支持された 条件付きの推奨

表 A-36 重篤な感染症の既往がある RA 患者

推奨	コンセンサスなし
TNF 阻害薬よりも DMARDs 併用療法	TNF 阻害薬よりも リツキシマブ
TNF 阻害薬よりも アバタセプト	TNF 阻害薬よりも トシリズマブ

条件付きで推奨：主に専門家の意見や臨床経験に基づいた低レベルのエビデンス によって支持された条件付きの推奨

chapter A ●関節リウマチの診断・薬物治療

表A-37 **確立期 RA における漸減療法**
赤文字＝強く推奨　黒文字＝条件付きで推奨

MTX 継続中で低疾患活動性の established RA	MTX 継続中で寛解の established RA
DMARDs 療法，TNF 阻害薬， TNF 阻害薬以外の生物学的製剤 またはトファシチニブを継続	DMARDs 療法，TNF 阻害薬， TNF 阻害薬以外の生物学的製剤 またはトファシチニブ（条件付き推奨）を漸減
	全ての治療を中止しないこと

強く推奨：ごく少数の患者が全ての治療を中止することができるという臨床経験
　　　　　に基づいている
条件付きで推奨：主に専門家の意見や臨床経験に基づいた低レベルのエビデンス
　　　　　　　　によって支持された条件付きの推奨

5 コントローラーとリリーバーという考え方

a リリーバーとしての NSAIDs，経口ステロイド薬

　DMARDs の早期開始が叫ばれる現在，NSAIDs や経口ステロイド薬は過去の薬になったのかと言うと決してそんなことはない．症状緩和（リリーバー）においてこれらの薬の効果発現は非常に早く，前述のように DMARDs は作用発現まで 1〜3 カ月ほどかかるため，その間の炎症コントロールと症状緩和（bridging）において重要な役割を果たす．また，リリーバーをうまく活用し炎症を早期に下げておくことは，DMARDs（コントローラー）による寛解導入を促進する可能性もある．

b コントローラーとしての DMARDs

- 抗リウマチ薬は可能な限り早期に開始する．
- 活動性の大変高い症例（腫脹関節数の多い症例，炎症反応が高値を示す症例など）や血清学的に関節予後の悪い症例（RF 陽性，抗 CCP 抗体陽性）などでは，より積極的な治療が勧められる．
- 抗リウマチ薬は作用発現まで 2 カ月ほどかかることが多いため，それまでは炎症を放置するのではなく他の抗炎症療法にて炎症のコントロールを目指す（bridging）．
- サラゾスルファピリジンでは重篤なアレルギー反応，ブシラミンでは蛋白尿の出現などに注意が必要である．

2. 治療戦略

表 A-38 RA 患者における非生物学的および生物学的疾患修飾性抗リウマチ薬の開始時または再開時の禁忌に関する推奨*

器官系および禁忌	ABA	抗TNFα	HCQ	LEF	MTX	MIN	RIT	SSZ
感染症および肺炎								
急性細菌感染症または感染症，現在抗生物質の投与を受けている場合	X	X	–	X	X	–	X	–
発熱（>101°F）を伴う上気道感染症（推定ウイルス）	X	X	–	–	–	–	X	–
未治癒の感染性皮膚潰瘍	X	X	–	X	X	–	X	–
潜在性 TB 感染症で潜在性 TB 開始療法の開始前，または，活動性 TB で標準的な抗 TB 療法の完了前[†]	X	X	–	X	X	–	X	–
生命の危険のある活動性真菌感染症	X	X	–	X	X	–	X	–
活動性帯状疱疹ウイルス感染症	X	X	–	X	X	–	X	–
間質性肺炎（RA によるものまたは原因不明のもの）または臨床的に有意な肺線維症	–	–	–	–	X	–	–	–
血液疾患および腫瘍								
白血球数<3,000 個 /mm³ [‡]	–	–	–	X	X	–	–	–
血小板数<50,000 個 /mm³	–	–	–	X	X	–	–	X
骨髄形成異常	–	–	–	X	X	–	–	–
5 年以下のリンパ球増殖性疾患の治療	–	X	–	X	X	–	–	–
心疾患								
中等度から重度の心不全（NYHA III または IV）および左室駆出分画が<50% [§]	–	X	–	–	–	–	–	–

*ダッシュは，特殊な臨床状況での当該薬物の利用に関しての肯定的な勧告を示すものではない. セクション RAND/UCLA の妥当性法を参照のこと. 治療法は，アルファベット順に列挙する.
RA：関節リウマチ，ABA：アバタセプト，抗 TNFα：抗腫瘍壊死因子α，HCQ：Hydroxychloro-quine，LEF：レフルノミド，MTX：メトトレキサート，MIN：ミノサイクリン，RIT：リツキシマブ，SSZ：サラゾスルファピリジン，X：禁忌，TB：結核.
[†] TB 療法と TB 専門家により勧告された方法への完全な遵守および治療が成功していると考えられる場合.
[‡] 例外として，Felty 症候群および好中球減少症の原因としての大型顆粒リンパ球症候群が認められることがある.
[§] ニューヨーク心臓協会（NYHA）のクラス III：身体的活動に顕著な制限を生ずる心疾患を生じた患者. こうした患者は，安静時には不快感を生じない. 通常を下回る身体活動で，疲労，心悸亢進，呼吸困難または狭心痛を生ずる. NYHA クラス IV：あらゆる身体的活動を，不快感を生ずることなく行うことのできない心疾患を生じた患者. 安静時でも心不全の症状またはアンギナ性症候群が認められることがある. 身体的活動を行った場合には，不快感が増大する.

表 A-38 RA 患者における非生物学的および生物学的疾患修飾性抗リウマチ薬の開始時または再開時の禁忌に関する推奨*（つづき）

器官系および禁忌	ABA	抗TNFα	HCQ	LEF	MTX	MIN	RIT	SSZ
肝疾患								
肝トランスアミナーゼ量が正常上限の 2 倍	-	-	-	X	X	-	-	X
急性 B 型または C 型肝炎ウイルス感染症	X	X	-	X	X	X	X	X
慢性 B 型肝炎ウイルス感染症，治療を受けている場合 ¶								
Child-Pugh 分類クラス A #	-	-	-	X	X	-	-	-
Child-Pugh 分類クラス B または C	X	X	-	X	X	X**	X	X**
慢性 B 型肝炎ウイルス感染症，治療を受けていない場合								
Child-Pugh 分類クラス A	-	-	-	X	X	X	-	X
Child-Pugh 分類クラス B または C	X	X	X**	X	X	X	X	X
慢性 C 型肝炎ウイルス感染症，治療を受けている場合								
Child-Pugh 分類クラス A	-	-	-	X	X	-	-	-
Child-Pugh 分類クラス B または C	X	X	-	X	X	X**	X	X
慢性 C 型肝炎ウイルス感染症，治療を受けていない場合								
Child-Pugh 分類クラス A	-	-	-	X	X	X	-	-
Child-Pugh 分類クラス B または C	X	X	X**	X	X	X	X	X
腎疾患								
クレアチニンクリアランス ＜30 ml/ 分	-	-	-	-	-	X	-	-
神経疾患								
多発性硬化症またはその他の脱髄性疾患	-	X	-	-	-	-	-	-
妊娠および授乳								
妊娠の予定または妊娠中	-	-	-	X	X	X	-	-
授乳中	-	-	-	X	X	X	-	-

¶ 治療とは，肝疾患の専門医により適切であるとみなされる抗ウイルス療法と定義する.
# Child-Pugh 分類による肝疾患評点法は，アルブミン，腹水，総ビリルビン，プロトロンビン時間および脳症の状態に基づくものである. 評点が 10 点以上となった患者（クラス C のカテゴリー）の予後は，1 年生存率で〜50%となる. クラス A または B ではこれよりも予後が良好であり，5 年生存率が 70〜80%となる[10].
** Child-Pugh クラス C のみで禁忌である.

2. 治療戦略

表 A-39 悪性腫瘍の既往患者生物学的製剤選択

Malignancy	Recommended
治療後固形癌 or 治療後 NMSC＞5 年	Any biologic
治療後固形癌 or 治療後 NMSC＜5 年	Rituximab
治療後メラノーマ＞5 年	Rituximab
治療後リンパ増殖性疾患（時期問わない）	Rituximab

NMSC: non-melanoma skin cancer

表 A-40 ウイルス性肝炎患者の生物学的製剤選択

肝炎	推奨される製剤	推奨されない製剤
HBc 抗体陽性の急性 B 型肝炎の既往のある患者	アバタセプト	
C 型肝炎（治療の有無に関わらず）	エタネルセプト	
未治療の慢性 B 型肝炎または治療を受けた慢性 B 型肝炎（いずれも Child-Pugh class B 以上）		いかなる生物学的製剤

上記治療推奨はエビデンスレベル C で主に Expert opinion による

- メトトレキサートは，国際的にも最も広く使われている治療の中心となる薬剤であるが，肝障害，肺障害に注意が必要である．
- 本邦開発のイグラチモド，タクロリムス，ミゾリビンも抗リウマチ薬として使用可能であり，メトトレキサートの使用できない症例，もしくは効果が不十分な症例での併用薬として効果が期待される．

RA は膠原病の中では罹患率が比較的高いため，多くの臨床スタディがある．生物学的製剤以外の抗リウマチ薬（DMARDs）を直接比較したスタディにおいては明らかに優位さを示す結論は得られていないが，単剤投与より多剤併用の方が効果が高い．しかし，欧米と本邦では投与量が大きく異なるため，論文を参考にする時には注意が必要である．

生物学的 DMARDs は経口 DMARDs に比して効果が高いことが報告されているが，腫脹関節がないような寛解状態においては経口 DMARDs だけで

chapter A ●関節リウマチの診断・薬物治療

表 A-41 経口 DMARDs による治療成績の抜粋

	ACR20	ACR50	ACR70
サラゾスルファピリジン	56	30	NS
ブシラミン	46	38	NS
タクロリムス	57	32	16
メトトレキサート	74	40	18

ACR20, ACR50, ACR70 は ACR が定めた基準による 20%，50%，70%の改善を示す．
（Olsen NJ, et al. N Engl J Med. 2004; 350: 2167-79; Ichikawa Y, et al. Mod Rheumatol. 2005; 15: 323-8; Klareskog L, et al. Lancet. 2004; 363: 675-81; Kawai S, et al. J Rheumatol. 2006; 33: 2153-61）

も関節破壊の進行は抑えられる．

　治療反応性や関節機能障害予後も，血清反応，性別，治療開始時期などにより大きく異なるため，複数のスタディを直接比較することは適当ではないかもしれないが，ここでは欧米で一般的に使用されているメトトレキサート，サラゾスルファピリジンに，本邦で使用されているタクロリムス，ブシラミンを含めて記載する（表 A-41）．

C 経口 DMARDs を用いた治療戦略

　一般的に DMARDs の効果は実地臨床においては論文上の成績よりも良好である．これは，多くのスタディのデザインが薬剤投与量の調整や薬剤の変更を 3 カ月ごとに行っており，また DMARDs 効果発現までの短期経口ステロイド剤や，関節内注射などが十分使用されていないことが影響していると考えられる．実際に，1 カ月ごとの評価と治療計画の調整により 3 カ月ごとよりも高い効果を上げることが報告されている（図 A-43）．しかしながら，発症から数カ月の早期に関節の炎症をしっかりと抑制することが関節機能保護に重要であることが示されており，早期に効果の得られない症例で経口 DMARDs を漫然と投与することは勧められない（図 A-41）．

　長期的な治療計画をはじめにしっかりと説明することが，RA の治療で患者と医師の信頼関係を保つことに役立つ．図 A-41 のような治療方針をとった場合には，多くの患者が第 1 DMARDs によって十分な効果が得られない．副作用が少なくない薬剤を服用して，患者の実感できる十分な効果が得

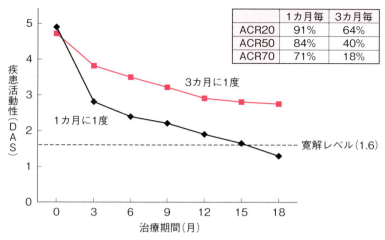

図 A-43 疾患活動性評価および治療調節の頻度と効果の関係
（生物学的製剤の使用なし）
（Grigor C, et al. Lancet. 2004; 364: 263-9）

られず数カ月ごとに新しい薬の説明を受け追加していくことは，患者によっては受け入れがたく，信頼関係を損なうことになりうる．また，経口ステロイド剤に関しても，速効性があり効果が高いが，あくまで他の DMARDs の効果が現れるまでのつなぎ（bridging）であり，低用量でも長期的に服用した場合には肺炎などの感染症，骨粗鬆症，生活習慣病などの問題があることは説明しておかなければならない．よって，DMARDs の効果が得られるはずの時期には減量中止を目指していくこと，減量で関節症状が悪化する場合には単に経口ステロイド剤を増量するのではなく，他の DMARDs の追加投与が必要になることなどを説明しておくことが重要である．また，逆に数カ所の関節炎症が QOL を損なう場合には速効性のあるステロイド関節内注射で対応可能であることを説明することは安心感を与えることも多い．

初期治療薬として適応のある薬剤は，メトトレキサート，サラゾスルファピリジンとブシラミンである．後者 2 剤ともメトトレキサートと同様の効果という報告もあるが，臨床的には明らかにメトトレキサートよりも有効率は低い．治療開始時に腫脹関節・圧痛関節が多く，炎症反応も高い症例などでは，経口 DMARDs のみで炎症を抑えることは難しく，可能であったとしても長期間かかることから関節破壊につながりうるため，症例によっては短

chapter A ●関節リウマチの診断・薬物治療

期経口ステロイドや関節内ステロイド注射を併用し炎症を抑えた状態を維持するように使用すると有効率が高い.

タクロリムスは添付文書の記載によれば他の薬剤が無効な場合に適応となっており，サラゾスルファピリジンまたはブシラミンが2カ月間の投与で十分な効果がない場合には翌月には開始できるように薬剤の説明を行った上で TNF 阻害薬も含めて選択を決めておく.

個々の患者の合併症，日常生活における活動性，経済的側面などを考慮した上で治療計画を立てていくことが重要であり，例えば悪性腫瘍再発の懸念のある患者においては免疫抑制薬の服用が躊躇されることもあり，サラゾスルファピリジンとブシラミンの併用や通常より長い低用量経口ステロイドやより積極的な関節内ステロイド注射が使用されうる.また，呼吸機能検査や胸部単純 X 線写真で明らかとなるような程度の間質性肺炎，慢性肝障害，慢性腎不全などがある場合は，メトトレキサートでなく，他の薬剤が選択肢の上位となる.

·cHeck!·

- 長期的治療には医師–患者間の信頼関係も必要.治療開始時にはしっかりと薬の説明をすること

6 最後にやっぱり個別化医療

RA の診療は，1998 年に生物学的製剤である TNF 阻害薬が認可されて以来大きく変換した.それは，新たに RA を発症した大多数の患者において，関節の炎症という疾患活動性をコントロールすることが可能になり，それにより画像的な進行である骨びらんなどの関節破壊が起こらなくなり，長期にわたっても機能障害をきたさないように治療ができるようになったことによる.臨床的，画像的，機能的寛解という目標がはっきりすることで，関節破壊が起こる前に炎症を抑え，不可逆的な機能障害を残さないことが治療方針となった.3カ月ごとに関節の炎症が残っていれば治療を強化する T2T（Treating RA To Target）という概念が一般化し，糖尿病の HbA1c のように寛解という数値目標（target）を持って治療を行う.TNF 阻害薬を中心と

する生物学的製剤がRAの予後を大きく改善したことは確かであるが,多くの先進国では生物学的製剤の使用率は30%未満であり,いまだに低分子経口抗リウマチ薬が治療の中心であることに変わりない.2008年にはACRから初期からの併用療法も状況によっては選択肢とされている[11].2009年のEULARからの推奨でも経口抗リウマチ薬から開始し,必要に応じて低用量経口ステロイドなどを短期間併用することによる早期の寛解導入が推奨されており,十分寛解が維持できない患者においてはTNF阻害薬の併用とタイミングよいステップアップが勧められている[12].また,経口抗リウマチ薬の3剤併用[MTX+SSZ+ヒドロキシクロロキン(HCQ:本邦DLEに対して治験中)]の有効性は従来から報告されていたが[13],2009年[14],2013年[15]に欧州および米国からLancet誌,NEJM誌(図A-44)にそれぞれMTX抵抗性の早期RA患者に対してTNF阻害薬を追加する群とMTXにSSZとHCQを追加し経口3剤併用療法する群のランダム化比較試験が行われた.結果,半年〜2年間の短期間では,TNF阻害薬+MTX群と経口3剤併用群で同等の効果が示された.実臨床においても経口DMARDs 1剤で効果不十分な患者に対してすぐに生物学的製剤を導入するのではなく他の

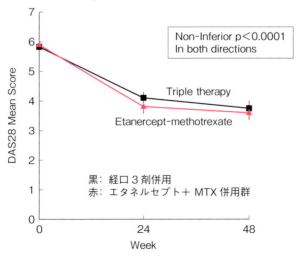

図A-44 MTX抵抗性RAに対するRCT 48週までの平均DAS 28

chapter A ●関節リウマチの診断・薬物治療

経口 DMARDs を併用することで疾患活動性を抑えこむことができることもしばしば経験される．しかし，HCQ が本邦では未承認であるため，いまだエビデンスに乏しいが我々はブシラミンやイグラチモドに置き換えて MTX＋SSZ＋ブシラミン（or イグラチモド）と併用療法を行っている．ただし，経口 DMARDs 併用療法中活動性がおさまらないのに漫然と治療継続するのではなく，3 カ月毎には疾患活動性を評価し，6 カ月以内に目標達成できない場合，患者さんとの合意が得られれば生物学的製剤導入を勧めている．また，図 A-45 のように経口薬を 2 段階（3 剤併用）試みる間に関節破壊が進行しないよう短期間の低用量ステロイドの使用や炎症の強い非荷重関節への関節注射などを併用することで慢性炎症を放置せず，その後必要に応じてタイミングよく生物学的製剤を開始する．このプロトコールが，特に早期 RA 患者にはほとんどの症例で適切な治療計画となる．よって，予後予測因子を常に念頭においての注意深い経過観察とモニタリングが必要になるが，予後因子の有無で最初から生物学的製剤を導入すべき群を同定することは困難と考えられる．

個々の患者に合った"personalized medicine"（個別化医療）を実践する

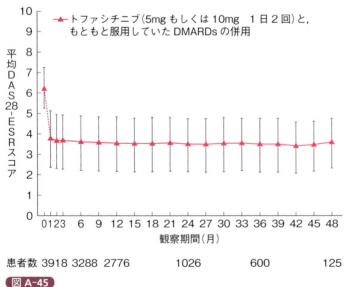

図 A-45

表 A-42 個別化医療において考慮すべき項目

- 疾患因子
  - ― 関節破壊進行リスク
  - ― 機能障害発現リスク
- 患者因子
  - ― 年齢
  - ― 社会的
    - ・職業
    - ・機能障害発症時の経済的影響
    - ・薬物療法，通院を行うに当たっての経済的余裕
  - ― 合併症
    - ・薬剤有害事象時に重篤になりやすいか
    - ・すでに RA と関係なく機能障害があるか
  - ― 嗜好
    - ・軽度機能障害の許容度
    - ・薬物有害事象への許容度

には，疾患の特性だけでなく，患者個々人の特性に関しても考慮する必要がある（表 A-42）．関節破壊，機能障害のリスクが高いと考えられれば，より積極的に治療を考慮することになるが，すでに ADL の低下した高齢者においては軽度の機能障害よりも治療における副作用がより大きな問題となることも考えられる．音楽家，スポーツ選手などの繊細な運動機能が必要とされる職業においては，少々の薬物療法の有害事象のリスクよりも機能維持が優先されるかもしれない．また，肉体労働で家族を養っている状況も同様である．サラゾスルファピリジンを使用する場合は薬物アレルギーのリスク，ブシラミンでは糖尿病，腎疾患のようにタンパク尿の出現に留意すべき疾患があるか，メトトレキサートでは肝障害，間質性肺炎，悪性腫瘍の既往など，TNF 阻害薬においては自身のみならず同居家族の結核や脱髄性神経疾患の罹患歴，悪性腫瘍，心不全などが考慮される．

　Personalized medicine の実現は，文献的な知識や個々の医師の努力だけでは困難であり，効率よく患者ごとに必要な情報を収集するための問診票などの工夫が必要である．また，寛解導入までのきめ細やかな調整が必要な時期の患者と，寛解維持期のモニタリングが主体の患者において医師の診察時間を含めた医療資源の効率的利用のために医療連携システムの構築も重要と考えられる．

chapter A ●関節リウマチの診断・薬物治療

コラム

バイオマーカーの開発合戦〜細菌感染のグラム染色のように〜

　生物学的製剤を代表とする素晴らしい治療の進歩により RA 患者の予後は改善した．昨今の話題はバイオマーカーの開発である．これには 1) 疾患活動性や炎症を正確に評価できる指標（例．前述 MBDA スコア），2) 治療反応性の指標，3) ある特定の治療に対する反応性の指標（あるいは副作用の出現頻度の指標），などがあげられる．現時点ではある製剤を 3 〜 4 カ月まず開始してみて効果がなければ変更するといった戦略がとられているが，今後 MTX に対する反応性や副作用の頻度，TNF 阻害薬に対する反応性や副作用の頻度など正確に評価できれば実臨床での有用性は非常に高く，治療に伴う副作用の軽減さらには治療 Cost の軽減をもたらす．細菌性肺炎を疑う患者さんでグラム染色を行い経験的な抗菌薬選択を行うようなある程度正確なバイオマーカーの開発が今後 10 年以内，いや数年以内には行われるであろう．

文献

1) Ohosone Y, et al. Clinical characteristics of patients with rheumatoid arthritis and methotrexate induced pneumonitis. J Rheumatol. 1997; 24: 2299-303.

2) Grigor C, et al. Effect of a treatment strategy of tight control for rheumatoid arthritis (the TICORA study) : a single-blind randomized controlled trial. Lancet. 2004; 364: 263-9.

3) Verstappen SMM, et al. Intensive treatment with methotrexate in early rheumatoid arthritis: aiming for remission. Computer-Assisted Management in Early Rheumatoid Arthritis (CAMERA, an open-label strategy trial). Ann Rheum Dis. 2007; 66: 1443-9.

4) van der Bijl AE, et al. Infliximab and methotrexate as induction therapy in patients with early rheumatoid arthritis. Arthritis Rheum. 2007; 56: 2129-34.

5) Smolen JS, et al. Treating rheumatoid arthritis to target: recommendations of an international task force. Ann Rheum Dis. 2010; 69: 631-7.

6) Pinals RS, Baum J, Bland J, et al. Preliminary criteria for clinical remission in rheumatoid arthritis. Arthritis Rheum. 1981; 24: 1308-15.

7) Singh JA, et al. 2012 Update of the 2008 American College

of Rheumatology Recommendations for the Use of Disease–Modifying Antirheumatic Drugs and Biologic Agents in the Treatment of Rheumatoid Arthritis. Arthritis Care & Research. 2012; 64: 625–39.

8) American College of Rheumatology 2008 Recommendations for the Use of Nonbiologic and Biologic Disease–Modifying Antirheumatic Drugs in Rheumatoid Arthritis. Arthritis Rheum. 2008; 59: 762–84.

9) Smolen JS, et al. EULAR recommendations for the management of rheumatoid arthritis with synthetic and biological disease–modifying antirheumatic drugs: 2013 update. Ann Rheum Dis. 2014; 73: 492–509.

10) Christensen E, et al. Prognostic value of Child–Turcotte criteria in medically treated cirrhosis. Hepatology. 1984; 4: 430–5.

11) Saag KG, et al; American College of Rheumatology. American College of Rheumatology 2008 recommendations for the use of nonbiologic and biologic disease–modifying antirheumatic drugs in rheumatoid arthritis. Arthritis Rheum. 2008; 59: 762–84.

12) McInnes IB, et al. State–of–the–art: rheumatoid arthritis. An Rheum Dis. 2010; 69: 1898–906.

13) O'Dell JR, et al. Treatment of rheumatoid arthritis with methotrexate alone, sulfasalazine and hydroxychloroquine, or a combination of all three medications. N Engl J Med. 1996; 334: 1287–91.

14) van Vollenhoven RF, et al. Addition of infliximab compared with addition of sulfasalazine and hydroxychloroquine to methotrexate in patients with early rheumatoid arthritis (Swefot trial): 1–year results of a randomised trial. Lancet. 2009; 374: 459–66.

15) O'Dell JR, et al. Therapies for active rheumatoid arthritis after methotrexate failure. N Engl J Med. 2013; 369: 307–18.

3 よく使われる消炎鎮痛薬（NSAIDs およびステロイド）

A NSAIDs の使い方＋注意事項

> **check!**
> - NSAIDs による治療は原因療法でなく対症療法であることに留意する
> - 消化性潰瘍に代表される禁忌や慎重投与がないかを確認する
> - ここまでクリアしたら，投与経路，効果の速さ，効果の強さ，推定される使用期間，などから薬剤を選ぶ

　非ステロイド性抗炎症薬（NSAIDs）の作用は疼痛・こわばりといった症状の緩和（リリーバー）であり，関節破壊抑制作用（コントローラー）は証明されていない．このため，RA においては抗リウマチ薬との併用が原則である．また，NSAIDs は副作用の少ない薬ではないことも留意する必要がある．

1 NSAIDs の副作用

　NSAIDs の主な副作用を表 A–43 に示した．最も注意しなくてはいけないのは消化性潰瘍や消化管出血であり，消化性潰瘍の既往者，高齢，ステロイド併用でさらにリスクは増加する．このような患者に NSAIDs を投与する場合は，プロトンポンプ阻害薬（例：ランソプラゾール）やプロスタグランジンアナログ（例：ミソプロストール）を併用あるいは NSAIDs のなかでも COX–2 選択的阻害薬（例：セレコキシブ）の使用が推奨されている．プロトンポンプ阻害薬としては，ランソプラゾールが，消化性潰瘍の既往のある患者における NSAIDs 潰瘍予防薬として保険適応がある．ちなみに H_2 阻

3. よく使われる消炎鎮痛薬（NSAIDs およびステロイド）

表A-43 NSAIDs の主な副作用

・消化性潰瘍	・浮腫
・腎不全	・高血圧
・心不全，冠状動脈疾患	・出血傾向
・肝機能障害	

害薬は NSAIDs による胃潰瘍への予防効果は保険未承認の高用量での場合のみ以外には確立しておらず，安易な投与は避けたい．同様に，高齢者，糖尿病，高血圧，心不全，慢性腎障害患者では腎機能障害に注意が必要である．

2 NSAIDs とは？

NSAIDs はアラキドン酸からプロスタグランジンを合成する過程に作用するシクロオキシゲナーゼ（COX）の阻害作用をもつ．COX には COX-1，COX-2 の 2 つがあり，下記のような役割分担をもつ[1]．

- COX-1 はほとんどの生体組織に発現して胃粘膜保護，止血，血小板凝集，腎機能維持などに関与している．
- COX-2 は脳，女性生殖器などの一部の組織では生理機能に関与しているが，他の多くの組織では炎症性サイトカインにより発現する．

COX-2 の発現によって，炎症の増強，疼痛の増強，発熱が起こる[2] ので，NSAIDs は COX-2 を阻害して抗炎症，鎮痛，解熱の作用を発揮するが，主な副作用は COX-1 の阻害による．

3 NSAIDs の適応

鎮痛作用に加えて抗炎症作用をもつので，局所の発赤，腫脹，熱感などを伴う炎症性の痛みに対して使うのがもっとも理にかなっている．解熱のためだけに NSAIDs が使われることもあるが，より副作用の少ないアセトアミノフェン（カロナール®）を用いた方がよい．また，鎮痛に関しても十分量のアセトアミノフェンを使うことで対応できることもある．200 mg 錠 2 錠（合計 400 mg）頓用という処方をよく見かけるが，体重が 50 kg 前後あれば日本の添付文書の上限である 500〜1,000 mg（1 日最大 4,000 mg まで使用可能）は使った方がよいだろう．痛みの種類によっては機序に合わせた

chapter A ●関節リウマチの診断・薬物治療

治療を行った方がよいこともあり，例えばびりびりとした神経原性の痛みに対しては，抗てんかん薬などが勧められる．

4 NSAIDs の禁忌や注意事項

NSAIDs は副作用の数も頻度も多い薬剤である．添付文書から禁忌事項を書き出してみたので，これに基づいて禁忌と関連する副作用を述べる．

- 過敏症：1種類の NSAIDs に過敏症がある場合はすべての NSAIDs に過敏症があるものと考えた方が安全である．湿布薬でも誘発される可能性があるので注意する．
- アスピリン喘息：名前にだまされてはいけない．アスピリン以外にもすべての NSAIDs により誘発される可能性がある．こちらも湿布薬でも誘発される可能性がある．
- 妊娠末期：動脈管の閉塞が起こる可能性が言われている．また妊娠早期でも着床や胎盤血管にも影響することが知られている．妊娠中期で他に治療法がない場合以外は，妊娠中は NSAIDs を避ける．
- 消化性潰瘍：胃十二指腸潰瘍の誘発や増悪だけでなく，小腸・大腸病変を起こすこともある[3]．
- 重篤な腎障害：既に腎障害がある場合はプロスタグランジン低下で腎血流低下と腎機能低下を起こすことがある．また，特に腎障害がなくても間質性腎炎が稀に起こる．
- 重篤な心機能不全：体液貯留から心不全を増悪させる恐れがあるとされる．冠動脈疾患については後述する．
- 重篤な肝障害：すべての薬剤は肝障害を起こす．肝障害がみられていればなるべく使用する薬剤は少なくするのが常に鉄則である．

実臨床上問題になることは少ないが，相互作用として，ワルファリン/SU剤/炭酸リチウムなどの作用増強やキノロン系抗生物質との併用によるけいれん誘発などが言われている．

5 NSAIDs の使い分け

適応と禁忌を考慮したら，いよいよ NSAIDs の使用と使い分けになる．基本的に対症療法なので，患者の希望を聞きながら処方する．使い分けには

3. よく使われる消炎鎮痛薬（NSAIDs およびステロイド）

主に，作用の面からの使い分けと，副作用の面からの使い分けがある[4,5].

a 作用からの使い分け

「必要最小量を必要最短期間」が原則なので，頓用で大丈夫そうなら頓用，治療開始ごく初期などで炎症による自覚症状の強い時は定期内服も考えていく．しかし，緩和医療など疼痛緩和が原因治療に優先する場合は定期内服が優先される．

cHEck!

● 作用の面から使い分ける際は，投与回数を念頭において考える

- 比較的抗炎症鎮痛作用の強いもの
    ○ ジクロフェナク（ボルタレン® SR カプセル）37.5 mg 1 日 2 回
    ○ ナプロキセン（ナイキサン®）300 mg 1 日 2 回
- 抗炎症作用と胃腸障害のバランスのよいもの
    ○ ロキソプロフェン（ロキソニン®）60 mg 1 日 3 回
- 胃腸障害の少ないもの
    ○ エトドラク（ハイペン®）200 mg 1 日 2 回
    ○ メロキシカム（モービック®）10〜15 mg 1 日 1 回
- COX-2 選択的阻害薬
    ○ セレコキシブ（セレコックス®）200 mg 1 日 2 回

b 副作用からの使い分け

cHEck!

● 副作用の面から使い分ける際は患者の基礎疾患を念頭において考える

①消化性潰瘍

活動性の消化性潰瘍があれば禁忌となるので NSAIDs を使わない．
1998 年の文献では下記の 5 つのリスク因子のうち 1 つでもあれば予防策を勧めている[6].

chapter A ●関節リウマチの診断・薬物治療

- 消化性潰瘍 / 上部消化管出血の既往（リスク 4〜5 倍）
- 年齢 60 歳以上（リスク 5〜6 倍）
- 通常量より 2 倍以上多い NSAIDs 使用（リスク 10 倍）
- ステロイド併用（リスク 4〜5 倍）
- 抗凝固療法併用（リスク最大 15 倍）

　つまり，もともとリスクの高い高齢者においては，さらにリスクを高める NSAIDs の長期処方やステロイドとの併用は細心の注意が必要である．逆に，消化性潰瘍の既往がなくリスクの低い若年者に NSAIDs を短期に処方する際には必ずしも胃薬の投与は必要ない．

　実際の予防策としては下記が考えられるが，いずれでも粘膜障害のリスクがゼロになるわけではないことに留意が必要である．COX-2 選択的阻害薬でもリスクは半分となるのみであり，ハイリスクの患者では PPI の併用で 1/4 となる．

- COX-2 選択的阻害薬
  - セレコキシブ 100 mg 1 錠 1 日 2 回
- 通常の NSAIDs とミソプロストール（サイトテック®）or PPI（ランソプラゾール）の併用
  - ロキソプロフェン 60 mg 1 錠頓用（短時間作用型でプロドラッグ）
  - ナプロキセン 100 mg 2〜3 錠頓用 or 2 錠 1 日 3 回内服
  - エトドラク 200 mg 1 錠 1 日 2 回（やや COX-2 選択的と言われる）

ちなみに，COX-2 選択的阻害薬についてもアスピリンとの併用になってしまう場合[7]は PPI の併用が望ましくなる．

②腎機能障害

　常に GFR を考えるようにする．日本人を想定した eGFR[8]を参照するのが簡便である．この CKD 診療ガイドでは eGFR 50 ml/分以下では減量は必要ないが，腎障害をきたすため慎重投与としている．eGFR 30 ml/分以下では NSAIDs を原則として避けた方がよい．

　eGFR が低めだがやむなく使う場合は，インドメタシンやジクロフェナクなど腎毒性が強い薬剤は避け，連用するならば血清 Cr の変化を数日単位でモニターする．

　痩せた高齢者では eGFR は実際の腎機能よりも過大評価になることがあ

100　　　　　　　　　　　　　　　　　　　　JCOPY　498-02715

3. よく使われる消炎鎮痛薬（NSAIDs およびステロイド）

る．これは血清クレアチニンが筋肉量にある程度依存してしまうためであるので，疑わしい場合は筋肉量に依存しないシスタチン C を測定することにより確認できる．80÷シスタチン C が糸球体濾過量に近似する．

コラム

NSAIDs が AS 治療のファーストチョイス

　ドイツで行われた大規模な AS 患者の cross-sectional study の結果を見てみよう[9]．約 1000 人の AS 患者に NSAIDs の治療状況とその効果と副作用に関する調査のため質問紙を送ったところ約 8 割の患者が過去 12 カ月以内に NSAIDs を使用し，平均 4 年間服用していた．使用頻度はジクロフェナックが全体の約 3 割，インドメタシンは 15％で続くが，その他さまざまな NSAIDs が使用されている．図 A-46 に示すように NSAIDs は約 9 割以上の患者で有効であり，約 2 割の患者で完全に疼痛は消失している．その効果は HLAB27 陽性者で高く，他の報告においては炎症反応高値の患者，また Syndesmophyte や仙腸関節病変を有する患者のほうが NSAIDs の反応が優れていた[10]．一方，長期服用によりその約 25％の患者が重度の副作用を経験しており，中でも消化器症候が大部分を占めているため注意が必要である（図 A-47）．また，全体の約 3％の患者で使用されていたセレコキシブがもっとも副作用による変更が少ない NSAIDs であった（セレコキシブ約 10％変更，他剤は約 20～30％で変更）．

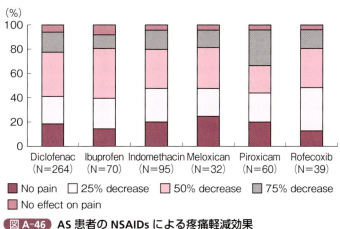

図 A-46 AS 患者の NSAIDs による疼痛軽減効果
(Zochling J, et al. Clin Rheumatol. 2006; 25: 794-800)

chapter A ●関節リウマチの診断・薬物治療

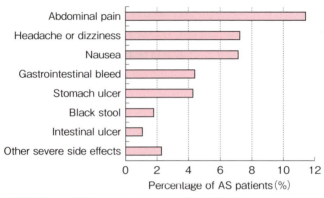

図 A-47 長期服用患者の約 25%が重度副作用

(Zochling J, et al. Clin Rheumatol. 2006; 25: 794-800)

コラム

冷湿布と温湿布の使い分け[11]

　サリチル酸や NSAIDs に加えて，冷湿布は清涼感を感じさせる成分（メンソールなど）を含み，温湿布は唐辛子エキス（カプサイシン）を加えている．冷湿布/温湿布というのは冷たく/暖かく感じるという意味で，厳密には冷やしているわけでも暖めているわけでもない．では全く気分的なものなのかというと，NSAIDs ゲル（欧米では湿布の形態は存在しないようだ）に関する 25 の研究をまとめた systematic review[12] では，軽度から中等度の慢性の筋骨格系の痛みに対しての有効率はプラセボ 26%に対して NSAIDs ゲル 48%であり有効であったという報告もある．対症療法の薬剤なので，冷湿布と温湿布の使い分けに関しては患者の自覚症状での改善が得られていれば，厳密な区別は必要ない．湿布の希望があれば，どちらがよいかを患者と相談して決める．

コラム

NSAIDs と心血管リスク

　米国で発売されていた COX-2 選択的阻害薬 rofecoxib は大腸ポリープ予防効果をみた APPROVe 試験でプラセボ群に比べて心筋梗塞や脳血管障害が多く，試験中断，市場回収となった．通常の NSAIDs も含めて検討した 2006 年の systematic review[13] では，rofecoxib はリスク上昇あり，セレコキシブ

3. よく使われる消炎鎮痛薬（NSAIDs およびステロイド）

は 100 mg 1 日 2 回であればリスク上昇なしだが，200 mg 1 日 2 回の長期投与は糖尿病や心血管系疾患の既往のある患者では注意が必要である．通常の NSAIDs では，ナプロキセンとイブプロフェン（ブルフェン®）はリスク低下も上昇もなし，ジクロフェナクとインドメタシンはリスク上昇ありという結果であった．

こういった NSAIDs 全般に心血管疾患リスクがみられる可能性を検討し，AHA は心血管リスクのある患者では NSAIDs（COX-2 選択的阻害薬に限らず）の使用を，本当に必要な患者に限り，必要最低用量で必要最短期間のみに限定するように勧めている[14]．

ちなみに，イブプロフェンはアスピリンの心血管保護作用を低下させる可能性があるという報告があり，アスピリン使用患者では避けた方がよく，この場合 COX-2 阻害薬が選択されることが多い[15]．

コラム

プロトンポンプ阻害薬（PPI）使用時の注意

高齢者では心血管系の合併症も多くアスピリンやクロピドグレルを服用中の患者さんも多い．PPI の副作用の報告では，長期の使用で骨粗鬆症による骨折リスク[16] や院内肺炎（特に誤嚥性肺炎）のリスクを増加[17]させたという報告があり，適応のある患者さん以外での過度の予防投与は避けたい．また，薬剤相互作用としてオメプラゾールやエスメプラゾール[18] では，CYP450 に作用しクロピドグレルの作用を減弱するため心筋梗塞後などの患者さんでは注意が必要であり，他の PPI でも同様に避ける必要があるであろう．クロピドグレル服用中で消化性潰瘍または予防として PPI 投与が必要な場合には，高用量 H_2 阻害薬を勧めている．その他，CYP450 の代謝に関連してメトトレキサート，ワルファリン，タクロリムスなど薬剤相互作用（作用増強）にも注意して処方を行う．

また，PPI とは関係ないが心血管疾患に対してアスピリンを服用中 NSAIDs を使用する場合，イブプロフェンはアスピリンの抗血小板作用を阻害してしまうという報告があり，アスピリンはイブプロフェン服用 2 時間前には服用するよう勧められている．他の NSAIDs も，その可能性がありアスピリン服用中では COX-2 阻害薬を使用することも考慮される．

NSIADs の心血管リスクおよび消化性潰瘍リスクを考慮した 2009 年米国消化器学会 NSAIDs 潰瘍予防ガイドラインについて

2009 年米国消化器学会の出した NSIADs 潰瘍予防ガイドライン[19]では，NSAIDs 使用患者では心血管リスクおよび NSAIDs 潰瘍リスクを考慮して PPI もしくはミソプロストールの併用やセレコキシブの使用が必要か決定する（表 A-44）．服用中では COX-2 阻害薬を使用することも考慮される．

表 A-44 米国消化器学会 2009 年 NSAIDs 潰瘍の予防ガイドライン

NSAIDs 潰瘍リスクの程度	
高	1. 潰瘍合併症の既往（特に最近） 2. 以下 3 つ以上のリスク因子
中（1 or 2 つのリスク因子）	1. 年齢＞65 歳 2. NSAIDs 高用量 3. 合併症のない潰瘍の既往 4. ASA，PSL，抗凝固療法の併用
低	1. リスク因子なし
H. pylori は独立したリスク因子	

予防治療の推奨	NSAIDs 潰瘍リスク（上記）		
	低	中	高
低 CV リスク	NSAIDs 単独（できるだけ低用量）	・NSAIDs＋PPI or ミソプロストール あるいは ・セレコキシブ単独	可能なら NSAIDs 回避あるいはセレコキシブ＋PPI or ミソプロストール
高 CV リスク（ASA 必要）	ナプロキセン＋PPI or ミソプロストール		NSAIDs 回避

・CV リスク（心血管疾患，高血圧，糖尿病，肥満を評価）
　特に低用量 ASA が必要な患者は高 CV リスク
・H. pylori 検査行い陽性なら治療する

COX-2 阻害薬/ASA 併用し危険因子ある場合 PPI 必要
PPI：プロトンポンプ阻害薬，ASA：アスピリン，CV：cardiovascular

3. よく使われる消炎鎮痛薬（NSAIDs およびステロイド）

③高齢者

前述の消化管副作用のリスクをもつ患者も多く，腎機能障害が存在する可能性も高くなってくる．原因治療や他の鎮痛薬の適応を常に考える．NSAIDs を使うならば短時間作用型の頓用がよいが，慢性疼痛が多い年齢層でもある．連用になりそうな場合は半減期の長い（特に1日1回製剤）ものは避けた方がよい．

6 まとめ

①他の薬剤の適応でないか考える．
② NSAIDs の禁忌や注意事項がないか考える．
③急性疼痛であれば短時間作用型の頓用もしくは1日3回内服．
④慢性疼痛であれば中長時間作用型の1日2回内服．
⑤数週間以上の連用になってしまう場合は，原因治療で改善できないかを改めて考えてみる．

B ステロイドの使い方＋注意事項

　ステロイドの全身投与は症状の早期緩和に極めて有効である．かつ昨今では早期 RA において低用量ステロイド（プレドニゾロン 5〜10 mg /日）がX 線上の関節破壊を遅らせることが報告されており，ステロイドには症状緩和のみならず骨破壊抑制効果も期待されるが，長期投与には副作用の問題がある．結論として，RA の活動性の高い患者に少量ステロイド（プレドニゾロン 7.5 mg/ 日以下）を DMARDs に併用して開始し，早期の症状緩和をみた後に，DMARDs の作用発現とともに漸減，可能であれば中止，やむをえない場合には極少量（プレドニゾロン 5 mg/ 日以下）で維持することが望ましい．

　ステロイドが RA 患者に対して劇的効果を示すことを 1949 年に Henchが発見し，1950 年にノーベル賞を受賞した．アスピリン，ペニシリンの発見と同様，近代の医療の中で最も強いインパクトを与えた薬剤のひとつである．

　古い歴史のあるステロイドであるが，リウマチ性疾患にとって現在におい

chapter A ●関節リウマチの診断・薬物治療

ても重要なキードラッグであり続けている．リウマチ性疾患や自己免疫性疾患のみならず，血液系腫瘍，重症感染症や閉塞性呼吸器疾患など多分野にわたり用いられている．

ここでは，ステロイドの一般的なこと（種類や副作用など）について，改めておさらいしてみる．

1 ステロイドの種類

現在，リウマチ性疾患において，ステロイドは用途に応じて，内服，点滴静注用，筋注用，関節内注射用などの製剤が使用されている．

内服薬としては，プレドニゾロン（プレドニン®など）やメチルプレドニゾロン（メドロール®など）が多く使用されている．

点滴製剤では同様にプレドニゾロンコハク酸エステルナトリウム（水溶性プレドニン®など）やコハク酸メチルプレドニゾロンナトリウム（ソル・メドロール®など）があり，内服不能時やステロイドパルス療法の際に用いられる．

副腎不全の際などには，生理的内因性ステロイドであるハイドロコルチゾン（ハイドロコートン®など）が一般的に用いられる．

関節注射の際には，トリアムシノロン（ケナコルト–A®）がよく使用されている．

また，ステロイドには，鉱質コルチコイド作用（水・電解質作用：ナトリウム貯留作用・カリウム排泄作用など）と糖質コルチコイド作用（抗炎症作用，免疫抑制作用，糖新生作用，蛋白異化作用など）があり，おのおのの種類で各作用の比率が決まっている．ベタメタゾン（リンデロン®など），デキサメタゾン（デカドロン®など）は生物学的半減期が長く，視床下部–下垂体–副腎系を長く抑制するため，ステロイド離脱困難となりやすく，これらの薬剤を服用していた患者は，プレドニゾロンの同力価量への変更が望ましい．また，ベタメタゾンやデキサメタゾンは糖質コルチコイド作用が強く，プレドニゾロンなどに比して耐糖能異常が現れやすい．一方，鉱質コルチコイド作用はなく，ナトリウム貯留，低カリウム血症や高血圧などは起こりにくい．

各種ステロイドの種類別の力価換算や半減期を表 A–45 にまとめた．

106

3. よく使われる消炎鎮痛薬（NSAIDs およびステロイド）

表 A-45 ステロイドの種類別力価換算と半減期

ステロイド薬	相対力価		同等量 (mg)	生物学的 半減期 (時間)
	抗炎症（糖質コル チコイド）作用	鉱質コルチコイド 作用		
短時間作用性 ハイドロコルチゾン	1	1	20	8〜12
中間型 プレドニゾロン （プレドニン®）	4	0.8	5	12〜36
メチルプレドニゾロン （ソル・メドロール®）	5	0.5	4	12〜36
長時間作用性 デキサメタゾン （デカドロン®）	25	0	0.75	36〜54

2 ステロイドの副作用

　ステロイドの副作用と発現時期であるが，表 A-46，A-47 に示すように多数の副作用があり，十分に考慮しながら使用していく必要がある．

　また，1,066 人の RA 患者を対象としたステロイド用量に対する副作用の発現率（表 A-48）の報告があり[20]，副作用のなかでも"用量とともに副作用が増加するパターン"と"ある閾値を超えると副作用が増加するパターン"があることがわかる．

　さらに，このデータから読み取れる要点は下記の通りであり，日常診療の際に考慮する必要がある．

- Cushing 様変化，鼻出血，下腿浮腫，体重増加はプレドニゾロン 5 mg/日以下の使用で避けることができる可能性がある．
- 緑内障は 7.5 mg/日以上の用量の際に問題となってくる可能性があり注意が必要．
- 皮下出血，羊皮様皮膚はステロイド用量の増加に伴いより高頻度に発現してくることがわかる．

chapter A ●関節リウマチの診断・薬物治療

表 A-46 ステロイドの副作用

副作用のタイプ	100 人年あたりの発症中央値
心血管系（水・電解質異常，浮腫，腎不全，心不全，高血圧）	15/100 人年
感染症（ウイルス性，細菌性，皮膚感染症）	15/100 人年
消化器系（胃十二指腸潰瘍，膵炎）	10/100 人年
行動・精神系（抑うつ，多幸感，精神症）	9/100 人年
内分泌代謝系（耐糖能異常，糖尿病，高脂血症，月経異常）	7/100 人年
皮膚科系（皮膚萎縮，ニキビ，多毛，脱毛）	5/100 人年
筋骨格系（骨粗鬆症，大腿骨頭壊死，筋痛）	4/100 人年
眼科系（緑内障，白内障）	4/100 人年

その他，満月様顔貌，食欲の異常亢進や食欲不振などがある.

表 A-47 ステロイドの副作用の発現時期

開始当日～	不眠，抑うつ，高揚感，食欲亢進
数日後～	血圧上昇，浮腫，低 K 血症
数週間後～	副腎抑制，耐糖能異常，創傷治癒遅延，コレステロール値上昇
1 カ月後～	易感染性，中心性肥満，多毛，痤瘡，無月経
数カ月後～	紫斑，皮膚線条，皮膚萎縮，ステロイドミオパチー
長期的に	無菌性骨壊死，骨粗鬆症，白内障，緑内障

check!

● ステロイドの副作用には，用量とともに副作用が増加するパターンと閾値を超えると副作用が増加するパターンの 2 種類がある

a ステロイド投与前のスクリーニング

• 糖尿病，高脂血症の状態を採血でチェック

• 眼科受診

• 骨密度測定

3. よく使われる消炎鎮痛薬（NSAIDs およびステロイド）

表 A-48 RA 患者におけるステロイド用量別副作用発現率

	副作用	ステロイド投与なし（過去 12 カ月間）（%）	ステロイド（プレドニゾロン）6 カ月間以上内服（%）		
			<5 mg/日	5〜7.5 mg/日	>7.5 mg/日
用量とともに副作用が増加するパターン	Cushing 様変化*	2.7	4.3	15.8	24.6
	皮下出血斑*	6.8	17.4	23.5	24.6
	下腿浮腫*	9.5	11.6	20.2	26.2
	真菌症	4.5	5.8	6.6	8.2
	羊皮様皮膚*	3.2	10.1	15.8	21.3
	息切れ	9.5	10.1	12.6	16.4
	睡眠障害*	20.7	33.3	37.2	44.3
ある閾値を超えると副作用が増加するパターン	【<5 mg/日】白内障	2.7	10.1	7.7	8.2
	【5〜7.5 mg/日】鼻出血*	1.4	1.4	6.6	4.9
	体重増加*	9.5	8.7	22.4	21.3
	【>7.5 mg/日】うつ / 倦怠感	12.6	10.1	13.7	19.7
	緑内障	2.7	2.9	2.7	6.6
	血圧上昇	18.9	18.8	16.4	23.0

*副作用とステロイド用量の影響が統計学的に有意と認められた項目

b 副作用予防

- 胃潰瘍予防に抗潰瘍予防薬（プロトンポンプインヒビターなど）を投与（表 A-50 参照）.
- 骨粗鬆症の場合はビスホスホネートとビタミン D も投与. また, 骨量減少症においてもビタミン D 投与やカルシウム投与を行う.

3 ステロイドの投与法・減量法

　ステロイドの投与・減量については, 現在とくに決まった方法は確立されていない. しかし, 一般にリウマチ科医のコンセンサスとしての方法を記載する[20].

a 投与法

　各疾患において 1 日投与量が異なるが, 一般的に, ステロイドは生理的

chapter A ●関節リウマチの診断・薬物治療

血中コルチゾールのリズム（朝高く，夕方に低い）に合わせ，朝1回投与や朝・昼投与で朝多めで内服する．しかし，関節痛など（RA，リウマチ性多発筋痛症など）に対するステロイド投与は，1日10 mg程度の投与量にて改善が得られることが多く，夜間や明け方の痛みに対応するために，朝と夕（もしくは眠前）に分服することもある．しかし，夕方や眠前のステロイド投与は不眠の原因になることがあるため注意が必要で，結局は少量の場合には朝1回投与になることが多い．また副腎不全リスク軽減，副作用軽減，累積投与量減少効果を期待して隔日投与を行うことも多い（例：プレドニン®️15 mg/日隔日投与）．

　一般的なリウマチ性疾患に対するステロイドの投与量による分類と臨床的意義を表A–49[2)]に示す．

表 A-49 リウマチ性疾患に対するステロイドの投与量による分類と臨床的意義

ステロイド投与量（プレドニン換算）	臨床的意義
少量（7.5 mg/日以下）	多くのリウマチ性疾患における維持量
中等量（＞7.5 mg/日　30 mg/日以下）	慢性リウマチ性疾患における初期治療量
高用量（＞30 mg/日　100 mg/日以下）	亜急性リウマチ性疾患における初期投与量
超高用量（＞100 mg/日）	急性や life-threatening な増悪を伴ったリウマチ性疾患における初期投与量
パルス療法（250 mg/日以上　1〜数日間）	重症や life-threatening なリウマチ性疾患における初期治療

コラム

ステロイド関節注射を積極的に行おう（詳しくは493頁参照）

　患者のQOL改善，早期に局所炎症をとる目的に関節内ステロイド注射を積極的に行っている．一般的にはステロイド関節症（足首，膝など加重関節では特に注意）を予防するために1関節に年間3〜4回が注射の限度とされており，効果持続させるためにも注射後は48時間は安静にしていただくよう指導している．また3〜4カ月よりも頻回にステロイド関節内注射が必要になる場合には，抗リウマチ薬の強化（調整）が必要である．

3. よく使われる消炎鎮痛薬（NSAIDs およびステロイド）

b 減量法

各疾患，重症度により漸減速度，用量も変わるが，"10%ルール"で行うことが一般的である．

たとえば，RA 以外の膠原病で 60 mg のプレドニゾロン内服中の患者では，10%（この場合 6 mg）の減量を行う．しかし，一般的には，きっちりとした 10%減量では煩雑になるため，慣習的に，

- 30 mg(もしくは 40 mg)くらいまでは 1 回 10 mg ずつの減量
- 30 mg(もしくは 40 mg)→ 20 mg くらいまでは 1 回 5 mg ずつの減量
- 20 mg → 10 mg くらいまでは 1 回 2.5 mg ずつの減量
- 10 mg 以下は 1 回 1 mg ずつの減量

とすることが多い．RA で隔日投与を行っている場合，慎重に 2.5〜5 mg/日量ずつの減量を行うことが多い（例：15 mg/日 隔日→ 10 mg/日 隔日）．

また，他の膠原病にて病勢が落ち着いているにもかかわらず，10 mg 程度のプレドニゾロンを長期間にわたり漫然と内服している患者にもよく遭遇する．そのような患者に対しても，副作用，病勢や患者の環境を総合して考え，可能な限り，積極的な減量を心がける．

4 2007 年ステロイド使用に関する欧州リウマチ学会の推奨（EULAR recommendation）

最後に欧州リウマチ学会（EULAR）のステロイド使用に関する推奨を紹介する（表 A–50）[22]．これは 11 の欧米の国々の 20 人の専門家による 10 項目の提案である．

chapter A ●関節リウマチの診断・薬物治療

表 A-50 EULAR リウマチ性疾患に対する全身ステロイド治療に関する推奨

	推奨度 VAS100[注]
1a. 治療開始前に副作用について考え患者と話す	92
1b. ステロイド治療に関する情報を伝え理解を深める	88
1c. カードを渡す：長期使用が必要な場合，すべての患者に開始量，その後の量，日付を記載	78
2a. 開始量，減量，長期投与量は基礎となるリウマチ性疾患，疾患活動性，危険因子，個々の患者の反応性によって決定	92
2b. 疾患の状態および内因性グルココルチコイド分泌量の日内変動があり，服用時間が重要である可能性がある	74
3. 併発症・副作用（高血圧，糖尿病，消化性潰瘍，骨折，白内障・緑内障，慢性感染症，高脂血症，NSAIDs の併用）の危険因子につき評価し，必要なら治療	92
4. 長期投与時，ステロイドはできるだけ最小量とするようにし，寛解や低疾患活動性の場合には漸減するよう試みる．また，ステロイド治療の継続理由を定期的にチェックする	81
5. 治療期間中，個々の患者の危険度，ステロイドの用量や治療期間に応じて，体重，血圧，末梢浮腫，心不全，脂質，血糖・尿糖，眼圧をモニターする	89
6a. プレドニゾロン ≧ 7.5 mg/ 日 および 3 カ月以上使用するならカルシウム製剤，ビタミン D を開始する	95
6b. 危険因子の評価（骨密度測定を含む）を行い，必要ならビスホスホネート製剤を開始	96

- プレドニゾロン 15 mg/ 日以上や骨折がある場合 → ビスホスホネート投与
- プレドニゾロン 7.5 mg～15 mg/ 日で
  - 閉経後女性や 70 歳以上の男性 → ビスホスホネート投与
  - 閉経前女性や 70 歳未満の男性 → 骨密度測定
- プレドニゾロン 7.5 mg/ 日未満の場合 → 骨密度測定
- 骨密度測定 → 高リスク → ビスホスホネート投与
- 骨密度測定 → 低リスク → 1～3 年毎

・リスク因子：骨折の既往，低 BMD 値，高齢，女性，低体重，ステロイド用量多い

7. ステロイド・NSAIDs 併用する場合潰瘍予防をする プロトンポンプインヒビター（PPI），ミソプロストール（サイトテック®），あるいは COX-2 阻害薬（セレコックス®など）について ・ステロイド単剤では消化管潰瘍予防に対する study はないが，治療してもよいかもしれない． ・PPI とミソプロストールは NSAIDs 潰瘍を減らす． ・NSAIDs と比べ COX-2 阻害薬の方が潰瘍を起こさない． ・NSAIDs＋PPI の方が COX-2 阻害薬より dyspepsia が少ない． ・COX-2 阻害薬を使用する時は心血管系リスクの評価も必要．	91

3. よく使われる消炎鎮痛薬（NSAIDs およびステロイド）

表 A-50 EULAR リウマチ性疾患に対する全身ステロイド治療に関する推奨（つづき）

	推奨度 VAS100[注]
8. ステロイドを 1 カ月以上服用している患者が手術を行う場合には副腎不全を起こさないよう十分な補充が必要 ・RA やリウマチ性多発筋痛症などは疾患自体で相対的副腎不全を起こしえるのでリスクは高いかもしれない. ・副腎不全のリスクは個々の患者の感受性だけでなく，ステロイドの用量，期間，種類により異なる. ・リスクは用量依存ではあるが，開始後 3 週間以内もしくは隔日投与だからといってリスク除外はできない. ・中等度手術ではハイドロコルチゾン 100 mg × 1. ・大手術ではハイドロコルチゾン 100 mg を手術前に投与，その後 8 時間ごとに 4 回投与.	91
9. 妊娠中のステロイドにて母体・児にさらなるリスク増加はない ・特に妊娠中ステロイドの副作用が非妊娠中の患者に比べて出やすいということはない. ・妊娠というだけで高血圧，骨粗鬆症，糖尿病などステロイドの副作用と同じ状態を起こすリスクは非妊娠時より高く，ステロイドによりそのリスクが増加する可能性はある. ＜胎児・新生児への影響＞ ・デキサメタゾンを肺成熟のため使用されるが，それは胎盤で代謝を受けず，胎児へ移行する量が多いからである. ・逆にプレドニゾロン，メチルプレドニゾロンは児への移行は母体量の 10％と低く，母体の治療としてのステロイド使用時は，こちらの方が好まれる. ・胎児発達への影響ほとんどないが，高用量ステロイドでの低出生体重児の報告や，動物実験では口蓋裂の発症報告はある. ・妊娠中の母体へのステロイド投与により新生児の感染症罹患率は増加しない. ・乳汁への移行はわずかで，ステロイド服用から 4 時間は授乳を避けるとさらに危険は最小限になる.	87
10. 小児ステロイド服用の場合成長度をチェックし，成長遅滞を起こしている場合は成長ホルモン（GH）補充も考慮 ・ステロイドで小児成長遅滞を起こす. ・GH 補充でステロイドによる成長遅滞を改善. ・GH 補充経験のある小児科医に依頼する. ・GH 補充はルーチン使用はしない.	93

注　推奨度 VAS100：visual analogue scale を用いた推奨の強さ（0〜100 mm，0 ＝全く推奨しない，100 ＝最も強く推奨する）

ステロイド使用中の感染症について

16,788人のRA患者を対象とした研究では，ステロイド用量依存性に入院加療を要する肺炎のリスクの増加が指摘されており，プレドニゾン換算5 mg/日からそのリスクの上昇が指摘されている[23]．その他の報告からも，ステロイドによる感染症リスクは用量および使用期間に依存し，短時間作用性のステロイド（プレドニゾンなど）の隔日投与では感染症のリスク，ステロイド特有な副作用（Cushingなど）は減少すると言われている[24]．また，基礎疾患および併存疾患（糖尿病など），ステロイド以外の免疫抑制薬の併用も感染症リスクの増大の要因となる．

日和見感染症に関しても，一般人の40倍以上との報告[24]もあり，*Pneumocystis jirovecii*肺炎（ニューモシスチス肺炎），潜在性結核の再活性化，herpes zoster感染のリスク上昇が示されている．そのため治療開始前のスクリーニングと予防投与が考慮される．潜在性結核の再活性化においては，ステロイド投与開始時に家族歴，濃厚な接触歴，胸部X線写真異常（必要なら胸部CT），ツベルクリン反応やクオンティフェロン検査の結果より予防投与の検討が必要となる．

ニューモシスチス肺炎はステロイド投与時の予防投与の適応に関しては，さまざまな推奨がなされている．代表的なニューモシスチス肺炎予防非HIV患者を対象とした研究では，プレドニゾン16 mg/日以上，8週間以上投与にてニューモシスチス肺炎のリスクが著しく上昇するとの報告がある[25, 26]．本邦の厚生労働省研究班の予防投与基準[27]では，

　　年齢50歳以上でかつ以下のいずれかを満たす
　　　①プレドニゾン換算1.2 mg/kg/日以上
　　　②プレドニゾン換算0.8 mg/kg/日以上と免疫抑制薬併用
　　　③免疫抑制薬使用中末梢血リンパ球数500/μl以下

とされている．当施設では基礎疾患（膠原病のなかでもWegener肉芽腫症では約6%と高く，その他の膠原病は2%以下[28]）を考慮した上で予防投与の目安としている．

予防投与の方法としては，一般にはST合剤（バクタ錠）2錠週3回もしくは1錠連日が第一選択とされている．ただし，ST合剤をはじめとするサルファ薬は，薬疹の頻度が高く注意を要し，特徴としてⅠ型アレルギーのアナフィラキシーなどは少なく，投与開始から7から12日後に皮疹，発熱，肝障害などさまざまな症状で出現することが多い．さらに非Ⅰ型の免疫反応

3. よく使われる消炎鎮痛薬（NSAIDs およびステロイド）

である Stevens-Johnson 症候群や中毒性表皮壊死剥離症（TEN）の相対リスクが高いことが知られているため，処方時は皮疹，発熱，倦怠感の出現に注意することを伝えることは大切である[29].

ステロイド使用においてはこのような副作用を考慮した，開始前の評価，開始前の治療計画すなわち減量計画〔steroid sparing agent（免疫抑制薬）の導入による減量，隔日投与への移行など〕，治療目標の設定がもっとも重要になってくると考えられる.

コラム

GIO 新治療ガイドライン

日本のステロイド性骨粗鬆症の管理と治療ガイドラインが 2014 年 4 月に改訂となった[30]. これはステロイド低用量〜高用量の両方の Cohort の患者を評価して，両者で 80%の感度となるような Score を算出しているためステロイド服用患者用量に関わらず広く評価できる. また，2017 年に改訂された ACR の GIO 治療ガイドライン（図 A-48）[31] と異なり WHO の Tool である FRAX によるリスク評価は行わない. というのも FRAX は低用量のステロイド患者しか評価対象に含められておらず，GIO リスク評価には適さないため日本のガイドラインでは削除されている.

図 A-49 に治療ガイドラインのフローチャートを示す. Score 合計 3 点以上で治療開始ということであるが，既存骨折あり，または 65 歳以上というだけですでに Cut-off を超えており，このような患者ではステロイドを 3 カ月以上使用する場合，骨密度 YAM 値や用量に関わらず治療開始となる. また，治療薬とその推奨度も表 A-51 に示す. 参考にしていただきたい.

chapter A ●関節リウマチの診断・薬物治療

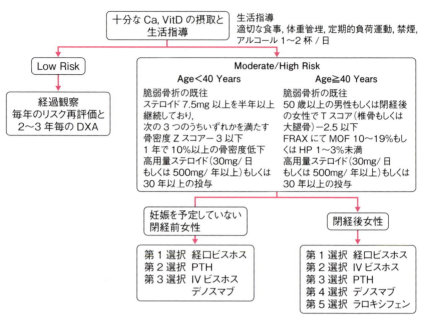

図 A-48 ACR2017 ステロイド性骨粗鬆症治療推奨
（Arthritis Care Res. 2017; 69: 1095-110）

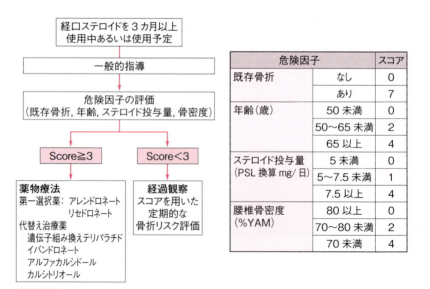

図 A-49 ステロイド性骨粗鬆症の管理と治療ガイドライン（2014年版）

3. よく使われる消炎鎮痛薬（NSAIDs およびステロイド）

表 A-51 ステロイド性骨粗鬆症の管理と治療ガイドライン（2014 年版）治療薬剤の推奨度

製剤	薬剤名	推奨度*	剤形・用量
ビスホスホネート製剤	アレンドロネート	A	5 mg/日，35 mg/週，点滴
	リセドロネート	A	2.5 mg/日，17.5 mg/週，75 mg/月
	エチドロネート	C	200 mg，400 mg/間欠投与
	ミノドロネート	C	1 mg/日，50 mg/月
	イバンドロネート	B	1 mg/1 カ月，静注
活性型ビタミン D 製剤	アルファカルシドール	B	0.25 μg，0.5 μg，1 μg
	カルシトリオール	B	0.25 μg，0.5 μg
	エルデカルシトール	C	0.5 μg，0.75 μg
ヒト副甲状腺ホルモン（1-34）	遺伝子組換えテリパラチド	B	20 μg 1 日 1 回皮下注
	テリパラチド酢酸塩	C	56.5 μg/週 1 回皮下注
ビタミン K2 製剤 SERM	メナテトレノン	C	45 mg/日
	ラロキシフェン	C	60 mg/日
	バゼドキシフェン	C	20 mg/日
ヒト型抗 RANKL モノクローナル抗体	デノスマブ	C	60 mg/6 カ月，皮下注

*推奨度　A: 第 1 選択薬として推奨する薬剤
　　　　　B: 第 1 選択薬が禁忌などで使用できない，早期不耐容である，あるいは第 1 選択薬の効果が不十分であるときの代替薬として使用する
　　　　　C: 現在のところ推奨するだけの有効性に関するデータが不足している
　　　　　　〔ステロイド性骨粗鬆症の管理と治療ガイドライン（2014 年版）〕

コラム

ステロイドによる死亡率増加　～日常診療では PSL 7.5 mg/日以下にしよう～

　海外からの報告では，クリニックでフォローしている RA 患者 779 人を約 5 年間調査（7203 人年）．結果，死亡リスクとなりうるいくつかの因子を解析に含めたモデル解析を行っても，PSL 7.5 mg/ 日を超える用量では全死亡率，心疾患による死亡率が増加することが示されている（図 A-50 参照）．

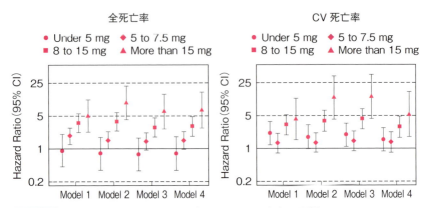

 図 A-50 PSL 用量と全死亡率および CV による死亡率の関係
（Arthritis Rheum. 2014; 66: 264-72）

文献

1) UpToDate 17.1 NSAIDs: Mechanism of action.
2) Kelley's Textbook of Rheumatology. 8th ed. Philadelphia: Saunders; 2008. p.846.
3) UpToDate17.1 NSAIDs: Adverse effects on the distal small bowel and colon.
4) 佐野　統．非ステロイド性抗炎症薬（NSAIDs）の使い分け．レジデントノート．2007; 9: 837-46.
5) 関節リウマチの診療マニュアル（改訂版）　診断のマニュアルとEBMに基づく治療ガイドライン．第3章．http://www.rheuma-net.or.jp/rheuma/rm400/library/guideline.html（PDFはhttp://www.rheuma-net.or.jp/rheuma/rm400/library/pdf/guideline1to4.pdf）
6) Members of the Ad Hoc Committee on Practice Parameters of the American College of Gastroenterology. A guideline for the treatment and prevention of NSAID-induced ulcers. Am J Gastroenterol. 1998; 93: 2037-46.
7) UpToDate17.1 NSAIDs（including aspirin）: Primary prevention of gastroduodenal toxicity.
8) 日本腎臓学会，編．CKD診療ガイド2009．東京：東京医学社；2009.
9) Zochling J, et al. Nonsteroidal anti-inflammatory drug use in ankylosing spondylitis-a population-based survey. Clin Rheumatol. 2006; 25: 794-800.
10) Poddubnyy D, et al. Ann Rheum Dis online first on Mar 29,

3. よく使われる消炎鎮痛薬（NSAIDs およびステロイド）

2012.

11）西垂水和隆. 鎮痛薬・湿布薬の使い分け. レジデントノート. 2008; 10: 1028–33.

12）Mason L, et al. Topical NSAIDs for chronic musculoskeletal pain: systematic review and meta–analysis. BMC Musculoskelet Disord. 2004; 5: 28.

13）McGettigan P, et al. Cardiovascular risk and inhibition of cyclooxygenase: a systematic review of the observational studies of selective and nonselective inhibitors of cyclooxygenase 2. JAMA. 2006; 296: 1633–44.

14）Bennett JS, et al. The use of nonsteroidal anti–inflammatory drugs (NSAIDs): a science advisory from the American Heart Association. Circulation. 2005; 111: 1713–6.

15）Solomon DH, et al. The cardiovascular system in rheumatic disease: the newest "extraarticular" manifestation? J Rheumatol. 2005; 32: 1415–7.

16）Kwok CS, et al. Meta–analysis: risk of fractures with acid–suppressing medication. Bone. 2011; 48: 768–76.

17）Herzig SJ, et al. Acid–suppressive medication use and the risk for hospital–acquired pneumonia. JAMA. 2009; 301: 2120–8.

18）Mackenzie IS, et al. Antiplatelet drug interactions. J Intern Med. 2010; 268: 516–29.

19）Lanza FL, et al; Practice Parameters Committee of the American College of Gastroenterology. Guidelines for prevention of NSAID–related ulcer complications. Am J Gastroenterol. 2009; 104: 728–38.

20）Huscher D, et al. Dose–related pattern of glucocorticoid–induced side effects. Ann Rheum Dis. 2009; 68: 1119–24.

21）Buttgereit F, et al.Glucocorticoids in the treatment of rheumatic diseases. Arthritis Rheum. 2004; 50: 3408–17.

22）Hoes JN, et al. EULAR evidence–based recommendations on the management of systemic glucocorticoid therapy in rheumatic diseases. Ann Rheum Dis. 2007; 66: 1560–7.

23）Wolfe F, et al. Treatment for rheumatoid arthritis and the risk of hospitalization for pneumonia: associations with prednisone, disease–modifying antirheumatic drugs, and anti–tumor necrosis factor therapy. Arthritis Rheum. 2006; 54: 628.

chapter A ●関節リウマチの診断・薬物治療

24) Saag KG, et al. Low dose long-term glucocorticoid therapy in rheumatoid arthritis: An analysis of serious adverse events. Am J Med. 1994; 96: 115.

25) Yale SH, et al. Pneumocystis carini pneumonia in patients without acquired immunodeficiency syndrome: associated illness and prior corticosteroid therapy. Mayo Clin Proc. 1996; 71: 5-13.

26) Charles F, et al. Pneumocystis pneumonia. N Engl J Med. 2004; 350: 2487-98.

27) 免疫疾患に合併するニューモシスチス肺炎の予防基準．厚生労働省免疫疾患の合併症と治療法に関する研究班　2004年度報告書．

28) Sepkowitz KA. Opportunistic infections in patients with and patients without acquired immunodeficiency syndrome. Clin Infect Dis. 2002; 34: 1098-107.

29) 岡田正人．薬物アレルギー．In: レジデントのためのアレルギー疾患診療マニュアル．東京：医学書院；2006. p.248-52.

30) Suzuki Y, et al. Guidelines on the management and treatment of glucocorticoid-induced osteoporosis of the Japanese Society for Bone and Mineral Research: 2014 update. J Bone Miner Metab, published online 13 May 2014.

31) Buckley L, et al. 2017 American College of Rheumatology Guideline for the prevention and treatment of glucocorticoid-induced osteoporosis. Arthritis Care Res. 2017; 69: 1095-110.

4 よく使われる抗リウマチ薬

1 サラゾスルファピリジン（SASP）
（アザルフィジン® EN 250 mg・500 mg 錠）

a ポイント

- 免疫調整薬であり，感染症などの心配が少なく使いやすい薬剤であり，添付文書上も活動性 RA の第一選択薬として位置づけられている．
- 単剤でも MTX と同等との報告もあるが，十分な効果が認められなければ MTX などと併用する．
- ST 合剤の類似薬であり，抗菌作用，抗ニューモシスティス作用も報告されているので，MTX などの免疫抑制薬との併用で，抗リウマチ薬としての効果のみでなく感染症予防にも役立つ可能性があり，副作用が出ていなければ効果が顕著でなくとも継続するメリットも考えられる[1] (PLoS Pathog. 2010; 6: e1001058. doi: 10.1371/journal.ppat.1001058).
- 欧米では妊娠中も使える数少ない抗リウマチ薬の一つとされており，葉酸 1 日 5 mg（週でなく 1 日）と併用して妊娠中も処方されている．日本の添付文書上は，妊婦または妊娠している可能性のある婦人には投与しないことが望ましいとされているが禁忌ではない．国立成育医療研究センターからの指標でも，抗リウマチ薬としては金製剤，サラゾスルファピリジン，タクロリムスが妊娠において安全とされている[2]．
- 間質性肺炎の発症や増悪の報告がほとんどなく，感染リスクも低いことと合わせてリウマチ肺のある患者においては使いやすい薬剤である．
- 主な副作用は皮疹，発熱，肝障害であり，服用開始から 1 カ月以内が多い．その他に注意すべきは血液障害，日光過敏症，男性における精子数の減少である．

chapter A ●関節リウマチの診断・薬物治療

b 使いやすい患者

- 近い将来妊娠を希望する患者，肺障害のある患者．
- 免疫調整薬であるため感染症のリスクの高い患者（リウマチ肺合併，糖尿病，ステロイド依存性，喫煙者）では，免疫抑制薬と比し安全に使用できる．ある程度活動性が高くても，経口薬での治療を希望する場合は，ブシラミンや MTX との併用薬としても良い選択肢となる．

c 使いにくい患者

- 薬物アレルギーの既往のある患者，日光過敏症の患者，家族計画のある男性患者．

d 有効性

- EBM が豊富で，効果発現の早さが特徴．
- SASP の有効性は，欧米を中心にした多くの無作為対照試験（DBT）で確認されているため，EBM に基づく治療ガイドラインにおいて推奨 A にランク付けされており，関節リウマチ診療ガイドライン 2014（日本リウマチ学会）においても推奨 8 に含まれている．
- DBT における ACR および EULAR 基準の改善度および臨床症状に対する複数の知見を検証した報告によると，SASP の responder は 50〜70％と考えられ，約 30％には患者が満足する改善が認められている．また，臨床症状や炎症パラメータへの効果をみると，疼痛・圧痛関節数を約 25〜70％，腫脹関節数を約 30〜60％，ESR を約 30〜70％，CRP を約 30〜60％低下させることが示され，確実な改善効果が認められている．
- また，効果発現は 1〜2 カ月と比較的早いことも本剤の特徴である．

e 処方の実際

- 第一選択薬や併用薬として位置づけられる．
- EBM の中でも特に早期 RA に対する報告が多く，効果発現が早いため，第一選択薬として位置づけられ，ガイドラインでは比較的早期で軽症〜中等症例がよい適応とされている．また，MTX など他 DMARDs との併用薬として使用されることも多い．

122

4. よく使われる抗リウマチ薬

• 早期 RA に SASP を処方した場合，8 週間ほどで効果が不十分な場合は，追加 DMARDs の考慮を始める．SASP の効果不十分例に対し，MTX に切り替えるよりも，MTX を SASP に追加するほうが有効であるとの報告もある．一方，本剤の弱点として，有効性がなくなるエスケープ現象が出現する例もみられるが，この場合も同様に MTX を中心に他 DMARDs の追加を考慮する．

f 投与上の注意

• 最初の 1 カ月は薬疹，発熱などの副作用に注意．

• 通常 250 mg を朝，夕食後 2 回，計 500 mg/日もしくは 500 mg 1 日 1 回朝から開始し，効果や副作用をみながら 1,000 mg/日まで増量する．欧米では治療効果に応じて 40 mg/kg まで増量されることが多いが，本邦では 1 g/日までとなっている．

• 500 mg 錠が大きいため，日本では 250 mg 錠も発売している．250 mg 錠は小さく飲みやすいだけでなく，きめ細かな用量調節や併用時にも使いやすい製剤である．

• 副作用としては発熱，薬疹，肝障害（自覚症状としては強い倦怠感）が最も問題となり服用から数日から数週間で発症することが多く，このような症状が自覚された場合は服薬を中止し診察を受けるように指導する．その他には胃腸障害，肝障害，白血球減少などがある．

• サルファ過敏症の既往がある場合には使用できない．特に投与開始 3 カ月までは副作用の頻度が高いので，添付文書上は 2 週間ごとの血算や肝機能のチェックが必要とされている．過敏症は遅発型が多いため典型的には 1～3 週間で発熱，倦怠感を伴った肝機能異常，薬疹などで発症するため，この時期は症状が出た際には服薬を中止し連絡するように指導する．重篤な反応を予防するという点で，特に投与開始から 2 週間目，4 週間目の血液検査と診察は重要である．

腎障害のある患者に SASP を投与して良いか？

　SASP は DMARDs の中では腎障害が少ない薬剤であるため，腎障害合併 RA に使用されることもある．しかし，頻度は少ないものの，本剤にも急性腎不全，ネフローゼ症候群，間質性腎炎などの副作用報告があるため，慎重に投与することが望ましい．止むを得ず，腎障害例に使用する場合は低用量で処方し，腎機能検査と尿検査をしっかりと行い，腎障害の増悪がみられたら，即投与を中止することが大切である．

SASP に MTX を追加することはあっても，逆もあるのか？

　早期から活動性の高い症例には，SASP や BUC より前に MTX を投与することもあると考えられる．その MTX の効果が不十分，あるいはあと少しの効果を上乗せしたいときは，MTX に SASP や BUC を上乗せすることも選択肢である．1 剤ずつ効果と副作用を見ながら追加する併用療法は，同時併用のような副作用の心配が少なく効果の上乗せが期待でき，臨床医の腕の見せ所といえる．また，抗リウマチ薬としての作用のみでなく，SASP の抗菌作用，抗ニューモシスティス作用も免疫抑制薬と併用する理論的なメリットとなる．

患者への説明　アザルフィジンはこれから妊娠を考える患者さんには適した薬剤です．大きな錠剤ですが，腸炎の患者さんではほとんど同じ薬をこの何倍も服用しますので，量が多すぎるという心配はあまりありません．特に日本で使っている量は体重当たりでも欧米の半分です．飲みにくければ次回から半分の大きさの錠剤に変更することも可能です．

　強い薬ではないので，結局は他の薬剤の併用が必要があることも多いですが，この薬剤だけでよくなる人も沢山います．1 日 2 回なので夕食後は忘れやすいですが，せっかくならちゃんと効果が出るように，しっかり 1 日 2 回服用してみてください．あと，薬が効きやすいように日常生活で無理のない範囲でできるだけ安静をとりましょう．どんなに良い薬を飲んでも運動していれば捻挫は治らないのと一緒です．だからといって，ギプスをはめて

4. よく使われる抗リウマチ薬

まで安静にする必要はないので，日常生活に支障が少ない範囲でできるだけ工夫して安静をとってみてください．副作用は多くはありませんが，数％の人でアレルギー反応がおこったり，血液検査で異常が出たりすることがあります．あと，日光過敏の症状が出る人がいますので，直射日光はできるだけ避けてください．発熱，皮疹，倦怠感などがあればすぐに服用をやめて連絡してください．

2 ブシラミン（BUC）
（リマチル® 50 mg・100 mg 錠）

- 添付文書上は 300 mg/日まで処方可能であるが，通常 100 mg/日から開始して，効果や副作用をみながら通常は最高 200 mg/日まで服用する．
- 欧米では使用されていない DMARDs である．
- 副作用としては皮疹，蛋白尿があり，毎月の尿検査が必要である．尿蛋白は早期であれば薬剤中止により陰性化することが多い．

a ポイント
- 免疫調整薬であり，感染症などの心配が少なく使いやすい薬剤であり，添付文書上も活動性 RA の第一選択薬として位置づけられている．
- 単剤でも MTX と同等との報告もあるが，十分な効果が認められなければ MTX などと併用する．
- 主な副作用は蛋白尿と皮疹であり，毎月の尿検査が必要．その他にまれであるが注意すべきは血液障害と呼吸器障害である．

b 使いやすい患者
- 免疫調整薬であるため感染症のリスクの高い患者（リウマチ肺合併，糖尿病，ステロイド依存性，喫煙者）では，免疫抑制薬と比し安全に使用できる．
- 同様に第一選択薬として処方可能な抗リウマチ薬であるサラゾスルファピリジンがサルファ過敏症，日光過敏症などで使用できない患者．
- ある程度活動性が高くても，経口薬での治療を希望する場合は，サラゾス

125

chapter A ●関節リウマチの診断・薬物治療

ルファピリジンや MTX との併用薬としてもよい選択肢となる.

c 使いにくい患者

• 腎障害のある患者,近い将来に妊娠希望のある患者,筋炎など他の抗核抗体関連膠原病のある患者など.

d 有効性

• 日本人での使用経験が豊富で,MTX との併用に関するエビデンスを有する.

• 早期 RA に対する効果として,MTX 単剤群,および両剤併用群との多施設二重盲検比較試験の結果によると ACR50 は 37.5％と,MTX の 34.8％と同程度であった.その試験の中で,ブシラミンと MTX の併用療法はそれぞれの単独投与と比較し,臨床症状の改善だけでなく,関節破壊抑制においても優れていることが示唆された.また別の試験において,MTX 投与がブシラミンに及ぼす影響を検討した結果,MTX 使用前,使用後に関係なく中等度活動性の RA 患者に有用であると報告している.

e 処方の実際

• 活動性 RA の第一選択薬や併用薬として位置づけられる.

• 以前は 1 日 300 mg の最大投与量が処方されることが多かったが,近年 100 mg もしくは 200 mg を最大投与量とする施設が多くなり,報告当初よりも蛋白尿などの副作用の頻度が低下している.

• 有効性の項で紹介したように MTX との併用療法の有効性が示されており,使用前,使用後に関係なく MTX の併用薬としても有用と考えられる.

• インフリキシマブによる寛解導入後の活動性コントロール維持におけるブシラミンの有用性も検討されており,発売後 20 年を超えるが,未だ処方されることの多い興味深い DMARDs といえる.

f 投与上の注意

• 最初の 3 カ月は薬疹,発熱などの副作用に注意.

- 適応を選択するにあたっては血液障害，骨髄機能低下，腎障害に注意し，添付文書上は 300 mg/日まで処方可能であるが，通常 50 または 100 mg/日から開始して，4～8 週間経過を観察した後，症状に応じて副作用に注意しながら増量し最高 200 mg/日で経過をみる．
- 主な副作用としては皮膚障害，腎障害（蛋白尿）があり，多くは 3 カ月以内に発現する．腎障害の対策として，毎月の尿検査が必要である．尿蛋白は早期であれば薬剤中止により陰性化する．特に注意すべき副作用としては血液障害（無顆粒球症，顆粒球減少），ネフローゼ症候群，間質性肺炎がある．血液障害，間質性肺炎は投与後早期（特に 2 カ月以内），ネフローゼは投与後 3 カ月～1 年の発現が多い．その他，ブシラミン特有の副作用として味覚異常や黄色爪症候群があるが，通常は中止により回復する．

患者への説明　ブシラミンは強い薬ではないので，結局は多剤の併用が必要なことも多いですが，よくなる人も沢山います．せっかくならちゃんと効果が出るようにしっかり服用してみてください．あと，薬が効きやすいように日常生活で無理のない範囲でできるだけ安静をとりま

コラム

ブシラミンの投与に際しては腎障害が気になるが，どのようなことに注意すればよいか？

　ブシラミンの主な副作用である腎障害の対策として，まずは副作用が出にくい低用量で投与開始することである．それに加え，蛋白尿は発疹などと違って患者さんが自分で気づくことができないので，定期的に尿検査を行って速やかに蛋白尿を発見し，発見した場合は即座に投与を中止することがポイントである．NSAIDs なども蛋白尿の原因となるため，ブシラミンで症状が落ち着いたら早めに NSAIDs を中止することも有効な抗リウマチ薬を継続するうえで重要である．HLA-DRB1*08:02 により蛋白尿の副作用リスクを 25 倍にすると報告されており，全員が同じリスクではないようであるが，逆に一度蛋白尿が出た患者での回復後の再投与は理論的にも勧められない（Biomark Insights. 2014; 9: 23-8）．

chapter A ●関節リウマチの診断・薬物治療

しょう．どんなに良い薬を飲んでも運動していれば捻挫は治らないのと一緒です．だからといって，ギプスをはめてまで安静にする必要はないので，日常生活に支障が少ない範囲でできるだけ工夫して安静をとってみてください．副作用は多くはありませんが，皮疹や蛋白尿が出たり，血液検査で異常が出たりすることがあります．蛋白尿は多くなると足がむくんだりしてわかることがありますが，大抵はその前に毎月の尿検査で発見でき，すぐに中止すれば通常は元に戻ります．ほとんどの場合問題なく服用できますが，まれな副作用として爪が黄色くなったりなど色々と可能性はゼロではないので，おかしいなと思ったら連絡してください．

3 メトトレキサート（MTX）
（リウマトレックス® 2 mg カプセル，メトレート® 2 mg 錠）

a ポイント
• 全世界の関節リウマチ患者の過半数が服用している治療の中心となる薬剤（アンカードラッグ）である．
• RA に対する有効性について，明確なエビデンスを有し，抗リウマチ薬の中では最も耐用性がよいとされている．
• 生物学的製剤との併用で有用性が高い．
• 副作用として，肝機能障害，胃腸障害，口内炎，脱毛があり，頻度は低いが重篤なものとしては，間質性肺炎，骨髄抑制がある．

b 使いやすい患者
• ほとんどの関節リウマチ患者に良い適応となる．

c 使いにくい患者
• 既存のリウマチ肺が単純 X 線写真で認められる患者．
• 近い将来に妊娠を希望している患者．
• 肝機能障害，腎機能障害のある患者．

4. よく使われる抗リウマチ薬

d 有効性

- 明確な EBM が豊富で，もっとも有効性の高い薬剤のひとつ．
- MTX は欧米では第一選択薬となっている RA 治療の標準的治療薬である．短期的にも長期的にも多くの無作為対照試験およびメタ分析で確認されており，明確なエビデンスが豊富な薬剤である．
- 臨床効果の発現は早ければ 2 週間，遅くとも 4〜8 週間でみられる．効果発現には用量依存性があり，4〜6 mg/週より開始し，効果と副作用を見ながら 0.2〜0.3 mg/kg/週をめどに副作用モニタリングをしながら速やかに増量するのが望ましい．既存の抗リウマチ薬に抵抗性の場合でも有効であり，いったん臨床効果が発現するとその効果が継続することが多い．
- また，関節組織破壊を遅延させるほか，生命予後の改善も可能であることが確認されている DMARDs である．

e 処方の実際

- RA 治療の中心的薬剤（アンカードラッグ）として位置づけられる．
- 効果発現も比較的早く安全性もリウマチ肺や腎機能障害などがなければ高いため，RA 治療の中心的薬剤として位置づけられている．
- 欧米では 0.3 mg/kg 程度の週 1 回投与が一般的であるが，本邦では 1 週間単位の投与量を分割することも一般的となっている．
- 高用量では 1 回投与よりも 2 回分割投与のほうが平均吸収率が良いという研究結果があるが個人差もある．分割投与のほうが消化器系の副作用は少ないが，1 回投与のほうがアドヒアランスはよい．
- 8 mg までは週 1 回投与，それ以上では消化器症状が問題になる場合では週 1 日朝夕の分割投与，処方が 12〜16 mg 以上で十分な効果が得られない時には分割投与を試すなどの方法が考えられる．理論的には血中濃度が遷延する分割投与のほうが血球減少のリスクが高い．

f 投与上の注意

- 呼吸器障害，血液障害，肝障害，腎障害など重篤な副作用に注意
- 副作用としては薬剤性肺障害，肝障害，骨髄抑制，口内炎を含めた粘膜・消化器症状に注意が必要である．よって投与前に一般血液検査，胸部 X

chapter A ●関節リウマチの診断・薬物治療

線, 肝炎のスクリーニングを行う.

- このうち骨髄抑制, 肝機能障害, 口内炎を含めた粘膜・消化器症状などの用量依存性の副作用は, 葉酸の予防投与（MTX 投与後 2 日目にフォリアミン 5 mg 朝 1 回投与, 副作用が強い時は 10〜15 mg 分 2〜3 に増量可能）でコントロール可能である. 用量非依存性薬剤性肺障害（約 1％に発生）は葉酸の投与も予防効果はなく, 単純 X 線で認められるような既存リウマチ肺合併患者に多いため, 一般的には投与は勧められない. 突然発症し重篤な転機をたどることがある.

- 薬剤性肺障害は, MTX 開始 1 年以内にみられることが多く, 投与後に患者に発熱や呼吸器症状がみられた場合は, すぐに中止して主治医に連絡するように指導しておく. 時に感冒として見過ごされることもあるので特に鼻水などの上気道炎症状を伴わない空咳に注意する.

- MTX は腎臓から排泄されるため, 高齢者など腎機能が低下している患者には注意が必要である. 特に発熱, 下痢などの脱水時は休薬する. 錠剤のMTX 製剤の場合, 割線がついているため, 副作用の発現時や効果減弱時などに 1 mg 単位でのきめ細やかな用量調節が可能である.

コラム

葉酸の使い方はどうしたらよいか？

用量依存性の副作用の場合, 葉酸の併用によりある程度副作用をコントロールすることができる. 副作用が懸念される場合には, 葉酸 5 mg の週 1 回投与（MTX 最終投与の 48 時間後）が推奨されている（EBM に基づく治療ガイドラインで推奨 A）.

コラム

妊娠を希望している患者にはどうしたらよいか？

妊娠する可能性のある婦人に投与する場合には, 投与中は避妊の必要性を強調する. また, 妊娠を希望する場合には, MTX 投与終了後, 少なくとも 1月経周期は妊娠を避けるよう注意を与える必要があるとされるが欧米のガイ

130

4. よく使われる抗リウマチ薬

ドラインでは細胞内濃度が緩徐に減少することから 3 カ月前からの中止が推奨されている．30 代中盤以降で妊娠の予定が差し迫っている場合には，いずれにせよ中止する薬剤であり早めに他剤への変更を相談する必要がある．タクロリムスなどはよい選択肢となる．20 代などでしっかりと治療を行ってからゆっくり妊娠を考える場合には，避妊さえ同意が得られれば MTX はよい選択となる．男性に投与する場合には，投与終了後少なくとも 3 カ月間は配偶者が妊娠を避けるように指導する必要と記載されているが，医学的な根拠には乏しい．しかしながら，妊娠が確定すれば使用できるのでそれまでは他の抗リウマチ薬にて治療を行うことも十分可能である．また，母乳中への移行が報告されているので，授乳婦にも禁忌である．

コラム

CT で軽度間質影あり，MTX は使用できるのか？

RA の合併症として間質性肺炎は日常診療ではよくみる．ある研究では約 50%つまり 2 人に 1 人で認めるといった報告もある．実際 CT を撮りすぎとも言われるわが国では無症状，単純 X 線で異常がなくても CT にて網状影および索状影などの所見を同定することがある．RA で見られる胸部 CT 影では，その他蜂窩肺，スリガラス影があり，一般的に UIP パターンが比較的多い．実際は，無症状で長期安定しているものが多いが，問題となるのは治療薬の選択である．特に間質性肺炎の存在はメトトレキサート肺炎（MTX pneumonitis）のリスク因子となることが知られている．MTX pneumonitis のリスクファクターを表 A-52 に示すが，臨床上は最も問題となるのは単純胸部 X 線で認められるリウマチ肺である．

では，どのような RA 患者で MTX 使用可能と判断するのか？　単純 X 線，呼吸機能検査を用いた次のストラテジーは簡便でお勧めしたい．

①単純 X 線で同定できるような間質性肺炎では MTX 肺炎のリスクが高く，MTX は使用しない．

②単純 X 線では異常ないが，胸部 CT にて軽度の間質性を同定した場合，呼吸機能検査で% VC および% DLCO を測定する．

　a）% VC，% DLCO が 70%以上→注意深く MTX 使用可能と判断

　b）% VC，% DLCO が 70%以下→ MTX は使用しない

胸部単純 X 線の所見に確信がもてない呼吸器症状のない患者では，血清 KL-6 が CT を施行する指標になる可能性がある．一般に KL-6 の値が 300

chapter A ●関節リウマチの診断・薬物治療

【Step4】投与開始前のスクリーニング　副作用の危険因子の評価，末梢血検査（MCV，分画を含む），赤沈，CRP，一般生化学（AST，ALT，アルブミン，血糖，Cr，BUN）および肝炎ウイルススクリーニング［Denovo 肝炎の報告があり HBs 抗原に加え HBc 抗体（CLIE）および HBs 抗体も追加しどちらか陽性なら HBV DNA-PCR 検査（Taqman 法）も行う（図 B-1 参照）］，結核感染の除外（PPD および QFT or TSPOT 検査：生物学的製剤同様の対応が必要）も行う．また胸水（または腹水）を有する患者，活動性結核患者では MTX 投与禁忌になり，有意な間質性肺炎が認められる場合投与を避ける必要があるため胸部 X 線を行い，病歴や診察にて異常があれば胸部 CT も行う．また血液検査では必要に応じて KL-6 や SP-D，BD グルカンを測定する．投与開始 6 カ月以内または増量後は 2～4 週毎に一般検査（末梢血検査，赤沈，CRP，一般生化学および検尿）を行い副作用モニタリングを行う．投与量が決まり有効性が確認された後は 4～8 週間に検査を施行する．胸部 X 線検査はその後年 1 回は施行する．

コラム

実践！　MTX16 mg 時代に対応する～最大投与量と増量速度の目安～

　早期リウマチでの MTX 単独と MTX と TNF 阻害薬の併用を比較した代表的なスタディである ASPIRE（Arthritis Rheum. 2004; 50: 3432-43），TEMPO（Lancet 2004; 363: 675-81），PREMIER（Arthritis Rheum. 2006; 54: 26-37）では，初回投与量 7.5 mg/週，4 週間後 10～15 mg/週，6 週間後 15～17.5 mg/週，8 週間後には最大投与量の 20 mg/週となっている．体格の違いを考慮し目安として 0.3 mg/kg/週を目標投与量とすれば，日本では増量時には血算と肝酵素を確認し表 A-53 のよう増量するスケジュールも考えられる．

　しかしながら，腎機能の低下している患者においては用量調整が必要であり，欧米では糸球体濾過量（GFR）による調整が勧められており（Kelly's Textbook of Rheumatology 8th Ed. p.883-907），GFR 60～80 ml/分では 25% の減量，51～60 ml/分では 30% の減量，10～50 ml/分では 50-80% の減量とされているが，本邦では GFR 50 ml/分以下は MTX の使用は一般的に勧められていないので注意が必要である．10 mg 以上投与する場合は肝毒性の予防として葉酸（フォリアミン）5 mg を MTX の 24～28 時間後に投与すること，血球減少に対しては RDW の上昇，MCV の上昇などの早期の変化を見

4. よく使われる抗リウマチ薬

表 A-53　MTX 増量スケジュールの一例

体重	初回投与	2-4 週後	4-6 週後	8 週後
35 kg	4 mg	6 mg	8 mg	10 mg
40 kg	4 mg	6-8 mg	8-10 mg	12 mg
50 kg	6 mg	8-10 mg	10-12 mg	14 mg
55 kg 以上	6 mg	8-12 mg	12-14 mg	16 mg

8 週後の投与量は一般的な最大投与量である 0.3 mg/kg/週をもとに記載している
が，活動性によって必要量は判定すべきであり，効果と副作用により調整する．
また腎機能低下や高齢者等安全性が懸念される場合 2～4 mg/週で開始する．

逃さず MTX の減量，フォリアミンの追加などの処置をとること，また発熱
時などの脱水で腎からの排泄が落ち副作用も出やすくなることから，1 週間
の休薬をするように指導することなどを留意する必要がある．
　欧米では消化器症状が問題となる場合は MTX を分割投与するが，それ以
外では 1 回投与が一般的である．これは，血液系の副作用が MTX の血中濃
度とその持続時間の両方に依存し，RA で使用する量でも 3 回投与では副作
用の出やすい領域に達するからである（Arthritis Rheum. 1989: 32; 677-81）．
また，1 回投与のほうが服薬も簡単である．よって，bioavailability と消化器
系副作用に有利な分割投与か，1 回投与かに関しては個々の患者の状況によ
り判断する必要がある．

コラム

eGFR と GFR

　若年女性では腎機能低下は頻度が低いため問題となることは少ないが，高
齢者では注意が必要である．最近血清クレアチニンとともに記載されること
の多い eGFR[注1] は体表面積 1.73 m^2 当たりの計算値であるため体表面積の小
さい高齢者では実際の GFR との乖離が無視できず，例えば 150 cm 35 kg で
は eGFR に 0.7，155 cm 40 kg では 0.8 をかけたものが実際の GFR となる．

注 1
eGFR（ml/分/1.73 m^2）：eGFR（男性）＝194×Cr$^{-1.094}$×年齢$^{-0.287}$
　　　　　　　　　　　（女性は上記に 0.739 かける）
基準値：成人　60＜ml/分/1.73 m^2

chapter A ●関節リウマチの診断・薬物治療

果が期待できる．16週までに効果が認められない場合には，処方の変更を考慮する．

c 処方の実際

- MTXにて効果不十分な症例での併用が一般的である．
- 作用機序が異なるため他のcsDMARDsの併用に追加することも可能である．3剤以上の併用のエビデンスはないが，多剤併用のエビデンスがないことは降圧薬と状況は同じであり臨床的な効果と副作用モニタリングに留意して臨床的な判断となる．
- 1日1回朝食後1錠から開始し，4週間後に肝酵素や腎機能の異常がないことを確認し1日2回朝夕食後1錠に増量する．
- NSAIDsとの併用は消化性潰瘍のリスクが高くなることから慎重に行う必要があり，特に腎機能が低下気味である場合や2錠に増量後はNSAIDsの定期処方は中止する．
- 電子カルテであれば，ワルファリンと併用禁忌であること，相互作用の可能性があるため他の医療機関受診時には服用を伝えるようにコメント記載して継続処方すると安全である．

d 処方上の注意

- ワルファリンの服用，消化性潰瘍，重篤な肝障害，妊娠は禁忌である．
- プロスタグランジン生合成阻害作用があるためNSAIDsとは併用注意であり，特に2錠に増量後はNSAIDs定期内服との併用は行わない．
- 重篤な肝障害はまれであるが，1錠から開始し4週間後にAST，ALTなどを測定し問題ないことを確認してから2錠に増量することでより安全に使用できる．
- 0.3%程度の間質性肺炎が報告されており，稀ではあるが上気道症状を伴わない発熱，咳嗽，労作時息切れなどが出現した場合は服用中止し受診するように説明する必要がある．
- 汎血球減少，白血球減少（0.1%），腎機能障害も報告されており，定期的な血液検査，尿検査を行う．

e 使いやすい患者

- 経済的に生物学的製剤使用が困難と考えられる患者では，NSAIDs の代わりに早期から開始することで，MTX の効果が出るまでの期間の症状コントロールに役立ち，MTX の効果発現後は有効性の増強が期待できる．
- 感染症のハイリスクの患者では，サラゾスルファピリジン，ブシラミンと同様に使いやすく，併用による副作用の増強を強く懸念する理由はない．
- サラゾスルファピリジン，ブシラミンが副作用で使用できない患者．
- 関節の痛みが他の所見と比して問題となっている患者（プロスタグランジン生合成抑制作用）．
- NSAIDs 定期内服の離脱が困難な患者．
- リウマチ因子高値の患者．

f 使いにくい患者

- 消化性潰瘍を繰り返した既往のある患者．
- AST，ALT，クレアチニンが上昇している患者．
- 中等度以上の間質性肺炎などの肺障害があり，薬剤性肺炎が軽度でも重篤なリスクとなる患者．
- 近い将来に妊娠を希望する患者（妊娠予定の患者では使用しない）．
- 白血球減少，血清 IgG 低値の患者．

痛みを取る作用とリウマチの疾患自体に対する効果の両方が期待できる薬剤です．まずは1錠から開始して，4週間後に肝臓などの血液検査をして副作用が問題なければ2錠に増量すると2〜4週間で効果を感じる患者さんが多いですが，もちろん1錠でも十分な患者さんもいます．それほど強い薬ではないので，肺炎などの感染症の心配はあまりありませんが，まれに薬剤自体の副作用として薬剤性肺炎が起こることがあります．これは，市販の風邪薬や漢方薬でも問題となったことのある副作用で，ほとんどありませんがやはり知っておかないと起こった時に服用し続けてしまうと大変なので説明します．普通の肺炎と違って，鼻水や喉の痛みなどの上気道症状がないのに発熱，空咳，歩いた時の息切れなどの症状が起こってきたら，重くならないうちに服用を中止して連絡してくださ

chapter A ●関節リウマチの診断・薬物治療

い．多くの場合は薬剤をやめるだけで改善しますが，診察と検査をして必要なら早く良くなるように治療もできます．

他の抗リウマチ薬と併用することで効果も高まって，注射薬などの高価な薬剤を使用しなくても良くなることも期待できますので，すぐに効果がないからといって諦めずにまずは2カ月ほど続けてみましょう．

痛み止めのお薬はこの薬剤自体が同じような作用があるのでやめていきましょう．一緒に飲みつづけると胃潰瘍などの原因になることがあります．あと，血液をサラサラにする薬とは一緒に飲めないことがあるので，他の病院でお薬を処方される時には，必ずこのクスリを服用していることを担当の先生に伝えてください．

5 トファシチニブ（TOF）
（ゼルヤンツ® 5mg 錠）

はじめに　どうやって効くのか？
- 主に JAK1，3 の活性化を抑制する（図 A–51 参照）ことで，炎症性サイトカインの作用を阻害する．
- IL–6，IL–2，7，15，21，IFN–α などのサイトカインの作用を，細胞内でのシグナル伝達をになう JAK への ATP の結合を阻害することで抑制するので，これらのサイトカインが関連する広い病態への効果が期待できる．
- TNF の細胞内シグナル伝達には関与していないことも注目に値する作用機序であり，TNF 阻害薬無効例にも効果が期待できる．

a ポイント
- MTX 効果不十分症例において MTX 効果不十分と併用にて TNF 阻害薬と同等の効果が認められている経口薬であり，効果的に TNF 阻害薬登場以来の画期的な薬剤であり，効果発現も1から数週間と他の経口薬と比して速効性も優れている．
- MTX naive 症例，DMARDs/生物学的製剤効果不十分症例におけるトファシチニブ単剤投与でもこれまでの生物学的製剤の成績に匹敵する効果

140

4. よく使われる抗リウマチ薬

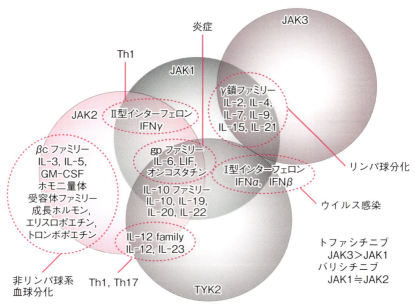

図 A-51 JAK と JAK 阻害薬
（O'Shea JJ, et al. Nat Rev Rheumatol. 2013 より改変）

が報告されている．
- 新しい作用機序の薬剤であり，より長期安全性の確立が待たれるが，欧米で行われた 2 年間の試験では悪性腫瘍（2/373，対照 MTX 群 1/186），帯状疱疹（13/373，対照 MTX 群 2/186）と MTX と同等であることが報告されている．
- 日本人では帯状疱疹のリスクが数倍高いと報告されている．
- 薬価は 1 日 2 錠の通常量では生物学的製剤と同等であり，経済的なメリットは少ないが，TNF 阻害薬効果不十分例においても有効性が期待できること，経口薬であることが大きなメリットである．
- 同種の薬剤が SLE などに対しても臨床治験が行われており，TNF 阻害薬と比して，シェーグレン症候群などの抗核抗体関連結合組織疾患合併症例においても理論的に使用しやすい．

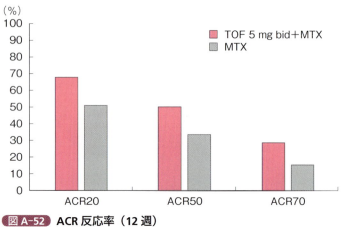

図 A-52 ACR 反応率（12 週）
（N Engl J Med. 2014; 370: 2377-86）

b 有効性
- MTX との併用で生物学的製剤と同等の有効性が示されている．
- 低疾患活動性達成後には MTX 中止での維持療法の可能性に関しても報告されている．

c 処方の実際
- 通常，トファシチニブとして 1 回 5 mg を 1 日 2 回経口投与する．MTX をすでに投与している場合は，原則として MTX は継続投与しトファシチニブを追加投与する．一般的に，MTX 以外の免疫抑制薬との併用は十分な有効性と安全性の報告がないため行わず，生物学的製剤も併用しない．
- 中等度または重度の腎機能障害，または肝機能障害を有する患者には，5 mg を 1 日 1 回経口投与する．高齢者や低体重の患者でも 5 mg 1 日 1 回から開始し，必要に応じて 1 日 2 回に増量することも考慮できる．

d 処方上の注意
- 結核，B 型肝炎などの感染症および年齢相応の悪性腫瘍の投与前スクリーニングは生物学的製剤と同様に行う．
- 末梢白血球数 4000/mm^3 未満，好中球数 500/mm^3 未満，リンパ球数 500/mm^3 未満，ヘモグロビン値 8 g/dl 未満，β-D-グルカン陽性であれ

4. よく使われる抗リウマチ薬

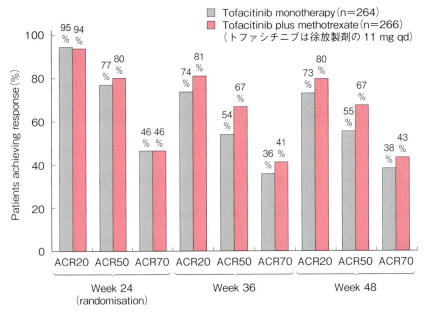

図 A-53 TOF ＋ MTX にて低疾患活動性達成後の MTX 中止と継続の比較試験
(Lancet Rheumatol. 2019; 1: e23-34)

- ば投与しない．
- 処方中も，感染症，悪性腫瘍，血球減少，腎障害，間質性肺炎，脂質異常，腸管穿孔などに注意する．
- 帯状疱疹に関しては，特に日本人では発症率が高いことが報告されており，具体的な早期症状と早期治療の重要性を説明する．
- 軽度のクレアチニン上昇が報告されており，前述のオープンラベルの調査（J Rheumatol. 2014; 41: 837-52）では，投与開始1週間で軽度の上昇が認められるが，その後3年間はほぼ一定である．それ以上の期間に関しては観察患者数が少ないため未定である．本邦での承認用量である5 mg 1日2回の投与を受けた患者1421人の解析では，平均血清クレアチニンは，投与前0.68，1週間後0.73，24カ月後0.78となっている．
- CYP3A4 および CYP2C19 により代謝されるため，阻害作用のある薬剤（マクロライド系抗生物質，アゾール系抗真菌薬，カルシウム拮抗薬，アミオダロン，フルコナゾールなど）と併用する場合には，トファシチニブ

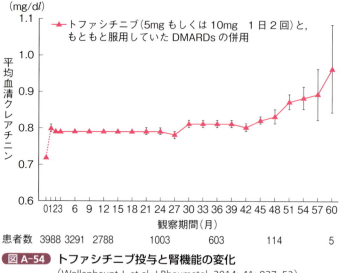

図 A-54 トファシチニブ投与と腎機能の変化
（Wollenhaupt J, et al. J Rheumatol. 2014; 41: 837-52）

の効果が増強される可能性があるため，5 mg を 1 日 1 回に減量するなどの対策を考慮する．逆に，CYP3A4 誘導薬（抗てんかん薬，リファンピシン，リファブチン，など）との併用では，効果が減弱する可能性があるため注意する．

e 使いやすい患者

- MTX 8 mg を超える用量で充分な改善が認められず，速効性のある経口薬を希望する患者で関節外合併症のない患者．
- 適応となる生物学的製剤にて充分な改善が認められない患者．
- 重篤な感染症の既往，悪性腫瘍の既往のない患者．

f 使いにくい患者

- 重篤な感染症の既往，悪性腫瘍の既往のある患者．
- 家族歴に悪性腫瘍の多い患者．

患者への説明 新しいタイプの抗リウマチ薬で，他の経口薬よりも効果が高く，生物学的製剤といわれる注射薬に匹敵します．効果は早ければ1週間で自覚される患者さんもいます．これまでの調査では，生物学的製剤と同等な効果であると当時に同等の副作用に対する注意も必要とされていますので，定期的に診察と検査を受けて頂く必要があります．それ以外にも，ご自身で自覚できるものとして，咳嗽，発熱などの感染症の徴候，帯状疱疹と言って水疱瘡のウイルスが体の中に残っていたのが，免疫が落ちることで再度増殖して痛みを伴う発疹を起こすことがあり，早期に治療しないと痛みが残ってしまう可能性が高くなります．最初のうちは特に，何かおかしいと思ったら連絡してください．あと，一緒に飲むと副作用の原因となるお薬があるので，風邪などで他の病院にかかるときにもこの薬を服用していることを伝えて，一緒に飲めない抗生物質などがあるので注意するようにいわれているということを担当医に伝えてください．睡眠と水分を十分とって，鼻や口の中の衛生にも気をつけてください．リステリンのような洗口液を寝る前に使うこともいいかもしれません．あと，人間ドックか自治体やお勤め先の定期健診は必ず受けてください．

6 バリシチニブ（BAR）
（オルミエント® 2 mg・4 mg 錠）

はじめに　どうやって効くか

- IL-6, 2, 7, 15, 21, IFNαなどに加え，Th1, Th17系に作用するIFNγ，IL-12, 23などのサイトカインの作用を，細胞内でのシグナル伝達を担うJAK（主にJAK1≒JAK2）へのATPの結合を阻害することで抑制するので，これらのサイトカインが関連する広い病態への効果が期待できる．
- TNFの細胞内シグナルには関与していないことも注目に値する作用機序であり，TNFの阻害薬無効例にも効果が期待できる．

a ポイント

- 12週以上のMTXを投与において効果不十分の患者群において，TNF阻害薬と同等の効果および指標によっては有意差を持って有効性を示した1

chapter A ●関節リウマチの診断・薬物治療

日 1 回投与の経口薬剤である（N Engl J Med. 2017; 376: 652-62）.

		MTX	MTX＋アダリムマブ	MTX＋バリシチニブ
SDAI 寛解率（3.3 以下）	24 週	3%	14%	16%
mTSS（構造破壊）	52 週	1.80	0.60	0.71

- JAK2 阻害による Th17 系, 好酸球系の関連が深い疾患に対する効果が理論上期待される JAK2 阻害による赤血球, 血小板, 顆粒球などの分化への悪影響が理論的には懸念されたが, 臨床試験の結果からは臨床上大きな問題とは考えられていない. しかし, 米国 FDA は臨床治験における静脈血栓症などへの懸念から追加データを必要としている. また, オンコスタチン（OSM）の抑制は理論的に骨形成を阻害しうる.
- トファシチニブと同様に, 日本人においては帯状疱疹に注意が必要である.
- トファシチニブに比して腎排泄の割合が高く（腎排泄約 75%, 糞便排泄約 10%, 肝代謝 10% 未満）, 発熱, 脱水時なども注意が必要である.

b 処方の実際
- 1 日 1 回 4 mg から開始し, 改善すれば 2 mg への減量を考慮する.
- 患者の状態においては 2 mg に減量するとされており, 後期高齢者, 低体重などでは考慮される MTX などの csDMARDs はそのまま併用可能であるが, 生物学的製剤, 他の JAK 阻害薬は併用しない.
- 腎障害の影響が大きく, eGFR30–60 では 2 mg 1 日 1 回の半量に, eGFR30 未満では投与を避けるが, 発熱, 脱水時なども注意が必要である.
- 肝障害患者においても, 2 mg への減量投与を考慮する.

c 処方上の注意
- 結核, B 型肝炎などの感染症および年齢相応の悪性腫瘍スクリーニングは生物学的製剤と同様に行う.
- 重度の腎機能障害を有する患者, 好中球数が 500/mm^3 未満の患者, リン

パ球数が 500/mm^3 未満の患者，ヘモグロビン値が 8 g/dl 未満の患者，妊婦または妊娠している可能性のある婦人，授乳婦には投与禁忌であり，日本リウマチ学会からのガイドライン（http://www.ryumachi-jp.com/info/guideline_barishichinibu.html）では，白血球数 4000/mm^3 未満，好中球数 1000/mm^3 未満，β–D–グルカン陽性患者においても投与を回避するように推奨している．

• 帯状疱疹に注意する．

コラム

生活習慣における 3 剤？ 併用療法

　RA 発症のリスクとして以前からいわれていた喫煙，さらには歯周病[9, 10, 11]，肥満などの研究が最近盛んに行われている．RA 発症の 5-10 年前から抗 CCP 抗体が陽性となることが報告され，RA の発症の病態生理を把握する手がかりとなる可能性がある．その中で歯周病の代表的な細菌である *P. gingivalis* が出すペプチジルアルギニンデイミナーゼタイプ 4（PAD4）enzyme によりアルギニン残基がシトルリン化され，そのシトルリン化蛋白に対する抗体が抗 CCP 抗体であり，歯周病菌が抗 CCP 抗体産生の引き金を引いている可能性が示唆されている．また，以前から RA の遺伝的リスクとして知られる HLA-DR4 保因者で喫煙が血清反応陽性の RA 発症リスクであることは示されていたが，最近喫煙者の肺胞上皮細胞にシトルリン化蛋白が発現していることが示された．実際，歯周病非治療群より治療群，喫煙者より非喫煙者の方が DMARDs に対する治療反応性が高いことも示されており[12, 13]，発症予防，治療反応性向上目的にも歯周病予防のための口腔衛生向上（歯ブラシ，洗口液の使用，デンタルクリーニング励行），禁煙を実践したい．

　同様に肥満が RA の発症リスクとなる可能性が大規模コホート試験の結果で示唆され[14]，最近の報告では TNF 阻害薬に対する反応も肥満者では非肥満者より悪いことも示されており[15] 肥満是正のための適度な運動も重要である．

　以上，"禁煙，口腔衛生向上，適度な運動" を生活習慣の 3 剤併用療法として日常診療指導を行っている．

d 使いやすい患者

- MTX 8 mg 以上でも十分な効果が得られず，即効性のある経口薬を希望する患者で，関節外合併症のない患者．
- 生物学的製剤で十分な効果が認められない．もしくは二次無効例．
- 重篤な感染症，腸管憩室，静脈血栓症，悪性腫瘍などの既往のない患者．

7 ペフィシチニブ（PEF）
（スマイラフ® 50 mg・100 mg 錠）

はじめに　どうやって効くのか？

- JAK1，2，3，Tyk2 の活性化を広く抑制する（図 A–51 参照）ことで，炎症性サイトカインの作用を阻害する．

a ポイント

- MTX との併用，非併用において生物学的製剤と同等の効果をしめす経口薬であり，医師の判断で 150 mg もしくは 100 mg で開始が可能で，用量調整に融通が効く．日本開発の薬剤であり，日本人対象の臨床研究データが充実している．

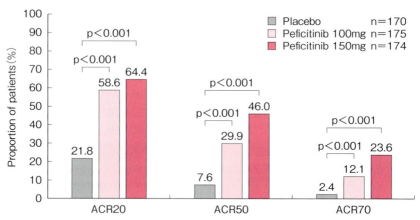

図 A-55　ACR 反応率（12 週），日本人のみの試験
（Takeuchi T, et al. Ann Rheum Dis. 2019; 78: 1305-19）

4. よく使われる抗リウマチ薬

b 有効性
- 直接比較はできないが，過去の生物学的製剤の臨床研究結果と同等の有効性が示されており，関節破壊抑制効果も報告されている．

c 処方の実際
- 通常，ペフィシチニブ 150 mg（100 mg 錠，50 mg 錠）1 日 1 回で処方するが，高齢者，合併症などにより 100 mg から開始し，必要に応じて 150 mg に増量することも可能である．中等度以上の肝障害においては 50 mg 1 日 1 回投与．

d 処方上の注意
- 他の JAK 阻害薬に準じた感染症対策が必要で，生物学的製剤との併用をしないことなども同様であるが，タクロリムス，ミゾリビンなどの経口免疫抑制薬との併用は規定されていない．尿中排泄は 40％未満であり，腎機能による用量調整は必要ない．

e 使いやすい患者
- MTX 8 mg を超える用量で充分な改善が認められず，速効性のある経口薬を希望する患者で関節外合併症の少ない患者．
- 腎機能障害，多剤併用，低体重の患者．
- 適応となる生物学的製剤にて充分な改善が認められない患者．
- 重篤な感染症の既往，悪性腫瘍の既往のない患者．

f 使いにくい患者
- 重篤な感染症の既往，悪性腫瘍の既往のある患者．

患者への説明　新しいタイプの抗リウマチ薬で，他の経口薬よりも効果が高く，生物学的製剤といわれる注射薬に匹敵します．効果は早ければ 1 週間で自覚される患者さんもいます．これまでの調査では，生物学的製剤と同等な効果であると当時に同等の副作用に対する注意も必要とされていますので，定期的に診察と検査を受けて頂く必要があります．最

初のうちは特に，何かおかしいと思ったら連絡してください．睡眠と水分を十分とって，鼻や口の中の衛生にも気をつけてください．リステリンのような洗口液を寝る前に使うこともいいかもしれません．あと，人間ドックか自治体やお勤め先の定期健診は必ず受けてください．

8 ウパダシチニブ（UPA）
（リンヴォック® 7.5 mg・15 mg 錠）

はじめに　どうやって効くか
- JAK1 活性化を選択的に抑制する（図 A-51 参照）ことで，炎症性サイトカインの作用を阻害する．

a ポイント
- MTX との を併用した国際治験では，アダリムマブとの直接比較試験でウパダチニブ 15 mg は有意に効果が高いことが示されており，日本でのスタディでも高い有効性が認められている．
- 医師の判断で 7.5 mg，15 mg の用量調整が可能である．

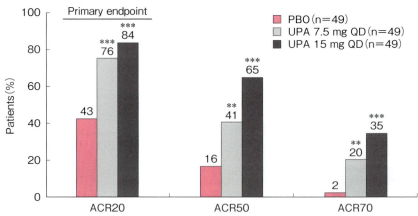

P<0.01，*P<0.01 vs PBO．NRI: non-responder imputation, PBO: placebo, UPA: upadacitinib

図 A-56 ACR 反応率（12 週 NRI）―日本人のみの試験
（Rheumatology. 2020; 0: 1-11 doi:10.1093/rheumatology/keaa084）

4. よく使われる抗リウマチ薬

表 A-54

	ゼルヤンツ	オルミエント	スマイラフ	リンヴォック
一般名	トファシチニブ	バリシチニブ	ペフィシチニブ	ウパダシチニブ
通常投与量	5 mg bid	4 mg qd から開始し 2 mg に減量可	100, 150 mg qd	7.5, 15 mg qd
主な JAK 阻害	JAK1, 3	JAK1, 2	JAK1, 2, 3, Tyk2	JAK1
主な禁忌	重度の肝障害 好中球数：500/mm³ 未満 リンパ球数：500/mm³ 未満 ヘモグロビン値が 8 g/d*l* 未満	重度の腎障害（eGFR30 未満） 好中球数：500/mm³ 未満 リンパ球数：500/mm³ 未満 ヘモグロビン値が 8 g/d*l* 未満	重度の肝障害 好中球数：500/mm³ 未満 リンパ球数：500/mm³ 未満 ヘモグロビン値が 8 g/d*l* 未満	重度の肝障害 好中球数：1000/mm³ 未満 リンパ球数：500/mm³ 未満 ヘモグロビン値が 8 g/d*l* 未満
用量調節	重度の腎障害 5 mg qd	中等度の腎障害（eGFR30-60） 2 mg qd	中等度以上の肝障害 50 mg qd	
タクロリムス，ミゾリビンとの併用	しない	添付文書に記載なし	添付文書に記載なし	しない
併用注意薬	CYP3A4 阻害薬（マクロライド系など） CYP3A4 誘導薬（リファンピンなど） グレープフルーツ フルコナゾールなど	プロベネシド（併用時は 2 mg qd）	なし	CYP3A4 を強く阻害する薬剤（クラリスロマイシンなど） CYP3A4 を強く誘導する薬剤（リファンピンなど）

b 処方の実際

- 1 日 1 回 15 mg，7.5 mg いずれの用量でも投与可能であり，15 mg で開始し寛解導入後に減量，もしくは低体重，高齢者などで 7.5 mg から開始し血球などの安全性を確認してから増量が可能.

c 処方上の注意

- 他の JAK 阻害薬に準じた感染症対策が必要で，生物学的製剤との併用を

chapter A ●関節リウマチの診断・薬物治療

しないことなども同様である．タクロリムス，ミゾリビンなどの経口免疫抑制薬との併用も行わない．
- クラリスロマイシンなどの併用薬に注意する．

d 使いやすい患者
- MTX 8 mg 以上でも高活動性で，即効性のある経口薬を希望する患者で，関節外合併症のない患者．
- 生物学的製剤で十分な効果が認められない，もしくは二次無効例．
- 重篤な感染症，腸管憩室，静脈血栓症，悪性腫瘍などの既往のない患者．

9 アプレミラスト
（オテズラ錠® 10 mg・20 mg・30 mg フィルムコーティング錠）

a 作用機序
- cyclic AMP の分解に関わるホスホジエステラーゼ 4（PDE4）の経口阻害薬である．
- T 細胞や好中球など幅広い免疫担当細胞の炎症反応を制御する免疫調節薬である．

b ポイント
- DMARDs 併用，DMARDs ナイーブおよびバイオナイーブの乾癬性関節炎患者，また TNF α 阻害薬からの切替時における有効性および安全性が臨床試験にて報告されている．
- 患者背景にかかわらず，関節症状に対して改善効果を示す．
- 保険適応は，局所療法で効果不十分な尋常性乾癬および関節症性乾癬で，以下のいずれかを満たす場合である．
  - （1）ステロイド外用剤などで十分な効果が得られず，皮疹が体表面積の 10%以上に及ぶ患者．
  - （2）難治性の皮疹または関節症状を有する患者．
- 局所療法で効果不十分なベーチェット病による口腔潰瘍にも認可されており，粘膜病変に対する十分な効果が報告されている．

152

c 有効性データ

バイオナイーブの乾癬性関節炎患者において，関節炎（ACR20，DAS28 CRP），機能障害（HAQ-DI，SF36v2），指趾炎，付着部炎，朝のこわばりの有意な改善が示されている．

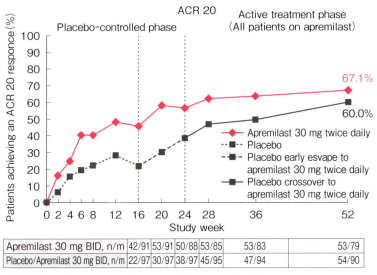

図 A-57 バイオナイーブの **PsA** 患者の臨床試験結果
（Nash P, et al. Ann Rheum Dis. 2018; 77: 690-8）

活動性の PsA 患者を対象に承認用量（30 mg 1 日 2 回）より少ない用量で 20 mg 1 日 2 回，または 40 mg 1 日 1 回の服用で行った多施設 DB-RCT では 12 週後の ACR20 反応率は以下のようであった（図 A-58）．消化器症状などの副作用で 1 日 1 回しか服用できない患者での参考になるデータである．

MTX 併用，MTX 非併用の効果に関して以下に 2 つの試験のデータを示す（図 A-59）．非併用時でもプラセボ群と比べて有意な効果を示している．

皮膚に対する効果は生物学的製剤には匹敵しないが，過去に行われた MTX の臨床試験と比較するとほぼ同等の効果を示している．以下，海外で行われた中等症〜重症の尋常性乾癬患者 844 人を対象に行われた DB-RCT である（図 A-60）．

chapter A ●関節リウマチの診断・薬物治療

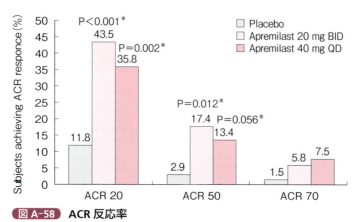

図 A-58　ACR 反応率
（＊: Georg S, et al. Arthritis Rheumatol. 2012; 64: 3156-67）

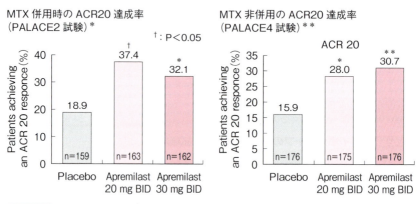

図 A-59　ACR 20 達成率
（＊: Cutolo M, et al. J Rheumatol. 2016; 43: 1724-34
＊＊: Wells AF, et al. Rheumatology online first on 2018 Apr 4）

d 処方の実際 （そのまま処方箋にかけるように）

成人にはアプレミラストとして表 A-55 のとおり経口投与し，6 日目以降は 1 回 30 mg を 1 日 2 回投与する．

e 処方上の注意

- これまでの臨床試験において，投与初期の副作用として下痢，悪心および頭痛などが発現する．

4. よく使われる抗リウマチ薬

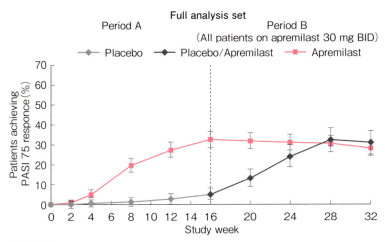

図 A-60　**PASI 75 達成率**
(Papp KA, et al. J Am Acad Dermatol. 2015; 73: 37-49)

表 A-55　アプレミラスト（オテズラ®）処方例（初回）

1 日目	オテズラ錠 10 mg 1 日 1 回朝食後服用　　1 錠 1 日分
2 日目	オテズラ錠 10 mg 1 日 2 回朝夕食後服用　1 錠 1 日分
3 日目	オテズラ錠 10 mg 1 日 1 回朝食後服用　　1 錠 1 日分 オテズラ錠 20 mg 1 日 1 回夕食後服用　　1 錠 1 日分
4 日目	オテズラ錠 20 mg 1 日 2 回朝夕食後服用　1 錠 1 日分
5 日目	オテズラ錠 20 mg 1 日 1 回朝食後服用　　1 錠 1 日分 オテズラ錠 30 mg 1 日 1 回夕食後服用　　1 錠 1 日分
6 日目以降	オテズラ錠 30 mg 1 日 2 回朝夕食後服用　1 錠 1 日分

備考：オテズラ錠 スターターパック
食前，食後どちらでも投与可能である．

- 腎機能障害および感染症の患者，また高齢者には慎重に投与する．

f　使いやすい患者

- 初期の関節症状を有する患者．
- 生物製剤が禁忌の患者．
- 肥満の患者：上記 ESTEEM1/2 試験では体重の低下がみられた．

chapter A ●関節リウマチの診断・薬物治療

g 使いにくい患者

- 妊婦あるいは妊娠している可能性のある患者には投与しない.
- 腎機能障害の患者（クレアチニンクリアランス値が30 ml/分未満）は減量も考慮して慎重に投与する.

コラム

あともうちょっとの乾癬病変に効果あり

　81名の尋常性乾癬患者でMTXやCyAなどの経口薬，TNF阻害薬やウステキヌマブなどの生物学的製剤で乾癬の皮膚病変が残っている患者にアプレミラストを加えたあと12週後の反応を見た後ろ向き研究を以下に示す．比較的頻度の高い下痢や吐き気などの消化器症状の副作用は見られるが，PASIが明らかに追加前後で改善しているのが示されている（表A-56）.

表A-56

Characteristic	All Combinations	NBUVB-Apremilast	Methotrexate-Apremilast	Cyclosporin-Apremilast	Acitretin-Apremilast	TNF Inhibitors-Apremilast	TNF Inhibitors/Methotrexate-Apremilast	Ustekinumab-Apremilast
No. (%)	67 (100)	10 (15)	15 (22)	4 (6)	5 (7)	13 (19)	7 (10)	13 (19)
Age (mean)	50.1	48.8	47.3	37.7	52.6	52.4	53.2	53.4
Age (median)	53	48.5	46	31.5	57	53	60	55
Age at onset (mean)	41.6	41.1	41.8	29.8	49.2	37.4	45.5	43.7
Age at onset (median)	43	42	41	22	51	39	49	46
Gender (F/M)	34/33	3/7	10/5	3/1	1/4	8/5	2/5	7/6
PASI (mean) before adding apremilast	8.7	9.2	8.7	10.9	6.8	8.1	9.9	8.4
PASI (mean) at week 12 of adding apremilast	2.3	1.7	2.8	4	1.6	2.4	2.3	1.9
Patients achieved PASI 75 at week 12 of apremilast (%)	51/63 (81) (N/A for 4)	8/9 (89) (N/A for 1)	11/13 (84) (N/A for 2)	3/4 (75)	3/5 (60)	10/13 (77)	5/6 (83) (N/A for 1)	11/13 (85)
Patients with nausea and/or diarrhea (%)	20/67 (30)	4/10 (40)	4/15 (20)	1/4 (25)	2/5 (40)	3/13 (30)	2/6 (28)	4/13 (30)
Weight loss (%)	10/67 (15)	1/10 (10)	2/15 (13)	1/4 (25)	1/5 (20)	2/13 (15)	1/6 (16)	2/13 (15)

Abbreviation, PASI: Psoriasis Area and Severity Index
(AbuHilal M, et al. J Cutan Med Surg. 2016; 20: 313-6)

chapter A ●関節リウマチの診断・薬物治療

• 生物学的製剤 •

●ポイント

- TNF 阻害薬は，欧米では 20〜50％の RA 患者が使用しており，すでに 10 年以上の臨床使用経験がある．RA 患者を診療する医師は精通しておくべき薬剤である．
- 生物学的製剤使用時には，感染症予防と感染時の早期治療に備えることが必須である．
- TNF 阻害薬は抗炎症作用も強いが，炎症がある程度継続してしまう症例でも骨びらん抑制効果が認められている．
- インフリキシマブは RA 以外の乾癬性関節炎，強直性脊椎炎，Behçet 病，Crohn 病では単剤投与が可能であるが，RA においては MTX との併用が有効性と関連があり義務化されている．
- エタネルセプトやアダリムマブは MTX との併用が必要ない TNF 阻害薬であるが，併用時の方が効果は明らかに高い．
- TNF 阻害薬に加え，本邦では抗ヒトインターロイキン 6 レセプターモノクローナル抗体製剤であるトシリズマブが開発され高い効果が報告されている．
- トシリズマブ同様非 TNF 阻害生物学的製剤としてアバタセプト（抗原提示細胞と T 細胞間の共刺激シグナルを阻害し T 細胞の活性化およびサイトカイン産生を抑制）も TNF 阻害薬と同等の効果がありファーストチョイスとし使用可能である．

●生物学的製剤とは何か

　1990 年代後半に欧米で RA の治療として認可され，RA 治療のパラダイムシフトをもたらしたのが生物学的製剤である．最新のバイオテクノロジー技術を駆使して開発され，生物が産生したタンパクを利用して作られているため "生物学的製剤" と言われている．

　生物学的製剤の代表格が，まずはじめに認可された TNF 阻害薬で，循環器系におけるアンジオテンシン系抑制薬，高脂血症におけるスタチンと比さ

158

れる RA 診療の革新的な薬剤である．腫瘍壊死因子 tumor necrosis factor (TNF) は固形癌に対して壊死を生じさせるサイトカインとして発見されたが，後に炎症に関わる主要なサイトカインであることが判明した．当初敗血症のサイトカインストームに対して TNF 阻害薬が試みられたが効果はなく，1993 年はじめて RA 治療に有効であることが報告された[16]．米国ではまずインフリキシマブが 1998 年 8 月 Crohn 病治療に初めて認可され，その後エタネルセプトが 1998 年 9 月 RA 治療の認可を得た．インフリキシマブが RA 治療の認可を得たのは 1999 年，アダリムマブが 2003 年に承認を得ている．TNF 阻害薬は RA 治療においてすでに 10 年以上の経験のある生物学的製剤である．米国では，RA 患者の 40％，欧州では 20％に処方されている．本邦でも 2003 年からインフリキシマブ，2005 年からエタネルセプト，2008 年からアダリムマブが処方可能となり，現在約 15〜20％の RA 患者に使用され，これまでの治療では得られなかった治療効果をもたらしている．適切な治療，特に MTX，関節内ステロイド注射などと組み合わせることによって，RA はもはや進行性の疾患ではなくなり，non-erosive era（骨びらんのない時代）に入っている．TNF 阻害薬を MTX と併用した症例の報告されている有効率は高いが，実地臨床では臨床治験よりもさらに細やかな治療調節が可能なためより良好である．

　早期 RA に使用した場合の効果発現は早く，多くの症例で活動性のコントロールが早期につくため骨びらんも進まず（図 A-61），コントロールが十分つき寛解が持続した時点で TNF 阻害薬の中止も可能となっている．TNF 阻害薬の経口 DMARDs との大きな違いは，疾患活動性のコントロールが十分つかない症例においても骨びらん抑止作用があることである（図 A-62）．また，TNF 阻害薬は感染症などの副作用を差し引いても，日常生活制限があるほどの RA 患者においては生命予後も改善することが示されている（図 A-63）．このようなデータは他の生物学的製剤にはなく，欧米の RA 治療の推奨に TNF 阻害薬が生物学的製剤の第一選択薬になっている理由の一つでもあろう．

　また本邦で開発され Castleman 病に臨床応用されてきた抗ヒトインターロイキン 6 受容体モノクローナル抗体製剤であるトシリズマブが，世界に先駆けて 2008 年日本で RA に保険収載された．欧州では 2009 年 1 月，米

159

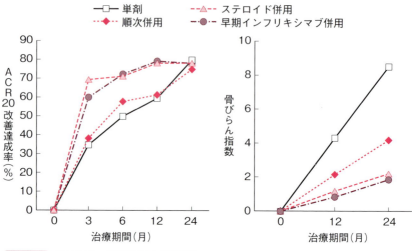

図 A-61 DMARDs 投与方法と有効率
(Goekoop-Ruiterman YP, et al. Ann Intern Med. 2007; 146: 406-15)

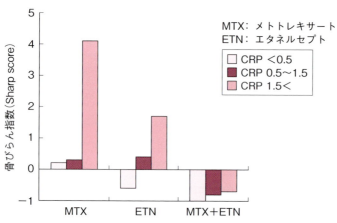

図 A-62 TNF 阻害薬の骨びらん抑制効果と CRP
(Landewé R, et al. Arthritis Rheum. 2006; 54: 3119-25)

国でも2010年1月に順次認可されている．トシリズマブ臨床効果はTNF阻害薬に劣らない成績があり（図A-64），アダリムマブとの直接比較試験でもその効果が実証されていた（図A-65）[17]．同様に米国で開発され欧米で広く使用されているアバタセプト（抗原提示細胞とT細胞間の共刺激シ

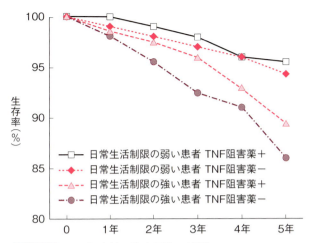

図 A-63 TNF 阻害薬の生命予後の影響
(Jacobsson LT, et al. Ann Rheum Dis. 2007; 66: 670–5)

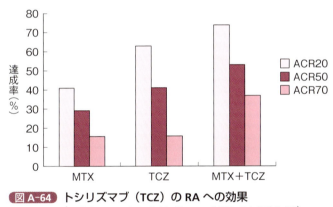

図 A-64 トシリズマブ（TCZ）の RA への効果
(Maini RN, et al. Arthritis Rheum. 2006; 54: 2817-29)

グナルを阻害し T 細胞の活性化およびサイトカイン産生を抑制）が 2010 年から選択肢として加わり，TNF 阻害薬に劣らない効果が示された（図 A-66)[18]．

2011 年，2012 年新規 TNF 阻害薬であるゴリムマブ，セルトリズマブがそれぞれ保険収載され非 TNF 製剤であるアバタセプトとトシリズマブを加え 8 製剤が RA 治療として使用可能となっている（表 A-57）．効果はほぼ同等であり，ACR, EULAR および本邦の関節リウマチ治療ガイドラインに

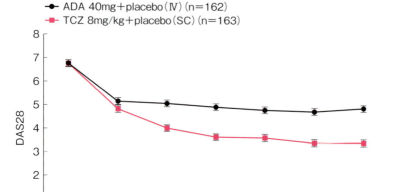

図 A-65 MTX 治療抵抗性の早期 RA に対する第 4 相多施設ランダム化二重盲検比較試験にて ADA 単独治療と TCZ 単独治療の比較

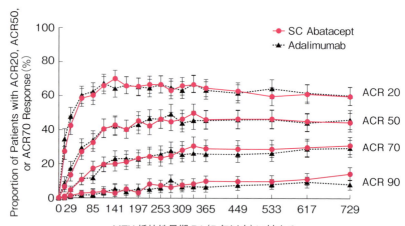

MTX 抵抗性早期 RA（5 年以内）に対するアバタセプト皮下注製剤＋MTX vs アダリムマブ＋MTX 比較試験

図 A-66 2 年間の ACR 反応性の推移

表A-57 関節リウマチに対する生物学的製剤（国内承認）

一般名	インフリキシマブ	エタネルセプト	アダリムマブ	ゴリムマブ	セルトリズマブ ペゴル	トシリズマブ	サリルマブ	アバタセプト
製品名	レミケード®	エンブレル®	ヒュミラ®	シンポニー®	シムジア®	アクテムラ®	ケブザラ®	オレンシア®
構造	抗TNFヒトマウスキメラ抗体	TNF受容体：IgG1融合蛋白	完全ヒト型抗TNF抗体	ヒト型抗TNF抗体	ペグ化抗TNF抗体	抗IL-6レセプターヒト化抗体	抗IL-6レセプターヒト型抗体	IgG1: Fc+CTLA-4
標的	$TNF\alpha$	$TNF\alpha$, $LT\alpha$	$TNF\alpha$	$TNF\alpha$	$TNF\alpha$	膜型・可溶性IL-6α受容体	膜型・可溶性IL-6α受容体	抗原提示細胞 CD80/CD86
半減期	8～10日	3～5.5日	～14日	11.9～12.6日	14日	5.5～10日	200mgで3.49±1.35日	10日
投与法	点滴静注	皮下注	皮下注	皮下注（自己注射不可）	皮下注	点滴静注 皮下注	皮下注	点滴静注 皮下注
使用量	3（～10）mg/kg	(10～) 25mg/ 50mg	40mg/80mg	50mg/100mg	400mg 0・2・4週 200mg (400mg)	8mg/kg 162mg	200mg (150mg)	0.5g/0.75g/ 1g 125mg
使用間隔	(4～) 8週毎	週2回/週1回	2週毎	4週毎	2週毎 (4週毎)	4週毎 2週毎 (～1週毎)	2週毎	4週毎 週1回
MTX併用	必須	推奨	推奨	単独	単独	単独	単独	推奨
適応認可（米国）	2003年7月 (1999年)	2005年3月 (1998年)	2008年6月 (2002年)	2011年9月 (2009年)	2012年12月 (2009年)	2008年4月 (2010年)	2017年11月	2010年9月 (2005年)
RA以外の適応	ベーチェット病による難治性ぶどう膜炎網膜炎/乾癬性関節炎/強直性脊髄炎/クローン病/潰瘍性大腸炎	若年性特発性関節炎（多関節型）	乾癬/乾癬性関節炎/若年性特発性（多関節型）/強直性脊髄炎/クローン病/潰瘍性大腸炎/腸炎ベーチェット病			キャッスルマン病/若年性特発性（全身型・多関節型）		

4. よく使われる抗リウマチ薬

おいて経口DMARDs（主にMTX）抵抗性のRA患者に対してTNF阻害薬，非TNF阻害生物学的製剤（トシリズマブ，アバタセプト）ともにファーストチョイスとして使用可能となっている．

●生物学的製剤の種類と作用機序

表A-57，図A-67～A-70は2018年時点において日本で使用できる生物学的製剤の特徴と構造を示す．また図A-71にTNF阻害薬とトシリズマブの作用機序を簡単に示す．図A-71では，左上がサイトカインとその受容体の通常の作用で，炎症性サイトカインがその受容体に作用することで炎症性シグナルが惹起される．図A-71右上は炎症性サイトカインを中和し炎症性シグナルを阻害する機序を示しているが，インフリキシマブ，アダリムマブ，ゴリムマブ，セルトリズマブのようなモノクローナル抗体，エタネルセプトのような可溶性受容体がここに属する．図A-71の左下は，トシリズマブのようなモノクローナル抗体でサイトカインの受容体を阻害することで炎

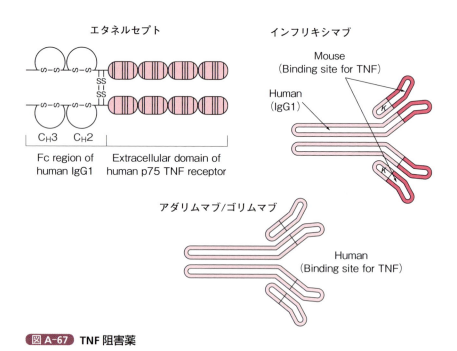

図 A-67　TNF 阻害薬

4. よく使われる抗リウマチ薬

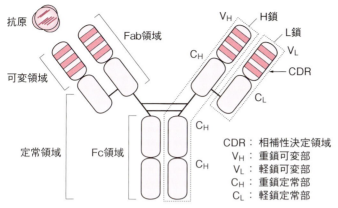

図 A-68　トシリズマブの構造模式図

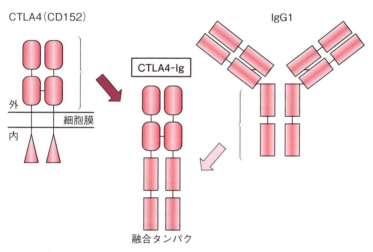

図 A-69　CTLA4-Ig（アバタセプト）

症性シグナルを阻害する作用を示している．図 A-72 にアバタセプトの作用機序を示す．まず，T 細胞は CD4-T 細胞上の T 細胞受容体（TCR）が抗原提示細胞（APC）から抗原提示を受けることで活性化される．ただ，この刺激のみでは T 細胞はアナジーになるのみで完全な活性化はされない．T 細胞が活性化されるにはさらに APC 上の B7 ファミリーである CD80/86 が T 細胞表面の CD28 に結合することによる共（副）刺激が必要となる．T 細胞は T 細胞受容体（TCR）の抗原提示細胞（APC）からの抗原提示によ

165

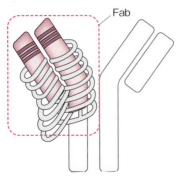

図 A-70 セルトリズマブ ペグ化ヒト化抗 TNF 抗体-Fab' 断片

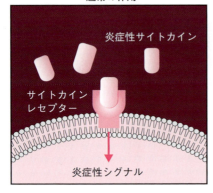
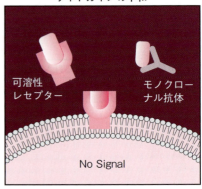
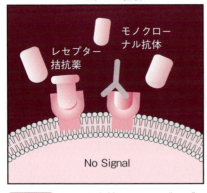
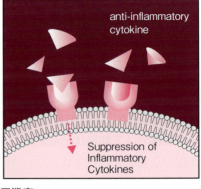

図 A-71 TNF 阻害薬とトシリズマブの作用機序
（Choy EH, et al. N Engl J Med. 2001; 344: 907-16 より改変）

4. よく使われる抗リウマチ薬

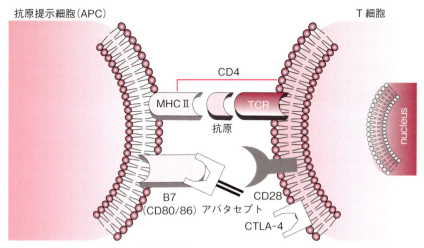

図 A-72 アバタセプトの作用機序

る刺激と，この共刺激にて完全な活性化がされる．しかし最大に活性化したところで自己調節機能というべきかT細胞上にCTLA-4を発現し，このCTLA-4はCD28よりAPC上のCD80/86への結合力は強く，CD28とCD80/86の共刺激を断ち切るとともに，それ自身も抑制性シグナルをT細胞内に伝えてT細胞の活性化を終息させる働きがある．アバタセプトは，このCTLA-4の作用を利用し，図A-72のようにヒトCTLA-4の細胞外ドメインとヒトIgG1のFcドメインより構成された融合蛋白である．図A-72にあるように共刺激を阻害しT細胞の活性化を阻害する作用がある．

最後に，生物学的製剤の作用点につき図A-73を参考にしてほしい．

〔豆知識①〕

マウスの蛋白を20〜30％含有しているキメラ型モノクローナル抗体には"−ximab"（例：rituximab, infliximab），5〜10％のマウス蛋白を含有しているヒト化モノクローナル抗体には"−lizumab"（例：tocilizumab, ocrelizumab, certolizumab），完全ヒト型のモノクローナル抗体には"−mumab"（例：adalimumab, golimumab）の名前が付く．また，モノクローナル抗体（"−mab"）でない受容体の場合には"−cept"（例：etanercept, abatacept）の名前が付く．薬剤の特徴が名前から推測できる．

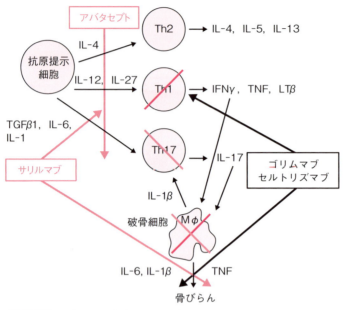

図 A-73 生物学的製剤の作用部位
(Finnegan A, et al. Arthritis Rheum. 2008; 58: 3283-5 より一部改変)

〔豆知識②〕

　疾患修飾性抗リウマチ薬（disease modified anti-rheumatic-drugs: DMARDs）の用語の統一の提案が EULAR の Smolen 医師から示された[19]．経口 DMARDs は Synthetic DMARDs（sDMARDs: 合成 DMARDs）として，MTX などの従来の経口 DMARDs を Conventional synthetic DMARDs（従来型合成 DMARDs: csDMARDs）と，すでに保険収載されたトファシチニブを代表に標的分子が明らかな Jak 阻害薬や Syk 阻害薬，PDE4 阻害薬などを Targeted synthetic DMARDs（標的型合成 DMARDs: tsDMARDs），一方，生物学的製剤［Biological DMARDs（bDMARDs）］は，先発薬は Biological originator DMARDs（先発生物学的 DMARDs: boDMARDs），後発薬は Biosimilar DMARDs（後発生物学的 DMARDs: bsDMARDs）となり，全体として4つのカテゴリーに分類されることとなった．

4. よく使われる抗リウマチ薬

●生物学的製剤の適応基準

　生物学的製剤は，適応となる患者を選択し可能な症例では速やかに開始することが必要である．適応となる患者は，経口 DMARDs，関節内ステロイド注射などによって，3 カ月以上治療しても腫脹関節，圧痛関節が残存し関節破壊のリスクの高い症例であるが，具体的には日本リウマチ学会からガイドラインが示されている（表 A–58）．表 A–59 に示す禁忌，注意事項にも十分留意する必要がある．ACR および EULAR 治療推奨においてもほぼ同様の基準となっている（69 頁参照）．

表 A-58　日本リウマチ学会生物学的製剤使用ガイドライン

薬剤	TNF 阻害薬
対象患者	1. 既存の抗リウマチ薬（DMARDs）（注）通常量を 3 カ月以上継続して使用してもコントロール不良の RA 患者．コントロール不良の目安として以下の 3 項目を満たす者． ・圧痛関節数 6 関節以上 ・腫脹関節数 6 関節以上 ・CRP 2.0 mg/dl 以上あるいは ESR 28 mm/hr 以上 1 の基準を満足しない患者においても， ・画像検査における進行性の骨びらんを認める ・DAS28-ESR が 3.2（moderate activity）以上
	2. 既存の抗リウマチ薬による治療歴のない場合でも，罹病期間が 6 カ月未満の患者では，DAS28-ESR が 5.1 超（high disease activity）で，さらに予後不良因子（RF 陽性，抗 CCP 抗体陽性または画像検査における骨びらんを認める）を有する場合には，MTX との併用による使用を考慮する．
	3. さらに日和見感染症の危険性が低い患者として以下の 3 項目も満たすことが望ましい． ・末梢血白血球数　　4,000/mm³ 以上 ・末梢血リンパ球数　1,000/mm³ 以上 ・血中 β-D グルカン陰性

インフリキシマブの場合には，既存の治療とは MTX 6〜16 mg/週を指す．エタネルセプト，アダリムマブ，ゴリムマブおよびセルトリズマブペゴルの場合には，既存の治療とは MTX，サラゾスルファピリジン，ブシラミン，レフルノミド，タクロリムスを指す．トシリズマブの場合には，既存の抗リウマチ薬とは，メトトレキサート，サラゾスルファピリジン，ブシラミン，レフルノミド，タクロリムス，生物学的製剤のインフリキシマブ，エタネルセプト，アダリムマブ，ゴリムマブ，アバタセプト，セルトリズマブペゴルのいずれかを指す．
アバタセプトの場合には，既存の治療とは，メトトレキサート，サラゾスルファピリジン，ブシラミン，レフルノミド，タクロリムス，生物学的製剤のインフリキシマブ，エタネルセプト，アダリムマブ，トシリズマブ，ゴリムマブ，セルトリズマブペゴルを指す．

chapter A ●関節リウマチの診断・薬物治療

表 A-59 日本リウマチ学会生物学的製剤使用ガイドライン
（投与禁忌，要注意事項など）（一部改変，2018 年 8 月改訂）

	TNF 阻害薬療法	IL-6 阻害薬	アバタセプト
投与禁忌	活動性結核を含む重篤な感染症，NYHA 分類 III 度以上のうっ血性心不全，脱髄疾患	活動性結核を含む，重篤な感染症を合併 明らかな活動性を有している感染症を保有する場合その種類に関係なく感染症の治療を優先し，感染症の治癒を確認後に本剤の投与を行う．本剤は，CRP などの炎症マーカーや，発熱などの症状を著明に抑制するため，感染症の悪化を見過ごす可能性がある． 慢性活動性 EB ウイルス感染（CAEBV），トシリズマブ過敏症患者	活動性結核を含む重篤な感染症を合併 明らかな活動性を有している感染症を保有する場合その種類に関係なく感染症の治療を優先し，感染症の治癒を確認後に本剤の投与を行う． アバタセプト過敏症患者
慎重投与	・胸部 X 線写真で陳旧性肺結核に合致する陰影（胸膜肥厚，索状影，5 mm 以上の石灰化影），IFN α 遊離試験（QFT の T-SPOT)/ツ反強陽性を有する場合 ・結核の既感染者 ・NYHA 分類 II 度以下のうっ血性心不全 ・HBU/HCU 感染者 ・悪性腫瘍の既往前癌病変＋	・胸部 X 線写真で陳旧性肺結核に合致する陰影（胸膜肥厚，索状影，5 mm 以上の石灰化影），IFN α 遊離試験（QFT の T-SPOT)/ツ反強陽性を有する場合 ・結核の既感染者 ・心機能障害の合併・既往のある患者 ・腸管憩室（腸管穿孔の危険）のある患者 ・HBU/HCU 感染者 ・悪性腫瘍の既往前癌病変＋	・胸部 X 線写真で陳旧性肺結核に合致する陰影（胸膜肥厚，索状影，5 mm 以上の石灰化影），IFN α 遊離試験（QFT の T-SPOT)/ツ反強陽性を有する場合 ・結核の既感染者 ・慢性閉塞性肺疾患のある患者 ・HBU/HCU 感染者 ・悪性腫瘍の既往前癌病変＋
投与前検査	血算および白血球分画，IgG，ツベルクリン反応，胸部画像（X 線，必要に応じて胸部 CT），クオンティフェロン（または T-SPOT），KL-6，BD グルカン，B 型肝炎〔HBs 抗原に加え HBc 抗体（CLIE 法）および HBs 抗体を含む．どちらか陽性の場合 HBV-DNA 検査も行う〕および C 型肝炎スクリーニング		
結核感染ハイリスク*	生物学的製剤開始 3 週間前よりイソニアジド（INH）内服（原則 300 mg/ 日，低体重者には 5 mg/kg/ 日に調節）を 6〜9 カ月行う．この時末梢神経障害予防のためビタミン B6（ピドキサール® 1 日 20 mg）を必ず併用する		
生ワクチン	帯状疱疹（水疱），麻疹，風疹，ムンプス，BCG などの生ワクチン接種は投与中禁忌．また，投与中止後 3〜6 カ月間隔を空けることが望ましい．妊娠後期に本剤投与した場合，生ワクチン接種は生後 6 カ月頃までは行わないことが望ましい．		
その他の感染症予防	インフルエンザワクチン，肺炎球菌ワクチンを考慮，リスクが多い患者（高齢，肺合併症，副腎皮質ステロイド投与など）では ST 合剤などの予防投与を考慮する（PCP 予防として），ステロイド薬は，感染症合併の危険因子であることが示されている．TNF 阻害療法が有効な場合は減量を進め，可能であれば中止することが望ましい．	インフルエンザワクチン，65 歳以上の高齢者では肺炎球菌ワクチンを考慮，リスクが多い患者（高齢，肺合併症，副腎皮質ステロイド投与，末梢血リンパ球減少など）では ST 合剤などの予防投与を考慮する（PCP 予防として），ステロイド薬は，感染症合併の危険因子であることが示されておりトシリズマブが有効な場合は減量を進め，可能であれば中止することが望ましい．	インフルエンザワクチン，65 歳以上の高齢者では肺炎球菌ワクチンを考慮，リスクが多い患者（高齢，肺合併症，副腎皮質ステロイド投与，末梢血リンパ球減少など）では ST 合剤などの予防投与を考慮する（PCP 予防として），ステロイド薬は，感染症合併の危険因子であることが示されておりアバタセプトが有効な場合は減量を進め，可能であれば中止することが望ましい．

*結核感染リスクが高い患者：潜在性結核を示す所見，ツ反陽性（発赤 20 mm 以上または硬結あり）

4. よく使われる抗リウマチ薬

表 A-59 日本リウマチ学会生物学的製剤使用ガイドライン
（投与禁忌，要注意事項など）（一部改変，2018 年 8 月改訂）（つづき）

	TNF 阻害薬療法	IL-6 阻害薬	アバタセプト
その他 注意事項	やむをえない場合呼吸器専門医と併診の上慎重投与．インフリキシマブ投与においてinfusion reaction（投与時反応）の中でも重篤なもの（アナフィラキシーショックを含む）が起きる可能性があること考慮し，点滴施行中のベッドサイドで気道確保，酸素，エピネフリン，副腎皮質ステロイドの投与など，緊急処置が直ちにできる環境が必要である．2 年間以上の中断後再投与で頻度高く特に注意する．	やむをえない場合呼吸器専門医と併診の上慎重投与．感染症・悪性腫瘍に伴う IL-6 依存性の症状（早期の症状等）・検査所見の出現が抑制されるためにそれらの合併を見逃す可能性があり，特に臨床症候の変化に注意が必要で軽微な感染症状でも主治医に相談するよう患者に指導する．アナフィラキシーショックを含む重篤な infusion reaction が起こる可能性があることを考慮し，点滴施行中のベッドサイドで気道確保，酸素，エピネフリン，副腎皮質ステロイドの投与など，緊急処置が直ちにできる環境が必要である．	非結核性抗酸菌感染症に対しては有効な抗菌薬が存在しないため，同感染患者には投与すべきでない．やむをえない場合呼吸器系専門医と併診のうえ慎重投与．他の生物学的製剤との併用は重篤な感染症のリスクを増加させるのですべきではない．Infusion reaction（投与時反応）の中でも重篤なもの（アナフィラキシーショックを含む）が起きる可能性があること考慮し，点滴施行中のベッドサイドで気道確保，エピネフリン，副腎皮質ステロイドの投与など，緊急処置が直ちにできる環境が必要である．
	胎盤，乳汁への移行が確認されており[注]，胎児あるいは乳児に対する安全性は確立されていないため，投与中は妊娠，授乳は回避することが望ましい．ただし現時点では動物実験およびヒトへの使用経験において，胎児への毒性および催奇形性を明らかに示した報告は存在しないため，意図せず胎児への曝露が確認された場合は，ただちに母体への投与を中止して慎重な経過観察のみ行うことを推奨する．注）セルトリズマブペゴルとエタネルセプトは胎盤通過性が極めて少ないことが報告されている．	胎盤，乳汁への移行が確認されており，胎児あるいは乳児に対する安全性は確立されていないため，投与中は妊娠，授乳は回避することが望ましい．ただし現時点では動物実験およびヒトへの使用経験において，胎児への毒性および催奇形性を明らかに示した報告は存在しないため，意図せず胎児への曝露が確認された場合は，ただちに母体への投与を中止して慎重な経過観察のみ行うことを推奨する．PMS にて心機能障害の経時的な上昇は認められなかったが，虚血性心疾患・心不全などの重篤な心機能障害の発現（0.41/100 人年）が認められている．発現例においては，心機能障害の既往・合併をもつ患者が多く含まれていた．このため，心機能障害の合併・既往のある患者に投与する場合には，必要に応じて循環器内科専門医にコンサルテーションし，あるいは心筋梗塞二次予防に関するガイドラインなどを参考にして慎重に管理する．	胎盤，乳汁への移行が確認されており，胎児あるいは乳児に対する安全性は確立されていないため，投与中は妊娠，授乳は回避することが望ましい．ただし現時点では動物実験およびヒトへの使用経験において，胎児への毒性および催奇形性を明らかに示した報告は存在しないため，意図せず胎児への曝露が確認された場合は，ただちに母体への投与を中止して慎重な経過観察のみ行うことを推奨する．

chapter A ●関節リウマチの診断・薬物治療

表 A-59 日本リウマチ学会生物学的製剤使用ガイドライン
（投与禁忌，要注意事項など）（一部改変，2018 年 8 月改訂）（つづき）

	TNF 阻害薬療法	IL-6 阻害薬	アバタセプト
外科手術時	周術期における TNF 阻害薬の継続投与は手術後の創傷治癒，感染防御に影響がある可能性がある．日本人における後ろ向き調査では周術期に休薬を行っても TNF 阻害薬は手術部位感染の危険因子ではないとする報告と，危険因子であるとする報告がある．日本リウマチ学会の「関節リウマチ診療ガイドライン 2014」は「生物学的製剤投与下における整形外科手術では SSI に注意することを推奨する（推奨の強さ：弱い）とし，「生物学的製剤投与は，手術部位感染（SSI）の発生率を軽度上昇させる可能性があり，特に人工関節全置換術時はその可能性が高い」と結論している．また，生物学的製剤投与は，RA 患者の整形外科手術において，創傷治癒遅延の発生率を増加させるとのエビデンスは得られなかったことから，「生物学的製剤投与下における整形外科手術では創傷治癒遅延に注意することを推奨する（推奨の強さ：弱い）としている．しかし，これらの SSI および創傷治癒遅延に関する論文の中に前向き試験はほとんどなく，いずれの報告も手術件数自体が少ないため十分なエビデンスがあるとはいえない．また SSI の定義は論文によって統一されておらず，創傷治癒遅延と表層感染との区別も曖昧であることから，発生率の扱いには留意が必要である．手術計画の立案に当たっては以上のような状況を踏まえ，手術の必要性と共に，手術部位感染については，対立する意見の存在を充分に患者へ説明し，インフォームドコンセントを得る必要がある．	IL-6 阻害薬が血中に残っている間に手術が施行されると，術後 CRP 上昇が認められない，さらに WBC 上昇も正常範囲に留まることが指摘されている．したがって，本剤投与中に手術を施行する場合には CRP や白血球数に依存せず，局所症状に注意して手術部位感染（SSI）の早期発見に努める．また，手術後に創傷治癒が遅延する可能性がある．	アバタセプトの半減期（約 10 日）を考慮して，最終投与より一定間隔を空けて行うことが望ましい．手術後は創がほぼ完全に治癒し，感染の合併がないことを確認できれば再投与が可能である．

4. よく使われる抗リウマチ薬

表 A-59 日本リウマチ学会生物学的製剤使用ガイドライン
（投与禁忌，要注意事項など）（一部改変，2018 年 8 月改訂）（つづき）

	TNF 阻害薬療法	IL-6 阻害薬	アバタセプト
外科手術時	また，休薬により RA の再燃が生じるおそれがあり，世界各国のガイドラインでは半減期を考慮した休薬を推奨している．TNF 阻害薬以外の生物学的製剤に周術期の休薬の要否に関する明確なエビデンスはない．「関節リウマチ診療ガイドライン 2014」では整形外科手術の周術期に生物学的製を休薬した群と継続した群を比較した試験に絞り込んだが，いずれも後方視的試験であり，「整形外科手術の周術期には生物学的製剤の休薬を推奨する（推奨の強さ：弱い）」としている．これらのことから，現段階では薬剤の投与間隔，投与量，半減期などを考慮して決定することが望ましい．海外のガイドラインにおける術前休薬期間は，米国（ACR）では少なくとも 1 週間，英国（BSR）では半減期の 3〜5 倍，フランス（CRI）では無菌下のマイナー手術において少なくともインフリキシマブ，インフリキシマブ BS で 4 週，エタネルセプトで 1〜2 週，アダリムマブで 3〜4 週の休薬を，また汚染された環境ではそれぞれ 8 週，2〜3 週，4〜6 週の休薬を提案している．ゴリムマブ，セルトリズマブペゴルについてはいずれも記載がみられない．一方で休薬期間が長すぎると疾患の再燃の危険がある．手術後は創がほぼ完全に治癒し，感染の合併がないことを確認できれば再投与が可能である．		
悪性腫瘍について	その作用機序より悪性腫瘍発生の頻度を上昇させる可能性が懸念され，全世界でモニタリングが継続されているが，現時点では十分なデータは示されていない．今後モニタリングを継続するとともに，悪性腫瘍の既往歴・治療歴を有する患者，前癌病変（食道，子宮頸部，大腸など）を有する患者への投与は慎重に検討すべきである．	PMS にて悪性腫瘍の発現率の経時的な上昇は認められなかった．本剤の投与による悪性腫瘍発現への影響は示唆されていないが，本剤投与中に悪性腫瘍を認めた症例の報告があることから，現時点では，悪性腫瘍の既往歴・治療歴を有する患者，前癌病変（食道，子宮頸部，大腸など）を有する患者への投与は避けるのが望ましい．	海外の臨床試験および市販後成績では，悪性腫瘍の発生頻度が経時的に増加することは認められていないが，長期的な影響に関しては国内の市販後調査などの検討が待たれるところである．現時点では，悪性腫瘍の既往歴・治療歴を有する患者，前癌病変（食道，子宮頸部，大腸など）を有する患者への投与は避けることが望ましい．

173

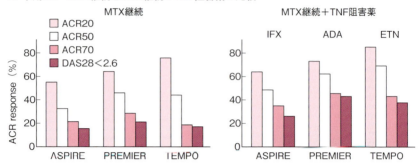

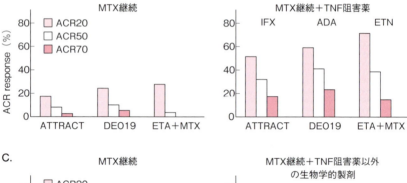

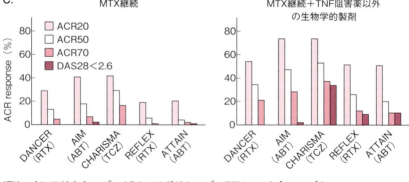

IFX：インフリキシマブ，ADA：アダリムマブ，ETN：エタネルセプト，
RTX：リツキシマブ，ABT：アバタセプト，TCZ：トシリズマブ

図 A-74 各生物学的製剤の ACR 改善度
(Smolen JS, et al. Lancet. 2007; 370: 1861-74)

● RA に対する TNF 阻害薬の効果の違い

　図 A-74，A-75 に 2007 年に Lancet 誌に紹介された RA 治療のレビュー

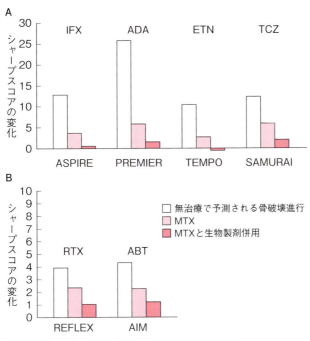

図 A-75 各生物学的製剤の関節破壊抑制効果
(Smolen JS, et al. Lancet. 2007; 370: 1861-74)

の一部を紹介する．生物学的製剤同士を直接同じ RCT 内で比較したわけではないのでデータ解釈には注意が必要だが，比較的早期の RA（図 A-74A および図 A-75A），長期の RA（図 A-75B）を対象としたランドマークトライアルにおける治療効果〔左図がプラセボ（MTX）群〕が示されている．図 A-74A 右図（TNF 阻害薬と MTX 併用群）の ACR20％改善率のみをみてみると TEMPO 試験（ETN）で最も効果が高そうにみえるが，図 A-74A 左図〔プラセボ群（MTX 単独）〕でも同様に TEMPO 試験で ACR20％改善率が他の試験より高いことがわかる．つまり各試験のベースラインの患者背景や反応性の違いが推測され，実際の臨床経験をふまえると，MTX を併用した場合，TNF 阻害薬 3 剤でほぼ同等の効果が得られると考えられている．

● どの TNF 阻害薬を選ぶのがよいか

以下のような因子が選択に関係すると考えられる．

chapter A ●関節リウマチの診断・薬物治療

① Patient's preference
- ・静注 vs（自己）皮下注射
- ・注射頻度
- ・妊娠希望

②効果の違い
- ・TNF 阻害薬とトシリズマブの MTX 非併用下での直接比較，あるいは MTX 併用下での TNF 阻害薬とアバタセプトとの比較では，前者では若干 TCZ で有意な効果が示され，後者では同等の効果が 2 年間の結果では示されている．MTX 併用下での日常診療の経験を踏まえるとどの製剤もほぼ同等の効果があると考えられている．

③副作用
- ・重症感染症の頻度は市販後調査の結果をみてもほとんど変わらない
- ・感染症のリスクの高い患者では副作用発症時に体内から速やかに消失する半減期の短い薬剤を選択することもある．

④ MTX 併用の必要性

⑤費用
- ・中止可能か，減量可能かなどを考慮
- ・バイオシミラーの検討

以上の因子を考慮して患者に選択してもらうようにしている．

● TNF 阻害薬に MTX の併用は絶対に必要か

　図 A–76 にエタネルセプト（ETN）の代表的試験である TEMPO 試験のデータを示す．ACR 改善率は MTX 単独群，ETN 単独群でほぼ同等で有意差はなく，併用群との効果の違いがわかる．アダリムマブ（ADA）の PREMIER 試験でも同様に，両剤とも単独使用では ACR 改善率の違いはなく，やはり ADA も MTX 併用による効果が勝る．日本の市販後調査においても ETN，ADA ともに MTX を併用した方が効果が高いことが示されているため，可能であれば併用したい．特に ADA においては，単独使用では本邦の試験で抗 ADA 抗体の出現頻度が約 40％に認められたため，それによる効

4. よく使われる抗リウマチ薬

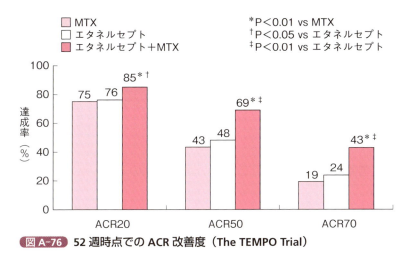

図 A-76 52週時点での ACR 改善度（The TEMPO Trial）

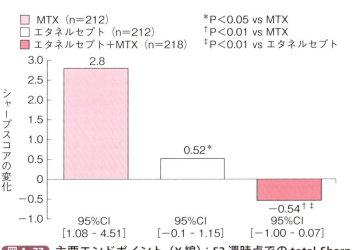

図 A-77 主要エンドポイント（X線）：52週時点での total Sharp score 変化（平均値）（The TEMPO Trial）

果減弱が示唆された．2010年7月に発表された ADA 市販後調査の結果でも，MTX 6〜8 mg/週以上の併用患者において MTX 非併用（4 mg/週以下も含む）と比較すると明らかな効果の違いが認められたため，可能であれば併用療法が推奨される．

　もう1点，臨床研究にて単独治療の ACR 改善率は ETN および ADA とも

chapter A ●関節リウマチの診断・薬物治療

にMTXとほぼ同等であったが，注目すべきは図A-77に示すように，関節破壊の進行抑制効果は有意差をもってETN単独群がMTX単独群よりすぐれていることである．これはADAのPREMIER試験でも同様の結果が示されており，前述の「活動性のコントロールが十分つかない症例においてもTNF阻害薬は骨びらん抑制作用がある」（図A-62）を裏付ける研究結果である．

● TNF阻害薬でMTXが併用できない場合に他のDMARDsの併用はどうか

上記のようにRCTにて併用による効果増強が示されているのはMTXのみである．一方他のDMARDsの併用効果に関してはエビデンスに乏しい．小規模な試験であるが，ETNに関してはサラゾスルファピリジン（SSZ）と併用および非併用を比べたRCT[22]がある．これはSSZ 2〜3 g/日使用しても活動性を認める罹病期間5〜6年のRA患者を対象に，SSZ単独群（50人），ETN単独群（103人），ETN＋SSZ併用群（101人）に割り付け，24週におけるACR20を主要エンドポイントとして検討した．結果ETN使用群はSSZ単独群よりも有意に効果に優れたが，ETN治療群のなかでSSZ併用群と非併用群との有意差はみられなかった．

他にドイツで行われている生物学的製剤のレジストリーであるRABBITから最近報告された観察研究[23]では，TNF阻害薬とMTXの併用とTNF阻害薬とレフルノミドの併用を比較してほぼ同等の薬剤継続率，EULAR改善率を示す結果が報告された．しかし後述のように，本邦ではレフルノミドの副作用としての致死的な間質性肺炎の報告がみられ，その使用は限定される．

また，タクロリムスの併用も治療効果がみられる症例もあり，今後日本からのデータの解析が待たれる．

● TNF阻害薬を開始するときMTX用量は減らせないの？

海外で行われたTNF阻害薬の臨床試験では，併用するMTXの平均用量は15 mg/週以上使用されている．しかし，本邦では8〜10 mg/週前後でも十分な併用効果が得られている印象がある．理由として海外と比較して日本人の平均体重が20〜30 kg低いこと，MTXは1回投与ではなく分割投与さ

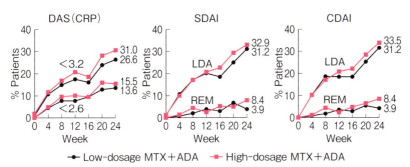

図 A-78　MUSICA 試験　ADA に加え MTX 7.5 mg/週 vs 20 mg/週の比較

れることが多く MTX の bioavailability が高くなり RBC 内 polyglutamate と結合した MTX 濃度が高くなることなどが考えられていた．

　欧米においても多施設共同研究 MUSICA 試験にて TNF 阻害薬開始時 MTX を減量しても，増量群とほぼ同等の効果が得られることが 2013 年米国リウマチ学会総会にて発表された[24]．この試験は，MTX 15 mg/週以上を 12 週間以上投与しても抵抗性の罹病期間 5〜6 年を有する RA 患者に対して行われ，open label にてアダリムマブを開始すると同時に double-blind にて MTX を増量して併用する群（MTX 20 mg/週）と減量して併用する群（MTX 7.5 mg/週）との比較試験である．6 カ月時点での寛解率や低疾患活動性達成率は若干増量群で高いではあるがほぼ同等であることが示された（図 A-78 参照）．

　以上の結果から，実臨床において MTX 高用量を耐用できない患者において TNF 阻害薬を併用する場合，MTX 用量を 8mg/週前後へ減量することも選択肢となった．

● トシリズマブやアバタセプトでは MTX 併用しなくてもいいの？

　罹病期間約 8 年を有する MTX（平均用量 16 mg/週）抵抗性の RA 患者に対して TCZ の追加（TCZ＋MTX 併用）もしくはスイッチ（TCZ 単剤治療）比較した RCT において，プライマリエンドポイントである 6 カ月時点での効果は同等であることが示され，MTX 抵抗例に対しては MTX を併用せず TCZ の単剤使用も考慮される[25]．しかし，この臨床試験の 1 年時点での臨床的寛解率および関節破壊進行の無かった患者割合はともに併用療法群

で高く可能であればMTXを併用した方が効果が高いことが示されており（図A-79），TNF阻害薬と同様の結果であった[26]．

　同様にアバタセプトにおいても，アバタセプト皮下注にMTXの使用有無別に免疫原性を評価した4カ月のopen label試験（ACCOMPANY試験）においてアバタセプト単剤群の方がMTX併用群よりベースラインからのDAS28の低下が大きいことが示されMTXを併用しなくても単剤での効果が示されている[27]．しかし，国内を含めほとんどの臨床試験がMTX併用下で行われた試験であること，また最近発表されたdrug-free寛解を評価したAVERT試験においてABT＋MTX併用群の方がABT単剤群より臨床効果

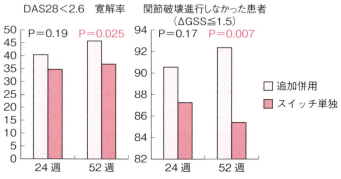

図A-79　ACT RAY study 6カ月および1年後の臨床効果
（Ann Rheum Dis. 2014; 73: 803-9）

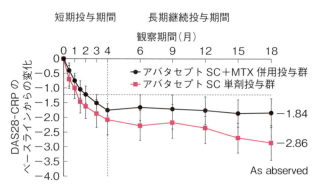

図A-80　アバタセプト皮下投与のMTX併用の有無による比較
　　　　ACCOMPANY試験 DAS28-CRPの推移（長期継続投与期間）

4. よく使われる抗リウマチ薬

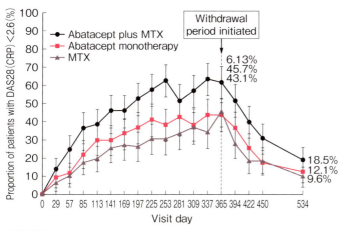

図 A-81 AVERT 試験　1 年後の DAS28-CRP 寛解率

が優れていたこと（図 A-80, A-81 参照）[28]などを考えると，可能であればTNF 阻害薬同様，MTX を併用することが望ましいと考える．

● TNF 阻害薬で十分な疾患コントロールの得られない場合はどうするか

　欧米の RA 治療推奨において生物学的製剤の第一選択薬は TNF 阻害薬である．国内の市販後調査をみると約 80〜90％の患者に何らかの効果があることが示されているが，寛解に至る症例は約 20〜40％，海外の早期 RA 試験でも約 50％前後であり，TNF 阻害薬を使用しても疾患活動性コントロールが不十分な症例が約半数近く存在するのも実情である．TNF 阻害薬がある程度有効であるが数カ所の関節に炎症が残存する症例ではすぐに薬剤を変更するのではなく，関節内ステロイド注射により長期の炎症コントロールが得られることも経験される．また，エタネルセプトやアダリムマブ，トシリズマブを単独使用して MTX を併用していない症例では MTX を追加することで効果増強が得られる場合もある．また，MTX の 8 mg/週を超える増量使用による効果増強も考えられる．さらに他の経口 DMARDs を追加する研究も小規模であるが認められ少量タクロリムス 1.5〜2 mg/日[29]やミゾリビンを追加併用[30]することで効果がみられることもあり，選択肢の一つである．

　生物学的製剤へのスイッチに関しては，TNF 阻害薬 1 次無効例，2 次無

chapter A ●関節リウマチの診断・薬物治療

表 A-60 TNF 阻害薬抵抗例に対する生物学的製剤の RCT の結果（主要エンドポイント）

薬剤	ゴリムマブ[32]（注 1, 2）		インフリキシマブ[33]		トシリズマブ[34]		アバタセプト[35]		リツキシマブ[36]（注 3）	
	スイッチ	プラセボ	スイッチ	プラセボ	スイッチ	プラセボ	スイッチ	プラセボ	スイッチ	プラセボ
評価	14 週		16 週		24 週		24 週		24 週	
ACR20（%）	38	18	61.5	28.6	50.0	10.1	50.4	19.5	51	18
P 値	0.0001		underpowered		<0.001		<0.001		<0.001	
ACR50（%）	20	6	30.7	14.3	28.8	3.8	20.3	3.8	27	5
P 値	0.0003		underpowered		<0.001		<0.001		<0.001	
ACR70（%）	9	2	—	—	12.4	1.3	10.2	1.5	12	1
P 値	0.005				0.001		0.003		<0.001	
DAS28 寛解（%）	12	1	15.4	7.1	30.1	1.6	10	0.8	9	0
P 値	<0.0001		underpowered		0.001		<0.001		<0.001	

注 1：golimumab 100 mg 使用時
注 2：他の研究と異なり MTX 併用は両群とも 66％のみ
注 3：リツキシマブは本邦適応外

効例でも，他の TNF 阻害薬に変更（スイッチ）することで 30〜60％程度の症例で効果が得られる．また，インフリキシマブ増量効果に関しては，本邦で行われた RISING 試験にて 3 mg/kg より増量（6 mg/kg, 10 mg/kg）することにより無効例に対して有効であることが示されている．ただ，副作用である感染症の危険はインフリキシマブ増量により若干増加する可能性があり，注意深く使用する必要がある．その他，トシリズマブが世界に先駆けて 2008 年本邦で認可され使用可能であり，アバタセプトと同様に，TNF 阻害薬抵抗例に対しても効果が示されている[31]．また TNF 阻害薬無効例に対して欧米では，抗 B 細胞抗体であるリツキシマブ（本邦では血液疾患に保険適応があるが RA では保険適応なし）が認可されている．TNF 阻害薬抵抗例に対する RCT の結果を表 A-60 にまとめた．

4. よく使われる抗リウマチ薬

表A-61 Biologic discontinuation studies: a systematic review of methods （バイオフリー研究）

Study	Country	Biologic	Design		Main failure definition	Outcome
			Sample size	Study type †	Disease activity measure	Proportion free of failure §
PRESERVE	Europe	ETN	196	RCT	DAS28-ESR>3.2	42.6% at 12 months
ADMIRE	Sweden	ADA	15	RCT	DAS28-ESR>2.6 or △>1.2	33.3% at 7 months
BRIGHT	Japan	ADA	22	LTE	DAS28-CRP>2.7	18.2% at 12 months
CERTAIN	Europe	CZP	18	LTE	CDAI>2.8	17.6% at 7 months
DOSERA	Europe	ETN	23	RCT	DAS28-ESR>3.2 and △>0.6	13.0% at 12 months
HIT HARD	Germany	ADA	82	LTE	DAS28-ESR>2.6	42.4% at 6 months
HONOR	Japan	ADA	51	DC study	DAS28-ESR>2.6	38.3% at 12 months
Van der Maas et al	Netherlands	IFX	12	DC study	△ DAS28-ESR>0.6	0% at 7 months
OPTIMA	USA/Europe	ADA	102	RCT	DAS28-CRP P>2.6	43.0% at 12 months
BeSt	Netherlands	IFX	104	LTE	DAS>2.4	80.0% at 12 months
RRR	Japan	IFX	114	DC study	DAS28-ESR>3.2	36.8% at 12 months
Brocq et al	France	ADA/ETN/IFX	21	DC study	DAS28-ESR>3.2	25.0% at 12 months
Nawata et al	Japan	IFX	9	DC study	DAS28-ESR>2.6	44.4% at 12 months
Quinn et al	UK	IFX	10	LTE	DAS28-ESR deterioration	70.0% at 12 months

† RCT: randomized controlled trials of discontinuation with continuation controls, LTE: long-term extension of trials, DC study: prospective single –arm studies of discontinuation, in which patients were recruited for biologic discontinuation.
§ Defined at 12 months (6 or 7 months if 12 months' result is not available). As discussed throughout the article, these results are obtained by different outcome definitions.
（Yoshida K, et al. Ann Rheum Dis published online May 30, 2013）

●生物学的製剤は一生続けるの？

　生物学的製剤の説明を患者さんに行ったとき患者さんが心配になってお聞きになることが多い．生物学的製剤（"バイオ"）を導入して寛解（あるいは低疾患活動性）を達成しある一定期間（6カ月以上の研究が多い）その状態を維持できたならば思い切ってバイオを中止する"バイオフリー"研究がすべての製剤で行われた．我々がハーバード大学吉田医師との共同研究にて示したバイオフリー研究のシステマティックレビューの結果を表A-61に示

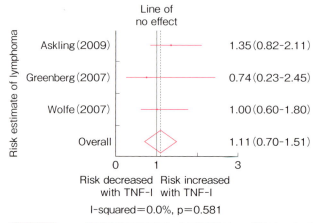

図 A-83 TNF阻害薬使用有無による悪性リンパ腫リスク（メタ解析）
（Ann Rheum Dis. 2011; 70: 1895-904）

と非使用者の間でリスク上昇はないといった研究結果も発表されている[54, 55]．また観察研究のシステマティックレビューおよびメタ解析も行われ同様の結果が示されている（図A-83）[56]．

RA関連悪性リンパ腫を考える上で重要な因子として以下の①〜④がある．

① RAの疾患活動性が高い方が悪性リンパ腫のリスク増加（スウェーデンの研究で低疾患活動性と比較して高疾患活動性の患者では悪性リンパ腫オッズ比25.837）[57]．

② MTXやアザチオプリンなどの薬剤によるリスク増加（MTX使用中に悪性リンパ腫を発症しMTX中止のみで悪性リンパ腫が完全寛解した症例あり[58, 59]）

③ 免疫抑制薬使用によるEBウイルスの再活性化[60, 61]

④ 家族発生も報告され遺伝的に悪性リンパ腫との関連がある可能性

以上より，TNF阻害薬による悪性リンパ腫のリスク増加に関して全世界でモニタリングが継続されているが，現時点では，1）RA患者さんは一般人口よりリンパ腫のリスクが若干高い，2）RA患者さんの中では生物学的製剤（特にTNF阻害薬）の使用有無でリンパ腫のリスク増加はない，と考えられている．しかし，疾患活動性が高くTNF阻害薬が必要となる患者で

は，活動性が高いということで悪性リンパ腫のリスクになりえることも考慮し，慎重に投与するようにしている．

生物学的製剤開始前に日常診療で最低限行える副作用予防

①肺炎球菌ワクチン（生物学的製剤開始最低 2 週前までに）

②毎年インフルエンザワクチン

③結核スクリーニング（問診，ツ反，Interferon Gamma Release Assay（IGRA: クオンティフェロンテストまたは T-SPOT），単純胸部 X 線，必要なら胸部 CT）にて潜在性結核の所見があればイソニアジド（イコスチン®）5 mg/kg/日（最大 300 mg/日）およびビタミン B6（ピリドキサール）予防投与を（6～）9 カ月間（生物学的製剤開始最低 3 週間前から）

④B 型肝炎と C 型肝炎のスクリーニング：（図 B-1 参照）

⑤年齢相応の悪性腫瘍のスクリーニング

⑥末梢白血球数（4,000/mm³ 以上），リンパ球数（1,000/mm³ 以上），β-D グルカン陰性，IgG（IgG＞600 mg/dl）のチェック

⑦発熱，咳，呼吸困難を含め感染症の症候があった時は医師に連絡をとるよう患者指導

コラム

生物学的製剤使用時の重症感染症予測スコアー

　ドイツの生物学的製剤の前向きコホートである RABBIT registry は 2001 年から調査を開始し，2015 年 1 月現在 13,277 人の患者が登録されている．2013 年に，このコホート患者において生物学的製剤投与中重症感染症を起こすリスク因子の検討を行ったところ以下のリスクが明らかとなった．

1) 年齢 60 歳以上

2) HAQ が高い

3) 過去 12 カ月以内に重症感染症の既往あり

4) COPD またはその他肺疾患

5) 慢性腎臓病

6) 過去に 5 種類以上の DMARDs 使用

7) 薬剤使用　PSL 使用・生物学的製剤使用

これらリスク因子をスコアー化し，Risk Scoreの計測ができるツールをホームページからアクセスできる．それぞれの因子をクリックし"submit"するとRisk Score「今後12カ月以内に重症感染症を起こす確率＃＃％」と表示される．生物学的製剤使用患者すべてに計算しているわけではないが，上記リスク因子をもつ患者では全くもたない患者より，よりいっそう感染症副作用に注意する必要がある．逆に，1つもリスク因子を持たない患者ではより安全に生物学的製剤を使用できると考えられている．

図 A-84 生物学的製剤使用時 重症感染症リスク予測スコアー
(http://www.biologika-register.de/en/rabbit/rabbit-risk-score-of-infections/)

10 インフリキシマブ（IFX）
（レミケード® 点滴静注用100 mg）（インフリキシマブBS点滴静注用100 mg）

a ポイント
- EBMに基づく治療ガイドラインでは推奨A（行うように強く勧められる）にランク付けされている．

4. よく使われる抗リウマチ薬

- 抗TNFα抗体であるインフリキシマブは，1999年にRAの治療薬として米国で承認され，2003年7月わが国で初めてRAに適応が認められた生物学的製剤である．
- 臨床効果は即効性が高く，バイオフリー寛解も可能である．
- MTXと併用することによって，早期および進行期RAの関節破壊の進行抑制が確認されている．
- RAの疾患活動性に応じた投与量，投与間隔の選択が可能である．
- 副作用として，点滴投与時に起こる投与時反応として頭痛，発熱，発疹があり，重篤なものでは結核，細菌性肺炎，ニューモシスチス肺炎などの感染症がある．

b 有効性

- RAの早期から進行期まで，MTXと併用することにより臨床的，画像的，機能的寛解が得られる．国内で実施されたRECONFIRM試験は日常診療におけるインフリキシマブの有効性を検討した試験である．ここでは国内3施設においてインフリキシマブを投与された258人の患者を後ろ向きに検討し，疾患活動性の指標をDAS28で評価したところ，開始時に90％が高疾患活動性であったが，22週目には39％が低疾患活動性，28％が寛解を達成していた．また，これらの症例の1年後の年間総シャープスコアは，約20ポイントから0までに抑制された[63]．
- 欧州で実施された発症2年以内のRAに対する治療戦略試験BeSt試験は，1群（単剤スイッチ群），2群（ステップアップ群），3群（ステップダウン群　COBRA療法），4群（インフリキシマブ＋MTX併用群）に割付けて行った世界中が注目した試験である（図A-36, 63頁）．4群の120例では，2年以内に77例が寛解基準を満たし，2013年のACR総会で発表された10年後のデータでも約56％の患者が寛解を達成していた[64]（表A-28, 64頁）．また，すべての群において13〜15％，つまり7〜8人に1人の症例では，寛解を維持し薬剤をすべて中止（ドラッグフリー），つまり薬剤フリーの"治癒"を達成できた症例がみられたことが示されている．また，10年間の平均のHAQスコアはなんとどの群においても0.5-0.6であり，平均TSS進行もすべての群で5未満，RAの活

動性とともにX線学的進行もしっかりと抑制されていた．この結果は，どの初期治療を選択しようとも活動性をモニターし，低疾患活動性（または寛解）を目標に治療調節を3カ月おきに行い，必要であればTNF阻害薬（ここではインフリキシマブ）＋MTX療法を行った結果であり，"T2Tの実践"の重要性が再度確認された．

• 同様に，本邦におけるインフリキシマブフリー試験であるRRR（remission induction by Remicade in RA）試験の結果は世界の注目を浴びている．MTXとインフリキシマブ併用により低疾患活動性を6カ月維持し，その後インフリキシマブを中止しても，1年後で半数以上の55%（56/102）の患者が低疾患活動性を維持し，インフリキシマブ中止を継続できたことが示された[65]．患者の中にはTNF阻害薬の説明をすると「一生薬を続けるのですか？」と心配される人もいるが，これら試験の結果より「薬が効いて半年間よい状態が続けばいったん薬を中止する可能性もありますよ」と伝えることができるようになった．

C 処方の実際

• 日本リウマチ学会のRAに対するTNF阻害療法施行ガイドラインでは，DMARDsを3カ月以上継続して使用してもコントロール不良のRA患者で，疾患活動性が高い症例にTNF阻害薬の使用が推奨された．2008年の改定では，進行性の骨びらんを認める，または疾患活動性が中程度であればTNF阻害薬を考慮することが追加された．

• **実投与例**

  ・第1回，第2回（2週間後），第3回（第2回から4週間後），第4回目以降（8週間ごと）…本管：生理食塩水250 ml＋側管：レミケード®3 mg/kg＋生理食塩水250 ml．1.2 μm以下のフィルターを使用し2時間以上かけて点滴（例：30分ごとに15 ml/時，60 ml/時，150 ml/時，250 ml/時と速度を調整）

  ・第4回目以降は効果不十分または減弱が見られた場合は投与量の増量や投与間隔の短縮を段階的に行うことが可能で，投与量の上限は8週間の間隔であれば10 mg/kg，投与間隔を短縮した場合であれば6 mg/kgとする．また最短の投与間隔は4週間とする．例として，3回目以

降でフルバイアル（200 mg すべて投与），その後 300 mg に増量など．

d 投与上の注意

- 点滴中に起こる投与時反応および結核，細菌性肺炎などの感染症に注意する．
- インフリキシマブの投与時反応の多くは，頭痛，ほてり，発疹などの軽微なものであった．重篤な投与時反応は休薬期間後の再投与例が多い．
- 投与時反応対策
  - 投与時反応の予防には，車を運転する患者ではクラリチン®10 mg，眠気の問題とならない場合はジルテック®10 mg，またはザイザル®5 mg をインフリキシマブ投与前日の就寝前に投与．
  - 軽度の投与時反応では，ポララミン®4 mg 静注，カロナール®400〜600 mg 経口投与．血圧低下，喘鳴などを伴う場合は，上記に加え下肢拳上，輸液，酸素，ソル・コーテフ®静注用 100〜500 mg 静注，ボスミン®0.3 mg 大腿前外側筋注など．
- インフリキシマブを使う前のスクリーニングとして，結核スクリーニング（問診，ツ反，Interferon Gamma Release Assay（IGRA: クオンティフェロンテストまたは T-SPOT），単純胸部 X 線，必要なら胸部 CT）にて潜在性結核かどうかを判定する．潜在性結核と判断されれば，イスコチン®（INH）の予防内服をインフリキシマブ投与 3 週間前から開始し，6〜9 カ月間継続する．また，TNF 阻害薬の投与に伴う B 型肝炎ウイルスの活性化が報告されており，HBs 抗原に加え HBs 抗体および HBc 抗体も実施する．また HCV 抗体も測定する．
- インフリキシマブ治療中に発熱，咳，呼吸困難などの症状が出現した場合は速やかに受診するよう患者に指導を行い，細菌性肺炎，結核，ニューモシスチス肺炎，薬剤性肺炎などを想定した対処を行う．高齢者，既存の肺疾患，糖尿病を合併しているなど，感染症のリスク因子を有する場合には特に注意する．インフルエンザワクチンや肺炎球菌ワクチンなどの不活化ワクチンの接種は行うべきであるが，生ワクチンの接種は行わない．

e 使いやすい患者

- 発症早期でMTXが通常量使用においても症状の改善がない患者.
- 疾患活動性が高く,年齢が比較的若い患者.
- 頻回の通院が困難な患者.
- 骨びらんが認められる患者.
- 腎機能・肝機能障害がなく呼吸器疾患もない患者.
- 今後も働きたい患者,趣味を楽しみたい患者.

f 使いにくい患者

- 感染症の患者または感染症が疑われる患者〔B型肝炎ウイルス(HBV)感染,非結核性抗酸菌感染症の患者含む〕.
- うっ血性心不全を有する患者.
- 悪性腫瘍の既往歴または治療歴を有する患者.
- 脱髄疾患が疑われる徴候を有する,家族歴のある患者.
- 間質性肺炎など呼吸器疾患を有する患者.
- 妊婦,産婦,授乳婦など.

患者への説明

世界中で使用されている生物学的製剤の一つで,欧米では20年以上(米国1999年認可),日本でも17年以上(日本2003年認可)の使用経験,データの蓄積があります.メトトレキサートなどの抗リウマチ薬で効果がない時に使用する薬剤で,効果は1~2カ月ほどかかることが多いので,1カ月などの短期間であきらめないでください.日本でも4万人以上の関節リウマチ患者さんに使用され,約8~9割の患者さんが効果を実感されます.治ってしまったような,"寛解"と呼ばれるぐらいよくなる方も多くいらっしゃいます.また,薬が効いて半年から1年間いい状態が続けばいったん薬を中止する可能性もあります.副作用はないわけではありませんが,定期的に検査をしていただければ大抵は問題ありません.一番気を付けないといけない副作用としては,抵抗力を少し落とすお薬なので感染症にかかりやすくなる可能性があります.特に風邪をひきやすくなることもあるので,手洗いなど一般的にできることは行ってください.また,約2%の患者さんに肺炎が起こりますが,早期に見つけて,抗生

4. よく使われる抗リウマチ薬

剤で治療すれば通常問題ありません．また，65歳以上，糖尿病，慢性の呼吸器疾患がなければ可能性はとても低くなります．風邪もひいていないのに発熱したり，咳，痰，労作時呼吸困難など症状を認めた場合にはすぐに連絡してください．もう一つ稀な副作用では結核があります．一般的に日本では欧米に比べると頻度は高く，知らないうちに罹っていて自分の抵抗力で結核を治してしまっている場合があります．そのような場合このお薬を使用することで抵抗力を落として結核が元気になってしまう危険があるので，知らないうちに罹っていないかしっかり検査をして，その可能性があれば予防薬も一緒に服用していただければまず問題になることはありません．

　また，免疫抑制薬は腫瘍を抑える免疫も弱めてしまうせいかリンパ腫などの悪性腫瘍が服用していない人と比べれば増加する可能性はあると言われていますが，関節リウマチ自体も免疫系の関連している病気で，関節リウマチが重ければ重いほど悪性リンパ腫の発症率も上がると言われているので，このお薬でしっかり治療することが大切だと思います．副作用は稀とは言っても気になりますが，世界中で多くの患者さんに使用されていて，効果の最もみられる抗リウマチ薬の一つなので，怖がり過ぎずに服用されることをお勧めします．

　点滴は，始めは2週目，6週目で注射してそれ以降は8週毎になります．1回の注射は前処置も含め3〜4時間で終わります．投与時アレルギー反応でかゆみ，じんましん，発熱など，稀には重いアレルギー反応が出ることがあるので，点滴中気になる症状があったら看護師に伝えてください．

11 エタネルセプト（ETN）（エンブレル® 10 mg・25 mg 皮下注用，25 mg シリンジ 0.5 m*l* 皮下注用，50 mg シリンジ 1.0 m*l* 皮下注用，50 mg ペン 1.0 m*l* 皮下注）（エタネルセプト BS 皮下注 50 mg ペン 1.0 m*l*）

a ポイント

• 欧米では最初の生物学的製剤として発売され，10年以上のデータを有している．

• 日本においては市販後全例調査（約 14,000 例）が行われ，日本人での有

195

chapter A ●関節リウマチの診断・薬物治療

効性・安全性データが構築されている.

- RA 治療において高い臨床効果と強力な関節破壊抑制効果を有する.
- 生物学的製剤の中でもっとも半減期が短い薬剤である.
- MTX との併用で高い有用性が報告されている.
- 副作用として，局所反応・感染症，重篤なものとしては，肺炎，間質性肺炎，結核の報告がある.

b 有効性

- **明確なエビデンスが豊富で，有効性・安全性においてもっとも大きなベネフィットをもたらす薬剤である.**
- 米国においても幅広い患者層に使用されており，生物学的製剤の中で有用な薬剤の一つである．その有用性は，短期的にも長期的にも多くの無作為対照試験およびメタ分析[66]で確認されている．国内外においても MTX との併用により，幅広い患者層で高い臨床効果と関節破壊進行抑制効果が認められている．臨床効果の発現は早ければ 2 週間，遅くとも 4〜8 週間でみられる．また，中和抗体の産生がみられないことから薬剤無効例が少なく，安定して効果を維持できるのもこの薬剤の特徴の一つである．また，関節破壊を遅延させるほか，高い生命予後の改善も可能であるとの報告が確認されている.
- 活動性の高い早期 RA（2 年以内）患者に行われた COMET 試験では，MTX と併用することで 1 年後の寛解率が 50%（MTX 単独群では 28%）[67]と高い寛解率が示された．2010 年 EULAR では，COMET 試験のサブ解析[68]が行われ，エタネルセプト/MTX 併用群の中でも発症 4 カ月以内に治療開始した群と 4 カ月以上経過してから開始した群を比較すると 52 週後の寛解率に有意な差〔前者で約 70%，後者は約 48%（p＝0.0035）〕が認められた．これらの結果より，活動性が高く，TNF 阻害薬の必要な患者には速やかに導入することで寛解率がさらに高くなる可能性が示唆され，"windows of opportunity" の概念が確認された.
- MTX 効果不十分例には，MTX を中止せずエタネルセプトを追加投与する方が中止例（ETN 単剤）より臨床効果が優れていることが本邦の JESMR 試験で示されている.

4. よく使われる抗リウマチ薬

c 処方の実際

• **生物学的製剤の中でより自由度の高い薬剤として位置づけられる.**

• 市販後全例調査結果から，日本人での有効性・安全性データが構築されているため，生物学的製剤の 1st choice として位置づけられることが多い．実際の診療下においては患者のライフスタイルに合った投与形態で選択されるケースも多い．エタネルセプトは日本で初めて自己注射が可能となった生物学的製剤である．患者が投与ごとに通院する必要がなく，自宅で投与することが可能である．投与方法は，10〜25 mg を 1 日 1 回，週 2 回，または 25〜50 mg を 1 日 1 回，週 1 回皮下注射することになっている．欧米においては 50 mg 週 1 回の投与が主流であるが，本邦においても 2010 年に承認され，患者にとっての利便性も向上した．

• 生物学的製剤の中では最も半減期の短い薬剤であり，体内から消失する時間も短い薬剤であることもその特徴の一つと言える．手術前後の休薬がしやすいほか，副作用の前駆症状があった場合の休薬，その後の再投与が可能な薬剤である．

• **実投与例**：エンブレル®皮下注 50 mg シリンジ 1.0 ml 週 1 回皮下注射（寛解を数カ月維持した場合には 25 mg エンブレル®皮下注シリンジ 0.5 ml 週 1 回へ減量可能）．

d 投与上の注意

• **感染症（肺炎含む）などの重篤な副作用に注意.**

• 高頻度の副作用として，感染症が挙げられる．特に，TNF 阻害療法施行中に肺炎などを発症した場合は，通常の市中肺炎とは異なり結核，ニューモシチス肺炎，薬剤性肺障害，原疾患に伴う肺病変を想定した対処を行う必要がある．

• 肺炎のリスク因子として高齢，既存肺疾患，ステロイド薬併用などが市販後全例調査から明らかになった．

• 投与開始前には血液学的検査，胸部 X 線検査，必要であれば胸部 CT 検査を実施し，投与中も定期的な検査が必要である．

• 重篤な感染症の頻度は約 2〜3%，うち肺炎に関しては約 1% という報告がされている．

chapter A ●関節リウマチの診断・薬物治療

e 使いやすい患者

- 発症早期で MTX が通常量使用においても症状の改善がない患者.
- 疾患活動性が高く，年齢が比較的若い患者.
- 骨びらんが認められる患者.
- 腎機能・肝機能障害がなく呼吸器疾患もない患者.
- 今後も働きたい患者，趣味を楽しみたい患者.
- （自己注射のメリット）点滴時間病院で拘束されたくない，受診時間を短くしたい患者.

f 使いにくい患者

- 感染症の患者または感染症が疑われる患者〔B 型肝炎ウイルス（HBV）感染，非結核性抗酸菌感染症の患者含む〕.
- うっ血性心不全を有する患者.
- 悪性腫瘍の既往歴または治療歴を有する患者.
- 脱髄疾患が疑われる徴候を有する，家族歴のある患者.
- 間質性肺炎など呼吸器疾患を有する患者.
- 妊婦，産婦，授乳婦など（コラム参照）.

コラム

妊娠を希望している患者にはどうしたらよいか

　妊娠する可能性のある婦人に投与する場合には，リスクとベネフィットをきちんと説明した上で TNF 阻害薬を開始する．妊娠を希望する患者に生物学的製剤の治療を実施する場合のエビデンスは明確ではなく，欧米で観察研究が行われており数年後に結果が明らかになる．しかしながらエタネルセプトに関しては比較的胎盤移行性が少ない薬剤であるという報告[69]があり，FDA カテゴリー分類ではランク「B」という評価である．実際にエタネルセプトを投与したまま（エタネルセプト単独療法）出産をしたという国内外からの報告が多く存在する（361 頁参照）.

198

4. よく使われる抗リウマチ薬

エタネルセプト中止・減量試験

　PRESERVE 試験は，MTX 治療で効果不十分な中等度疾患活動性（3.2＜DAS28≦5.1）を示す平均罹病期間約 7 年の RA 患者 834 例を対象に，オープンラベルで ETN 50 mg/週＋MTX 併用療法を 36 週間実施した[70]．無作為化二重盲検比較期間では，36 週時点で低疾患活動性（DAS28≦3.2）の達成に加え，オープンラベル期間の 12〜36 週における疾患活動性の平均が低疾患活動性であった患者 604 例を，ETN 50 mg/週＋MTX 併用療法（50 mg/週継続群；202 例），ETN 25 mg/週＋MTX 併用療法（25 mg/週減量群；202 例），MTX 単独療法群（ETN フリー群；200 例）の 3 群に無作為に割付け，各治療を 52 週間実施した．結果，臨床的寛解の達成率は，50 mg/週継続群 66.7％，25 mg/週減量群 60.2％，ETN フリー群 29.4％であり，50 mg/週継続群および 25 mg/週減量群は ETN フリー群に比べ有意に高かった（p＜0.0001）．また，DAS28 低疾患活動性の達成率も各群 82.6％，79.1％，42.6％と 50 mg/週継続群および 25 mg/週減量群で有意に高かった（p＜0.0001）．

　ETN 50 mg/週＋MTX 併用療法により十分な寛解を達成した RA 患者さんでは，その後 ETN を減量しても継続群と同程度の割合の患者さんが寛解を維持できる可能性が示唆された．また 2014 年には早期（平均罹病期間 7 カ月）RA 患者にも同様の研究である PRIZE 試験が行われ減量，さらには ETN フリーのエビデンスが示されている[71]．

"注射" "注射時痛" の不安対策

　医師，看護師，薬剤師が連携して，製薬会社から提供されている DVD やキットなども活用し安全に自己注射できるよう指導を行う．また，①注射シリンジを注射前常温に戻す，②注射部位を前もって冷やす，③ゆっくり注射し，注入中痛みを感じたらいったん注入を中断し，痛みが引いたら注入を再開するなどさまざまな工夫を行っている．

世界中で使用されている生物学的製剤の一つで，欧米では 20 年以上（米国 1998 年認可），日本でも 15 年以上（日本 2005 年認可）の使用経験，データの蓄積があります．メトトレキサートなどの抗リウマチ薬で効果がない時に使用する薬剤で，効果は 1〜2 カ月

chapter A ●関節リウマチの診断・薬物治療

ほどかかることが多いので，1カ月などの短期間であきらめないでください．日本でも4万人以上の関節リウマチ患者さんに使用され，約8～9割の患者さんが効果を実感されます．治ってしまったような，"寛解"と呼ばれるぐらいよくなる方も多くいらっしゃいます．また，薬が効いて半年から1年間いい状態が続けばいったん薬を減らしたり，中止できる可能性もあります．副作用はないわけではありませんが，定期的に検査をしていただければ大抵は問題ありません．一番気を付けないといけない副作用としては，抵抗力を少し落とすお薬なので感染症にかかりやすくなる可能性があります．特に風邪をひきやすくなることもあるので，手洗いなど一般的にできることは行ってください．また，約1～2％の患者に肺炎の副作用が起こりますが，早期に見つけて，抗生剤で治療すれば通常問題ありません．また，65歳以上，糖尿病，慢性の呼吸器疾患がなければ可能性はとても低くなります．風邪もひいていないのに発熱したり，咳，痰，労作時呼吸困難などの症状を認めた場合にはすぐに連絡してください．もう一つ稀な副作用では結核があります．一般的に日本では欧米に比べると頻度は高く，知らないうちに罹っていて自分の抵抗力で結核を治してしまっている場合があります．そのような場合このお薬を使用することで抵抗力を落として結核が元気になってしまう危険があるので，知らないうちに罹っていないかしっかり検査をして，その可能性があれば予防薬も一緒に服用していただければまず問題になることはありません．

　また，免疫抑制薬は腫瘍を抑える免疫も弱めてしまうせいかリンパ腫などの悪性腫瘍が服用していない人と比べれば増加する可能性はあると言われていますが，関節リウマチ自体も免疫系の関連している病気で，関節リウマチが重ければ重いほど悪性リンパ腫の発症率も上がると言われているので，このお薬でしっかり治療することが大切だと思います．副作用は稀とは言っても気になりますが，世界中で多くの患者さんに使用されていて，効果の最もみられる抗リウマチ薬の一つなので，怖がり過ぎずに服用されることをお勧めします．

　注射は，1週間に1回です．はじめは看護師の指導のもとで行い，うまくご自分でできるようになったら自宅での注射が可能になります．できるようになるまでゆっくりと指導しますので心配いりません．投与時若干の痛み

はありますが，投与部位のかゆみや発赤などのアレルギー反応が稀に出ることがありますので，もし出た時はお知らせください．

12 アダリムマブ（ADA）
（ヒュミラ® 皮下注 40 mg シリンジ 0.4 ml，皮下注 40 mg ペン 0.4 ml，皮下注 80 mg シリンジ 0.8 ml，皮下注 80 mg ペン 0.8 ml）

a ポイント
- ヒト型 TNF 阻害薬である．
- 米国では 2002 年，欧州では 2003 年に RA 治療薬として承認され，わが国では 2008 年 4 月に承認された．
- RA 以外に乾癬，Crohn 病，強直性脊椎炎の適応をもつ．
- 第 1 世代のインフリキシマブに比して免疫原性が少ない．
- 2 週間に 1 回の皮下注射で使用し，自己注射も可能である．
- 副作用としては，他の TNF 阻害薬と同様に，感染症に注意する．

b 有効性
- **早期使用で「完全寛解」が達成できる．**
- アダリムマブは単独使用でも有効性が証明されているが，MTX との強い併用効果が認められている．
- アダリムマブは早期 RA に対しても高い有効性を有する．MTX ナイーブの早期 RA 患者を対象とした PREMIER 試験では，アダリムマブと MTX の併用群は，抗リウマチ効果，関節破壊の進行抑制いずれにおいても個々の薬剤単独投与群に比較して有意に優れていた．また，PREMIER 試験の5 年延長試験では，アダリムマブと MTX の併用群は，35％の患者が「臨床的寛解（DAS<2.6）」「構造的寛解（$\varDelta$mTSS $\leqq$ 0.5）」「機能的寛解（HAQ $\leqq$ 0.5）」の 3 つの寛解を満たす，いわゆる「完全寛解」を達成した[72]．2010 年 7 月に発表された本邦における約 3,000 例の市販後調査の結果の報告では，① TNF 阻害薬 Naïve，② MTX 8 mg/ 週以上の使用，③ Class I & II をすべて満たす患者では 24 週での寛解達成率は約 30％で，EULAR Good or Moderate response は約 85％の症例で認められること

201

chapter A ●関節リウマチの診断・薬物治療

が示され，他の TNF 阻害薬同様，日本人に対する十分な効果が示された.

c 処方の実際

* 生物学的製剤の第一選択薬として位置づけられる.
* アダリムマブを含む TNF 阻害薬は「MTX 効果不十分時にはじめに使うべき生物学的製剤」として，2009 年に発表された EULAR 治療推奨に示されている. 実際には，患者の好みやライフスタイルに合わせて生物学的製剤が投与されるケースが多いが，アダリムマブは 2 週間に 1 回の簡便性が患者に受け入れられやすく，欧州では TNF 阻害薬の中でトップセールスとなっている. 投与方法は，成人にはアダリムマブとして 40 mg を 2 週に 1 回皮下注射する. なお効果不十分な場合で，MTX などの抗リウマチ薬を併用していない場合には 80 mg 2 週に 1 回に増量可能.
* 発症早期・生物学的製剤未治療・MTX 併用患者において，アダリムマブは最も高い有効性を発揮する.
* 他の生物学的製剤が効果不十分時にアダリムマブにスイッチされることもあるが，ReAlise 試験において他の TNF 阻害薬からのスイッチ症例においての有効性が認められ，前治療薬の中止理由に関わらず同様の結果が得られた[73].
* **実投与例**：ヒュミラ®皮下注 40 mg シリンジ 0.8 ml 2 週に 1 回皮下注射.

d 投与上の注意

* 注射部位反応，皮疹，感染症，結核.
* アダリムマブの副作用で最も頻度の高い副作用は注射部位反応と皮疹である. 注射部位反応は，多くの場合は一過性で，特別な治療を必要とせず回復する. 投与を中止しなければならない症例は稀であるが，広範囲の薬疹も報告されているため注意を要する. 必要に応じて，抗ヒスタミン薬の内服や外用，ステロイド薬の外用などで適切な処置を行う. また，2010 年 7 月に発表された約 3,000 例の市販後調査の結果では，MTX 併用により注射部位反応や皮疹の発生率が低下（抗アダリムマブ抗体 AAA の発生低下）することが示唆されているため，可能なら MTX を併用する.
* 臨床的に一番問題となるのは感染症である. 一般の細菌感染症はもとよ

4. よく使われる抗リウマチ薬

り，特に結核，ニューモシスチス肺炎などについて慎重なモニタリングが必要である．結核は事前に十分な問診を行い，ツベルクリン反応検査，胸部X線検査，QFT，胸部CT検査などを行うことにより，結核感染の有無を確認することが重要である．結核既感染の患者には，抗結核薬（イソニアジドなど）の予防投与が必要となる．持続する咳，体重減少，発熱などの症状がみられた場合は，速やかに医師に相談するよう説明する．

e どのような患者が感染症になりやすいか

• 2010年7月に発表された約3,000例の市販後調査の結果の報告では，重篤な感染症は約2.4%に発生し，その約半数が呼吸器系の感染症であった．重篤感染症のリスク因子として

　　① 65歳以上，オッズ比1.8（0.97-3.4）
　　② IP合併症・既往症あり，オッズ比3.4
　　③ Class Ⅲ/Ⅳ，オッズ比2.1

が挙げられ，ステロイドに関しては10 mg/日以上の量で明らかなリスク上昇がみられることが示された．

• このような患者へ投与する場合は注意深いモニターが必要でありステロイドも減量するよう心がける．

コラム

MTX を併用したほうがよいか

　アダリムマブを含めて，生物学的製剤はMTXを併用すると優れた有効性を発揮するため，MTXが使用可能な患者には，MTXを併用する．EULARの治療推奨でも生物学的製剤使用時にMTXの併用が推奨されている．特にアダリムマブにおいてはAAAの発生が本邦で高率に認められ効果減弱や注射部位反応の発生との関係も指摘されているが，MTXを併用することでAAA発生も軽減でき，欧米と同様の効果が得られると考えられている．

コラム

MTX を併用した方がよいか？　その場合何 mg/週必要か？

　アダリムマブを含めて生物学的製剤はMTXを併用すると優れた有効性を

chapter A ●関節リウマチの診断・薬物治療

発揮するため，MTX 使用可能な患者には，MTX を併用する．EULAR2013 推奨でも生物学的使用時に MTX の併用が推奨されている．特にアダリムマブにおいては，単剤で使用したときに AAA（抗アダリムマブ抗体）の発生が本邦で高率に認められ効果減弱や注射部位反応の発生との関係も指摘されているが，MTX を併用することで AAA の発生も軽減でき，欧米と同様の効果が得られると考えられている．また最近行われた研究にて ADA と MTX 併用時に MTX の用量が 7.5 mg/週～10 mg/週でも 20 mg/週群とほぼ同等の臨床効果が示されている[24, 74]．

コラム

自己注射が適する患者は

　アダリムマブによる治療開始後，医師により適用が妥当と判断された患者については，自己投与も可能である．働いている患者，主婦，趣味を楽しみたい患者など，ライフスタイルを変えたくない患者や，通院が簡単でない患者が適している．

コラム

バイオフリーのエビデンスが最も豊富な薬剤である

　本邦にて HONOR 研究（184 頁参照）[40]，HOPEFUL2 研究と 2 つの大規模臨床試験にて長期および早期 RA 患者において，アダリムマブ寛解中止後約 1 年時点で約半数の患者が寛解もしくは低疾患活動性を維持することが示されており，海外で行われた臨床試験も合わせるともっともバイオフリーのエビデンスの豊富な薬剤である．

---

f 使いやすい患者

- 発症早期の患者で MTX が通常量使用においても症状の改善がない患者．
- 疾患活動性が高く，年齢が比較的若い患者．
- 骨びらんが認められる患者．
- 今後も働きたい患者，趣味を楽しみたい患者．
- 腎機能・肝機能障害がなく，呼吸器疾患もない患者．
- （自己注射のメリット）点滴時間病院で拘束されたくない，受診時間を短くしたい患者．

4. よく使われる抗リウマチ薬

g 使いにくい患者

- 感染症の患者または感染症が疑われる患者〔B 型肝炎ウイルス（HBV）感染，非結核性抗酸菌感染症の患者含む〕．
- 悪性腫瘍の既往歴または治療歴を有する患者．
- 脱髄疾患が疑われる徴候を有する，家族歴のある患者．
- 間質性肺炎など呼吸器疾患を有する患者．
- 妊婦，産婦，授乳婦など．

患者への説明

世界中で使用されている生物学的製剤の一つで，欧米では 17 年以上（米国 2003 年認可），日本でも 12 年以上（日本 2008 年認可）の使用経験，データの蓄積があります．MTX などの抗リウマチ薬で効果がない時に使用する薬剤で，効果は 1～2 カ月ほどかかることが多いので，1 カ月などの短期間であきらめないでください．日本でも 1 万人近くの関節リウマチ患者さんに使用され，約 7～8 割の患者さんが効果を実感されます．治ってしまったような，"寛解"と呼ばれるぐらいよくなる方も多くいらっしゃいます．また，薬が効いて半年から 1 年間いい状態が続けばいったん薬を減らしたり，中止できる可能性もあります．副作用はないわけではありませんが，定期的に検査をしていただければ大抵は問題ありません．一番気を付けないといけない副作用としては，抵抗力を少し落とすお薬なので感染症にかかりやすくなる可能性があります．特に風邪をひきやすくなることもあるので，手洗いなど一般的にできることは行ってください．また，約 1～2％の患者さんに肺炎が起こりますが，早期にみつけて，抗生剤で治療すれば通常問題ありません．また，65 歳以上，糖尿病，慢性の呼吸器疾患がなければ重症になる可能性はとても低くなります．風邪もひいていないのに発熱したり，咳，痰，労作時呼吸困難など症状を認めた場合にはすぐに連絡してください．また，もう一つ稀な副作用では結核があります．一般的に日本では欧米に比べると頻度は高く，知らないうちに罹っていて自分の抵抗力で結核を治してしまっている場合があります．そのような場合，このお薬を使用することで抵抗力を落として結核が元気になってしまう危険があるので，知らないうちに罹っていないかしっかり検査をして，その可能性があれば予防薬も一緒に服用していただければまず問題になることは

205

chapter A ●関節リウマチの診断・薬物治療

ありません.

また，免疫抑制薬は腫瘍を抑える免疫も弱めてしまうせいか，リンパ腫などの悪性腫瘍が服用していない人と比べれば増加する可能性はあると言われていますが，関節リウマチ自体も免疫系の関連している病気で，関節リウマチが重ければ重いほど悪性リンパ腫の発症率も上がると言われているので，このお薬でしっかり治療することが大切だと思います．副作用は稀とは言っても気になりますが，世界中で多くの患者さんに使用されていて，効果の最もみられる抗リウマチ薬の一つなので怖がり過ぎずに服用されることをお勧めします.

注射は，2週間に1回です．はじめは看護師の指導のもとで行い，うまくご自分でできるようになったら自宅での注射が可能になります．できるようになるまでゆっくりと指導しますので心配いりません．注射時若干の痛みはありますが，注射部位のかゆみや発赤などのアレルギー反応が稀に出ることがありますので，もし出た時はお知らせください.

13 トシリズマブ（TCZ）
（アクテムラ® 80 mg・200 mg・400 mg 点滴静注用，162 mg シリンジ皮下注用，162 mg オートインジェクター皮下注）

a ポイント

- 日本で開発された薬剤で，欧州，米国を始め，多くの国で承認，発売されている.
- 単剤（MTX との併用なし）でも高い有効性が認められている.
- 患者の希望に合わせ点滴もしくは皮下注射（自己注射）製剤のどちらかを選択可能である.
- 一次無効，二次無効が極めて少なく，生物学的製剤の中で最も投与継続率がよい.
- 貧血の改善や SAA（血清アミロイド A 蛋白）を正常化させる.
- 副作用として，白血球減少，血中コレステロール増加などがあり，重篤なものとしては，肺炎，帯状疱疹，間質性肺炎がある.

4. よく使われる抗リウマチ薬

b 有効性

- 日本人での EBM があり，無効例が少なく，継続率が高い薬剤.

- TCZ は他の生物学的製剤と異なり，日本で開発された薬剤のため，全て日本人でのデータであり，有効性，安全性，骨・関節破壊抑制効果に対する単剤でのエビデンスが確認されている．また全ての開発治験は終了後プラセボ群やコントロール群も TCZ に切り換える継続試験が実施されており，長期のデータも出ている．海外におけるデータも豊富で，DMARDs との併用や TNF 阻害薬からの切り換えにおける有効性のエビデンスもある.

- 臨床効果の発現は早ければ 1 カ月，平均して 3 カ月でみられる.

- 薬剤がヒト化製剤（90%以上ヒト抗体）であることと B 細胞の活性化を抑制することで，抗体産生を抑制し，その結果 TCZ に対する抗体が他の生物製剤に比べ極めて少ない（2〜3%）ことから，一次無効，二次無効が極めて少なく，投与継続率がよい点が特徴である.

- 2010 年日本リウマチ学会総会にて TCZ フリー（ドラッグフリー）試験である DREAM 試験の発表[75]があり，24 週で 35%，52 週で 13%の患者がドラッグフリーを維持したことが示された．また，RESTORE 試験において，DREAM 試験で再燃した患者において TCZ を再開し 3 回投与することにより約 89%の患者で再度寛解を達成したことが示された[76].

c 処方の実際

- 単剤，MTX 併用どちらも有効で，infusion reaction の少なさが特徴.

- 過去の治療において少なくとも 1 剤以上の抗リウマチ薬を使用し，効果不十分な場合に通常 1 回 8 mg/kg（最大 800 mg まで：後述）を 4 週間隔で点滴静注する.

- 単剤で TNF 阻害薬の MTX 併用と比較し，同等もしくはそれ以上の臨床効果があり，また MTX 併用においても海外において有効性・安全性のエビデンスが出ていることから，患者の病態に合わせて単剤でも，併用の治療でも十分に臨床効果が期待できる.

- Infusion reaction は他の生物学的製剤に比べ比較的少なく，アナフィラキシー発現も極めて稀である.

- 実投与例：体重換算した必要量をバイアル（50 kg ならアクテムラ®点滴

- 結核の既感染者〔慎重投与〕．
- 易感染性の状態にある患者〔慎重投与〕．
- 間質性肺炎の既往歴のある患者〔慎重投与〕．
- 腸管憩室（腸管穿孔の危険）のある患者〔慎重投与〕．
- 慢性活動性 EB ウイルス感染（CAEBV）を伴う患者〔ガイドライン〕．
- B 型肝炎ウイルス（HBV）感染者〔ガイドライン〕．
- 授乳中・妊娠中の安全性は確立されていない〔添付文書より〕．
- Steinbrocker Class 3＋Class 4 の患者〔全例調査中間報告〕．
- 心機能障害の既往・合併の患者〔全例調査中間報告〕．
- 腎機能障害の既往・合併の患者〔全例調査中間報告〕．
- 高齢者（65 歳以上）の患者〔全例調査中間報告〕．
- 低体重（40 kg 未満）の患者〔全例調査中間報告〕．

コラム

生物学的製剤からの切り換えはどうしたらよいか

　TNF 阻害薬からの切り換えの場合，TCZ の効果発現までに関節痛が再燃するケースが稀にある．再燃を避けるために，前治療で TNF 阻害薬以外に MTX，ステロイド（場合によってはタクロリムス）を併用している場合では，TNF 阻害薬のみをオフにして，それ以外の薬剤は投与量も含めそのまま継続し，TCZ を投与する．TCZ を投与するタイミングとしては，レミケード®の場合は 2 カ月，エンブレル®の場合は 2 週間が目安．関節痛の再燃が出た場合は一時的なステロイドの使用も考慮する．その後，状況をみながら段階的に薬剤を減らしていく．

 患者への説明　日本で開発された Made in Japan の生物学的製剤で，世界に先駆けて 2008 年認可され，現在 12 年以上使用されデータが蓄積されています．欧州で 2009 年，米国でも 2010 年認可され，世界中で使用されている薬剤です．メトトレキサートなどの抗リウマチ薬で効果がない時に使用する薬剤で，TNF 阻害薬が効かなかった患者さんにも効果があります．ただ，効果が出てくるまで 2〜3 カ月ほどかかることが多いので，1 カ月などの短期間であきらめないでください．日本でもすでに

4. よく使われる抗リウマチ薬

TNF 阻害薬同様 1 万人近くの多くの関節リウマチ患者さんに使用され，使用された 8 割の患者さんが効果を実感されます．治ってしまったような，"寛解"と呼ばれるぐらいよくなる方も多くいらっしゃいます．また，薬が効いて半年から 1 年いい状態が続けばいったん薬を中止できる可能性もあります．副作用はないわけではありませんが，定期的に検査をしていただければ大抵は問題ありません．一番気を付けないといけない副作用としては，抵抗力を少し落とすお薬なので感染症にかかりやすくなる可能性があります．特に風邪をひきやすくなることもあるので，手洗いなど一般的にできることは行ってください．また，約 1〜2 ％の患者さんに肺炎がありますが，早期にみつけて，抗生剤で治療すれば通常問題ありません．また，65 歳以上，慢性の呼吸器疾患，ステロイド使用，著しい関節破壊がなければ可能性はとても低くなります．風邪もひいていないのに発熱したり，咳，痰，労作時呼吸困難など症状を認めた場合にはすぐに連絡してください．またこの薬の特徴なのですが，感染症があってもお薬で完全に炎症を抑えてしまうので，もし近くのお医者さんにみていただいて CRP や赤沈検査など炎症反応がないからといって問題ないとしないで，何か心配な症状があればすぐに連絡してください．

　もう一つ稀な副作用では結核があります．一般的に日本では欧米に比べると頻度は高く，知らないうちに罹っていて自分の抵抗力で結核を治してしまっている場合があります．そのような場合このお薬を使用することで抵抗力を落として結核が元気になってしまう危険があるので，知らないうちに罹っていないかしっかり検査をして，その可能性があれば予防薬も一緒に服用していただければまず問題になることはありません．

　以上，副作用は稀とはいっても気になりますが，世界中で多くの患者さんに使用されていて，効果の最もみられる抗リウマチ薬の一つなので，怖がり過ぎずに服用されることをお勧めします．

　点滴は 1 カ月に 1 回で，1 回の注射は前処置も含め 2〜3 時間で終わります．投与時アレルギー反応でかゆみ，じんましん，発熱など，稀には重いアレルギー反応が出ることがあるので，注射中気になる症状があったら看護師に伝えてください．

chapter A ●関節リウマチの診断・薬物治療

14 サリルマブ
（ケブザラ® 皮下注 150 mg/200 mg シリンジ，150 mg/200 mg オートインジェクター）

a ポイント

- トシリズマブと同様に抗 IL-6 受容体モノクローナル抗体製剤である．
- ヒト型であり理論的にトシリズマブよりも抗薬物抗体の出現が少なく，これまでトシリズマブ皮下注射で 2 次無効となった患者に対する同種薬の変更の選択肢がなかったことが解消された．
- トシリズマブと比して，年間の費用が高いことが挙げられる．
- しかし，200 mg で十分な効果が得られて 150 mg に減量した場合などは，薬剤費はトシリズマブと大差なく，またトシリズマブ皮下注を 1 週 1 回に増量することに比較すると 2 週間に 1 回で良いこと，薬剤費も低くなることから選択肢として十分考慮できる．
- 保険適応は，既存治療で効果不十分な関節リウマチのみである．

b 有効性

- 臨床的データとしては，MTX 効果不十分患者に対する効果（MOBILITY 試験，KAKEHASHI 試験），TNF 阻害薬効果不十分患者に対する効果（TARGET 試験），MTX 効果不十分患者におけるアダリムマブとの比較試験（MONARCH 試験）などがあり，PRO（patient reported outcome）に関する解析もされている（MOBILITY-2 試験）．
- これまでの，生物学的製剤とほぼ同様の臨床的効果が期待できると考えられる．

  （MOBILITY 試験: Genovese MC, et al. Arthritis Rheumatol. 2015; 67: 1424-37）

  （MOBILITY-2 試験: Strand V, et al. Arthritis Research & Therapy. 2016; 18: 198-208）

c 処方の実際

- 通常，成人にはサリルマブ（遺伝子組換え）として 1 回 200 mg を 2 週間隔で皮下投与，なお患者の状態により 1 回 150 mg に減量．

d 使用上の注意

- 他の生物学的製剤と同様に、結核を含む感染症のスクリーニング（T SPOT, β–D–グルカン, 胸部画像など）, 予防策（肺炎球菌ワクチン, インフルエンザワクチンなど）, 年齢相応の悪性腫瘍スクリーニングを投与前に行う.

- トシリズマブと同様に、感染時の CRP 上昇が抑えられること、腸管穿孔, 白血球減少などに注意してモニタリングする.

- 好中球数, 血小板数または肝機能検査値に異常が認められた場合は、減量を考慮する.

- 総コレステロール値, トリグリセリド値, LDL コレステロール値の増加などの脂質検査に異常があらわれることがあるので、投与開始 3 カ月後を目安に, 以後は必要に応じて脂質検査を実施し, 臨床上必要と認められた場合には, 高脂血症治療薬の投与などの適切な処置を考慮する.

15 アバタセプト（ABT）
（オレンシア® 250 mg 点滴静注用, 皮下注 125 mg シリンジ 1 ml, 皮下注 125 mg オートインジェクター）

a ポイント

- 従来のサイトカインをターゲットにした薬剤とは作用機序が異なり, 抗原提示細胞と T 細胞間の共刺激シグナルを阻害することで T 細胞の活性化を調節し, 下流の炎症性サイトカインやメディエーターの産生を抑制する.

- T 細胞の活性化を抑制する世界初の生物学的製剤.

- 患者の希望に合わせ点滴もしくは皮下注射（自己注射）製剤のどちらかを選択可能である.

- MTX または TNF 阻害薬抵抗性 RA への優れた有効性.

- 発症早期の RA における高い寛解導入効果.

- 長期間にわたり臨床効果が持続する.

- 海外での 1 万人・年以上の使用経験に基づく安全性が確認されている.

- 4 週以降は 4 週間間隔で 30 分の点滴静脈内投与.

chapter A ●関節リウマチの診断・薬物治療

b 有効性

- MTX 抵抗性 RA（AIM 試験[77]）や TNF 阻害薬抵抗性 RA（ATTAIN 試験[78]）において，優れた関節症状改善作用，身体機能改善作用を示す．MTX 抵抗性 RA では優れた骨破壊抑制作用が認められている．

- 発症 2 年未満の早期 RA（AGREE 試験[79]）では，MTX との併用により 1 年の時点での臨床的寛解（約 46％），画像的寛解が高率に得られ，身体機能の改善・維持といった機能的寛解が高率（約 49％）に得られることが確認されている．これらの優れた臨床効果は，長期にわたってほとんど減弱がみられていない．

- MTX 抵抗性 RA に対するアバタセプトあるいはインフリキシマブのプラセボ比較試験（ATTEST 試験[80]）では 1 年の時点での効果は，アバタセプト，インフリキシマブ両群で有意差を持ってプラセボ群に比べ高い効果が示されている．アバタセプトとインフリキシマブとの直接効果比較に関しては power 不足で統計学的有意差は示されていないが，DAS28 の変化量は−2.88 vs −2.25 でアバタセプトの方が改善がみられた．また，この試験では有害事象の比較もされ，急性 infusion reaction は 24.8％ vs 7.1％，重症感染症は 8.5％ vs 1.9％と，ともにアバタセプトの方が有害事象が少ないことが示された．

- 国内で行われた第 2 相試験に引き続く長期継続試験[81] では MTX との併用で 48 週の時点で約 47％の患者に寛解を達成したことが示され，海外の臨床試験と同様の結果が得られている．

- 中和抗体の産生がみられないことから薬剤無効例が少なく，安定して効果を維持できる．

c 処方の実際

- 米国では中等度から重度の活動性成人 RA に対して，単剤あるいは TNF 阻害薬以外の DMARDs との併用で適応を取得している．

- 欧州では MTX または TNF 阻害薬を含む 1 剤以上の DMARDs 不応または不耐応の，中等度から重度の活動性成人 RA に対して，MTX との併用で適応を取得している．

- ACR2008 治療推奨にて罹病期間 ≧ 6 カ月，MTX＋他の DMARDs で効

4. よく使われる抗リウマチ薬

果不十分，中・高疾患活動性で予後不良因子のある場合の 1st-Bio として推奨されている．

- **実投与例**：10 mg/kg 相当の体重別固定用量〔＜60 kg：500 mg（2 バイアル），60 kg ≦〜＜100 kg: 750 mg（3 バイアル），100 kg ≦：1,000 mg（4 バイアル）〕を 1 バイアルあたり 10 m*l* の日局注射用水（日局生理食塩液も可）で溶解後，日局生理食塩液（100 m*l*）で希釈し 30 分かけて点滴静注し，これを第 1 日，第 15 日，第 29 日に投与，その後 28 日間隔で投与を続ける．

- **自己注射**：通常，成人には，投与初日に負荷投与としてアバタセプト点滴静注用製剤の点滴静注を行った後，同日中にオレンシア 125 mg の皮下注射を行い，その後，本剤 125 mg を週 1 回毎に皮下注射する．また，125 mg の週 1 回皮下注射から開始することもできる．

コラム

生物学的製剤との併用は副作用を増加させるため行わない！

　アバタセプトの安全性を確認するために行われた 1 年間の多施設二重盲検試験である ASSURE 試験[82]では，1,441 人のさまざまな併発症（糖尿病，喘息，COPD，心不全など）を持つ RA 患者も含み，アバタセプトあるいはプラセボを比較した．それぞれに経口 DMARDs，TNF 阻害薬，抗 IL-1 製剤を併用した．その結果アバタセプトに経口 DMARDs を併用した場合の副作用発現率は他の臨床研究と同様の結果であったが，アバタセプトに生物学的製剤を併用した患者では副作用〔重症感染症 5.8％と悪性腫瘍 6.8％（ただしアバタセプト・生物学的製剤併用群の悪性腫瘍 3 例は皮膚の基底細胞癌 2 例，扁平上皮癌 1 例でアバタセプトが直接の原因である可能性は低く，治療中止に至ることはなかった）〕の増加が認められ，生物学的製剤との併用は現時点では推奨されない．また，COPD を併発している患者ではアバタセプト使用群で COPD 急性増悪の頻度が増加したことが示され，注意が必要である．

chapter A ●関節リウマチの診断・薬物治療

> **コラム**

TNF 阻害薬からのスイッチはウォッシュアウト期間はいらない！

　　TNF 阻害薬を最低 3 カ月使用しても効果が不十分な RA 患者を対象に変更方法の検討を行った ARRIVE 試験[83] は，現在使用している TNF 阻害薬の次の投与時にアバタセプトを開始する群と，次の投与時から 2 カ月のウォッシュアウト期間を経てからアバタセプトを開始する群で 6 カ月の時点での安全性と有効性を比較したオープンラベル試験である．安全性と有効性に有意な差は認められなかった．この結果から TNF 阻害薬からのスイッチの際には次の TNF 阻害薬投与時にアバタセプトを開始することが可能である．

> **コラム**

最も安全性の高い生物学的製剤？

　　2011 年にコックランライブラリーにより行われた生物学的製剤の副作用に関するメタ解析にて[84]，各製剤の直接比較試験ではないが，重症感染症や重篤な有害事象のリスクを間接的に比較したところ，アバタセプトが他の製剤より安全性が高いことが示された．このような結果を受けて 2015 年 ACR治療推奨 update においては重篤な感染症の既往のある患者では，生物学的製剤を選択する場合アバタセプトを勧めている．

d 投与上の注意

- 高頻度（＞1％）の副作用として，鼻咽頭炎，上気道感染，頭痛，嘔吐がある．
- 海外での二重盲検プラセボ対象試験における有害事象の発現は，アバタセプト群（n＝1,955）とプラセボ群（n＝989）と同程度で，重篤な有害事象も大きな差は認められなかった．
- 慢性閉塞性肺疾患のある患者には，慢性閉塞性肺疾患の増悪や，気管支炎を含む重篤な副作用の発現が認められており，慎重投与となっている．
- TNF 阻害薬との併用で感染症および重篤な感染症の発現率が高まることが報告されており，本剤と TNF 阻害薬の併用は行わないこと．
- 重篤な感染症の患者には投与を行わないこと．
- 過敏症，アナフィラキシー，感染症または感染症が疑われる患者には慎重

4. よく使われる抗リウマチ薬

に投与すること．
- 投与前に結核のスクリーニングを行い，陽性の場合は開始前に結核に対する治療を行うこと．
- 妊娠については，動物実験データで胎児障害の可能性があり，ヒトでのカテゴリーはCとなっている．
- 生ワクチンは投与期間中および中止後3カ月以内は接種を行わないこと．
- 本剤を含む薬剤の機序で，ワクチンの効果を低下させる可能性がある．
- タクロリムスとの併用はデータがないため安全性がまだ確立していない．

e 使いやすい患者
- 抗TNF製剤が無効な患者．
- 発症早期（Class I or II）の患者でMTXが通常量使用においても症状の改善がない患者．
- 疾患活動性が高く，年齢が比較的若い患者．
- 腎機能・肝機能障害がなく呼吸器疾患もない患者．
- 自己注射ができず受診時間を短くしたい患者（点滴時間が他剤より短い）．
- 点滴時間病院で拘束されたくない，受診時間を短くしたい患者では自己注射，自己注射が難しい患者では点滴製剤を選ぶことができる．

f 使いにくい患者
- 感染症または感染症が疑われる患者．
- 間質性肺炎の既往歴のある患者．
- 慢性閉塞性肺疾患のある患者．
- 結核の既感染者．
- 易感染性の状態にある患者．
- 高齢者．

患者への説明　世界中で使用されている生物学的製剤の一つで，日本では2010年に認可され，米国では2005年に認可され，すでに15年以上の使用経験，データの蓄積があります．メトトレキサートやTNF阻害薬などの抗リウマチ薬で効果がない時に使用する薬剤で，効果は

chapter A ●関節リウマチの診断・薬物治療

2〜3カ月ほどかかることが多いので，1カ月などの短期間であきらめないでください．国内の臨床試験でも使用された約9割の患者さんが効果を実感されます．"寛解"と呼ばれるぐらいよくなる方も多くいらっしゃいます．副作用はないわけではありませんが，定期的に検査をしていただければ大抵は問題ありません．一番気を付けないといけない副作用としては，抵抗力を少し落とすお薬なので感染症にかかりやすくなる可能性があります．

特に風邪をひきやすくなることもあるので手洗いなど一般的にできることは行ってください．また，約1〜2％の患者さんに肺炎がありますが，早期にみつけて，抗生剤で治療すれば通常問題ありません．もう一つ稀な副作用では結核があります．一般的に日本では欧米に比べると比較的頻度は高く，知らないうちに罹っていて自分の抵抗力で結核を治してしまっている場合があります．そのような場合このお薬を使用することで抵抗力を落として結核が元気になってしまう危険があるので，知らないうちに罹っていないかしっかり検査をして，その可能性があれば予防薬も一緒に服用していただければまず問題になることはありません．喫煙をされる方に多い慢性閉塞性肺疾患をお持ちの患者さんでは悪くなることがあるので注意が必要です．

以上，副作用は稀とはいっても気になりますが，世界中で多くの患者さんに使用されていて，効果の最もみられる抗リウマチ薬なので怖がり過ぎずに服用されることをお勧めします．

点滴は，始めは2週目，4週目に注射してそれ以降は4週毎になります．1回の注射は前処置も含め1〜2時間で終わります．投与時アレルギー反応でかゆみ，じんましん，発熱など稀には重いアレルギー反応が出ることがあるので注射中気になる症状があったら看護師に伝えてください．

16 ゴリムマブ
（シンポニー® 皮下注50mg シリンジ0.5ml，オートインジェクター）

a ポイント

• 従来の製剤にはないトランスジェニック製法を用いたことにより，抗製剤抗体（抗ゴリムマブ抗体）の発現が極めて低い製剤となり，その結果二次無効も生じにくく，継続率も高いため，長期間にわたる関節破壊抑制効果

4. よく使われる抗リウマチ薬

が期待できる製剤である.

- 4週間に1回という投与間隔であり, 生物学的製剤の皮下注射製剤で
もっとも投与間隔が長い薬剤である. 簡便な皮下注射であるため, 在院時
間も最も短い.

- 標準用量の50 mg/4週だけでなく, 高用量の100 mg/4週という用法・
用量があり, 従来の生物学的製剤にはないRA患者の病態に合わせた用量
調節が初回投与から可能である.

- 欧米では2009年に発売, 日本においては2011年にRA領域6剤目の生
物学的製剤として発売され, 製造販売後調査 (3,000例予定) が行われ6
カ月の継続率は約80%, 他の製剤とほぼ同等あるいはそれ以上の効果が
示されている.

- 副作用として, 鼻咽頭炎, 上気道感染, 注射部位紅斑, 重篤なものとして
は, 肺炎 (約1.2%), 間質性肺炎 (約0.5%), 結核, PCPの報告があ
り, 重篤な有害事象は5%であり他の製剤と同等である.

b 有効性

- 国内臨床試験を通じて, 日本人おける高い有効性・安全性のエビデンスが
構築されている.

- ゴリムマブは用量調節が可能な生物学的製剤として様々な患者の病態に合
わせて使用されており, 4週間に1回という簡便な投与間隔とともに生物
学的製剤の中で有用な薬剤の一つである. その安全性に関しても, コクラ
ンライブラリーのメタ分析で確認されている. 国内臨床試験 (MTX併用
のGO-FORTH試験, MTX非併用のGO-MONO試験) において, 日本
人における高いACR20改善率 (70.9%, 69.6%), ACR70改善率
(28.4%, 21.6%), 臨床的寛解率 (37.0%, 17.2%) や関節破壊進行抑制
効果が認められている (24週後, 50 mg+MTX併用群, 100 mg単独群).

- 臨床効果の発現は皮下注射製剤としては早い段階で発現し, 早ければ即
日, 遅くとも4〜8週間で確認できる. また, 抗体製剤でありながら, 52
週時の中和抗体 (抗ゴリムマブ抗体) の産生はMTX併用時で0%, ゴリ
ムマブ単剤時で4%とほとんど発現しないことから, 二次無効が少なく,
継続率が高い. MTXを併用しない場合でも, 長期に安定して効果を維持

219

chapter A ●関節リウマチの診断・薬物治療

できるのもこの薬剤の特徴の一つである.

c 処方の実際

- RA患者の病態に合わせた用量調節が可能であり，Treat to Target (T2T)/タイトコントロールの実践に適した生物学的製剤として位置づけられる.

- 製造販売後調査中間報告結果から，抗TNF製剤であるゴリムマブは生物学的製剤の1st choiceもしくは2nd choiceとして位置づけられることが多い.実際の診療下においては患者の病態に合わせた投与量を選択されるケースが多い.他の生物学的製剤では対応が難しい高い疾患活動性を有する例，また他の生物学的製剤無効例におけるゴリムマブ100 mg/4週は有用なオプションとなっている.

- 4週間に1回という投与間隔は，自己注射避けたいが，在院時間を短く済ませたい患者さんには最適であり，医療従事者側からも生物学的製剤を投与している患者の安全性を定期的にモニタリングする意味では適しているとの評価となっている.また，2018年より自己注射を希望される患者では他の皮下注製剤同様，自己注射指導を行った上自己注射も可能となった.2019年オートインジェクターも発売された.

- 投与方法は，本邦独自の承認内容となっている.MTXを併用する際には，50 mgを4週に1回，なお患者の状態に応じて100 mgを4週1回で皮下注射することになっている.MTXを併用した状態で用量を増やすことができる皮下注射製剤はゴリムマブだけである.またMTX非併用の際には100 mgを4週に1回皮下注射することになっている.

- トランスジェニックマウス製法により創製された抗体であり，前述のようにゴリムマブ単独投与においても抗ゴリムマブ抗体が出現する可能性が極めて低いことから，2次無効が少なく，寛解導入後の休薬，さらに再燃時の再投与を安心して行える薬剤である.

d 投与上の注意

- 他の抗TNF製剤同様の注意が必要（感染症を中心に）.
- ゴリムマブで発現する高頻度の副作用として，他の抗TNF製剤同様に上

気道を中心とした感染症である．また，他の抗 TNF 製剤と同様の傾向として，重篤な有害事象で注意すべきところとすると，結核・PCP・薬剤性肺障害・原疾患に伴う肺病変（特に間質性肺炎）があげられる．

- 医療従事者の経験は深まっているものの，ゴリムマブ投与開始前には胸部 X 線検査，CT，血液学的検査を実施すべきである．昨今，クローズアップされている B 型肝炎ウイルスの活性化にも注意が必要である．
- また皮下注射製剤でありながら，ゴリムマブは投与部位紅斑，投与部位反応が少ないことは特徴的であり市販後調査でも示された．

e 使いやすい患者

- MTX 治療に抵抗を示している患者．
- 腎機能・肝機能障害がなく呼吸器疾患もない患者．
- 疾患活動性が高く，年齢が比較的若い患者．
- 自己注射導入を嫌がる患者．
- 静脈注射を嫌がる患者．
- 頻回の通院ができない患者．
- 通院時の滞在時間を短くしたい患者．

f 使いにくい患者

- 4 週間隔の通院が困難な患者．
- 感染症の患者または感染症が疑われる患者．
- うっ血性心不全を有する患者．
- 悪性腫瘍の既往歴または治療歴を有する患者．
- 脱髄疾患が疑われる徴候を有する，家族歴のある患者．
- 妊婦・産婦・授乳婦など．

chapter A ●関節リウマチの診断・薬物治療

> **コラム**
>
> **Treat to Target（T2T）を実践する上でのゴリムマブの可能性**
>
> 　Treat to Target/タイトコントロールを実践していくことが，現在のRA治療で求められている．しかしながら，日々の実臨床では様々な病態の患者と向き合うことになる．ゴリムマブにおいては，患者の病態に合わせた用量（100 mgの増量も可能）を選択できること，簡便な皮下注射で在院時間も短く，4週間に1回と投与頻度も低く，有効性・安全性のモニタリングが可能である．また継続率も高いことから，寛解導入したRA患者の疾患活動性を長期間にわたりコントロールしていく上では，最適な生物学的製剤の一つと考えられる．

> **コラム**
>
> **潰瘍性大腸炎適応追加**
>
> 　理論上TNF阻害薬の中でモノクローナル抗体製剤ではIFXやADA同様IBDにおいても効果が期待されていた．2017年3月本邦においても中等症から重度の潰瘍性大腸炎患者に対する改善および維持療法に関する承認を得た．RAとは異なる用量設定であり，初回投与200 mgおよび初回投与後2週時に100 mgを投与した後，維持期において4週間に1回皮下投与を行う．

　世界中で使用されている生物学的製剤の一つで，欧米では11年以上（米国2009年認可），日本でも9年以上（日本2011年認可）の使用経験，データの蓄積があります．海外では，関節リウマチ以外に乾癬や乾癬性関節炎，強直性脊椎炎や潰瘍性大腸炎などの疾患にも適応もあり，現在は世界中で使用されています．生物学的製剤としては日本では6剤目で，痛みや症状を早く改善したい方（即効性があります），他の抗リウマチ薬や生物学的製剤の治療効果に不満のある患者さんに効果を実感して頂ける薬剤です．また，月1回の注射で注射時間は点滴ではなく皮下注射なので短時間で終わりますし，病院で注射しますので"自分で注射するのが怖い"といった患者さんにはおすすめです．もちろん他の製剤のように自宅にて自己注射で行うことも可能です．

4. よく使われる抗リウマチ薬

　他の生物学的製剤同様メトトレキサートなどの抗リウマチ薬で効果がない時に使用する薬剤で，効果は 1～2 カ月ほどかかることが多いので，1 カ月などの短期間であきらめないでください．日本でも多くの関節リウマチ患者さんに使用され，約 8～9 割の患者さんが効果を実感されます．治ってしまったような，"寛解"と呼ばれるぐらいよくなる方も多くいらっしゃいます．また，薬が効いて半年から 1 年間いい状態が続けばいったん薬を減らしたり，中止できる可能性もあります．副作用はないわけではありませんが，定期的に検査をしていただければ大抵は問題ありません．一番気を付けないといけない副作用としては，抵抗力を少し落とすお薬なので感染症にかかりやすくなる可能性があります．特に風邪をひきやすくなることもあるので，手洗いなど一般的にできることは行ってください．また，約 1～2％の患者に肺炎の副作用が起こりますが，早期に見つけて，抗生剤で治療すれば通常問題ありません．また，65 歳以上，糖尿病，慢性の呼吸器疾患がなければ可能性はとても低くなります．風邪もひいていないのに発熱したり，咳，痰，労作時呼吸困難などの症状を認めた場合にはすぐに連絡してください．もう一つ稀な副作用では結核があります．一般的に日本では欧米に比べると頻度は高く，知らないうちに罹っていて自分の抵抗力で結核を治してしまっている場合があります．そのような場合このお薬を使用することで抵抗力を落として結核が元気になってしまう危険があるので，知らないうちに罹っていないかしっかり検査をして，その可能性があれば予防薬も一緒に服用していただければまず問題になることはありません．

　また，免疫抑制薬は腫瘍を抑える免疫も弱めてしまうせいかリンパ腫などの悪性腫瘍が服用していない人と比べれば増加する可能性はあると言われていますが，関節リウマチ自体も免疫系の関連している病気で，関節リウマチが重ければ重いほど悪性リンパ腫の発症率も上がると言われているので，このお薬でしっかり治療することが大切だと思います．副作用は稀とは言っても気になりますが，世界中で多くの患者さんに使用されていて，効果の最もみられる抗リウマチ薬の一つなので，怖がり過ぎずに服用されることをお勧めします．

　注射は，4 週間に 1 回病院で行います．投与時若干の痛みはありますが，投与部位のかゆみや発赤などのアレルギー反応が稀に出ることがありますの

chapter A ●関節リウマチの診断・薬物治療

で，もし出た時はお知らせください．

17 セルトリズマブペゴル（CZP）
（シムジア® 皮下注 200 mg シリンジ）

a ポイント

- Fc 領域のない，初の PEG 化 TNFα 阻害薬である．
- 臨床効果は即効性が高く，12 週時点で有効性の判定が可能な薬剤である．
- メトトレキサート併用，非併用のどちらにおいても，臨床的有効性および関節破壊抑制効果が確認されている．
- 他の TNF 阻害薬無効例においても有効性が期待できる薬剤である．
- 症状安定後は投与間隔の選択（2 週に 1 回，もしくは 4 週に 1 回）が可能である．
- 自己注射が可能な製剤で，関節炎を患った人でも扱いやすいシリンジを使用している．
- 副作用としては，注射部位反応が少ない製剤であるが，他の TNF 阻害薬と同様に感染症に注意する．

b 有効性

- セルトリズマブペゴルは，MTX 併用および単独使用でも高い有効性が認められている．国内臨床試験（MTX 併用：J–RAPID 試験[85]，MTX 非併用：HIKARI 試験[86]）により，セルトリズマブペゴルは MTX の併用・非併用にかかわらず，プラセボに対して有意に臨床症状を改善し，関節破壊の進行を抑制した．両試験において ACR20 改善率は，プラセボに対して 1 週目より有意に高く（J–RAPID 試験において，シムジア群：40.2％，プラセボ群：7.8％．HIKARI 試験において，シムジア群：32.8％，プラセボ群：5.3％），12 週で定常状態に達しており（J–RAPID 試験において，シムジア群：76.8％，プラセボ群：28.6％．HIKARI 試験において，シムジア群：67.2％，プラセボ群：14.9％），効果の発現が早い特徴がある．また，12 週時点で効果の判定が可能であることもこの製剤の特徴である．

4. よく使われる抗リウマチ薬

- 臨床的寛解率（DAS28-ESR<2.6）は，J-RAPID 試験において，12 週：16.0%，24 週：17.1%（プラセボ群はいずれの時点も 0%）であった．HIKARI 試験において，12 週：13.8%，24 週：16.4%（プラセボ群はいずれの時点も 0.9%）であった．
- 他の TNF 阻害薬使用歴のある患者における有効性は，海外の臨床試験（REALISTIC 試験[87]，Dose-Flex 試験[88]）の解析で検証されている．
- 早期リウマチ患者への有効性は，現在国内にて臨床試験中である[89]．

c 処方の実際

- MTX 不耐または低用量投与の患者においても十分に有効性を示す薬剤である．
- 効果の発現が早く，また 12 週時点で長期有効性の予測が可能であることから第一選択薬となりうる薬剤であると共に，他の TNF 阻害薬無効例にも有効である．
- 実投与例：シムジア®，皮下注 200 mg シリンジ 1.0 ml を初回，2 週後，4 週後は 2 本ずつ投与し，その後は 1 本を 2 週に 1 回皮下投与．症状安定後は 400 mg を 4 週に 1 回投与も可能．

d 投与上の注意

- 臨床的に一番問題となるのは感染症である．事前に十分な問診を行い，予防およびモニタリングが必要である．

e 使いやすい患者

- 疾患活動性が高く，症状を早く改善したい患者．
- 骨びらんが認められる患者．
- 頻回の通院が困難な患者．
- （自己注射のメリット）点滴時間病院で拘束されたくない，受診時間を短くしたい患者．
- 腎機能・肝機能障害がなく，呼吸器疾患もない患者．
- 今後も働きたい患者，趣味を楽しみたい患者．

chapter A ●関節リウマチの診断・薬物治療

f 使いにくい患者

- 感染症の患者または感染症が疑われる患者〔B型肝炎ウイルス（HBV）乾癬，非結核性抗酸菌感染症の場合含む〕.
- うっ血性心不全を有する患者.
- 脱髄疾患が疑われる徴候を有する，家族歴のある患者.
- 間接性肺炎など呼吸器疾患を有する患者.
- 透析患者.

g 妊娠希望患者への対応

- 妊婦，産婦，授乳婦など（コラム参照）.

コラム

妊娠希望患者への対応

　妊娠する可能性のある婦人（希望する）に投与する場合には，リスクとベネフィットをきちんと説明した上でTNF阻害薬を開始する．セルトリズマブペゴルでは，他のTNF阻害薬と違いFc部分が存在しないため，理論上胎盤移行が少ないことが期待される．ラットで行われた胎盤通過および乳汁移行の検討では，セルトリズマブペゴルは胎盤通過および乳汁移行が少ないことが示された[90]．また，IBD患者においても同様の結果であった[91]．セルトリズマブペゴルを投与して出産した場合の妊娠経過は，一般の人口と大きな差は認められなかったとの報告がある[92]．このような結果を踏まえリウマチ性疾患の婦人に対してCZP投与を妊娠中継続して前向きに行われた調査（CRIB試験：図A-85参照）では，新生児14人の臍帯血中13人でCZP測定感度以下，測定可能であった1人も母体の血中濃度の1000分の1であったとの報告がなされた．同様に産後授乳中の患者にCZPを投与し母体と乳児のCZP濃度を確認した前向き試験の結果（CRADLE試験）も踏まえ，2018年1月欧州当局がリウマチ性疾患を有する妊婦・授乳中の患者に対するCZPの使用を承認した．

(Clowse MEB, et al. Ann Rheum Dis. 2017; 0: 1-7)

13/14 infants had no quantifiable CZP levels at birth (<0.032 μg/ml);
1 infant had a minimal CZP level of 0.042 μg/ml (infant/mother plasma ratio: 0.09%)

図 A-85 妊娠中 CZP 使用 CZP 血中濃度（臍帯血・母体）

 患者への説明　世界中で使用されている生物学的製剤の一つで，欧米では12年以上（米国2008年認可），日本でも8年以上（日本2012年認可）の使用経験，データの蓄積があります．海外では，関節リウマチの他にクローン病の適応もあり，現在は日本を含め40カ国以上で使用されています．生物学的製剤としては日本では7剤目で，既存の生物学的製剤の欠点が改良されています．痛みや症状を早く改善したい方（即効性があります），他の抗リウマチ薬や生物学的製剤の治療効果に不満のある患者さんに効果を実感して頂ける薬剤です．12週間で長期的な効果が判定できますので，無駄にお薬を投与し続ける必要がありません．また，妊娠をご希望の患者さんではお薬の構造上，お薬が胎盤をとおって赤ちゃんに移行する可能性がきわめて少ないお薬ですので妊娠判明するまで安心して使用できます（万が一使用中妊娠が判明しても影響が最も少ないと推測される）．

　他の生物学的製剤同様メトトレキサートなどの抗リウマチ薬で効果がない時に使用する薬剤で，効果は1〜2カ月ほどかかることが多いので，1カ月などの短期間であきらめないでください．日本でも多くの関節リウマチ患者さんに使用され，約8〜9割の患者さんが効果を実感されます．治ってしまったような，"寛解"とよばれるぐらいよくなる方も多くいらっしゃいます．また，薬が効いて半年から1年間いい状態が続けばいったん薬を減ら

chapter A ●関節リウマチの診断・薬物治療

したり，中止できる可能性もあります．副作用はないわけではありません
が，定期的に検査をしていただければ大抵は問題ありません．一番気を付け
ないといけない副作用としては，抵抗力を少し落とすお薬なので感染症にか
かりやすくなる可能性があります．特に風邪をひきやすくなることもあるの
で，手洗いなど一般的にできることは行ってください．また，約1～2％の
患者に肺炎の副作用が起こりますが，早期にみつけて，抗生剤で治療すれば
通常問題ありません．また，65歳以上，糖尿病，慢性の呼吸器疾患がなけ
れば可能性はとても低くなります．風邪もひいていないのに発熱したり，
咳，痰，労作時呼吸困難などの症状を認めた場合にはすぐに連絡してくださ
い．もう一つ稀な副作用では結核があります．一般的に日本では欧米に比べ
ると頻度は高く，知らないうちに罹っていて自分の抵抗力で結核を治してし
まっている場合があります．そのような場合このお薬を使用することで抵抗
力を落として結核が元気になってしまう危険があるので，知らないうちに
罹っていないかしっかり検査をして，その可能性があれば予防薬も一緒に服
用していただければまず問題になることはありません．

　また，免疫抑制薬は腫瘍を抑える免疫も弱めてしまうせいかリンパ腫など
の悪性腫瘍が服用していない人と比べれば増加する可能性はあるといわれて
いますが，関節リウマチ自体も免疫系の関連している病気で，関節リウマチ
が重ければ重いほど悪性リンパ腫の発症率も上がるといわれているので，こ
のお薬でしっかり治療することが大切だと思います．副作用は稀とはいって
も気になりますが，世界中で多くの患者さんに使用されていて，効果の最も
みられる抗リウマチ薬の一つなので，怖がり過ぎずに服用されることをお勧
めします．

　注射は，2週間に1回または4週間に1回行うことも可能です．はじめ
は看護師の指導のもとで行い，うまくご自分でできるようになったら自宅で
の注射が可能になります．できるようになるまでゆっくりと指導しますので
心配いりません．投与時若干の痛みはありますが，投与部位のかゆみや発赤
などのアレルギー反応が稀に出ることがありますので，もし出た時はお知ら
せください．

4. よく使われる抗リウマチ薬

18 セクキヌマブ
（コセンティクス® 皮下注 150 mg ペン，皮下注 150 mg シリンジ）

a 作用機序

ヒト IL-17A に対するヒト免疫グロブリン G1/κ モノクローナル抗体である．

IL-17A は乾癬性関節炎の破壊性関節炎および付着部炎にも関与していることが報告されており，セクキヌマブは IL-17A に結合することにより，IL-17A の IL-17 受容体への結合を阻害し，PsA の症状改善効果を発揮する．

b 製剤のポイント（セールスポイント）

PsA の自己免疫性あるいは炎症性疾患との関連が示唆されている IL-17A を標的とした世界初の薬剤で，IL-17A に結合しその生物活性を中和することで効果を発揮する．ヒト抗体であることから抗薬物抗体の出現率は 1％未満である．有効性に関しては，関節炎の改善効果は TNF 阻害薬と同程度であり，乾癬の皮膚病変に関しては高い結果が発表されている．

c 有効性データ

活動性乾癬性関節炎患者（n＝996）を対象とした第Ⅲ相臨床試験（FUTURE5 試験）において，関節炎の改善（ACR, DAS の改善），関節破壊の抑制（mTSS），乾癬皮膚症状の改善（PASI），機能障害の改善（HAQ），指炎，付着部炎も改善が示されており，TNF 阻害薬の成績と同程等の効果が示されている（図 A-86, A-87）．

d 処方の実際

通常，成人にはセクキヌマブ（遺伝子組換え）として，1 回 300 mg を，初回，1 週後，2 週後，3 週後，4 週後に皮下投与し，以降，4 週間の間隔で皮下投与する．また，体重により，1 回 150 mg を投与することができる．

229

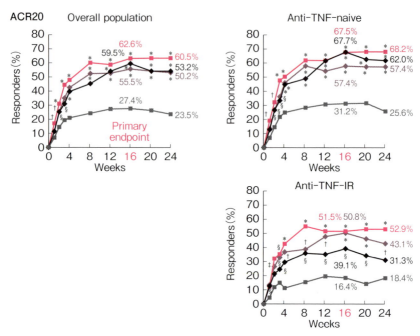

図 A-86 24週時点のACR20反応率：それぞれ全体，TNF阻害薬未使用，TNF阻害薬抵抗例

＊p＜0.0001；†p＜0.001；§p＜0.01；‡p＜0.05 unadjusted p values versus placebo（Statistical analysis was based on logistic regression. Missing values and placebo patients rescued at week 16 were imputed as non-responders.）
4群：Adults (n=996) with active PsA were randomised 2:2:2:3 to s.c. secukinumab 300 mg or 150 mg with loading dose (LD), 150 mg without LD or placebo

e 処方上の注意

　結核や肝炎を含めた感染症（再活性化含む）に対する留意点は，これまでの生物学的製剤と同様である．IL-17阻害薬に特徴的な副作用として，好中球減少および真菌感染症（とくにカンジダ症）が報告されている．経過中に好中球数減少が認められた場合には休薬・投与中止など，適切な処置を行う．また，皮膚および粘膜のカンジダ感染症が国内外で報告されている．口唇および口腔（食道）粘膜，外陰部などの症状には十分注意し，症状によっては口腔外科，耳鼻科，消化器内科，婦人科などと連携することが望ましい．

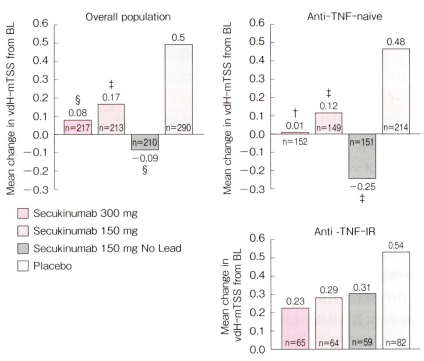

図 A-87 Baseline から 24 週時点の vdH-mTSS 変化量
†p＜0.001; §p＜0.01; ‡p＜0.05 unadjusted p values versus placebo
（Mease P, et al. Ann Rheum Dis. 2018; 77: 890-7）

f 使いやすい患者

保険適応は既存治療で効果不十分な尋常性乾癬，関節症性乾癬，膿疱性乾癬で，
(1) 紫外線療法を含む既存の全身療法（生物製剤を除く）で十分な効果が得られず，皮疹が体表面積の 10％以上に及ぶ患者．
(2) 難治性の皮疹，関節症状または膿疱を有する患者のいずれかに該当する場合となっている．

g 使いにくい患者

活動期のクローン病患者に対する注意があげられる．セクキヌマブの海外第Ⅱ相臨床試験において，プラセボ群に比べ，クローン病が活動期にある場

染リスクを高めてしまうためと考えられており，実際に添付文書上「その他の副作用」に記載があるが，グセルクマブには記載が入っていない．

c 有効性
図 A-92, A-93, A-94 に示す．

d 処方の実際
通常，成人にはグセルクマブ（遺伝子組換え）として，1 回 100 mg を初回，4 週後，以降 8 週間隔で皮下投与する．

e 使用上の注意
他の生物学的製剤と同様に結核を含む感染症のスクリーニング（T-SPOT，β-D-グルカン，胸部画像など），予防策（肺炎球菌ワクチン，インフルエンザワクチンなど），年齢相応の悪性腫瘍スクリーニングを投与前に行う．

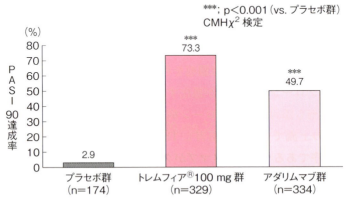

図 A-92 PSO3001 試験（海外第三相二重盲検比較試験）
PASI 90 達成率（16 週）【主要評価項目】（海外データ）
Blauvet A, et al. J Am Acad Dermott. 2017; 75: 405-17 より作図
グセルクマブの局面型皮疹を有する乾癬患者に対する臨床成績（CNTO 1959P50300 試験）[社内資料]

4. よく使われる抗リウマチ薬

● 投与 16 週および 24 週後の ACR 20 改善率は, 60.0% および 58.0% であった. プラセボ群に対し, 有意な ACR 20 改善効果を示した (p<0.001, TNFα阻害薬の治療歴の有無を層別因子とした CMH 検定).

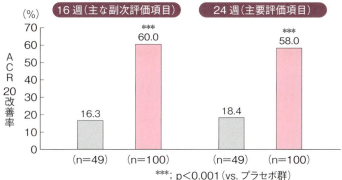

図 A-93 PSA2001 試験（海外第Ⅱa 相二重盲検比較試験）
ACR 20 改善率（16, 24 週）
【主要評価項目 / 主な副次評価項目】（海外データ）
グセルクマブの活動性関節症性乾癬患者に対する臨床成績（CNTO 1959P5A 2001 試験）[社内資料　承認時評価資料]

PSA2001 試験（海外第Ⅱa 相二重盲検比較試験）
MTX 併用の有無別 ACR 20 改善率（24 週）
【主要評価項目 / サブグループ解析】（海外データ）

● ACR 20 は, MTX 併用の有無にかかわらず同様の結果を示した.

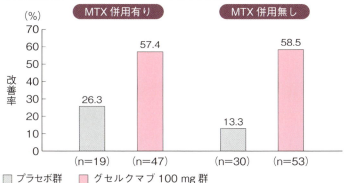

図 A-94 PsA 患者を対象に行われた第Ⅱa 相 2001 試験では MTX 併用有無別 ACR 20 達成率

chapter A ●関節リウマチの診断・薬物治療

f 使いやすい患者

- 中等から重症患者（DM 患者や 100 kg 以上など高体重患者でも有効性に差はなかった）.
- 皮疹だけでなく関節炎もある患者（抗 TNF 製剤の同等の有効性あり）.
- 自己注射を嫌がる患者，注射回数をできる限り減らしたい患者.
- 2 カ月に 1 回の来院のため働き盛りの患者や遠方の患者.
- 若い患者（クローン病悪化の記載がない）.
- 高齢者（カンジダなどの副作用が少ない，添付文書上「その他の副作用」に記載がない）.

g 使いにくい患者

- 自己注射は不可，2 カ月に 1 回の来院となるため，これまで 3 カ月来院の方と比べると費用負担が高くなる.
- 数週での有効性を求める患者.

22 リサンキズマブ
（スキリージ® 皮下注 75 mg シリンジ）

a 作用機序

- IL-23 のサブユニットである p19 を特異的に阻害する抗ヒト IL-23p19 モノクローナル抗体製剤である.

b ポイント

- 抗 IL-23 製剤は有効性としては乾癬皮膚病変への効果が非常に高い特徴があるが，逆に脊椎関節病変への効果は期待できない．主に Th17 などの獲得免疫系を抑制するため効果持続が長く，投与間隔が長い特徴がある．また，感染症も直接自然免疫系を強く抑制しないことから少なく，IBD などの腸管病変への悪影響は問題にならないと考えられる.

c 有効性

- 乾癬の中等度以上の皮膚病変に関してはウステキヌマブとの比較試験でも

244

4. よく使われる抗リウマチ薬

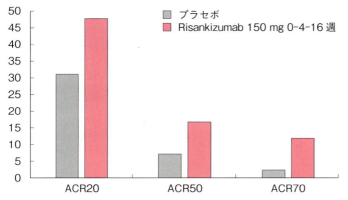

図 A-95 乾癬性関節炎における ACR 反応率（24 週）（EULAR 学会発表）
（Mease PJ, et al. Ann Rheum Dis. 2018; 77: 200-1）

有意な有効性を示している（Lancet. 2018; 392: 650-61）．
- 乾癬性関節炎においても，プラセボに比して有効性が報告されている．

d 処方の実際
- 通常，成人にはリサンキズマブ（遺伝子組換え）として，1 回 150 mg を初回，4 週後，以降 12 週間隔で皮下投与する．なお，患者の状態に応じて 1 回 75 mg を投与することができる．

e 使用上の注意
- 他の生物学的製剤と同様に結核を含む感染症のスクリーニング（T-SPOT，β-D-グルカン，胸部画像など），予防策（肺炎球菌ワクチン，インフルエンザワクチンなど）
- 年齢相応の悪性腫瘍スクリーニングを投与前に行う．

f 使いやすい患者
- 皮疹の強く脊椎関節炎のない患者．
- 感染症のリスクの高い患者．
- 3 カ月に一回の受診が都合の良い患者．

chapter A ●関節リウマチの診断・薬物治療

表 A-64

	関節リウマチ	乾癬性関節炎	強直性脊椎炎
男性：女性	1：4	6：4	3：1
発症年齢	30〜50 代	男 30 代　女性 50 代	10〜20 代
炎症の主座	滑膜炎	付着部炎（指炎）	付着部炎
典型的な関節	末梢関節 MCP，PIP，MTP 手，肘，肩，膝，足関節 軸 C1-C2	末梢関節 DIP，PIP，MCP，MTP 手，膝，足関節 軸　頚椎から仙腸関節	末梢関節 肩，股関節 軸　仙腸関節から上行
対称性	対称性	非対称性（Ray 現象）	対称性（SIJ）
罹患関節数	5 以上（Poly）	5 未満（Oligo）	5 未満（Oligo）
皮膚	血管炎，結節	爪，頭皮，紫色変色	KB（Keratoderma B）
臓器病変	間質性肺炎	ぶどう膜炎，腸炎，肥満	ぶどう膜炎，腸炎，AR
血液検査	RF＋，ACPA＋， HLA-B27－	RF－，ACPA－， HLA-B27＋	RF－，ACPA－， HLA-B27＋
X 線	骨びらん	骨びらん，骨新生（厚）	骨新生（薄）
治療　末梢	MTX など csDMARDs， JAKI TNFI，IL-6 系 I， CTLA-4-Ig	MTX，NSAIDs TNFI，IL-17I，IL-23I	NSAIDs TNFI，IL-17I
脊椎	末梢と同様（C1-2）	NSAIDs，TNFI，IL-17I	NSAIDs，TNFI，IL-17I
ステロイド	短期全身投与，局所	局所（関節注など）	局所（関節注など）

g 使いにくい患者

• 関節症状が強く即効性が望ましい患者．

23 ウステキヌマブ
（ステラーラ® 皮下注 45 mg シリンジ）

a 作用機序

　IL-23 はジスルフィド結合で p40 と p19 が結合したヘテロダイマーで，IL-12 は p35 と p40 の 2 つのサブユニットを持つ．ウステキヌマブは IL-12/23 の共通サブユニットである p40 をターゲットにしたヒト型抗ヒト IL-

4. よく使われる抗リウマチ薬

12/23p40 モノクローナル抗体製剤で，IL-12 および IL-23 を特異的に阻害する．

b 製剤のポイント

- 中等症から重症の局面型皮疹を有する乾癬患者を対象とした海外第Ⅲ相試験（PHOENIX1）において，PASI 75 は投与 12 週後には 45 mg－67.1%，90 mg－66.4%を示し，244 週後（5 年）では 45 mg－63.4%，90 mg－72.4%と効果を維持した．抗 TNF 製剤の代表的な試験と比べても 12 週では同等の有効性が示され，長期継続率に関しては上回った（Leonardi CL, et al. Lancet. 2008; 371: 1665）．

- 活動性関節症性乾癬患者を対象とした海外第Ⅲ相臨床試験（PSUMMIT 1 試験）において，投与 24 週後で 45 mg－42.4%，90 mg－49.5%の患者が ACR 20 を達成した（McInnes IB, et al. Lancet. 2013; 382（9894）: 780）．

- ウステキヌマブは完全ヒト型抗体であり抗製剤抗体産生率は国内第Ⅲ相臨床試験において 6.5%と低い（76 週）．

- 長期継続率に関して，デンマークで行われている中等度～重度の乾癬で生物学的製剤を使用している患者の DERMBIO レジストリーにおいて，セクキヌマブ，TNF 阻害薬，ウステキヌマブの中でもっとも継続率が高く，セクキヌマブが最も低かった．一方，PASI100 達成率はセクキヌマブが最も高かった（Egeberg A, et al. Br J Dermatol. 2018; 178: 509-19）．

- 保険適応は既存治療で効果不十分な下記疾患．
  尋常性乾癬，関節症性乾癬．
  (1) 紫外線療法を含む既存の全身療法（生物製剤を除く）で十分な効果が得られず，皮疹が体表面積の 10%以上に及ぶ患者．
  (2) 難治性の皮疹または関節症状を有する患者．

- 抗 IL-17 製剤はクローン病の症状が悪化する傾向がみられたため，いずれの抗 IL-17 製剤も添付文書上クローン病患者は「慎重投与」となっているが，Th17 の上流で IL-23 を阻害し Th17 を抑制するウステキヌマブは，クローン病の治療薬でもあることから「慎重投与」にクローン病患者は入っていない．

- 抗 IL-17 製剤に特徴的な副作用として，感染症（特にカンジダ症などの

真菌感染症）が挙げられる．これは IL-17 を含む Th17 サイトカインは皮膚，肺，腸管上皮などにおいて細胞外寄生性細菌や真菌に対する宿主の感染防御に関与しており，IL-17 の作用が減弱することで皮膚や粘膜の感染リスクを高めてしまうためと考えられており，実際に添付文書上「その他の副作用」に記載があるが，ウステキヌマブには記載が入っていない．

C 有効性

図 A-96，A-97，A-98，A-99 に示す．

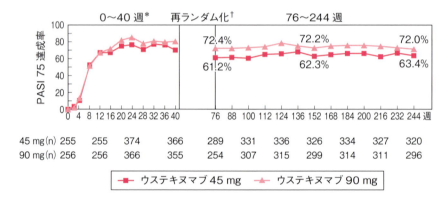

【ウステキヌマブ継続投与時における PASI 75 達成率の推移】　PASI 75（副次評価項目）

*24 週時の解析より，プラセボからウステキヌマブへクロスオーバーした群を含めた．
†40 週時に 42.5% の患者が再ランダム化によりプラセボが投入されたため，40 週〜76 週についての有効性評価は行っていない．
また，再投与された症例は再投与 12 週後から有効性解析に含めた．

〈用法・用量〉
　通常，成人にはウステキヌマブ（遺伝子組換え）として 1 回 45 mg 皮下投与する．初回投与およびその 4 週後に投与し，以後 12 週間隔で投与する．ただし，効果不十分な場合には 1 回 90 mg を投与することができる．

図 A-96 PASI 75 達成率（PHOENIX1 through 5 years 海外データ）
（kimball AB, et al. JEADV. 2013; 27: 1535-45）

4. よく使われる抗リウマチ薬

〈主要評価項目〉24週時の ACR 20 達成率
〈副次評価項目〉24週時の ACR 50 達成率，24週時の ACR 70 達成率

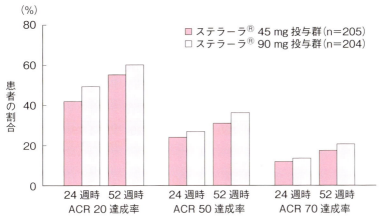

欠測値は LOCF 法を用いて補充した．

図 A-97 ACR 20, 50, 70 達成率（海外第Ⅲ相臨床試験 PSUMMIT1 海外データ）
（McInnes IB, et al. Lancet. 2013; 382: 780 より改変）

【Summary】
▶ 目的：生物学的製剤の安全性，有効性，継続率を検証

▶ 方法：2007年1月1日～2017年3月31日
DERMBIO レジストリーに登録された患者
2,161名

▶ 結果
SKB：PASI 100 達成率が最も高かったが，継続率は最も低かった．
UST：全体的に最も高い継続率を示した．
BS：IFX または ETN の先発品と BS で継続率に有意差はなく，安全性プロファイルも同等であった．
用量：ADA および SKA を除くすべての薬剤でしばしば承認用量よりも多い用量で投与が行われた．

▶ 結論：中等症から重症の乾癬患者の治療において UST が一番継続率が高かった
AE は感染症・心血管系イベントが SKB で一番多かった．

図 A-98 中等症から重症の乾癬患者に対する生物学的製剤および BS の安全性・有効性・継続率の検討

249

リウマチ治療におけるメトトレキサート診療ガイドライン 2
版．2010年9月作成．

4) Visser K, et al. Multinational evidence-based recommenda-
tions for the use of methotrexate in rheumatic disorders with
a focus on rheumatoid arthritis. Ann Rheum Dis. 2009; 68:
1086-93.

5) Smolen JS, et al. EULAR recommendations for the manage-
ment of rheumatoid arthritis with synthetic and biological
disease-modifying antirheumatic drugs. Ann Rheum Dis.
2010; 69: 964-75.

6) Seideman P. Methotrexate-the relationship between dose
and clinical effect. Br J Rheumatol. 1993; 32: 751-3.

7) Wegrzyn J, et al. Better efficacy of methotrexate given by in-
tramuscular injection than orally in patients with rheumatoid
arthritis. Ann Rheum Dis. 2004; 63: 1232-4.

8) Hoekastra M, et al. Splitting high-dose oral methotrexate im-
proves bioavailability. J Rheum. 2006; 33: 481-5.

9) DissickA, et al. Association of periodontitis with rheumatoid
arthritis: a pilot study. J Periodontol. 2010; 81: 223-30.

10) Mikuls TR, et al. Porphyromonas gingivalis and disease-re-
lated autoantibodies in individuals at increased risk of rheu-
matoid arthritis. Arthritis Rheum. 2012; 64: 3522-30.

11) Klareskog L et al. A new model for an etiology of rheumatoid
arthritis: smoking may trigger HLA-DR (shared epitope)-re-
stricted immune reactions to autoantigens modified by citrul-
lination. Arthritis Rheum. 2006; 54: 38-46.

12) Ortiz P, et al. Periodontal therapy reduces the severity of ac-
tive rheumatoid arthritis in patients treated with or without
tumor necrosis factor inihibitors. J Periodontol. 2009; 80:
535-40.

13) Saevarsdottir S, et al. Patients with early rheumatoid arthritis
who smoke are less likely to respond to treatment with meth-
otrexate and tumor necrosis factor inhibitors: observations
from the Epidemiological Investigation of Rheumatoid Arthri-
tis and the Swedish Rheumatology Register cohorts. Arthritis
Rheum. 2011; 63: 26-36.

14) Lu B, et al. Being overweight or obese and risk of developing
rheumatoid arthritis among women: a prospective cohort
study. Ann Rheum Dis. 2014; 73: 1914-22.

4. よく使われる抗リウマチ薬

15) Gremese E, et al. Obesity and reduction of the response rate to anti-tumor necrosis factor α in rheumatoid arthritis: an approach to a personalized medicine. Arthritis Care and Research. 2013; 65: 94-100.

16) Elliott MJ, et al. Treatment of rheumatoid arthritis with chimeric monoclonal antibodies to tumor necrosis factor alpha. Arthritis Rheum. 1993; 36: 1681-90.

17) Gabay C, et al. Tocilizumab monotherapy versus adalimumab monotherapy for treatment of rheumatoid arthritis (ADACTA): a randomised, double-blind, controlled phase 4 trial. Lancet. 2013; 381: 1541-50.

18) Schiff M, et al. Head-to-head comparison of subcutaneous abatacept versus adalimumab for rheumatoid arthritis: two-year efficacy and safety findings from AMPLE trial. Ann Rheum Dis. 2014; 73: 86-94.

19) Smolen JS, et al. Proposal for a new nomenclature of disease-modifying antirheumatic drugs. Ann Rheum Dis. 2014; 73: 3-5.

20) Schiff M, et al. Head-to-head comparison of subcutaneous abatacept versus adalimumab for rheumatoid arthritis: two-year efficacy and safety findings from AMPLE trial. Ann Rheum Dis. 2014; 73: 86-94.

21) Gabay C, et al. Tocilizumab monotherapy versus adalimumab monotherapy for treatment of rheumatoid arthritis (ADACTA): a randomised, double-blind, controlled phase 4 trial. Lancet. 2013; 381: 1541-50.

22) Combe B, et al; Etanercept European Investigators Network (Etanercept Study 309 Investigators). Etanercept and sulfasalazine, alone and combined, in patients with active rheumatoid arthritis despite receiving sulfasalazine: a double-blind comparison. Ann Rheum Dis. 2006; 65: 1357-62.

23) Strangfeld A, et al. Comparative effectiveness of tumour necrosis factor alpha inhibitors in combination with either methotrexate or leflunomide. Ann Rheum Dis. 2009; 68: 1856-62.

24) Kaeley GS, et al. Impact of methotrexate dose reduction upon initiation of Adalimumab on clinical and ultrasonographic parameters in patients with moderate to severe rheumatoid arthritis. Arthritis Rheum 2013; 65 suppl: S1147.

chapter A ●関節リウマチの診断・薬物治療

25) Dougados M, et al. Adding tocilizumab or switching to tocilizumab monotherapy in methotrexate inadequate responders: 24-week symptomatic and structural results of a 2-year randomised controlled strategy trial in rheumatoid arthritis (ACT-RAY). Ann Rheum Dis. 2013; 72: 43-50.

26) Dougados M, et al. Clinical, radiographic and immunogenic effects after 1 year of tocilizumab-based treatment strategies in rheumatoid arthritis: the ACT-RAY study. Ann Rheum Dis. 2014; 73: 803-9.

27) Nash P, et al. Immunogenicity, safety, and efficacy of abatacept administered subcutaneously with or without background methotrexate in patients with rheumatoid arthritis: results from a phase III, international, multicenter, parallel-arm, open-label study. Arthritis Care Res (Hoboken). 2013; 65: 718-28.

28) Emery P, et al. Evaluating drug-free remission with abatacept in early rheumatoid arthritis: results from the phase 3b, multicenter, randomized, active-controlled AVERT study of 24 months, with a 12-month, double-blind treatment period. Ann Rheum Dis. 2015; 74: 19-26.

29) Naniwa T, et al. Adding low dose tacrolimus in rheumatoid arthritis patients with an inadequate response to tumor necrosis factor inhibitor therapies. Rheumatol Int. 2009; 29: 1287-91.

30) Horikoshi M, et al. Efficacy of mizoribine pulse therapy in patients with rheumatoid arthritis who show a reduced or insufficient response to infliximab. Mod Rheumatol. 2009; 19: 229-34.

31) Nakashima Y, et al. Clinical evaluation of tocilizumab for patients with active rheumatoid arthritis refractory to anti-TNF biologics: tocilizumab in combination with methotrexate. Mod Rheumatol. 2010; 20: 343-52.

32) Smolen JS, et al; GO-AFTER study investigators. Golimumab in patients with active rheumatoid arthritis after treatment with tumour necrosis factor alpha inhibitors (GO-AFTER study): a multicentre, randomised, double-blind, placebo-controlled, phase III trial. Lancet. 2009; 374: 210-21.

33) Furst DE, et al. Open-label, pilot protocol of patients with rheumatoid arthritis who switch to infliximab after an incom-

plete response to etanercept: the opposite study. Ann Rheum Dis. 2007; 66: 893-9.

34) Emery P, et al. IL-6 receptor inhibition with tocilizumab improves treatment outcomes in patients with rheumatoid arthritis refractory to anti-tumour necrosis factor biologicals: results from a 24-week multicentre randomised placebo-controlled trial. Ann Rheum Dis. 2008; 67: 1516-23.

35) Genovese MC, et al. Abatacept for rheumatoid arthritis refractory to tumor necrosis factor alpha inhibition. N Engl J Med. 2005; 353: 1114-23.

36) Cohen SB, et al; REFLEX Trial Group. Rituximab for rheumatoid arthritis refractory to anti-tumor necrosis factor therapy: Results of a multicenter, randomized, double-blind, placebo-controlled, phase III trial evaluating primary efficacy and safety at twenty-four weeks. Arthritis Rheum. 2006; 54: 2793-806.

37) Yoshida K, et al. Biologic discontinuation studies: a systematic review of methods. Ann Rheum Dis. 2014; 73: 595-9.

38) Nishimoto N, et al. Drug free REmission/low disease activity after cessation of tocilizumab (Actemra) Monotherapy (DREAM) study. Mod Rheumatol 2014; 24: 17-25.

39) Emery P, et al. Sustained remission with etanercept tapering in early rheumatoid arthritis. N Engl J Med. 2014; 371: 1781-92.

40) Tanaka Y, et al. Discontinuation of adalimumab after achieving remission in patients with established rheumatoid arthritis: 1-year outcome of the HONOR study. Ann Rheum Dis. 2015; 74: 389-95.

41) Emery P, et al. Evaluating drug-free remission with abatacept in early rheumatoid arthritis: results from the phase 3b, multicentre, randomised, active-controlled AVERT study of 24 months, with a 12-month, double-blind treatment period. Ann Rheum Dis. 2015; 74: 19-26.

42) Bongartz T, et al. Anti-TNF antibody therapy in rheumatoid arthritis and the risk of serious infections and malignancies: systematic review and meta-analysis of rare harmful effects in randomized controlled trials. JAMA. 2006; 295: 2275-85.

43) Takeuchi T, et al. Postmarketing surveillance of the safety profile of infliximab in 5000 Japanese patients with rheuma-

chapter A ●関節リウマチの診断・薬物治療

toid arthritis. Ann Rheum Dis. 2008; 67: 189-94.

44) Dixon WG, et al. Serious infection following anti-tumor necrosis factor alpha therapy in patients with rheumatoid arthritis: lessons from interpreting data from observational studies. Arthritis Rheum. 2007; 56: 2896-904.

45) Nishimoto N, et al. Long-term safety and efficacy of tocilizumab, an anti-IL-6 receptor monoclonal antibody, in monotherapy,in patients with rheumatoid arthritis (the STREAM study): evidence of safety and efficacy in a 5-year extension study. Ann Rheum Dis. 2009; 68: 1580-4.

46) Gottenberg JE, et al. Risk factors for severe infections in patients with rheumatoid arthritis treated with rituximab in the autoimmunity and rituximab registry. Arthritis Rheum. 2010; 62: 2625-32.

47) Harigai M, et al. Pneumocystis pneumonia associated with infliximab in Japan. N Engl J Med. 2007; 357: 1874-6.

48) Askling J, et al. Risk and case characteristics of tuberculosis in rheumatoid arthritis associated with tumor necrosis factor antagonists in Sweden. Arthritis Rheum. 2005; 52: 1986-92.

49) Keane J, et al. Tuberculosis associated with infliximab, a tumor necrosis factor alpha-neutralizing agent. N Engl J Med. 2001; 345: 1098-104.

50) Gomez-Reino JJ, et al. Treatment of rheumatoid arthritis with tumor necrosis factor inhibitors may predispose to significant increase in tuberculosis risk: a multicenter active-surveillance report. Arthritis Rheum. 2003; 48: 2122-7.

51) Strangfeld A, et al. Risk of herpes zoster in patients with rheumatoid arthritis treated with anti-TNF-α agents. JAMA. 2009; 301: 737-44.

52) Brown SL, et al. Tumor necrosis factor antagonist therapy and lymphoma development: twenty-six cases reported to the Food and Drug Administration. Arthritis Rheum. 2002; 46: 3151-8.

53) Geborek P, et al. Tumour necrosis factor blockers do not increase overall tumour risk in patients with rheumatoid arthritis, but may be associated with an increased risk of lymphomas. Ann Rheum Dis. 2005; 64: 699-703.

54) Wolfe F, et al. Biologic treatment of rheumatoid arthritis and the risk of malignancy: analyses from a large US observa-

256

tional study. Arthritis Rheum. 2007; 56: 2886-95.

55) Askling J, et al. Haematopoietic malignancies in rheumatoid arthritis: lymphoma risk and characteristics after exposure to tumour necrosis factor antagonists. Ann Rheum Dis. 2005; 64: 1414-20.

56) Mariette X, et al. Malignancies associated with tumor necrosis factor inhibitors in registries and prospective observational studies: a systematic review and meta-analysis. Ann Rheum Dis 2011; 70: 1895-904.

57) Baecklund E, et al. Association of chronic inflammation, not its treatment, with increased lymphoma risk in rheumatoid arthritis. Arthritis Rheum. 2006; 54: 692-701.

58) Mariette X, et al; Investigators of the Club Rhumatismes et Inflammation. Lymphomas in rheumatoid arthritis patients treated with methotrexate: a 3-year prospective study in France. Blood. 2002; 99: 3909-15.

59) Silman AJ, et al. Lymphoproliferative cancer and other malignancy in patients with rheumatoid arthritis treated with azathioprine: a 20 year follow up study. Ann Rheum Dis. 1988; 6: 988-92.

60) Balandraud N, et al. Epstein-Barr virus load in the peripheral blood of patients with rheumatoid arthritis: accurate quantification using real-time polymerase chain reaction. Arthritis Rheum. 2003; 48: 1223-8.

61) Salloum E, et al. Spontaneous regression of lymphoproliferative disorders in patients treated with methotrexate for rheumatoid arthritis and other rheumatic diseases. J Clin Oncol. 1996; 14: 1943-9.

62) Ekström K, et al. Risk of malignant lymphomas in patients with rheumatoid arthritis and in their first-degree relatives. Arthritis Rheum. 2003; 48: 963-70.

63) Takeuchi T, et al. Retrospective clinical study on the notable efficacy and related factors of infliximab therapy in a rheumatoid arthritis management group in Japan: one-year outcome of joint destruction (RECONFIRM-2J) . Mod Rheumatol. 2008; 18: 447-54.

64) Dirven L, et al. Seven year results of DAS steered treatment in the BeSt study: clinical and radiological outcomes. Arthritis Rheum. 2010; 62 Suppl: S139.

chapter A ●関節リウマチの診断・薬物治療

65) Tanaka Y, et al; RRR study investigators. Discontinuation of infliximab after attaining low disease activity in patients with rheumatoid arthritis: RRR (remission induction by Remicade in RA) study. Ann Rheum Dis. 2010; 69: 1286-91.

66) Singh JA, et al. A network meta-analysis of randomized controlled trials of biologics for rheumatoid arthritis: a Cochrane overview. CMAJ. 2009; 181: 787-96.

67) Emery P, et al. Comparison of methotrexate monotherapy with a combination of methotrexate and etanercept in active, early, moderate to severe rheumatoid arthritis (COMET): a randomised, double-blind, parallel treatment trial. Lancet. 2008; 372: 375-82.

68) Emery P, et al. EULAR 2010 Abstract #LB0001.

69) Murashima A, et al. Etanercept during pregnancy and lactation in a patient with rheumatoid arthritis: drug levels in maternal serum, cord blood, breast milk and the infant's serum. Ann Rheum Dis. 2009; 68: 1793-4.

70) Smolen JS, et al. Maintenance, reduction, or withdrawal of etanercept after treatment with etanercept and methotrexate in patients with moderate rheumatoid arthritis (PRESERVE): a randomised controlled trial. Lancet. 2013; 381: 918-29.

71) Emery P, et al. Sustained remission with etanercept tapering in early rheumatoid arthritis. N Engl J Med. 2014; 371: 1781-92.

72) Van der Heijde D, et al. ACR 2008 Abstract #995.

73) Brummester GR. EULAR 2010 Abstract #THU0184.

74) Burmester GR, et al. Efficacy and safety of ascending methotrexate dose in combination with adalimumab: the randomised CONCERTO trial. Ann Rheum Dis published Online First 18 February 2014.

75) Nishimoto N, et al. EULAR 2010 Abstract #OP0134.

76) Nishimoto N, et al. EULAR 2010 Abstract #SAT0150.

77) Kremer JM, et al. Effects of abatacept in patients with methotrexate-resistant active rheumatoid arthritis: a randomized trial. Ann Intern Med. 2006; 144: 865-76.

78) Genovese MC, et al. Abatacept for rheumatoid arthritis refractory to tumor necrosis factor alpha inhibition. N Engl J Med. 2005; 353: 1114-23.

79) Westhovens R, et al. Disease remission is achieved within

two years in over half of methotrexate naive patients with early erosive rheumatoid arthritis treated with abatacept plus methotrexate: results from the AGREE trial. Arthritis Rheum. 2009; 60 S10: 638.

80) Schiff M, et al. Efficacy and safety of abatacept or infliximab vs placebo in ATTEST: a phase III, multi-centre, randomised, double-blind, placebo-controlled study in patients with rheumatoid arthritis and an inadequate response to methotrexate. Ann Rheum Dis. 2008; 67: 1096-103.

81) Tanaka Y, et al. APLAR 2010 Abstract #FP6-1.

82) Weinblatt M, et al. Safety of the selective costimulation modulator abatacept in rheumatoid arthritis patients receiving background biologic and nonbiologic disease-modifying antirheumatic drugs: A one-year randomized, placebo-controlled study. Arthritis Rheum. 2006; 54: 2807-16.

83) Schiff M, et al. The 6-month safety and efficacy of abatacept in patients with rheumatoid arthritis who underwent a washout after anti-tumour necrosis factor therapy or were directly switched to abatacept: the ARRIVE trial. Ann Rheum Dis. 2009; 68: 1708-14.

84) Singh JA, et al. Adverse effects of biologics: a network meta-analysis and Cochrane overview (Review). Cochrane Database Syst Rev. 2011; (2).

85) Yamamoto K, et al. Efficacy and safety of certolizumab pegol plus methotrexate in Japanese rheumatoid arthritis patients with an inadequate response to methotrexate. Arthritis Rheum. 2011; 10; 63(10 Suppl.): S474-S475.

86) Yamamoto K, et al. Efficacy and safety of certolizumab pegol without methotrexate co-administration in Japanese patients with active rheumatoid arthritis. Arthritis Rheum. 2011; 10; 63(10 Suppl.): S476.

87) Weinblatt. et al. Efficacy and safety of certolizumab pegol in a broad population of patients with active rheumatoid arthritis: results from the REALISTIC phase IIIb study. Rheumatology (Oxford) 2012: doi: 10.1093/rheumatology/kes150

88) Furst DE, et al. Evaluation of Two Dosing Regimens of Certolizumab Pegol for Maintenance of Clinical Response in Patients with Active Rheumatoid Arthritis: Primary Results from Doseflex, a Phase IIIB Study. Ann Rheum Dis. 2012; 71(Sup-

chapter A ●関節リウマチの診断・薬物治療

pl. 3): 513.

89) http://clinicaltrials.gov/ct2/show/NCT01451203?term=Certol izumab+pegol+Early+RA&rank=1

90) Wakefield, et al. The use of surrogate antibodies to evaluate the developmental and reproductive toxicity potential of an anti-TNFa PEGylated Fab# monoclonal antibody. Toxicological Sciences. 2011; 122: 170-6.

91) Mahadevan, et al. Placental transfer of anti-tumor necrosis factor agents in pregnant patients with inflammatory bowel disease. Clin Gastroenterol Hepatol. 2013; 11: 286-92.

92) Clowse M, et al. Outcomes of pregnancy in subjects exposed to certolizumab pegol. Arthritis Rheum. 2012; 1001; 64(Suppl. 10): S702.

5 その他の抗リウマチ薬

1 タクロリムス
(プログラフ® 0.5 mg・1 mg カプセル，タクロリムス錠 0.5 mg・1 mg・1.5 mg・3 mg ［散］)

a はじめに――どうやって効くのか？

- 既存の抗リウマチ薬とは異なる作用機序をもち，T細胞由来のIL-2, IFNγを強力に抑制するが，TNFα，IL-1βおよびIL-6の産生も抑制することで臨床効果を発揮する．
- 主に肝臓で薬物代謝酵素CYP3A4で代謝される．代謝物の大部分は胆汁中に排泄される．
- 免疫抑制薬であり，移植よりも少量を投与することにより，RAなどの自己免疫疾患の治療に用いられているが，やはり感染症に対する注意は必要である．

b ポイント

- 作用機序が異なることから，MTXを含む他DMARDs効果不十分例に対しても効果が期待できる．
- 高齢者対象試験を行っており，有効性と安全性が検証されている．
- 用法が1日1回であり，アドヒアランスの点からも優れている．
- 副作用は，腎機能検査値異常，消化管障害および耐糖能異常があり，重篤なものとしては，肺炎がある．
- 他のDMARDs・生物学的製剤と作用点が異なるので，併用することができる．
- 副作用のプロファイルがはっきりしているので，重要な副作用さえ理解す

chapter A ●関節リウマチの診断・薬物治療

れば他剤に比べ安全で使いやすい.

- 後発品の発売により, 1.5 mg 錠, 3 mg 錠も使用可能となり約50％の薬価削減となった

c 有効性

- **他剤効果不十分例, また高齢者でも, 有効性と安全性が確認されている薬剤.**
- 本剤は, 海外でRAの適応を取得している国が限られるため, エビデンスは多くないが, 本邦での使用経験は十分ある. 例えば, 本剤は, 第Ⅲ相試験としてミゾリビンとの二重盲検群間比較試験を行っており, ミゾリビン群に比し, 有意に高い改善効果を示した[1]. また, MTX効果不十分例, および他のDMARDs効果不十分例に対する非盲検非対照試験を行っており, その有用性が確認されている. 高齢者試験も行っており, 有効性と安全性が確認されている. 3,175例の市販後調査より, 24週間の観察の結果, DAS28によるmoderate response以上の改善率66％と有効性が確認されている.
- 国内のTBCRから, アバタセプトとの併用での効果が報告されている (Rheum Int. 2015; 35: 1707-16). 国内のIORRAコホートスタディにて, 323例の使用経験から, MTXとの併用により, 対照群に比較してDAS28が有意に低下したことが報告されている.
- 効果発現は, おおむね投与4〜8週後でみられる. 臨床効果が発現してからは, その効果は長期に持続することが多い.

d 処方の実際

- **MTX効果不十分例, 生物学的製剤効果不十分例に使用される.**
- ユニークな作用機序をもち, 他剤効果不十分例でも効果が期待できることから, アンカードラッグのMTXを使用しても効果不十分であった場合[2]や, 副作用発現により投与継続あるいは増量が困難な場合に, 本剤を上乗せで, もしくは切替えで使用する. 生物学的製剤効果不十分例に本剤を上乗せで使用し, 効果が得られることもある. また, 生物学的製剤使用患者でMTXが使用できない症例での代替薬としても使用されることがある.

5. その他の抗リウマチ薬

• 非高齢者には 3 mg を 1 日 1 回夕食後に経口投与である．高齢者には 1.5 mg を 1 日 1 回夕食後経口投与から開始し，症状により 1 日 1 回 3 mg まで増量する．非高齢者でも，初期に発現しやすい消化器症状（腹痛，下痢など）を軽減する目的で，1～1.5 mg 程度の低用量から開始されるケースもある．高い血中濃度が持続する場合に腎障害が認められているので，血中濃度（およそ投与 12 時間後）をできるだけ 10 ng/ml 以下に維持すること．

コラム

妊娠を希望している患者にはどうしたらよいか？

　ウサギにタクロリムスを経口投与した器官形成期投与試験において，催奇形作用および胎児毒性が報告されていることから，妊婦，妊娠している可能性のある患者は禁忌であり，使用することができないと 2018 年 3 月時点の日本の添付文書では記載されている．しかし，移植患者では，本剤の投与を中止することができないため，妊娠期間中も通常通り使用継続され，早産や奇形の増加などは認められなかった．米国，欧州でも妊娠中使用可能な薬剤と位置づけされており，国立成育医療研究センターからの指針でも妊娠中も安全な薬剤と位置づけられており，日本産婦人科学会からの産科ガイドライン 2017 でも，添付文書上禁忌であっても充分な説明と患者および家族の理解のもと使用が考慮できるとされている．

コラム

間質性肺疾患を合併する患者に投与してもよいか？

　間質性肺炎合併例に対して本剤が有効であった報告が複数あり，その効果を期待されることが少なくない．しかし一方で，RA に間質性肺炎を合併している患者で，本剤の投与により間質性肺炎が悪化した症例が報告されているため，慎重投与に設定されている．間質性肺疾患を合併する RA 患者に本剤を投与する場合は，発熱，咳嗽，呼吸困難などの呼吸器症状の悪化に十分注意しながら投与する必要がある．

JCOPY 498-02715

263

chapter A ●関節リウマチの診断・薬物治療

e 投与上の注意

- **血中濃度を確認しながら，腎機能異常，耐糖能異常の発現に注意.**
- 本剤の特徴的な副作用は，腎機能検査値異常，消化管障害および耐糖能異常であり，投与前に腎機能の評価，HbA1c と血糖値の測定は行う．多くの副作用は，本剤の減量，中止などの適切な処置で回復する．副作用の多くは濃度依存的である．投与初期や増量する場合には，副作用の発現を防ぐため，およそ投与 12 時間後の血中濃度を測定し，投与量を調節することが推奨されており，一定期間，血中濃度が 20 ng/ml を超えていると，副作用を発現しやすくなる．
- 血中濃度の測定に保険適応があり，10 ng/ml を超える症例は稀であり，腎障害の副作用の頻度も高くなるので用量調整を考慮する．他剤との相互作用に注意が必要であり，併用禁忌は生ワクチン，シクロスポリン，ボセンタン，カリウム保持性利尿薬であり，併用注意にはマクロライド系抗菌薬，アゾール系抗真菌薬，カルシウム拮抗薬のほかにグレープフルーツジュースなどがある．
- まれに，神経系の副作用（可逆性後白質症症候群，カルシニュリン誘発性疾病症候群，振戦など）が認められるが，通常は中止で改善する．

f 使いやすい患者

- リウマチ肺などで MTX が投与できない時などにも使用できる．これは，生物学的製剤との併用薬としても同様である．いずれにせよタクロリムス自体でも重篤な間質性肺炎の報告があるため注意が必要である．ニューモシスチス肺炎にも注意が必要で，血中 β-D グルカンなどの測定も含め早期発見に努める．MTX などの他の抗リウマチ薬にて効果が得られたものの十分ではない症例での併用薬としても使用され，生物学的製剤が使用できない症例でもよい追加併用薬である．

g 使いにくい患者

- 腎機能障害のある患者．
- 糖尿病のコントロールの悪い患者．

5. その他の抗リウマチ薬

 患者への説明

　免疫抑制薬で，腎臓移植などにも使われています．ご存じのように関節リウマチという病気は自己免疫疾患の一つで，本来は外から入ってきたばい菌などを退治するための免疫系が，間違って自分の関節を攻撃してしまう病気です．腎臓移植などでも，移植された腎臓は外から来たもので自分のものではないので，免疫系が攻撃してしまいます．お聞きになったことがあると思いますが，これが拒絶反応と呼ばれるものです．拒絶反応が起こるとせっかく移植した腎臓が機能しなくなってしまいますので，免疫抑制薬という種類の薬を使って免疫系を抑えて拒絶反応が起きなくします．でもそうすると，ばい菌が入ってきた時の抵抗力も確かに弱ってしまうのですが，ばい菌と，他人とはいえ人間から移植した臓器とでは，ばい菌の方が移植された腎臓と比べてずっと自分自身とはかけ離れているので，免疫反応が強く出ます．なので，拒絶反応を抑えてもばい菌の感染症に対する抵抗力はある程度残り，移植を受けた人も，普通の人に比べれば注意が必要ですが，通常の生活ができます．

　自己免疫疾患では，もともと自分の臓器を，つまり今回は関節を，移植されたもののように勘違いしてしまい免疫系が攻撃します．でも，もともとは自分の臓器ですから，移植されたものと比べると自分に似ているので，免疫反応は臓器の拒絶反応と比べれば比較的弱いことが多いです．よって，関節リウマチでも移植に使う半分ぐらいの量を使って治療します．なので，免疫抑制薬を飲んでいるからと言ってばい菌に全く抵抗力がないということにはなりませんし，移植の人と比べるとよいかもしれませんが，やはり普通の人よりはかかりやすいことは確かで，かかってしまうとこじらせてしまうことも少なくないので注意はしてください．でも，普通は大丈夫なので，手洗い，うがい，咳をしているような人の近くにいることを避けるなど，一般的なことをしていれば心配しすぎることはありません．

　体質は人それぞれですから，薬が多くなりすぎてはいけないので，他の検査と一緒にこのお薬の血液中の濃度も定期的に測って気をつけながら使いましょう．あと，副作用としては感染症以外にも，腎臓が悪くなったり，血糖値が上がる人もいますので，こちらも毎月定期的に検査をしてもし副作用が出るようなら早期に発見して対処するようにします．すぐにお薬を減らしたり，休んだりすれば，腎臓が影響を受けても普通は元に戻ります．その他に

chapter A ●関節リウマチの診断・薬物治療

も，薬剤性肺炎なども稀な副作用は沢山ありますが，移植に使う量よりも少ないので，一般的に副作用も少なめになります．薬剤性の肺炎はメトトレキサートなどのほかのリウマチの薬と比べると少ないですが，早期発見が重要です．感染症の肺炎と違って，先に風邪のような症状はなく，いきなり発熱，空咳，労作時呼吸困難が起こります．そのような場合は服用するのをやめてすぐに連絡してください．早期に見つけて，早めにステロイドなどで治療することが重要です．

このお薬は，単独でも，他の抗リウマチ薬と併用しても効果があります．TNF 阻害薬などの生物学的製剤は通常メトトレキサートという他の抗リウマチ薬を併用しますが，間質性肺炎がすでに明らかな人などではメトトレキサートは使えませんので，タクロリムスを代わりに使うことがあります．副作用でメトトレキサートを中止した人でも同じように使えます．

あと，一緒に服用できないお薬，たとえば風邪のような症状でかかった時に出されることのある抗生物質の一種などもありますので，他の医師の診察を受ける時には必ずこの薬を服用していることを伝えてください．薬以外でも，グレープフルーツジュースは薬の分解を遅らせて副作用の原因になるので，飲まないようにしてください．

効果が出るまでに数カ月かかることがありますので，1カ月飲んで効かないからと言ってあきらめてやめたりしないでください．血中濃度を測りますので，毎日夕食後に服用してください．3 mg が最大量ですが，その場合でも一度に夕食後に服用してください．

2 レフルノミド
（アラバ® 10 mg・20 mg・100 mg 錠）

a ポイント

- 欧米では MTX が使用ができない場合や効果不十分例に使用され MTX に匹敵する効果をもつと考えられている免疫抑制薬であり，感染症には注意が必要である．ただ，本邦では間質性肺炎での重症例が相次いだこと，後発品が発売されていないため費用的にも利点が大きくないことなどから，現在は限られた使用にとどまっている．

266

5. その他の抗リウマチ薬

- MTX が使用できない患者での生物学的製剤との併用薬としても欧米では有効性の報告があるが，本邦ではタクロリムスなどが保険適応があるため，その役割は限られている．

b 有効性

- 1つのシステムレビューが Cochrane database に紹介されている[3]．6つの臨床試験を検討し，治療開始後 6 カ月と 12 カ月の時点での ACR20 反応性に関しては MTX やサラゾスルファピリジンとほぼ同等であったことが示された．
- その他の DMARDs と比較した RCT はない．

c 処方の実際

- 添付文書によれば，通常成人にはレフルノミドとして 1 日 1 回 100 mg 錠 1 錠の 3 日間経口投与から開始し，その後，維持量として 1 日 1 回 20 mg を経口投与する．なお，維持量は，症状，体重により適宜 1 日 1 回 10 mg に減量するとなっているが，欧米では副作用軽減のため 100 mg 3 日間のローディングドーズを行わない傾向があり，実際 10 mg から開始し，2 週間後に肝障害などの副作用発現がないことを確認して 20 mg に増量し 4 週ほどで効果を評価することも可能である[4]．

d 副作用と投与時の留意事項

- 妊婦および妊娠している可能性のある婦人，慢性肝障害のある患者は禁忌である．
- 主な副作用は，肝機能検査値異常，下痢，脱毛症，尿沈渣異常，発疹，高血圧，上気道感染，腹痛，尿蛋白などであるが，致死的な間質性肺炎も多く報告されている．2006 年 3 月までに 5,911 例に使用され，80 例で間質性肺炎発症の報告があり，そのうち 27 例（34％）が死亡している．このように，100 mg 3 日間のローディングドーズを行った場合は，MTX などの他の薬剤性肺障害と比べかなり高率である．
- 1 日 20 mg 投与中に ALT（GPT）が基準値上限の 2 倍以上 3 倍以下に上昇した場合には，1 日 10 mg に減量し，より頻回に肝機能検査を行うな

267

ど患者の状態を十分に観察する．ALT（GPT）が基準値上限の3倍以上に上昇した場合，または1日10 mg投与中においても2～3倍の上昇が持続した場合は投与を中止し，薬物除去法を施行する．薬物除去には腸肝循環により体内半減期が2週間と長い薬剤であるのでコレスチラミン無水物4 gを1日3回，17日間を目安として反復経口投与する．

- 効果は通常投与開始後2週間～3カ月で発現するので，効果が期待できれば，3カ月間は継続投与し，判断する．

e 使いやすい患者

- 日本人以外の患者．
- すでに服用している患者．
- 間質性肺炎，肝障害などの副作用を説明し同意の得られる患者．

f 使いにくい患者

- 既存のリウマチ肺のある患者．
- 将来，妊娠を希望する患者．
- 肝機能障害のある患者．

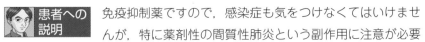

免疫抑制薬ですので，感染症も気をつけなくてはいけませんが，特に薬剤性の間質性肺炎という副作用に注意が必要です．日本での発売当初はこの副作用がこの薬で起こることがわかっていなかったので，診断が遅れて亡くなった患者さんも少なくありませんでした．普通の肺炎と違って，先に風邪のような鼻水，のどの痛みなどの症状はなく，いきなり発熱，空咳，労作時呼吸困難が起こります．そのような場合は服用するのをやめてすぐに連絡してください．あと，ニューモシスチス肺炎という，薬剤性肺炎と区別の難しい感染症による肺炎のこともあります．いずれにせよ早期にみつけて，早めに治療することが重要です．添付文書では，最初の3日間多い量を飲むように書いてありますが，学会の発表では何年も前から欧米ではこれをやめているところが多いようです．効果が出るのが少しだけ遅れるかもしれませんが，免疫を弱めすぎるとニューモシスチス肺炎などの感染症も心配なので，はじめから普通の量で服用する方法も聞

違いではないと思います．日本では薬剤性肺炎で亡くなった方が多かったので，現在はあまり使われていませんが，欧米では一般的なお薬ですので，使い方さえ間違わずに副作用に注意すればよいお薬だと思います．効果は2カ月ほどで出てきます．

3 ミゾリビン（MZR）
（ブレディニン® 50 mg 錠）

a ポイント

- 副作用の発現リスクが低い免疫抑制薬である．
- 他の抗リウマチ薬が使用し難い場合にも使いやすい．
    - ・高齢者．
    - ・他剤が使用し難い副作用の既往・合併症を有する RA〔腎障害（蛋白尿など），肺障害（膠原病性）合併例にも十分な注意のもと使用可能〕．
    - ・他剤が効果減弱または効果不十分な RA での MTX，生物学的製剤への追加併用．
- 添付文書上は認められていないが，有効性を期待して，1日1回投与，間欠投与など様々な使用方法が試みられている．
- 腎排泄型なので腎機能低下症例では排泄が遅延し，血中濃度が高まり，骨髄機能抑制の副作用が発現する可能性がある．
- 副作用として消化器症状（悪心，嘔吐，下痢など），皮疹などがみられ，また本剤に特有の副作用として，高尿酸血症が認められることがある．
- 抗サイトメガロウイルス作用も報告されている．

b 有効性

- **投与方法の工夫により効果の増大が期待される.**
- 本邦で開発された免疫抑制薬で，腎移植，ループス腎炎，ネフローゼ症候群の適応も有し，幅広く臨床に用いられている．切れ味のよい薬剤とは言えないが，その安全性の高さから，他の抗リウマチ薬が使用し難い患者に対しては投与を試みてもよいと考えられる．

chapter A ●関節リウマチの診断・薬物治療

- MTX 効果減弱または効果不十分例に対しての有効性が報告されている. 添付文書上は認められていないが行われている使用方法としては，MTX の投与に合わせての間欠投与，あるいは 1 日用量 150 mg の単回投与などがある.

c 処方の実際

- **効果を期待して投与方法を工夫し，安全性を考慮して投与する.**
- 添付文書上の用法・用量はあくまで「1 回 50 mg を 1 日 3 回経口投与する．なお，症状により適宜増減する」である．よって公式には勧められないが，症例によっては患者と相談して同意を得た上で，投与方法の工夫が行われている．その一つが MTX の効果減弱または不十分例に対する MZR の追加併用である．MTX の投与に合わせて間欠的に MZR 1 回 100〜150 mg を 2〜3 回 / 週使用したり，1 日 1 回 150 mg を追加併用することにより，有効性が得られたと報告されている.
- 安全性が比較的高いことから，他の抗リウマチ薬が使用し難い高齢者や，副作用の既往・合併症を有する RA に使いやすいと考えられている.
- 市販後特別調査の結果，65 歳以上の高齢者と 65 歳未満で副作用発現頻度に差を認めず，高齢者でも比較的安全に投与できる薬剤と考えられる．さらに，抗リウマチ薬により尿蛋白が発現した際，MZR は蛋白尿の副作用が少ないため，使用可能と考えられている．MZR にはネフローゼ症候群に対する適応もあり，RA の治療とともに蛋白尿の改善も期待される.

d 投与上の注意

- MZR は腎排泄型薬剤であり，排泄遅延状態が続くと骨髄機能抑制などの重篤な副作用発現のリスクが高まる．クレアチニンクリアランス（Ccr）と $T_{1/2}$ 推計値との関係からおおよその投与量の目安を考えると，Ccr 40 m*l*/分の場合，減量を考慮し 75〜100 mg/日，20 m*l*/分では 25〜50 mg/日ぐらいから開始するとともに口内炎，舌炎の出現など患者状態にも十分留意する必要がある．特に低体重の高齢女性のような場合，血清-Cr 値から単純に想定される以上に腎機能低下があるので注意する.
- 併用禁忌として「生ワクチン」がある．ワクチン由来の感染を増強または

持続させるおそれがあるためで，本剤投与中の生ワクチン接種はしないことが肝要である．一方併用注意として「不活化ワクチン（インフルエンザワクチンなど）」がある．ワクチンの効果が得られないおそれがあるためである．免疫抑制薬投与中の患者こそ感染防止のために実施しておきたいことも多い．一般に接種を避けるように言われている発熱時や重篤な急性疾患罹患時などでなければ，MZR 投与中の不活化ワクチン接種は可能である．

- **胃腸障害，皮膚過敏症，高尿酸血症などの副作用に注意**：副作用として，胃腸障害，皮膚過敏症，脱毛などの発現頻度は高いが重篤なものは比較的少ない．また，MZR 特有の副作用として，高尿酸血症が認められることがある．これは本剤のプリン合成阻害作用に基づくものと考えられている．尿酸値上昇を認めた場合，尿酸合成阻害薬，尿酸排泄促進薬でコントロール可能である．
- 本剤の禁忌としては，次の 3 つが記載されている．
    - ①本剤に対し重篤な過敏症の既往歴のある患者．
    - ②白血球数 3,000/mm³ 以下の患者．
    - ③妊婦または妊娠している可能性のある婦人．

e 使いやすい患者

- 比較的腎機能の保たれている高齢者．
- 他の薬剤との相互作用がないため，前治療薬の効果減弱・効果不十分時の追加併用や，複数の薬剤を服用中の患者．

f 使いにくい患者

- 白血球数 3,000/mm³ 以下の患者では，骨髄機能抑制を増悪させ，重篤な感染症，出血傾向などを発現するおそれがある．
- 高尿酸血症の患者．
- 妊婦または妊娠している可能性のある婦人には，催奇形性を疑う症例報告があり，また動物実験で催奇形作用が報告されているため，投与禁忌となる．したがって妊娠希望のある患者では，使用しない．

 免疫抑制薬で，腎臓移植などにも使われていますが，比較的安全なお薬で感染症はあまり増えません．それでも，普通の人よりはかかりやすいことは確かですし，かかってしまうとこじらせてしまうこともあるので注意はして，手洗い，うがい，咳をしているような人の近くにいることを避けるなど，一般的なことは気をつけてください．このお薬は，単独では効果が少なめなので，他の抗リウマチ薬と併用して使うことが多いです．TNF 阻害薬などの生物学的製剤は通常メトトレキサートという他の抗リウマチ薬を併用しますが，間質性肺炎がすでに明らかな人などではメトトレキサートは使えませんので，このお薬を代わりに使うことがあります．

　薬の説明書きの添付文書には，1日3回に分けて服用するようにとなっていますが，これは昔行われた治験の結果に基づいていて，最近では，1日1回で朝食後にいっぺんに服用した方が必要な血中濃度に達するので効果が高く，副作用もあまり増えないようなので，勧めている大学病院などの研究機関もあります．添付文書を改訂して1日1回で服用できるようにするには治験をやり直さなければならないのでとても難しいそうです．

　あと比較的安全なお薬ですが，その分効果が出るまでに数カ月かかることがありますので，1カ月飲んで効かないからといって，あきらめてやめたりしないでください．関節の所見と検査をみながら相談してやっていきましょう．

1) Kawai S, et al. Comparison of tacrolimus and mizoribine in a randomized, double-blind controlled study in patients with rheumatoid arthritis. J Rheumatol. 2006; 33: 2153-61.
2) Kremer JM, et al; Tacrolimus-Methotrexate Rheumatoid Arthritis Study Group. Tacrolimus in rheumatoid arthritis patients receiving concomitant methotrexate: a six-month, open-label study. Arthritis Rheum. 2003; 48: 2763-8.
3) Osiri M, et al. Leflunomide for treating rheumatoid arthritis. Cochrane Database Syst Rev. 2003; 1: CD 002047.
4) Chokkalingam S, et al. Leflunomide use in the first 33 months after FDA approval: Experience in a national cohort of 3325 patients. Arthritis Rheum. 2002; 46: S538.

6 脊椎関節炎（SpA）

1 SpA とは

脊椎関節炎（spondyloarthritis: 以降 SpA）は，以前は血清反応陰性脊椎関節症（炎）といわれた疾患群を表す．つまりリウマトイド因子（血清反応）陰性の脊椎（spondylo–）や末梢関節を侵す炎症性関節炎（–arthritis）疾患である．全例で HLA–B27 陽性になるわけではなく，特に日本では陽性頻度が低いが HLA–B27 関連疾患として知られ，強直性脊椎炎（ankylosing spondylitis: 以降 AS），乾癬性関節炎（psoriatic arthritis: 以降 PsA），反応性関節炎（クラミジア感染症後や細菌性下痢症後など: reactive arthritis: 以降 ReA），炎症性腸炎関連関節炎（クローン病や潰瘍性大腸炎関連: IBD associated arthritis），分類不能脊椎関節炎（undifferentiated SpA: 以降 uSpA）に分けられる（図 A–100）．1990 年代に行われた調査でその有病率は約 0.01％と欧米の 0.3〜1％前後と比較すると非常にまれな疾患と考えられてきた．しかし，昨今，生物学的製剤を含めた治療進歩に伴いその疾患概念や臨床徴候が広く知られるようになり，日常診療では決してまれな疾患ではなく，関節リウマチ（rheumatoid arthritis: 以降 RA）の鑑別疾患として重要な疾患群である．SpA の専門家の学会である The Assessment of SpondyloArthritis international Society（以下 ASAS）の報告も含め解説を行う．

2 SpA の臨床的特徴

SpA の臨床症状は各疾患によって若干異なるが，SpA 全体で共通する症状で RA と鑑別に重要となる所見について，ａ 関節所見，ｂ 関節外所見，ｃ 遺伝的背景を中心に解説する．

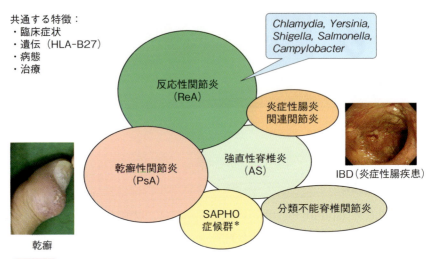

図 A-100 **SpA 分類の概念** (Rudwaleit M. EULAR 2010 より改変)
*SAPHO: Synovitis（滑膜炎），Acne（痤瘡），Pustulosis（膿疱症），Hyperostosis（骨過形成），Osteitis（骨炎）

a 関節所見

以下の4つの点でRAと異なる．
①体軸関節の症候（仙腸関節や脊椎の炎症）
②下肢優位の末梢性関節炎
③腱の付着部炎（Enthesitis）
④指趾炎（Dactylitis）

①体軸関節の症候（仙腸関節や脊椎の炎症）

AS患者では通常10代〜20代で症状が現れる．"腰痛持ち"ということで見逃されていることが多く，スポーツ後など活動で増悪する通常の腰痛と異なり，夜間痛や朝のこわばり感を伴った起床時痛ではじまり，安静をとることで悪化する，連日の腰痛である．表A-65に"炎症性背部痛"の診断基準を示す．この5項目中4項目を満たす場合，SpAの診断感度77%，特異度91.7%であり，これら所見がある場合には"ただの腰痛"や"ヘルニア"と決めつけずSpAを念頭に診療を行う．仙腸関節炎では，大腿後部に放散痛を伴う臀部痛として発症することもある．また，発症早期では腰背部の訴えが主であるがその後進行すると胸椎，頸椎にも病変が及び，頸部痛，

6. 脊椎関節炎（SpA）

表 A-65　炎症性腰痛の 2009 年診断基準

1　腰痛の発症が 40 歳以下	
2　発症が緩徐	左記 5 つの特徴のうち 4 つを認める場合炎症性腰痛
3　運動で軽快する	（感度 77%，特異度 91.7%）
4　安静で軽快しない	
5　夜間痛（起き上がると軽快）	

（Sieper J, et al. New criteria for inflammatory back pain in patients with chronic back pain. Ann Rheum Dis. 2009; 68: 784-8）

胸背部痛やこわばりなどの訴えもみられるようになる．

AS 以外の SpA では，体軸関節炎の頻度は AS ほど高くなく炎症性腸炎関連関節炎の約 10〜20%，PsA では約 20〜40%，ReA では 14〜49% といわれている．特に PsA では腰痛がなく，頸部痛，上背部痛など上部脊椎病変も日常診療では経験されるため注意が必要である．

②下肢優位の末梢性関節炎

AS では末梢性関節炎の頻度は約 30% と高くないが，通常は股関節，膝，足首や足趾など下肢優位の左右非対称性関節炎であり，RA 患者の罹患関節の約 90% が MCP や PIP 関節などの手指関節を左右対称性に侵すのとは異なる．ReA や炎症性腸炎関連関節炎でも同様に下肢優位の関節炎を呈するため前者ではクラミジアトラコマティス感染の診断の手掛かりとなることもある．

例外として，PsA では，さまざまな関節炎のタイプがあり Moll & Wright criteria により PsA の関節炎を，①多関節炎型，②少関節炎左右非対称性型，③DIP 関節炎型，④脊椎炎型，⑤ムチランス型の 5 つのタイプに分けられ，またこれらの病型は重複することが多い．

③付着部炎（Enthesitis）

腱や靱帯が骨に付着する部位の炎症を付着部炎といい，SpA の特徴の一つである．好発部位は，荷重負荷の高いアキレス腱や足底腱膜が踵骨に付着する部位で，症状として朝起きて足（踵部）を着いたときや歩行時の踵の痛みとして発症し，全身どの部位でも起こりえる（表 A-66）．また，RA 患者さんでは歩行時前足部（MTP 関節炎により）の痛みとなるのとは異なる．組織学的には付着部近傍に炎症細胞浸潤（図 A-101）がみられ，MRI では付着部骨部の骨髄浮腫，付着部周囲軟部組織の炎症所見が認められる．関節

表 A-66 代表的な付着部炎の部位

部位	
肩部	・三角筋腱の上腕骨大結節，肩峰，鎖骨付着部 ・回旋筋の上腕骨付着部
肘部	・二頭筋腱の肘頭および橈骨近位部への付着部
股関節部	・内転筋腱の大転子，小転子付着部
膝部	・大腿四頭筋腱の膝蓋骨付着部や，膝蓋腱の膝蓋骨付着部および脛骨粗面付着部
足首・足底部	・アキレス腱や足底筋膜の付着部，足根骨炎
手・足指部	・伸筋腱や屈筋腱の指節骨への付着部（ソーセージ指）

（Eshed I, et al. Ann Rheum Dis. 2007; 66: 1553-9）

図 A-101 付着部炎の模式図

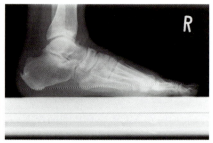

図 A-102 アキレス腱および足底筋膜付着部の石灰化

超音波検査においても同部位のパワードップラーシグナルがみられることが多い．放置すると単純 X 線でも付着部の毛羽立った靱帯骨化 enthesophytes（図 A-102）としてみられることもある．線維筋痛症でもこれら付着部に痛みを認めることも多いが，上記画像所見が鑑別に有用である．

図 A-103 は，45 歳男性，RA 疑いで他院より紹介になった患者である．初診時，両膝，両足首の関節炎に加え，左アキレス腱の付着部炎を認めていた．RA では，腱の付着部炎は通常みられないことと，手指を侵さず下肢のみで発症することは稀であることを考え，SpA を疑った．詳細な病歴聴取を行ったところ，風俗店での避妊具を使用しない性交歴が明らかとなり，尿中白血球陽性，尿中クラミジアトラコマティス PCR 陽性で，クラミジアトラコマティス感染後の反応性関節炎と診断した．

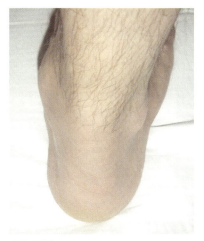
図 A-103　クラミジアトラコマティス感染後の反応性関節炎患者のアキレス腱付着部炎

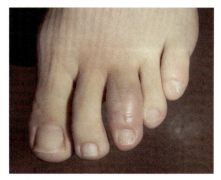
図 A-104　未分化脊椎関節炎患者のソーセージ趾（第3趾）

④指趾炎（Dactylitis）

関節の近傍に限局した腫脹ではなく指趾全体が腫脹するため"ソーセージ指"といわれる．SpA で共通の所見で，日常診療では"痛風"と誤診されることもあり注意が必要である．図 A-104 に 38 歳女性，分類不能脊椎関節炎患者の写真を示す．

最近多くの研究報告があり，指趾炎は，屈（伸）筋腱（腱鞘）が周囲の骨や靱帯に刺激され機能的付着部となって炎症が惹起されるという概念が MRI 画像として示されている（図 A-105）．また，bamboo spine を起こす Syndesmophyte 発生病態も椎体の線維輪が終板に付着する部位の炎症から始まり，脊椎関節炎全体として"付着部炎"病因説が大勢を占めている（図 A-106 参照）．

b 関節外所見

①炎症反応

活動性 SpA 病変があっても炎症反応上昇がみられない場合も多い．

②眼病変

ReA では結膜炎，その他の SpA ではぶどう膜炎（多くが急性片側性前部

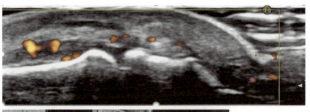

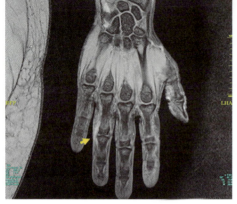

MRI：左4指の尺側側副靱帯炎

図 A-105 指趾炎（機能的付着部炎）

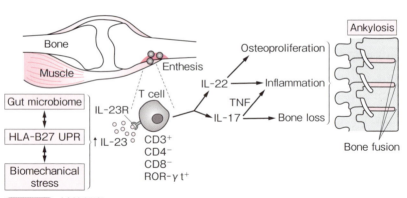

図 A-106 付着部炎
同部位に IL-23 を分泌する T cell 発現
（Lories R and Mcinnes I. Nat Med. 2012; 18: 1018-9）

ぶどう膜炎：虹彩炎）を合併することがある．結膜炎は無症状のことも多く診察時注意する．一方，ぶどう膜炎（図 A-107）は，一過性で軽快するものから慢性的に視力低下にいたる症例まで様々である．ぶどう膜炎が寛解再

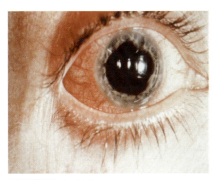

図 A-107 虹彩炎

発を繰り返し，虹彩後癒着を起こして視力低下を起こすこともあり，SpA診断時，眼科スクリーニングも考慮される．結膜炎とは異なり，結膜充血のみならず羞明感，眼痛，視力障害を伴うことが多く注意する．ぶどう膜炎の頻度は AS 患者でもっとも高く経過中 25〜40％で見られ，特に HLA-B27 陽性患者ではリスクが高いといわれている．

③下痢（体重減少）

炎症性腸疾患（Crohn 病や潰瘍性大腸炎）の既往がなくても SpA 全般に腸炎の合併が認められることがある．PsA に炎症性腸疾患を合併する場合や，症状の有無にかかわらず大腸内視鏡検査にて極軽度の非特異的腸粘膜の炎症所見は AS 患者の 20〜70％で認められるという報告[2]もあり，一連の症候群の合併症として認識する必要がある．また，炎症性腸炎関連関節炎の約 3 割で軸関節炎を認め，さらに軸関節炎の症状が腸炎の発症に先行して認められることもあり，発症早期では炎症性腸炎関連関節炎と AS との鑑別が困難なこともあるが，炎症性腸炎関連関節炎では非対称性の仙腸関節炎の頻度が高いとされ，鑑別に役立つことがある．

④大動脈弁閉鎖不全症

大動脈起始部の弁の付着部の炎症（大動脈炎）が原因で房室ブロックや大動脈弁閉鎖不全症が見られることがあるため SpA 患者では胸部聴診や心電図検査を行い必要であれば心エコー検査を行う．

⑤皮膚症状

AS 患者の約 20〜40％に乾癬病変が認められる．PsA では爪病変に注意

chapter A ●関節リウマチの診断・薬物治療

する．また，掌蹠膿疱症（SAPHO 症候群）で認められる palmo-plantar pustulosis も SpA の一連の症候群と考えられている．ReA で認められる膿漏性角化症や亀頭炎は他の SpA では通常みられない．

c 遺伝的背景

SpA は，HLA-B27 が疾患と強い相関を示すため何らかの遺伝的要素が関与していると考えられている．欧米では SpA 患者の 30～35％で SpA 関連の家族歴があるといわれている．また HLA-B27 の陽性率は欧米では一般人口の 8～12％に認められるためスクリーニングとしては偽陽性の危険もあり不向きであるが，日本では一般人口における HLA B27 陽性率はきわめて低く（1％以下），SpA を疑って HLA-B27 陽性の場合，診断的価値は高いと考えられる．ただ，同様に SpA であったとしても HLA-B27 の陽性率は欧米に比べ低いことが予想され陰性だからといって診断を否定することはできない．

欧米における HLA-B27 の陽性率は SpA のそれぞれの疾患で異なり，AS で約 90～95％，ReA で約 20～70％（重症例，慢性例で高い），炎症性腸炎関連関節炎で約 20～50％（体軸関節病変合併時に高い），PsA で約 15～50％（体軸関節病変合併時に高い），uSpA では最大で約 50％という報告がある．日本のアダリムマブ治験での HLA-B27 陽性率は約 50％であり欧米より低かったが，筆者が行った全国主要施設から SpA 症例を 175 例集めて検討した結果では測定された約 60％の患者においてその 8 割が陽性であった．B27 以外にも，PsA では HLA-B38, 39，台湾からの報告では HLA-B60, 61 なども AS との関連が指摘されている．．

男女比は約 3～5：1 と言われ，男性が女性に比べて多いのも特徴である．

以上より遺伝的リスクは RA より高く SpA を疑った際には，乾癬，炎症性腸疾患，慢性腰痛，ぶどう膜炎（虹彩炎）の家族歴（2 親等まで）を聴取する．

3 SpA の臨床所見の感度と特異度

表 A-67 に示す．

6. 脊椎関節炎（SpA）

表 A-67 SpA の所見（病歴）

病歴からの情報	感度	特異度	病歴からの情報	感度	特異度
脊椎痛	85%	29%	結膜炎	17%	88%
炎症性脊椎痛	7%	83%	急性前部ブドウ膜炎	22%	97%
下肢優位の滑膜炎	35%	89%	乾癬	23%	95%
非対称性滑膜炎	41%	87%	粘膜潰瘍	6%	97%
単・少関節炎	14%	75%	1 カ月以内に先行する	12%	98%
（vs 多関節炎）			急性下痢		
臀部痛	53%	74%	炎症性腸疾患	10%	97%
左右交代性	20%	97%	1 カ月以内の非淋菌性	7%	97%
片側性で膝下へ放散	13%	93%	尿道・頸管炎		
なし			家族歴	32%	95%
前胸壁痛	44%	86%	NSAIDs が有効	65%	49%
踵痛	37%	89%			

（Kelley's Textbook of Rheumatology. 7th ed.）

4 SpA の分類基準

　AS の診断は，約 30 年前に提唱された修正ニューヨーク AS 診断基準（1984 年）（表 A-68）が使用されていた．ただし，この基準では単純 X 線にて骨変化（びらん）がなければ診断ができない．単純 X 線の異常が出るのは仙腸関節炎発症後約 3〜7 年かかるといわれており，診断基準が厳密に使われると AS の診断・治療が遅れ関節破壊進行・身体機能障害が進み取り返しのつかないことになりかねない．RA のように早期診断を目的に SpA の分類基準は ESSG 分類（表 A-69）や Amor 分類（表 A-70）が 20 年前に提唱された．これらは単純 X 線で異常がなくても SpA の臨床所見で診断を行う助けになっていた．しかし，昨今 MRI の有用性が確立され，ASAS により 2009 年，2010 年に新しい分類基準が提唱された．これは体軸関節 SpA（図 A-108）および末梢関節 SpA（図 A-109）にそれぞれ分けられる．末梢関節炎の有無に関わらず有意な体軸所見（腰痛，頸部痛，炎症性背部痛など）があれば体軸関節基準を使用し，体軸関節炎所見を認めず末梢関節所見のみの場合，末梢関節基準を使用する．日常診療では AS 患者では前者，PsA/ReA/炎症性腸炎関連関節炎では後者を使用することが多い．今後はこれらの分類基準が早期診断の中心となる．ただし，分類基準は臨床研究や治験などに組み入れる・患者さんの病気を分類するための基準であり，日

chapter A ●関節リウマチの診断・薬物治療

発症 45 歳末満・3 カ月以上持続する背部痛患者
＋以下のうちいずれか

画像上の仙腸関節炎* ＋ 1 つ以上の SpA 特徴	OR	HLA-B 27 陽性 ＋ 2 つ以上の SpA 特徴

SpA 特徴
　炎症性背部痛
　関節炎（既往も含む）
　付着部炎（踵のみ）
　ぶどう膜炎
　指趾炎
　乾癬
　Crohn 病 / 潰瘍性大腸炎
　NSAIDs に良好な反応性
　SpA 家族歴（2 親等まで）
　HLA-B27 陽性
　CRP 高値

＊画像上の仙腸関節炎
　SpA 仙腸関節炎を強く示唆する活動
　性（急性）炎症 MRI 所見（osteitis の所
　見である STIR で High/T1 で low の
　病変が 1 カ所なら 2slices, 2 カ所以
　上なら 1slice で認める）
　　　　　　あるいは
　修正 NY 基準の X 線基準を満たす仙
　腸関節炎

背部痛患者（n=649）：感度 82.9%, 特異度 84.4%
画像のみ：感度：66.2%, 特異度：97.3%

図 A-108 **ASAS 分類基準：体軸性脊椎関節炎（Axial SpA）**（Rudwaleit M, et al. ARD. 2009; 68: 777-83. van der Linden S, et al. A&R. 1984; 27: 361-8)

関節炎 or 付着部炎 or 指趾炎 plus

≧1 SpA 特徴	OR	≧2 その他の SpA 所見
• ぶどう膜炎 • 乾癬 • Crohn 病 / 潰瘍性大腸炎 • 先行感染症 • HLA-B27 • 仙腸関節炎の画像診断		• 関節炎 • 付着部炎 • 指趾炎 • 炎症性背部痛（既往含む） • SpA の家族歴

感度：77%, 特異度：82.2%（n=266, 平均罹病期間 10 カ月）

図 A-109 **ASAS 分類基準：末梢性脊椎関節炎（peripheral SpA）**
（Rudwaleit M. EULAR. 2010）

ならず，特に女性では無症状の尿道炎や頸管炎もありうる．HIV 感染症や梅毒感染症でも皮膚や関節に ReA 類似病変をきたすため除外も行う．また，炎症性腸炎関連関節炎を考え腹部症状，体重減少などの有無，PsA を考え爪を含めた全身皮膚の身体診察を行う．また，全身の関節診察を行い，付着部炎や指趾炎を含めた末梢性関節炎の有無を確認する（SpA では下肢優位の関節炎が多い）．それぞれの疾患の家族歴，また AS など早期には診断されていないこともあるので家族が長期の腰痛に悩まされていないか聴取する．HIV 感染症に伴う関節炎では分類不能型脊椎関節炎タイプが最も高頻度で，HIV 感染患者の約 7％にみられるという報告もあり，HIV 感染の危険がないか病歴聴取を行い，必要なら HIV スクリーニングを行う．

6 強直性脊椎炎（AS）について

a 診断基準および分類基準

　AS の診断には 20 年以上前に提唱された改訂ニューヨーク基準（1984 年）が使用されていた（表 A–68）．実際の診療では，このニューヨーク基準は特異性は高いが単純X線の異常が必須であり，スクリーニングの手段として感度が低い．と言うのも単純X線の異常が出るのは仙腸関節炎発症後約 3〜7 年かかると言われており，もしニューヨーク基準が厳密に使われると AS の診断数低下につながるからで，発症 2 年以内の AS では感度 0％という報告もある．さらに，ニューヨーク基準は，家族集積性，HLA-B27，AS の関節外症状などを含んでいない．今後は，これらの弱点を修正し，2009 年に提唱された ASAS 分類基準を使用することになる．

b 画像検査（MRI の有用性）

　仙腸関節や腰椎，さらに末梢関節など症状の認められる関節の前後方向（AP view）の X 線検査は，通常診断および治療前のベースラインとして行う．さらに，仙腸関節の修正 Ferguson 撮影〔患者を腹臥位，X 線管を斜位 30°とし，仙腸関節を後前（PA）方向に撮影する〕も有用である．しかし，これら単純 X 線検査は病初期には感度が低く，CT 検査は，仙腸関節炎の骨びらんの証明により感度が高く（図 A–110），X 線と同程度の特異性をもっている．しかし，放射線曝露の懸念から現在は MRI の有用性が示されてお

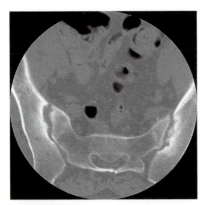

図 A-110 骨盤 CT 仙腸関節の骨びらん

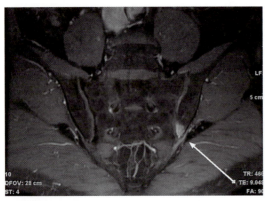

図 A-111 強直性脊椎炎患者の仙腸関節 MRI
矢印部に STIR にて高信号を認める.

り，仙腸関節炎（図 A-111）の同定（STIR にて高信号，T1 で低信号）に CT 検査よりさらに高い感度をもつとされるが，偽陽性も認めるため注意が必要である．したがって，臨床的に AS を強く疑うが，仙腸関節炎が X 線検査で陰性あるいは不確定の場合，仙腸関節および腰椎を含む MRI（閉所恐怖症など MRI が施行できない場合，骨盤部 CT）を行うことが多い．重度の AS 患者の X 線では，syndesmophytes（前縦靱帯の椎体付着部の骨化）や竹様脊椎 bamboo spine（進行し，椎体が互いに竹節状に強直）を伴った脊椎の強直がみられることがある．

6. 脊椎関節炎（SpA）

> **コラム**
>
> ### 血清反応陰性脊椎関節症から脊椎関節炎へ
>
> 脊椎関節炎の診断は 1963 年 EULAR 総会にて RA とは異なる疾患として AS 分類基準の発表が始まりである．当時米国ではいまだ RA の亜型で RA 脊椎炎 RA spondylitis と考えられていた時代である．1970 年代はじめ Moll らにより AS も含めて脊椎関節を侵す多関節炎として血清反応陰性脊椎関節症 seronegative spondyloarthritides（SpA）が定義された．この時は，Whipple 病や Behçet 病も SpA の中に加えられていたが，その後 SpA と HLA-B27 との強い関連性が明らかとなりこれら疾患は除外され，1990 年代はじめに Amor 分類と ESSG 分類が発表され 20 年近く使用されていた．その間 Reiter 症候群は反応性関節炎と呼ぶよう統一され，"血清反応陰性 seronegative" という言葉も血清反応陰性 RA と混同されるため削除された．また炎症性疾患であるため "脊椎関節症 spondyloarthropathy" より "脊椎関節炎 spondyloarthritis が正しく今回の ASAS 分類基準で使用されている．

注意）鑑別診断の重要性

ASAS 基準はあくまで分類基準であり，専門医が十分に鑑別診断を行った上で臨床試験で SpA 患者と分類して組み入れるために使用する基準である．このため日常診療で使用する際には適切な鑑別診断が重要である．特に MRI にて ASAS 分類基準を満たす病変があっても，妊娠後の硬化性腸骨骨炎であったり，その他化膿性仙腸関節炎，結晶性関節炎，悪性腫瘍などでも STIR high の病変をきたしうる．また，アスリートや健常者でも STIR high の病変を呈することがある．

c 評価項目

RA においては，疾患活動性は DAS28 や SDAI など，身体機能障害は HAQ スコアを評価することが日常診療で確立している．同様に，SpA，特に AS においても治療中のモニタリングとして以下の 4 項目を評価する[3]．

①炎症反応

CRP, ESR, MMP3（特に末梢性関節炎）

②身体機能障害

体軸関節機能評価には The Bath Ankylosing Spondylitis Functional In-

chapter A ●関節リウマチの診断・薬物治療

表A-74 AS 予後不良因子（ASAS スライド集より）

・Baseline X 線で Low grade の仙腸関節炎あり
・Baseline MRI で炎症所見あり
・CRP 上昇
・臀部痛
・HLA-B27 陽性（研究によりさまざまだが）
・男性（研究によりさまざまだが）
・その他：喫煙，blue collar worker

g 治療

　ReA では，80〜90％が自然軽快するため初期感染の治療と関節炎に関しては対症療法（NSAIDs 中心）で十分なことが多い．慢性化した場合にはサラゾスルファピリジンを使用する．PsA においては専門家による GRAPPA 治療推奨がある（後述）．

　AS の治療は，ほとんどの研究が改訂ニューヨーク基準をもとに診断した AS 患者で行われており，早期 AS 患者のエビデンスは乏しかったが，2009 年 Axial SpA の分類基準が提唱され non-radiographic axial SpA を含めた脊椎関節炎の治療エビデンスも発表されてきた．これを踏まえ，SpA の専門家によるエビデンスの解析や経験も含めて発表された 2010 年 ASAS/EULAR 合同 AS 治療推奨が 2016 年に改訂されたので治療戦略の参考になるため，表 A-75，図 A-116a-d，図 A-117 に示す．まずは NSAIDs を使用し，末梢性関節炎では RA 治療同様に経口 DMARDs（主に SASP）を使用し，治療抵抗例ではまずは TNF 阻害薬が推奨されている．一方，体軸関節病変や付着部炎/指趾炎では経口 DMARDs の効果が乏しく，局所コルチコステロイド注射も考慮されるが，NSAIDs 抵抗例ではまずは TNF 阻害薬の使用が推奨されている．Update された内容として，IL-17 阻害薬の AS に対する有効性が示され欧米にセクキヌマブが承認を得た．これを踏まえ，TNF 阻害薬抵抗性の場合や何らかの理由で使用できない場合の選択肢として加えられた．ただし，TNF 阻害薬のように長期使用効果および安全性のデータがまだないこと，non-radiographic axial SpA に対する臨床効果は治験中であり，まだ発表されていないことも踏まえ，あくまでセカンドチョイスという位置づけとなっている．今後の臨床試験の結果に注目している．

292

6. 脊椎関節炎（SpA）

表 A-75 ASAS/EULAR 合同体軸関節性脊椎関節炎（Axial SpA）治療推奨

すべての推奨に共通する基本的な考え方（Overarching principle）5 つ

1	Axial SpA は合併症・併発症を含め，ときに重症な，多彩な所見を呈するため，通常は，リウマチ専門医により他科連携も含め総合的なケアが必要となる
2	Axial SpA を治療する上で第一の目標は，症状と炎症をコントロールし疾患による健康関連 QOL を最大に保ち，構造破壊を予防し，身体機能および社会活動参加を維持・正常化することである．
3	Axial SpA の最適な治療は，非薬物療法と薬物療法を適切に組み合わせて行う．
4	Axial SpA の治療は，ベストケアを目指し，患者とリウマチ専門医の合意に基づいて行われるべきである
5	Axial SpA では，治療を含めた疾患自体による直接または間接費用，社会的な損失も治療を行っていくリウマチ専門医は考慮すること．

13 の治療推奨

1	**（治療の原則）** Axial SpA の治療は，現時点で認められる疾患による臨床症候（体軸関節，末梢関節，関節外所見）および併存症・合併症，心理社会的因子も含む患者背景因子も考慮して患者により個別化される..
2	**（モニタリング）** 疾患のモニタリングは，PRO（患者の主観的所見），臨床所見，血液および画像所見を含み，適切な SpA の評価ツール（例. ASAS コアセット）や臨床像に応じて行われる．それらモニタリングの頻度は，症状，重症度，治療法により患者個々で異なる．
3	**（治療目標）** 治療は，総合的指標による治療目標を定め行われる．
4	**（患者教育と非薬物療法）** 疾患について患者教育を行い，日常の運動や禁煙の指導，理学療法も考慮すること．
5	**（NSAIDs）** NSAIDs は，疼痛やこわばりを訴える患者の第一選択薬として推奨される．副作用も含めたリスクベネフィットを考慮し最大量まで増量する．NSAIDs 反応性の良い患者では，間欠投与より持続投与が有用である．
6	**（鎮痛薬）** アセトアミノフェンやオピオイド系薬剤も NSAIDs で鎮痛効果が不十分の場合や，NSAIDs の使用禁忌患者，副作用のため服用できない患者で考慮される．
7	**（グルココルチコイド）** 局所炎症部位へのステロイド局所注射も考慮される．体軸関節炎に対して長期のステロイドの全身投与は推奨されない．

表 A-75　ASAS/EULAR 合同体軸関節性脊椎関節炎（Axial SpA）治療推奨（つづき）

13の治療推奨	
8	**（経口 DMARDs）** 末梢関節炎のない体軸関節炎のみの患者では，経口 DMARDs は通常使用しない．サラゾスルファピリジンは末梢性関節炎に対して考慮される薬剤である．
9	**（生物学的製剤）** 生物学的製剤（bDMARDs）は，前記治療薬を使用しても持続的な高疾患活動性状態を有する患者で考慮される（図 A-74c 参照）；現在プラクティスでは TNF 阻害薬がファーストチョイスである．
10	**（生物学的製剤の変更）** TNF 阻害薬に抵抗性の場合，他の TNF 阻害薬あるいは IL-17 阻害薬への変更を行う．
11	**（生物学的製剤の減量）** 持続的寛解を達成した場合，生物学的製剤の減量も考慮される．
12	**（手術療法）** 画像上重度の股関節変形を認め治療抵抗性の疼痛と機能障害を認める患者では，患者の年齢にかかわらず関節置換術も考慮される．著しい機能障害を伴う脊椎変形を認める患者では，専門施設において脊椎手術が有効な場合もある．
13	**（経過の変化）** 疾患経過が著しく変化した場合，炎症以外の原因も考え（例．脊椎骨折），画像診断を含め適切な評価を行うこと．

（Ann Rheum Dis. 2017; 76: 978-91）

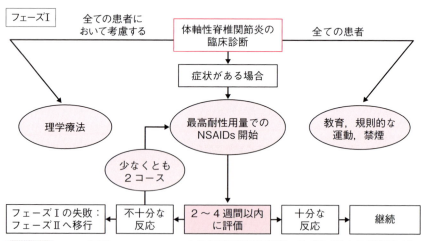

図 A-116a　2016 年度 ASAS-EULAR の体軸性脊椎関節炎の治療に関する推奨事項
（Ann Rheum Dis. 2017; 76: 978-91）

6. 脊椎関節炎（SpA）

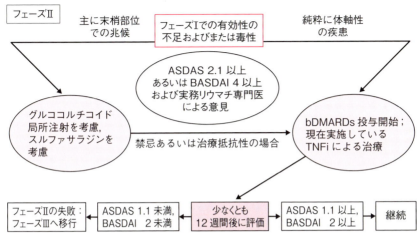

図 A-116b 2016 年度 ASAS-EULAR の体軸性脊椎関節炎の治療に関する推奨事項
（Ann Rheum Dis. 2017; 76: 978-91）

①リウマチ専門医による体軸性脊椎関節炎の診断

および

②CRP 上昇および / または MRI 陽性および / または放射線学的仙腸関節炎

および

③標準的治療の失敗 全ての患者 ・4 週間に少なくとも 2 サイクルの NSAIDs 投与（合計） 末梢部位の兆候が優勢の患者 ・適切であると判断される場合 1 回の局所ステロイド注射 ・通常はスルファサラジンの治験

および

④高い疾患活動性：ASDAS 2.1 以上あるいは BASDAI 4 以上

および

⑤実務リウマチ専門医による意見

図 A-116c 体軸性脊椎関節炎患者に対して bDMARDs 治療に関する ASAS-EULAR の推奨事項（ボックス 1）
（Ann Rheum Dis. 2017; 76: 978-91）

①非薬物療法：理学療法の重要性

　可動域運動，姿勢トレーニングのため，AS と診断されたすべての患者に対して理学療法を始める．理学療法が，疼痛の軽減と機能改善につながるこ

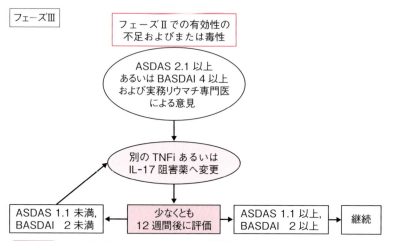

図 A-116d 2016 年度 ASAS-EULAR の体軸性脊椎関節炎の治療に関する推奨事項
(Ann Rheum Dis. 2017; 76 (6): 978-91)

	末梢性関節炎	体軸関節炎	指趾炎	付着部炎
NSAIDs	○	○	○	○
局所ステロイド注射	○			○
理学療法	○	○	○	○
DMARDs（特にサラゾスルファピリジン）	○			
生物学的製剤（TNF阻害薬）	○	○	○	○

図 A-117 AS 治療（ASAS 推奨）　○は推奨．

とが臨床研究により示されている．

②薬物療法は持続的 NSAIDs 投与が第一選択薬

　AS に対して特異的な薬物治療は限られている．第一選択薬は，炎症性関節炎症状軽減のための NSAIDs である．古典的には，AS 患者は，高用量のインドメタシン（インダシン®）やナプロキセン（ナイキサン®）で治療されるが，どの種類の NSAIDs を選択するかは，患者の満足度が最終的には重要となる．NSAIDs は極量が必要となることが多い．NSAIDs 毒性を注意深くモニターする．消化管毒性の危険の高い患者には，時に COX-2 阻害薬も有用である．

6. 脊椎関節炎（SpA）

③体軸関節炎に対して NSAIDs 持続投与は頓服使用より効果あり，さらに X 線学的進行抑制効果あり

2005 年の報告[6] では，NSAIDs 頓服使用ではなく，2 年以上の持続使用により体軸関節炎の X 線学的進行抑制効果が示されている〔平均 modified Stoke Ankylosing Spondylitis Spinal Score（modified SASSS）進行 0.4 vs 1.5, $p<0.02$〕．よって，副作用に注意しながら，頓服ではなく持続使用を数カ月は行う．また，その効果は CRP 上昇例，MRI 陽性例，Syndesmophytes 陽性例でのみ進行抑制効果が見られたとの報告もある．

④経口 DMARDs は末梢性関節炎にのみ有効で，体軸関節炎にはその使用は限られる

サラゾスルファピリジン（アザルフィジン®）は末梢性関節炎の NSAIDs 抵抗例に対して使用される．よって炎症性腸疾患患者で関節炎を発症した場合，可能ならメサラジン（5-ASA）ではなく，5-ASA にサルファピリジンを含むサラゾスルファピリジンを使用する．いくつかの研究で 2〜3 g/日の用量で末梢関節症状の改善効果が示されている．一方，体軸症状に対する効果は以下のように限られている．例えば炎症性腰痛発症 5 年以内の SpA を患者を対象にサラゾスルファピリジンの効果をみた研究[7] では，全患者群では効果が認められなかったが，サブ解析で末梢性関節炎のない体軸関節炎のみを持つ患者では BASDAI スコアの若干の改善（p=0.03）が認められた．一方，体軸関節優位の SpA にサラゾスルファピリジンは効果が認められないという研究[8] もあり，専門家の経験も含め体軸関節炎には推奨されていない．

末梢性関節炎に対してサラゾスルファピリジンを使用した場合，3 カ月使用しても効果がみられない場合や，重度毒性を認めた場合には，サラゾスルファピリジンを中止する．定期的に白血球や好中球減少のモニターを行う（123 頁参照）．

また，経口メトトレキサート（MTX：リウマトレックス®）は RA に対する効果より AS に対する効果も期待されたが，システマチックレビュー[9] が行われ，体軸関節炎に対する効果は認めらないと結論づけられている．同様に，最近行われた MTX 皮下注を 16 週間投与（15 mg/週を 4 週間，引き続き 20 mg/週を 12 週間）するオープンラベル試験[10] でも AS の体軸関節炎

chapter A ●関節リウマチの診断・薬物治療

に対して効果は認められず，末梢関節炎に関しては若干の効果（腫脹関節数の低下，しかし p＞0.05）が示されたのみであった．

　以上より，体軸関節炎に対する経口 DMARDs の効果はエビデンスに乏しく推奨されない．一方，末梢性関節炎に対してはサラゾスルファピリジン（時に MTX）も使用される．

⑤全身ステロイド投与は行わない（局所は OK）

　RA など他の膠原病と異なり，AS ではプレドニゾロン（PSL）の効果は乏しい．末梢性関節炎は PSL 20〜30 mg/日を使用すれば改善することが多いが，減量すると再燃し，体軸関節炎に対してはほとんど効果がなく，PSL 50 mg/日以上使用しても効果は限られるため，通常は使用しないことが多い．また，後述の PsA の場合はステロイドの減量で膿疱性乾癬を誘発する危険もある．

　仙腸関節炎に対してトリアムシノロン（ケナコルト®）40 mg を X 線透視下関節内注射が行われることがあり，数カ月効果が持続する[11]．

　末梢性関節炎に対して RA 同様関節内注射を行うのも有用である．特に付着部炎に対して局所注射が行われることがあるが，皮下に注射することによる表皮の色素脱失や，腱断裂などの合併症にも注意を払い，その適応を考慮するようにする．

⑥TNF 阻害薬は体軸関節炎および末梢性関節炎ともに有効

　最近の臨床研究により，AS の症状をコントロールするための生物学的疾患修飾（性）剤効果が示されている．特に，TNF 阻害薬が初期の AS の炎症徴候や疾患活動性をかなり抑えることができることが示されており，TNF 阻害薬使用前後で MRI における脊椎炎や仙腸関節炎の改善効果を示す報告も出てきている[12, 13]．また，X 線において完全に強直（bamboo spine）している症例でも機能障害が他覚的に改善する症例も経験され，AS の治療を大きく進歩させた．

⑦付着部炎や dactylitis 指趾炎の治療は？

　NSAIDs が第一選択薬になるが，DMARDs の使用は体軸関節炎の治療と同様その効果は限られ，推奨されない．付着部にステロイドの局所注射を行うこともあり（前述），ASAS の TNF 阻害薬使用のガイドラインでは推奨されている．TNF 阻害薬に関しては付着部炎に対する効果が最近示されてお

り，NSAIDs や局所注射無効例には使用される．

⑧ TNF 阻害薬の開始基準

図 A–116c に 2016 年 update された ASAS/EULAR の治療推奨中の開始基準を示す．体軸関節炎と末梢性関節炎で若干推奨が異なるが，①〜⑤を満たした時に生物学的製剤（TNF 阻害薬がファーストチョイス）の適応となる．

⑨日本リウマチ学会の AS に対する TNF 阻害療法施行ガイドライン（2010 年 10 月改訂）

改訂ニューヨーク基準（1984 年）によって AS の確実例と診断され，NSAIDs 通常量を 3 カ月以上継続して使用してもコントロール不良の AS 患者．

コントロール不良の目安として，以下を満たす者．
- ・BASDAI スコアが 4 以上

忍容性に問題があり，NSAIDs が使用できない場合も使用を考慮する．

さらに日和見感染症の危険性が低い患者として以下の 3 項目も満たすことが望ましい．
- ・末梢血白血球数 4,000/mm^3 以上
- ・末梢血リンパ球数 1,000/mm^3 以上
- ・血中 β–D グルカン陰性

〈用法・用量〉

1．インフリキシマブ
- ・生理食塩水に溶解し，体重 1 kg あたり 5 mg を緩徐に（2 時間以上かけて）点滴静注する．
- ・初回投与後，2 週後，6 週後に投与し，以後 6〜8 週間隔で投与を継続する．

2．アダリムマブ
- ・40 mg を 2 週に 1 回，皮下注射する．なお，効果不十分な場合 1 回 80 mg まで増量できる．ただし，メトトレキサートなどの抗リウマチ薬を併用する場合には 80 mg への増量は行わないこと．
- ・自己注射に移行する場合には，患者の自己注射に対する適正を見極め，十分な指導を実施した後で移行すること．

chapter A ●関節リウマチの診断・薬物治療

投与禁忌および要注意事項に関しては RA と同様である（170 頁参照）.

⑩どのような患者が TNF 阻害薬に対する反応性がよいか

インフリキシマブおよびエタネルセプトの RCT の患者を解析し[15]，上記活動性の指標である BASDAI スコアが治療開始 12 週の時点で 50％改善した患者と改善しなかった患者とでベースラインの特徴を検討したところ，以下のような反応性良好因子を示した.

(1) 罹病期間が短いこと（BASDAI50 反応群 12.5 vs 非反応群 17.8 年，p＝0.002）

(2) 年齢が若いこと（36.3 vs 41.1 歳，p＝0.008）

(3) 身体機能障害（BASFI）が軽いこと（4.9 vs 6.2, p＝0.007）

(4) 活動性（BASDAI）が高いこと（6.6 vs 6.2, p＝0.085）

(5) CRP の炎症が強いこと（3.0 vs 2.0 mg/dl, p＝0.035）

上記以外の因子も含めベースラインの因子を含めた多変量解析を行った結果として，上記より，(1) 罹病期間が短いこと，(3) 身体機能障害（BASFI）が軽いこと，(4) 活動性（BASDAI）が高いこと，(5) CRP が高いこと，が反応良好因子として示された.また最近のデータ[16]では HLAB27 陽性者，MRI にて仙腸関節や脊椎に早期病変（STIR 高信号，T1 低信号）を認めた場合には TNF 阻害薬に対する反応がよいことも示されている.

EULAR の推奨，日本リウマチ学会ガイドラインを満たし，一般的な TNF 阻害薬使用禁忌がないことは当然であるが，発症早期でまだ機能障害が軽く，炎症が強く，MRI 所見が陽性で活動性の高い患者には積極的に TNF 阻害薬を使用するようにしている.

⑪ TNF 阻害薬の用量

SpA における TNF 阻害薬の用量を表 A–76 に示す.

⑫生物学的製剤使用後の効果判定

2016 年 ASAS/EULAR 治療推奨では生物学的製剤を継続する基準として開始後 12 週を経過した時点で，ASDAS≧1.1 または BASDAI≧2.0 以上の改善を認め，専門医が継続と判断した場合，と定義している（図 A–116d 参照）.

⑬ TNF 阻害薬を使用している患者では虹彩炎の発作が減少する

インフリキシマブやアダリムマブの臨床研究[17, 18]において虹彩炎の発作

300

6. 脊椎関節炎（SpA）

表 A-76 SpA における TNF 阻害薬の用量

薬剤名	AS	PsA	腸炎性関節炎	投与法
インフリキシマブ	5 mg/kg	5 mg/kg（無効時，10 mg/kg まで増量可能）	5 mg/kg	IV 0, 2, 6 週，その後 6 週毎（PsA/腸炎性関節炎では 8 週毎）
エタネルセプト[注1]	25 mg 50 mg	25 mg 50 mg	使用しない	皮下注 週2回 皮下注 週1回
アダリムマブ	40 mg（無効時 80 mg まで増量可能）	40 mg（無効時 80 mg まで増量可能）	40 mg[注2]	皮下注 2 週1回

注1：エタネルセプトは日本では保険適応外
注2：IBD 治療においては初回に 160 mg を，初回投与 2 週間後に 80 mg を皮下注射する．初回投与 4 週間後以降は，40 mg を 2 週に 1 回，皮下注射する．

表 A-77 TNF 阻害薬の継続基準

開始後 12 週の時点での改善がみられ，以下のいずれかを満たし，専門家の同意があった時
1. BASDAI 改善度 ≥ 50%
2. BASDAI 改善（0〜10 scale にて）≥ 2

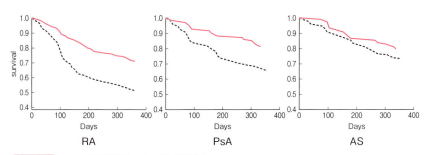

図 A-118 TNF 阻害薬に MTX は必要か
TNF 阻害薬の耐用性　（赤線は MTX 併用，点線は併用なし）
（Arthritis Rheum. 2008; 59: 234）

の減少が示され，予防効果も期待されている．

⑭ TNF 阻害薬に MTX 併用は必要か？（図 A-118）

ノルウエーの生物学的製剤のコホートからデータが発表され，RA 患者と

chapter A ●関節リウマチの診断・薬物治療

PsA 患者では MTX 併用した方が TNF 阻害薬の耐用性（日常診療における効果および副作用中止の指標）はよく，AS では MTX の併用の有無で TNF 阻害薬の耐用性は変わらなかった[19]．ASAS，EULAR においても AS 患者では特に MTX を併用は勧めていない．ただし，インフリキシムマブを投与されている SpA 患者で MTX 併用群の方が抗インフリキシムマブ抗体の発現が低く，インフリキシムマブの耐用性は MTX 併用患者の方が非併用患者よりよかったという報告もあり[20]，日常診療では 2 次無効例，末梢関節炎の合併例では SpA 患者でも併用する場合がある．

⑮バイオフリーやバイオの減量は可能なの？

INFAST1 および 2 試験[21,22] は，早期の活動性を有する体軸性 SpA 患者さんを対象に行われた試験である．INFAST1 でインフリキシムマブとナプロキセン 1 日 1000 mg 分 2 併用群とナプロキセン単独群（プラセボ群）の比較を行い両群で（部分）寛解を達成した患者を INFAST2 試験では，さらにインフリキシムマブは中止し，ナプロキセン継続群（バイオフリー群）とナプロキセンも中止（ドラッグフリー群）にランダム化を行った．IN-FAST2 にてバイオフリー開始約 6 カ月後の寛解継続率はそれぞれナプロキセン継続の有無で 48% と 40% で約半数の患者がバイオフリーを達成したことになる．2014 年米国リウマチ学会での口頭発表では TNF 阻害薬の減量（ETN/ADA では投与間隔を延長，IFX では減量）を行っても標準投与群と比較してほぼ同等の効果が継続されていることが示され，RA 同様エビデンスが蓄積し始めている．

⑯今後の展望

TNF 阻害療法により炎症性サイトカインおよび破骨細胞の分化誘導を抑制し，症状緩和・疾患活動性の制御の効果が示され患者の QOL を改善した．しかし，Wnt シグナル経路を介する骨芽細胞活性化も関連する脊椎強直病変（syndesmophyte 靱帯骨棘形成）の進行抑制効果は短期間の臨床試験では示されなかった．2014 年ドイツの Baraliakos らによって長期成績の解析（8 年）が行われ[23]，TNF 阻害薬による靱帯骨棘形成抑制効果は使用開始 4 年後以降明らかになることが大規模研究で初めて示された．前述した疾患活動性 ASDAS と靱帯骨棘形成進行が相関するという報告も合わせ，早期診断・早期治療の必要性が確認された．さらに，生物学的製剤である

6. 脊椎関節炎（SpA）

IL-17A に対するモノクローナル抗体（セクキヌマブ・イクセキズマブ）が本邦でも AS に承認され靱帯骨棘形成進行抑制効果が期待されている（IL-17A/F 受容体拮抗薬のブロダルマブは 2020 年承認申請中）. 経口薬では，JAK 阻害薬（ウパダシチニブ，フィルゴチニブ）なども開発中である.

コラム

ACR/SPARTAN AS および Nonradiographic-Axial SpA 治療推奨 2019 年 update 発表

EULAR・ASAS 主導で行われている SpA の分類基準や治療推奨に遅ればせながら，2015 年米国リウマチ学会（ACR）/ 米国脊椎関節炎団体・研究および治療ネットワーク（SPARTAN）合同の体軸性関節炎の治療推奨が発表された（図 A-119: Ward MM et al. Arthritis Rheumatol. 2016; 68: 282-98).

強直性脊椎炎（A Nonradiographic-Axial S）患者以外にも，2009 年 ASAS 分類基準で定義された X 線基準を満たさない体軸性脊椎関節炎（Nonradiographic-Axial SpA）患者への推奨も含まれ，それぞれ活動性のある患者，あるいは活動性のない患者［安定（6 カ月間，症状がないか，あっても我慢できるぐらい軽度）］に分けて治療推奨が示されている.

推奨は 4 段階に分けられ，

緑: 強く推奨（strongly recommended）

薄い緑: 条件付き推奨（conditionally recommended）

薄い赤: 行わないことを条件付き推奨（conditionally recommended against）

赤: 行わないことを強く推奨（strongly recommended against）

となり，内容としては EULAR の Axial SpA の治療推奨とほぼ同様の内容となっている. その後，IL-17 阻害薬が AS に承認され，JAK 阻害薬等（本邦適応外）の経口薬のエビデンスも蓄積され 2019 年 update が行われたのでご紹介する.

以下，変更点とポイントをアルゴリズムの図を用いて解説する.

ACR /SPARTAN AS/Nonradiographic-Axial SpA 治療推奨 2019 年 update

（Ward MM et al. Arthritis Rheumatol. 2019; 71: 1599-613）

• 活動性のあり: AS & nr-axial SpA（図 A-120a, b）

• （安定した）活動性なし: AS & nr-axial SpA（図 A-120c）

303

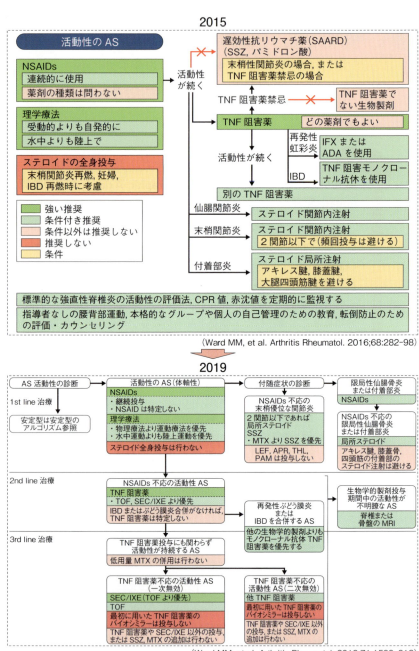

図 A-119 ACR/SPARTAN AS および Nonradiographic-Axial SpA 治療推奨

6. 脊椎関節炎（SpA）

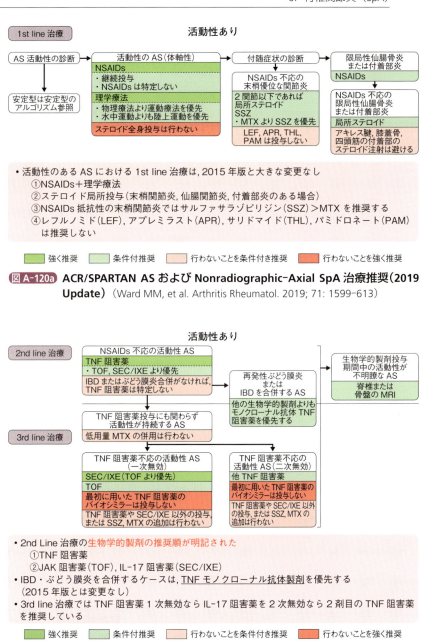

図 A-120a ACR/SPARTAN AS および Nonradiographic-Axial SpA 治療推奨（2019 Update）（Ward MM, et al. Arthritis Rheumatol. 2019; 71: 1599-613）

- 活動性のある AS における 1st line 治療は，2015 年版と大きな変更なし
  ① NSAIDs ＋理学療法
  ② ステロイド局所投与（末梢関節炎，仙腸関節炎，付着部炎のある場合）
  ③ NSAIDs 抵抗性の末梢関節炎ではサルファサラゾピリジン（SSZ）＞MTX を推奨する
  ④ レフルノミド（LEF），アプレミラスト（APR），サリドマイド（THL），パミドロネート（PAM）は推奨しない

- 2nd Line 治療の生物学的製剤の推奨順が明記された
  ① TNF 阻害薬
  ② JAK 阻害薬（TOF），IL-17 阻害薬（SEC/IXE）
- IBD・ぶどう膜炎を合併するケースは，TNF モノクローナル抗体製剤を優先する（2015 年版とは変更なし）
- 3rd line 治療では TNF 阻害薬 1 次無効なら IL-17 阻害薬を 2 次無効なら 2 剤目の TNF 阻害薬を推奨している

図 A-120b ACR/SPARTAN AS および Nonradiographic-Axial SpA 治療推奨（2019 Update）（Ward MM, et al. Arthritis Rheumatol. 2019; 71:1599-613）

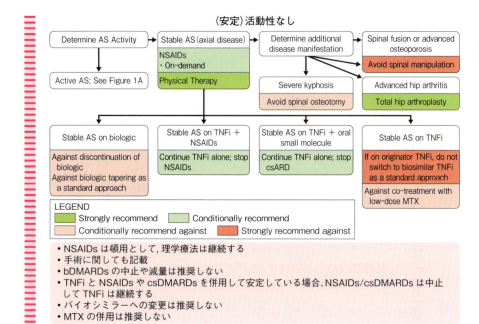

図 A-120c　ACR/SPARTAN AS および Nonradiographic-Axial SpA 治療推奨（2019 Update）（Ward MM, et al. Arthritis Rheumatol. 2019; 71: 1599-613）

- NSAIDs は頓用として，理学療法は継続する
- 手術に関しても記載
- bDMARDs の中止や減量は推奨しない
- TNFi と NSAIDs や csDMARDs を併用して安定している場合，NSAIDs/csDMARDs は中止して TNFi は継続する
- バイオシミラーへの変更は推奨しない
- MTX の併用は推奨しない

7 乾癬性関節炎（PsA）について

a 臨床的特徴

発症のピークは男性で 30～40 代，女性で 50～60 代である（図 A-121）。血清反応陰性の 30 代の RA 患者においては一度は PsA の可能性を想起して診察してみるべきかもしれない。

PsA の進行は RA のように早期に顕著ではなく，同じような速度で徐々に進行するため，患者も医師も進行に気付きにくいことがあり，また積極的な治療に踏み切る機会を逸して関節破壊や強直が起こってしまうことがある（図 A-122, A-123）。

末梢関節炎で発症する症例が多いが，脊椎炎も徐々に合併してくる症例が多い（図 A-124）。強直性脊椎炎と異なり，仙腸関節から徐々に上昇してくるパターンをとらず，頸椎や胸椎病変から発症することも少なくない。関節炎のタイプは 1970 年代 Moll & Wright 医師らにより提唱され[24]，その特

6. 脊椎関節炎（SpA）

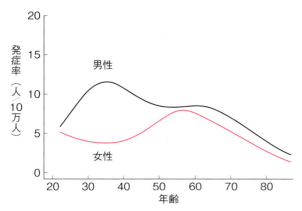

図 A-121 PsA の年齢別発症率（米国ミネソタ州）
（Wilson FC, et al. J Rheumatol. 2009; 36: 361-7）

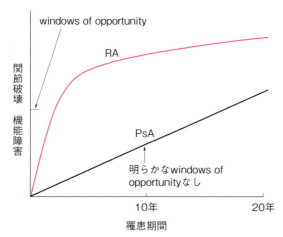

図 A-122 RA と PsA の進行の違い

徴より 1．DIP 関節優位タイプ　2．多関節炎タイプ（RA に似る）3．左右非対称性少関節炎タイプ　4．脊椎炎タイプ　5．ムチランスタイプの 5 つに分けられるとされていたが，それぞれの病変が同時に一患者さんにみられることも多くオーバーラップが多いとされている．

早期診断：

乾癬性関節炎では，関節炎の発症前に皮膚の乾癬病変がみられるのが約

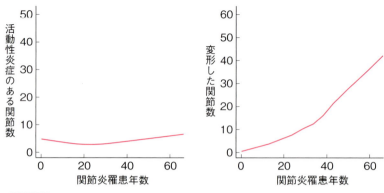

図 A-123 PsA の経過（N＝382）
（Husted JA, et al. Arthritis Rheum. 2007; 56: 840-9）

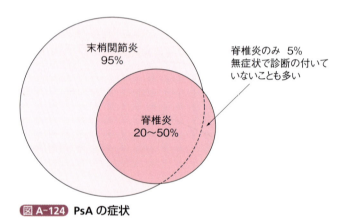

図 A-124 PsA の症状

70％と圧倒的に多いため，関節炎を呈した患者では，爪を含めた乾癬の好発部位の視診を必ず行う（図 A-125，爪病変）．例えば，ケブネル現象により肘や膝の伸側が好発部位であるが，"乾皮症"や"湿疹"と間違われるケースもあるため袖とズボンをまくり視診を行う．その他，頭皮の乾癬では"ふけ"，耳内では"耳垢"として間違われるため確認するようにしたい．鼠径部や陰部（臀裂含む），臍周囲などはなかなか患者さんが言い出せない部位であり，忘れずに問診にて確認する．頻度は少ないが関節炎発症時，皮膚に乾癬のない関節炎先行型も PsA 全体の 10～15％みられるため，皮膚に病変がなくても PsA は除外できない．このような患者では，足底腱膜炎，

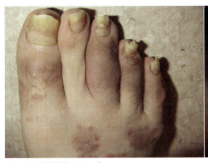
爪甲剥離および onychodystrophy

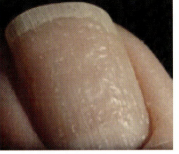
点状陥没 Pitts

図 A-125　爪乾癬

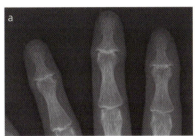
DIP 関節：遠位側の骨新生と近位側の骨びらん

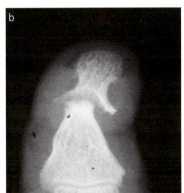
Pencil-in cup 変形

図 A-126　PsA の骨新生像

アキレス腱（付着部炎），爪病変，指炎（ソーセージ指：痛風との鑑別重要）など様々な障害が生じている患者が多く，乾癬性関節炎の診断を疑う所見となる．また，変形性関節症（OA）同様に DIP 関節を侵すことで RA と区別できる．しかし，関節炎の鑑別診断のところでも述べたが手指 OA は 50 歳以上の女性の 3 分の 2 に認められ非常に高頻度のため，PsA と OA 合併例，PsA の DIP 病変と区別が難しい例も見られる．このとき手指 X 線検査が有用である．手指 OA では関節リウマチではみられない遠位側の骨新生像（図 A-126a）や OA と異なり近位側には辺縁の骨びらんが認められる．手指 OA では図 A-126b に示すように，関節面中心側の軟骨が薄く"かもめ"の

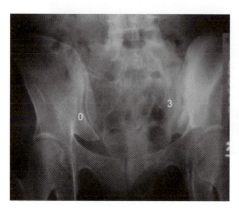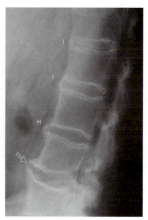

図 A-127 体軸関節病変：X線

形の骨びらんを呈し，軟骨下骨の硬化像，関節面には骨囊胞が認められ，骨棘は関節面から飛び出ることが特徴でこれら病変を総合的に判断し PsA と区別する．また体軸関節病変（図 A-127）が認められることがあるため注意して読影を行う．強直性脊椎炎と異なり，左右非対称性に仙腸関節病変が認められたり，脊椎の病変が DISH や腰椎症のようにくちばしのように 45 度以上外に飛び出るような骨棘を呈することもあり鑑別が難しい（図 A-127）．またその他家族歴（2 親等まで）を含め，これらの所見を統合した分類基準である CASPAR 基準を表 A-78 に示す．この基準は，皮膚科およびリウマチ科専門医の協力の上使用できる診断基準であることを強調し，ぜひ日常診療に役立てていただきたい．

また，SpA に共通して認められる関節外症状として，ぶどう膜炎，炎症性腸疾患の合併や非特異的腸炎もみられることがあり問診で確認する．

その他鑑別診断：

手掌・足底に乾癬様病変が認められ得る場合，掌蹠膿疱症（PPP），反応性関節炎（クラミジアトラコマティスや HIV）に伴う Keratoderma blennorrhagicium（膿漏性角化症）や梅毒性角化症の可能性も考慮し血清検査や尿検査を行う．また，指炎や単・少関節炎では痛風の除外も必要であり，痛風発作であっても血清尿酸値が急性発作期ではその 40％で正常範囲となるため関節液検査が必要となる（表 A-79）．

6. 脊椎関節炎（SpA）

表 A-78　CASPAR 乾癬性関節炎分類基準

炎症性関節病変（関節炎，脊椎炎，腱付着部炎）
　　　　＋
1. 乾癬の病歴
　　乾癬皮膚病変　　　　　　　　　　　　　　2
　　もしくは乾癬家族歴（1, 2 親等）　　　　　1
2. 乾癬の爪病変　　　　　　　　　　　　　　　1
3. RF 陰性　　　　　　　　　　　　　　　　　1
4. 指炎（dactylitis）　　　　　　　　　　　　1
5. 傍関節骨新生　　　　　　　　　　　　　　　1

3 点以上で基準を満たすと定義
特異度 98.7%，感度 91.4%

（Taylor W, et al; the CASPAR Study Group. Classification criteria for psoriatic arthritis. Development of new criteria from a large international study. Arthritis Rheum. 2006; 54: 2665–73）

表 A-79　PsA の鑑別診断とそのポイント

	PsA	関節リウマチ（RA）	痛風	変形性関節症（OA）
発症時罹患関節	左右非対称	対称性	非対称性	非対称性
罹患関節数	少（2〜4）関節	多関節炎	単 or 少関節	単 or 少関節
指趾の罹患部位	遠位	近位	遠位	遠位
罹患関節	1 本の指のすべての関節（Ray 現象）	すべての指趾（PIPs/MCPs/MTPs）	通常単関節	すべての指趾（DIPs/PIPs/第 1 CMC）
圧痛誘発の強さ（kg/cm²）	7	4	NA	NA
関節表面紫色変化	あり	なし	あり	なし
脊椎病変	多い	まれ	なし	非炎症性の変性
仙腸関節炎	多い	なし	なし	なし

（日皮会誌．2019; 129: 2675–733）

乾癬性関節炎のリスク因子[25-29]：
　乾癬の皮疹病変が広いほど関節炎の発症頻度は高い（表 A-80）が，乾癬の重症度と関節炎の重症度は有意な相関が認められない．その他乾癬患者に

chapter A ●関節リウマチの診断・薬物治療

表A-80 乾癬患者内の PsA の有病率〜乾癬の程度によって増加〜

Degree of Ps	Ps n（%）	Ps＋PsA n（%）	Prevalence of PsA n（%）
All Ps patients	530	71	11%
No or little	313（63）	20（32）	6%
1-2% BSA	133（25）	20（34）	14%
3-10% BSA	59（11）	14（19）	18%
＞10% BSA	10（1）	11（14）	56%

（J Am Acad Dermatol. 2005; 53. 573-7）

表A-81 PASI（Psoriasis Area and Severity Index）の評価方法

	紅斑	浸潤	落屑	病巣の範囲
頭部	（ ★ ＋ ★ ＋ ★ ）× ★ × 0.1 ＝ ▲			
	＋			
上肢	（ ★ ＋ ★ ＋ ★ ）× ★ × 0.2 ＝ ▲			
	＋			
体幹	（ ★ ＋ ★ ＋ ★ ）× ★ × 0.3 ＝ ▲			
	＋			
下肢	（ ★ ＋ ★ ＋ ★ ）× ★ × 0.4 ＝ ▲			

⇓

PASI スコア

紅斑，浸潤，落屑
0：なし　　　1：軽度　　　2：中等度　　　3：高度　　　4：極めて高度
病巣の範囲
0：0%　　　　1：0〜9%　　　2：10〜29%　　3：30〜49%
4：50〜69%　　5：70〜89%　　6：90〜100%

おける乾癬性関節炎リスク因子には，頭部乾癬，臀裂や鼠径部などの Inter-gluteal psoriasis，ケブネル現象があり，爪病変，肥満，高脂血症などが示されておりこのような患者では，特に乾癬性関節炎が発症していないか"関節痛"，"背部痛"の問診を行いたい．

疾患活動性や身体機能障害の評価および治療目標

末梢関節炎の疾患活動性の指標として RA 同様臨床研究では DAS，ACR 反応率を評価していることが多いが，DAS28 では DIP 関節の評価や指炎，

312

6. 脊椎関節炎（SpA）

表 A-82 CPDAI

	なし（0）	軽度（1）	中等度（2）	重度（3）
末梢性関節炎		4カ所以下 機能は正常 （HAQ*≦0.5）	4カ所以下だが機能障害あり または 5カ所以上で機能は正常	5カ所以上 かつ 機能障害あり
皮膚病変		PASI≦10 および DLQI≦10	PASI≦10だがDLQI＞10 または PASI＞10だがDLQI≦10	PASI＞10 かつ DLQI＞10
付着部炎‡		3カ所以下 機能は正常 （HAQ*≦0.5）	3カ所以下だが機能障害あり または 4カ所以上で機能は正常	4カ所以上 かつ 機能障害あり
指趾炎		3指以下 機能は正常 （HAQ*≦0.5）	3指以下だが機能障害あり または 4指以上で機能は正常	4指以上 かつ 機能障害あり
脊椎病変		BASDAI≦4 機能は正常 （ASQol≦6）	BASDAI＞4だが機能は正常 BASDAI≦4だが機能障害あり	BASDAI＞4 かつ 機能障害あり

* HAQ（健康調査票）スコアは，当該ドメイン（関節/付着部炎/指炎）の臨床病変がみられた場合のみ求める
‡ 両側アキレス腱付着部，上腕骨外側上顆，両側大腿骨内側上顆の圧痛の有無
（Mumtaz A, et al. Ann Rheum Dis. 2011; 70: 272-7）[30]

表 A-83 PASDAS

- PASDAS＝（0.18×√ physician global VAS）
  ＋（0.159×√ patient global VAS）
  −（0.253×√ SF-36-Physical component score）
  ＋（0.101×Ln［腫脹関節数～66］＋1）
  ＋（0.048×Ln［圧痛関節数～68］＋1）
  ＋（0.231×Ln［Leeds 付着部炎スコア*］＋1）
  ＋（0.377×Ln［指趾炎数］＋1）
  ＋（0.102×Ln［CRP＋1］＋2）×1.5
- GRACE が作成 ・皮膚症状と脊椎病変は患者 VAS に反映されると仮定

* 両側アキレス腱付着部，上腕骨外側上顆，両側大腿骨内側上顆の圧痛の有無
（Helliwell PS, et al. Ann Rheum Dis. 2013; 72: 986-91）[31]

付着部炎，さらに皮膚の評価は含まれない．弱点を補うため末梢関節炎に加え，皮膚病変（PASI スコアは表 A-81 参照），付着部炎，指趾炎，脊椎病変を総合的に評価し，疾患活動性を反映する世界的に認められている基準として CPDAI（表 A-82）および PASDAS（表 A-83）が提唱されている．

313

chapter A ●関節リウマチの診断・薬物治療

CPDAI スコア 4 点以下を軽症，5〜6 点を中等症，7 点以上を重症と評価するが，日常診療では時間がかかりその使用は難しい．治療目標としてminimal disease activity（MDA）は関節，付着部，皮膚すべてを総合的に含む評価基準であり，OMERACT/GRAPPA で T2T の目標値として設定された（332 頁コラム参照）．

身体機能障害の評価としては，RA 同様 HAQ を使用することが多い．体軸関節病変が認められる場合は BASDAI/BASFI/BASMI などの AS の評価基準も使用される．

b 治療

①新たに発表された 2019 年 EULAR および 2015 年 GRAPPA による PsA 治療推奨について

2010 年 EULAR 治療推奨，2009 年 GRAPPA 治療推奨が発表されてからIL-12/23 阻害薬，IL-17 阻害薬，IL-23 阻害薬，アプレミラストなどの新規薬剤も登場し，これら薬剤を含めた治療推奨の update が 2015 年に発表された．その後 EULAR 治療推奨においては 2019 年に update が行われたので後ほど解説する．

GRAPPA ガイドラインでは，Grading of Recommendations, Assessment, Development and Evaluation（GRADE）システムに基づいて推奨が規定された．推奨は治療のターゲットとなる 6 つのドメイン（末梢関節炎，体軸関節炎，付着部炎，指趾炎，皮膚病変，爪病変）に分けて行われた．また新規開発薬剤が推奨に加わった．特に interleukin（IL）-17 阻害薬（IL-17i），IL-12/23 阻害薬（IL-12/23i），phosphodiestelase（PDE）-4 阻害薬（PDE-4i）の登場は TNF 阻害薬（TNFi）不応の患者に対して革新的な治療手段となった．一方，末梢関節炎の DMARDs 推奨からは cyclosporin A（CyA）が削除された．また，疾患そのもの/治療に伴う併発症・合併症に関しての推奨もなされた．こうした疾患の多面性や選択肢の多様化を踏まえ，連携診療を実行し，さらに患者と治療者の間での shared decision making の重要性が強調された．

2015 年 EULAR 治療推奨においてもほぼ同様の治療選択肢の拡張があった．2015 年 GRAPPA ガイドラインとは，CsA を末梢関節炎の選択肢とし

314

6. 脊椎関節炎（SpA）

て残したところが異なっていたが，今回 2019 EULAR 治療推奨 update ではPsAの治療においてGRAPPA同様CsAの使用を推奨していない．関節リウマチと同様に treat to target（T2T）を目指して3～6カ月毎に速やかな治療のステップアップを行う治療アルゴリズムに関しては同様に推奨している．

2015 GRAPPA 治療推奨について（図 A-128）

◆**すべての推奨に共通する基本的な考え方**（overarching principle）

（PsA患者のケアにおける基本的な6つの考え方が下記のように作成され，それぞれGRAPPAメンバーの8割以上の同意が得られた）

1. 治療の目標は，①可能な限りの疾患活動性の低下を全てのドメインについて達成すること，②機能的な状態，QOL，Well-being を向上させ，構造破壊を最小限に抑えること，③合併症（未治療の活動性病変に伴う

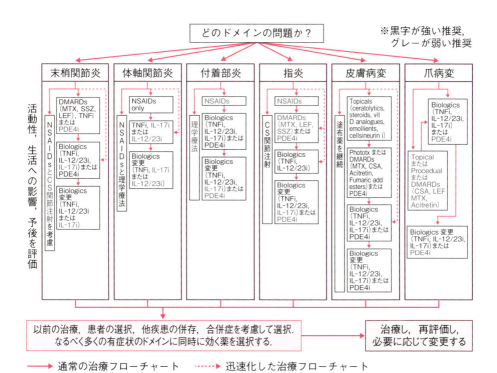

図 A-128　2015年 GRAPPA 推奨治療フローチャート

もの，また治療に伴うもの）を最小限に抑えること．

2. PsA 患者の評価は 6 つの主要なドメイン（末梢関節炎，体軸関節炎，付着部炎，指趾炎，皮膚および爪病変）の全てにわたって行われるべきである．痛み，身体機能障害，QOL，構造破壊に対する病気の影響も評価されるべきである．また，疾患に伴って起こる可能性のある，心血管疾患（CVD），ぶどう膜炎，炎症性腸疾患（IBD）の活動性も併せて評価する．多職種，多専門領域にわたる評価とマネジメントが重要である．

3. 臨床的評価は，患者の主観的な症状評価，病歴，そして身体所見によって行われ，また補足的に血液検査と画像検査（X 線，超音波検査，MRI）が使用される．世界的に使われている PsA の疾患活動性の評価法（PASDAS，DAPSA，CPDAI など）を可能な限り使用する．

4. 合併症の包括的評価を行う．すなわち，肥満，メタボリックシンドローム，痛風，糖尿病，心血管疾患，肝疾患，うつ病，不安障害などである．

5. 治療法の選択は個々人に応じて，また患者と医療者で協力して行われるべきである（shared decision making）．治療は患者に情報提供と他の選択肢を提示した上で，患者の嗜好性を反映すべきである．

6. 患者は発症早期に診断，治療を受けるべきであり，また各専門家による定期的な評価を受けるべきである．また治療は必要に応じて治療のゴールを達成するために調節されるべきである．

各病変に応じた治療推奨：

末梢関節炎

- NSAIDs は症状緩和のため条件付き推奨だが副作用に注意が必要である．
- ステロイドは全身投与，関節内注射とも条件付き推奨．必要最小限の量（通常は 7.5 mg/日以下）と期間で行う．ステロイド中止の際の皮膚乾癬の増悪に注意が必要である．
- DMARDs（注：本ガイドラインでは混乱を避けるために conventional synthetic (cs) DMARDs を DMARDs，biologic (b) DMARDs を生物学的製剤という表現に統一しており，本稿でもそれに倣う）では methotrexate (MTX)，leflunomide (LEF)，sulfasalazine (SSZ) が強い推奨．cyclosporine A (CyA) は効果のエビデンスに乏しいこと，副作用

6. 脊椎関節炎（SpA）

が無視できないことから推奨しない.

- 多くの場合，DMARDs が最初に使われるが，DMARDs の効果は RCT での証明されておらず，エビデンスは観察研究に基づいている．しかし，DMARDs は低コストでどこでも手に入ること，また生物学的製剤などの次のステップの治療の開始を短期間遅らせることが長期的な機能的損失につながるエビデンスはないことから，上記薬剤は強い推奨となった.

- 特に予後不良因子（炎症反応が高い，多関節の炎症）が多い場合には早期の生物学的製剤へのスイッチを考慮する．生物学的製剤では TNFi が強い推奨.

- DMARDs ナイーブの患者における PDE4i のデータは当時は学会発表レベルのエビデンスであったため条件付き推奨とした（*注：その後 PALACE 1,2 trial の結果[6,7] が公表され，apremilast（APR）は 52 週までプラセボに比して有意な改善が報告された）.

- DMARDs で効果不十分の患者では，生物学的製剤（TNFi，IL-12/23i）または PDE4i が強い推奨，IL-17i が条件付き推奨（phase III データがアブストラクトのみのため）.

- ただし，PDE4i では関節破壊の X 線における進行予防は確認されていない.

- 生物学的製剤と DMARDs の併用が効果的であるというエビデンスはない[8].

- TNFi の RCT では MTX 有り無しのサブグループ解析にて効果は同等であった[9]．しかし特にインフリキシマブ使用時は MTX を併用した方が効果が長続きする傾向があった.

- 生物学的製剤不応例（副作用または効果不十分）では，同じもしくは他のクラスの生物学的製剤への変更が有効であるという観察研究が蓄積されており，条件付き推奨とされた.

体軸関節炎

- PsA でのデータが乏しいため，今回の治療推奨では AS または脊椎関節炎におけるデータから推奨を作成した.

- NSAIDs に効果不十分の場合は，理学療法，仙腸関節の注射，TNFi の開始が推奨される.

317

chapter A ●関節リウマチの診断・薬物治療

- DMARDs の有効性は証明されていない（注；しかし体軸関節炎に合併する末梢関節炎に対しては DMARDs の有効性は経験的に知られており，末梢関節炎の活動性が目立つ場合は SSZ や MTX も積極的に考慮される）．
- TNFi 不応の体軸関節性 PsA に対して他の生物学的製剤の有効性を示す RCT はないが，観察研究でその有効性が示唆されている．
- また，AS では secukinumab（SEC）と ustekinumab（UST）の有効性を示す研究がある[10,11]ため条件付き推奨となった．

付着部炎

- NSAIDs が第一選択であるが，エキスパートオピニオンに基づいており，有効性を示す RCT はない．
- 理学療法もエビデンスはないが，よく処方される．
- SSZ については有効性を否定した RCT があり[12]，その他の DMARDs についても有効性を示すエビデンスはない．
- TNFi と UST については有効性を示すエビデンスがあり[13]，強い推奨となっている．SEC と PDE4i については有効性を示したアブストラクトがあり，条件付き推奨としている[14,15]．
- 他のクラスの生物学的製剤へのスイッチについては現時点でのエビデンスは乏しい．

指趾炎

- DMARDs は指趾炎の第一選択薬となっているが，限られたエビデンスに基づいており，条件付き推奨にとどまる．
- ステロイドの局所注射もエビデンスはないが考慮してよく，強い推奨としている．
- 生物学的製剤では TNFi と UST に有効性を示すデータがあり，強い推奨としている．
- SEC と PDE4i は有効性を示した学会発表があり[14,15]，条件付き推奨としている．
- 治療のスイッチについてのデータはない．

皮膚病変

- 外用薬が第一選択となる（特に軽症の場合）．
- 次の選択肢は光線療法，DMARDs である（外用薬と併用して開始しても

よい).

- これらに不応性の場合は生物学的製剤（TNFi，IL-23/12i，IL-17i，または PDE4i）が推奨される．外用薬と DMARDs の併用は必須ではない．
- 上記はいずれも強い推奨である．
- DMARDs 同士のスイッチ，DMARDs から生物学的製剤へのスイッチ，また生物学的製剤同士のスイッチも可能である．

爪病変

- PsA の爪病変の推奨は，皮膚乾癬のスタディにおけるデータに基づいている．
- 生物学的製剤に有効性のエビデンスがある．特に TNFi のデータが一番豊富であり，中等症〜重症の PsA の爪病変に推奨される．
- UST や IL-17i の有効性のエビデンスも出てきており[16,17]，TNFi に代わる治療となりうる．
- PDE4i の有効性も示された[18]．
- データは不足しているが，外用薬，ステロイド注射，DMARDs は特に軽症の場合には考慮される．

合併症対策の推奨；

乾癬患者に発生しやすい合併症

合併症についての推奨を記した論文[19]に別途詳細に記述してある．ここでは項目のみ簡潔に述べる．

- 治療の選択に大事なもの：糖尿病，肥満，心/脳血管イベント（CVD），骨粗鬆症，メタボリック症候群，NAFLD，うつ病
- SpA に伴う関節外症状：炎症性腸疾患（IBD），ぶどう膜炎

各薬剤で気をつけるべき副作用

特に上記の合併症に関連して気をつけるべき薬剤を下記に挙げる．

- CVD；NSAIDs とコルチコステロイド
- 心不全；NSAIDs，コルチコステロイド，TNFi
- 肥満；MTX（薬物動態でサードスペースに MTX が分布する）
- メタボリック症候群；コルチコステロイドと MTX
- 糖尿病；コルチコステロイドと MTX（インスリンが MTX の細胞毒性を増強する[20]．

chapter A ●関節リウマチの診断・薬物治療

少関節炎 PsA を対象としたエビデンスは限られ，推奨 5 は Expert オピニオンを基礎としている．

6. 末梢関節炎患者で csDMARDs の最低 1 剤に対して効果不十分の場合は，生物学的製剤［bDMARDs：TNF 阻害薬（TNFi），IL-17 阻害薬（IL-17i），IL-12/23 阻害薬（IL-12/23i）］を考慮する．顕著な皮膚病変を認める場合には，IL-17i や IL-12/23i が好まれる．

ポイント　以前の推奨では「通常診療では TNF 阻害薬をファーストチョイス」との記載があったが，他のクラスの bDMARDs も関節病変に対してほぼ同等の効果を有するため今回は"どの製剤も優劣なく"推奨している．また，IL-23 阻害薬も承認され，皮膚病変に対して他の bDMARDs と同等の効果を示している．

顕著な皮膚病変（特に BSA＞10% or 顔面・手足・陰部など QOL 障害）がある場合は，皮膚病変に対する効果の優位性より，IL-12/23i あるいは IL-17i を推奨する．ただし，IL-12/23i は体軸病変に効果が乏しく，IL-17i は炎症性腸疾患を有する患者では推奨されない．炎症性腸疾患を有する場合，TNFi（モノクローナル抗体製剤）や IL-12/23i が承認されており，ぶどう膜炎を有する場合，TNFi（モノクローナル抗体製剤）が使用される．

csDMARDs を bDMARDs と併用するか，bDMARDs 単剤で使用するかのディスカッションも行われ，現時点ではすでに MTX を服用している患者で，耐容している場合には"併用療法"を推奨している．ただし，MTX を TNFi と併用することで免疫原性を若干抑える効果が示されてはいるが，単剤と併用療法で明らかな効果の差を示すエビデンスはないことを覚えておく．したがって，併用して効果が得られた場合，MTX を減量することを推奨する．

7. 末梢関節炎患者で，csDMARDs および bDMARDs のそれぞれ最低 1 剤に対して効果不十分で，他の bDMARDs が適応とならない場合，JAK 阻害薬（JAKi）を考慮する．

ポイント　トファシチニブ（本邦適応外）はアダリムマブと比較して皮膚病変の効果は劣るが関節炎においてはほぼ同等の効果が示されている．また，TNFi 治療抵抗性の患者でも有効である．副作用として帯状疱疹や最近深部静脈血栓症などの血栓塞栓症との関連も指摘され，特に高齢者や心血管

疾患の既往歴を有する患者では注意する．

　他の JAKi に RA で使用されているウパダシチニブとフィルゴチニブが開発中である．

　bDMARDs が長期安全性を示しているため，現時点では JAKi は，少なくとも 1 剤の bDMARDs に抵抗性で，コンプライアンスの面や利便性から他の bDMARDs ではなく，経口薬を好む患者に限られる．

8. 軽度の病変（少関節炎または低疾患活動性，軽度皮膚病変）を有する患者で csDMARDs の最低 1 剤に対して効果不十分の場合で，bDMARDs も JAKi も適応とならない場合，PDE4 阻害薬が推奨される．

ポイント　軽度の病変を有する患者や，他の bDMARDs や tsDMARDs が使用できない慢性感染症を有する患者では適応となる．ただし，ACR70 反応性を達成する患者は限られ，関節破壊進行抑制効果も示されていないため，予後不良因子を有する患者では推奨されない．現在少関節炎に対する臨床試験が進行中である．

9. 明らかな活動性のある付着部炎がある患者で，NSAIDs や局所ステロイド注射に不応の場合は bDMARDs を考慮する．

ポイント　線維筋痛症を含む広範囲疼痛症候群を合併する患者でも付着部に疼痛を有するため，"過剰治療"を避けるため，片側性の場合や疼痛だけでなく局所炎症所見を有する"明らかな"付着部炎と記載している（必ずしも関節超音波検査や MRI 検査を必須ではない）．csDMARDs が無効であり，NSAIDs や局所ステロイド注射に不応の場合は bDMARDs を考慮する．また，bDMARDs はクラスにより効果の優劣はなく推奨している．

10. 活動性のある体軸病変優位な患者で，NSAIDs や局所のステロイド注射に不応の場合は，bDMARDs を考慮する．通常診療では TNFi を選択する．また，顕著な皮膚病変がある場合，IL-17 阻害薬が好まれる．

ポイント　体軸病変が優位な場合や重度の場合には，治療推奨は ASAS/EULAR の体軸性脊椎関節炎の治療推奨に準ずる．TNFi に加え IL–17i も選択薬となるが，長期安全性のデータを有するため TNFi を通常診療ではファーストチョイスとして推奨している．ただし，推奨 4 と同様，顕著な皮膚病変を有する場合には，IL–17i をファーストチョイスとして推奨する．

　IL–12/23i やアバタセプト（本邦適応外）は体軸病変への効果は示されて

chapter A ●関節リウマチの診断・薬物治療

いない.

11. **1剤の bDMARDs に不応 / 不耐性の患者では，別の bDMARDs あるいは tsDMARDs を選択する．それぞれの薬剤クラス内のスイッチも可能である.**

ポイント　この推奨は，直接比較した臨床試験はなく Expert オピニオンである．同じクラス内（TNFi や IL–17i など）で 2 剤に対して抵抗例の場合，3 剤目は同じクラスではなく他のクラスの製剤に変更することを推奨している.

12. **寛解維持を得られた患者では，DMARDs の減量も考慮される.**

ポイント　費用や安全面を考慮して減量（投与間隔広げたり，1 回投与量の減量）を希望する患者も多く，皮膚病変，関節病変の再燃するリスクも天秤にかけて慎重に判断する．減量に関する確固たるエビデンスはなく，完全寛解（低疾患活動性ではない）を最低 6 か月は連続して維持したときにのみ考慮する．この推奨 12 は薬剤フリーを意図しているのではなく，疾患活動性を制御したまま必要最小量と最少頻度で行うことを意図している.

[2019 EULAR PsA 治療推奨 update 治療アルゴリズム]

　上記の治療推奨をアルゴリズム化して図示すると図 A–129（フェーズ I ～IV）のようになる．フェーズ I は，推奨 1～5 を，フェーズ II は推奨 1，3～5，12 を，フェーズIIIは推奨 6，8～10，12 を，フェーズIVは推奨 7，11，12 をそれぞれ参照すること．いずれの段階でも RA 治療同様に Treat PsA to target（T2T）が重視されており，3～6 カ月で治療目標を達成し，不十分であれば次の段階へ速やかに進むことが推奨 されている.

②生物学的製剤使用時に MTX の併用は必要か

　TNF 阻害薬の PsA における MTX の併用の必要性については，インフリキシマブの IMPACT2 試験に[32] より MTX 併用群と非併用群で関節炎に対する有意な効果の違いがなく絶対適応ではないと考えられていた．しかし，IMPACT2 試験のサブ解析において RA の場合と同様に MTX 非併用群の方が投与時反応や中和抗体の発現頻度が高いことが示された．アダリムマブにおいても MTX 併用を支持する報告[33] や MTX 非併用では MTX 併用と比較

324

6. 脊椎関節炎（SpA）

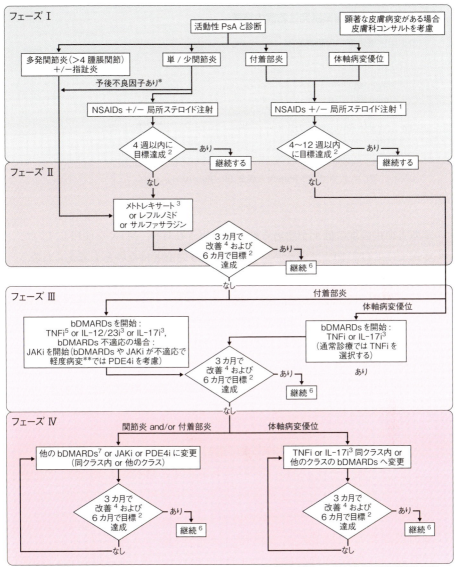

1. 体軸病変には全身ステロイド授与はしない．
2. T2Tの推奨によると治療目標は，寛解あるいは低疾患活動性（特に長期罹病患者）である．
3. 重度または患者QOL障害のある皮膚病変がある場合推奨される．しかし，IBDやぶどう膜炎を合併する場合TNF阻害薬を推奨する．
4. "改善"とは少なくとも50％以上の疾患・活動性の低下を認めること．
5. MTXに追加投与．
6. 寛解の維持がみられた場合，慎重に減量も考慮する．
7. アバタセプトを含む．
8. 個々の定義についてそれぞれ以下の推奨を参照すること．
 Phase I: recommendations 1, 2, 3, 4, 5;
 Phase II: recommendations 1, 3, 4, 5, 12;
 Phase III: recommendations 6, 8, 9, 10, 12;
 Phase IV: recommendations 7, 11, 12
 *予後不良因子：関節破壊あり，赤沈亢進/CRP上昇あり，指趾炎，爪病変含む
 **軽度皮膚病変，少関節炎（≦4関節）または総合的指標で低疾患活動性

The EULAR 2019 algorithm for treatment of PsA with pharmacological non-topical treatments. bDMARDs, biological disease-modifying antirheumatic drugs; EULAR, European League Against Rheumatism; IL-12/23i, interleukin-12/23 inhibitor; IL-17i, interleukin-17 inhibitor; JAKi, Janus kinase inhibitor; NSAIDs, non-steroidal anti-inflammatory drugs; PDE4i, phosphodiesterase-4 inhibitor; PsA, psoriatic arthritis; TNFi, tumour necrosis factor inhibitor. (Gossec L, et al. Ann Rheum Dis 2020; 79: 700-12)

図 A-129　2019 EULAR PsA 治療推奨フローチャート

chapter A ●関節リウマチの診断・薬物治療

表 A-84 **TNF 阻害薬誘発性乾癬の特徴**

・TNF 阻害薬治療中の新規乾癬　　　83%
　　　RA
　　　AS
　　　Behçet 病
　　　Crohn 病
　　　若年性特発性関節炎（小児リウマチ）
・TNF 阻害薬治療中の乾癬の悪化　　17%
　　　乾癬
　　　PsA

（Collamer AN, et al. Arthritis Rheum. 2008; 59: 996-1001）

すると血中濃度の低下が認められた研究報告もあり，MTX を使用していた
症例では，TNF 阻害薬開始時に無理に中止する必要はないとも考えられる．
また，SpA のところで述べたがノルウエーからの報告によると MTX 併用し
た方が TNF 阻害薬の耐用性がよいことも示されている．一方，IL-12/23 阻
害薬のウステキヌマブ（PSUMMIT-1 試験），IL-17 阻害薬のセクキヌマブ
（FUTURE1 試験）やイクセキズマブ（SPIRIT-P1 試験）においては MTX
併用と非併用で皮膚，関節ともに効果の違いがないことが示されており
MTX 使用中これら生物学的製剤を開始するときに MTX を中止の上，ス
イッチすることも考慮される．

③インフリキシマブの反応性のよい患者

　2007 年の報告では，MTX 抵抗例の PsA に対してインフリキシマブを使
用し，38 週後の ACR50 達成率は 44％であった．多変量解析を行い
ACR50 を達成するベースラインの因子を解析したところ，膝や股関節の大
関節炎がなく（OR 29, p＝0.003），CRP が上昇している（＞1 mg/dl）
（OR 19, p＝0.01）患者が有意に反応良好であったと報告している[34]．

　TNF 阻害薬投与による乾癬の新たな発症，または乾癬の増悪も報告され
ており，留意する必要がある（表 A-84, A-85）．軽度の場合は TNF 阻害薬
を中止することなく，局所ステロイド軟膏などで軽快する場合があるが，難
治性あるいは重度の症例では，TNF 阻害薬を中止し，シクロスポリンが奏
効する症例がある．

6. 脊椎関節炎（SpA）

表A-85 TNF阻害薬誘発性乾癬の経過

TNF阻害薬継続でも改善	30%
TNF阻害薬継続で軽快	31%
TNF阻害薬中止で改善	13%
TNF阻害薬中止で改善，他のTNF阻害薬で再発なし	5%
TNF阻害薬継続で不変	2%
TNF阻害薬中止で改善，再開で再発	4%
TNF阻害薬中止で改善，他のTNF阻害薬で再発	8%
TNF阻害薬中止で改善なし	4%

（Collamer AN, et al. Arthritis Rheum. 2008; 59: 996-1001）

④ TNF阻害薬抵抗例に対する治療と今後の展望

TNF阻害薬抵抗例に対しては，本邦で行える選択肢として優先順に

1. 他のTNF阻害薬にスイッチ

2. MTXを併用していなければ併用を行う（特に2次無効例）

3. IL-17阻害薬を使用する（2015年保険収載）（注1）

4. IL-23阻害薬を使用する（2018年保険収載）（注2）

5. ウステキヌマブへスイッチ（保険収載あり）（注1）

6. アプレミラストを追加併用（注4）

などが考えられる．

（注1）

　欧米の臨床研究にて乾癬および乾癬性関節炎に対して効果の認められた IL-17阻害薬には，IL-17モノクローナル抗体である Secukinumab[39] と Ixekizumab，IL-17受容体阻害薬である Brodalumab があり，選択肢となるであろう．NSAIDs/DMARDs 抵抗例，TNFi 抵抗例に対する臨床試験で効果が示されており，TNFi 未使用例では皮膚，末梢関節炎，付着部炎，指趾炎に対して TNFi 阻害薬と同様の効果が示されており生物学的製剤のファーストチョイスとしても使用されている．セクキヌマブにおいては欧米にて強直性脊椎炎に対して承認を取得しており，本邦では IL-17阻害薬3剤すべてが AS を含む脊椎関節炎に対する臨床治験が行われている．安全性においては，クローン病の臨床試験でプラセボ群に比較して効果を示せず，活動性 IBD 患者には使用しない．その他，IL-17は皮膚粘膜免疫にも重要な役割をしており，カンジダ症（口腔，膣等），皮膚感染症にも注

chapter A ●関節リウマチの診断・薬物治療

意が必要であるが，重症感染症全体では TNFi よりリスクが低い可能性もある．特に結核感染リスクが高い患者で他の選択肢がない場合も選択肢となりえる．

（注2）

IL-23 のサブユニットである p19 に対するモノクローナル抗体である IL-23 阻害薬グセルクマブが本邦でも 2018 年に認可，保険収載された．臨床試験においては，非常に高い皮膚への効果が示されており，関節炎に対しては TNFi/IL-17 阻害薬同様の効果が示されており期待されている薬剤である．また 2 カ月毎の皮下注射ということでウステキヌマブ同様使用しやすい薬剤である．新規薬剤であり今後長期間のフォローによる安全性の確認が必要である．現在，掌蹠膿疱症（PPP）の承認申請も行っている．また，他に Risankizumab を含めた 2 剤も本邦にて臨床治験中である．

（注3）

ウステキヌマブは IL-12 および IL-23 の p40 サブユニットに対する遺伝子組換えヒト IgG1 モノクローナル抗体である．皮膚乾癬に対しては TNF 阻害薬とほぼ同等の効果が得られるが，乾癬性関節炎に対しては若干 TNF 阻害薬より効果が落ちる[35,36]．しかし，TNF 阻害薬抵抗例に対して効果が認められたという臨床研究（PSUMMIT2 試験）があり治療抵抗例の選択肢となる．MTX の投与有無では特に効果の差はなかったことが示されており単独投与も可能である[37,38]．関節炎に対する効果は TNFi や IL-17 阻害薬より若干落ちるが，生物学的製剤の中では比較的感染症などのリスクが低く，3 か月毎という投与間隔から頻用されている．

〈実際の使用方法〉

ウステキヌマブ（ステラーラ）皮下注 45 mg シリンジ皮下投与する．初回投与後 4 週後に投与し，以降 12 週間隔で投与する．ただし，効果不十分の場合 4 週目から 90 mg へ増量も可能である．

（注4）

アプレミラスト（APR）は，PDE4 阻害薬で経口薬であり，2014 年に米国で PsA，尋常性乾癬に適応を取得している．日本でも 2017 年にオテズラ®の製品名で保険収載され，局所療法で効果不十分な尋常性乾癬，難治性の関節症性乾癬に適応あり．免疫調節薬であり，その安全性が特徴で，RA 領域におけるブシラミン，サラゾスルファピリジン，イグチモド同様，感染症リスクの高い患者や悪性腫瘍の既往のある患者などでは経口薬のファーストチョイスとなる．関節炎や皮膚に対する効果は臨床試験で

6. 脊椎関節炎（SpA）

表 A-86 PsA 治療薬の選択（私見）
※本邦未承認薬含む

●有効性
- 末梢 TNFi/IL-17i＞IL-23i＞IL-12・23i＞MTX/PDE4i
- 体軸 TNFi/IL-17i
- 付着部炎：TNFi/IL-17i/IL-12・23i/IL-23i/PDE4i
- 皮膚 IL-23i，IL-17i，TNFi＞IL-12・23i＞PDE4i/MTX
- 効果発現の早さ即効性 TNFi/IL17i

●安全性
- 早発性副作用
  - 感染症・結核リスク高い PDE4i＞IL-12・23i，IL-23i，IL-17i
- 遅発性副作用
  - 悪性腫瘍 PDE4i
使用成績
- 継続率：ほぼ同等
- 2 次無効の可能性低い？：IL-12・23i，（IL-23i）
- MTX 使用できない：IL-17i，IL-23i，IL-12・23i，PDE4i

●妊娠したい：CZP

●合併症の有無
- うつ症状：TNFi
- IBD：TNFi，IL-12・23i，IL-23i?
- ぶどう膜炎：TNFi
- 心疾患リスク：TNFi，MTX
- 腎障害：感染症注意

●投与方法
- 経口：MTX/PDE4i
- 点滴：IFX
- 自己注射：ADA/CZP/IL17i
- 皮下注射（病院）：IL-12・23i，IL-23i
  - 投与間隔調節 IL-17i??，IL-12・23i??，IL-23i??
  - 用量調節 ADA/IFX/CZP/IL-12・23i/IL-17i

●費用
- 高額医療
- 1 年目，2 年目以降

はほぼ MTX 同様と考えられている．頻度の高い副作用として下痢を含む消化器症状や頭痛などがある．

⑤ PsA 治療の使い分け

表 A-86 に PsA 患者の背景や病変に合わせた治療選択（私見）を示す．参考にしていただきたい．

コラム

ACR2018 乾癬性関節炎ガイドライン

乾癬性関節炎の治療ガイドライン，治療推奨は ACR，EULAR，GRAPPA などからそれぞれ発表される．しかし，SLE の分類基準は ACR/EULAR で共同作成であり，関節リウマチの分類基準も ACR2010 年基準が実質上国際基準となっている．これは，臨床試験では統一した組入基準が必要で，あまり頻

繁に変更してしまうと過去の試験との比較が全くできなくなってしまうという事情もある．しかし，治療に関しては先進国としては例外的に国民皆保険を持たず薬価も大きく変動する米国とそれ以外の国民皆保険で限られた国内医療費の中で幅広く効率的に医療を提供する必要のある欧州などとは当然異なる治療アプローチが考えられる．それに加えて，乾癬性関節炎においては，生物学的製剤においても TNF 阻害薬，IL-12/23 阻害薬，IL-17 系阻害薬，IL-23 阻害薬と選択肢が広く，Head-to-Head の比較試験なども行われている分野では，残念ながらどのガイドラインも発表された時点ですでに時代遅れとなってしまっている．ACR による乾癬性関節炎に対するガイドライン 2018 は 2019 年に論文化され米国リウマチ学会誌に発表されたが，残念ながら 2018 年 3 月までの論文に基づいて作られており，IL-23 阻害薬の乾癬性関節炎に対する試験は含まれていない．

また，2020 年 5 月に発表された EULAR のガイドラインにおいても，IL-17 阻害薬と TNF 阻害薬の直接比較試験は含まれていない．

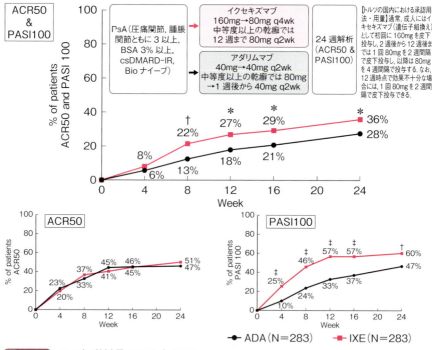

図 A-130 PsA における IL-17i と TNFi
（Ann Rheum Dis. 2020; 79: 123-31）

6. 脊椎関節炎（SpA）

　抗IL-17A抗体であるイクセキズマブと抗TNFα抗体のアダリムマブの直接比較試験（SPIRIT-H2H Ann Rheum Dis. 2020; 79: 123-31）と抗IL-17A抗体であるセクキヌマブとアダリムマブの直接比較試験（EXCEED Lancet. 2020; 395: 1496-505）が発表されている．SPIRIT-H2Hでは一次アウトカムであるACR50とPASI100の両方を満たした率でイクセキズマブが有意差を持って上がり，EXEEDでは一次アウトカムであるACR20においてアダリムマブとの有意差を示せなかった．しかしながら，SPIRIT-H2Hにおいても，ACR20ではイクセキズマブはアダリムマブに有意差は示していない．しかしながら，EXCEEDがcsDMARDsの併用なしの生物学的製剤同士の比較であるのに対し，SPIRIT-H2Hは約50％でMTXを主体とするcsDMARDsが併用されており，csDMARDsの併用のない群においてはイクセキズマブはアダリムマブと比して有意にACR20，ACR50を達成している．しかしながら，セクキヌマブのEXCEED試験がdouble blindであるのに対して，イクセキズマブのSPIRIT-H2H試験はopen-label design with blinded assessmentsである．

　ACR2018 乾癬性関節炎ガイドラインに戻るが，2018年3月までの論文に基づいて書かれていることもあり，TNF阻害薬＞csDMARDs（MTX）＞IL-17阻害薬＞IL-12/23阻害薬を一般的には勧めている．

　これらのガイドラインは，これまでのエビデンスのまとめとして大変有用であり，理解することは重要であるが，実臨床における治療選択においては，より最新の情報に基づいて個々の患者における特徴も加味して正しい情報を伝えshared decisionを行うことが必要となる．

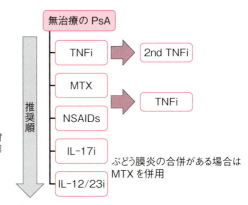

図A-131 ACR 2018 PsA 治療推奨の概要
（Arthritis & Rheumatology. 2019; 71: 5-32）

chapter A ●関節リウマチの診断・薬物治療

コラム

治療目標をもとう　～ T2T TICOPA 研究[40]～

　　RA 治療においては T2T（Treating RA to target: 目標をもって治療する）として寛解をめざし治療することで予後を改善させることが標準治療となっていることはすでに述べた．PsA ではどうであろう．2013 年米国リウマチ学会にて GRAPPA により提唱された治療目標である Minimum disease activity（MDA: 表 A-87）を 1 カ月毎に評価し，MDA を目標に Tight-control を行う患者（治療プロトコールは図 A-132, A-133）と，通常診療で治療調節を行う患者で関節炎の活動性（ACR 反応性で評価）および乾癬病変（PASI score で評価）の改善効果を検討した．結果，48 週後の関節炎および皮膚病変ともに Tight-control 群でより改善が認められた．2017 年 OMERACT/GRAPPA の委員会において正式に MDA が治療目標として確認された．PsA においても T2T を実践していただきたい．

表 A-87 Minimal Disease Activity（MDA）?

GRAPPA（Group for Research and Assessment of Psoriasis and PsA）が Minimal Disease Activity（MDA）を提唱し Validate された指標
以下 7 項目のうち 5 項目を満たす場合＝MDA
1. TJC≦1 関節
2. SJC≦1 関節
3. PASI≦1 or BSA≦3
4. Pain VAS(0-100)≦15
5. Pt Global Activity(0-100)≦20
6. HAQ（0-3）≦0.5
7. Tender entheseal points≦1

6. 脊椎関節炎（SpA）

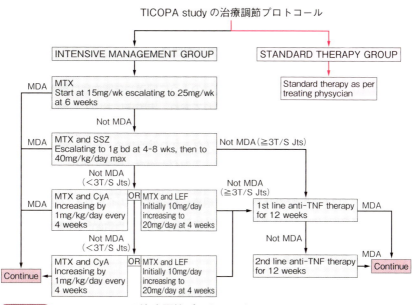

図 A-132 TICOPA study の治療調節プロトコール
（Registered trial EudraCT No - 2007-004757-28）

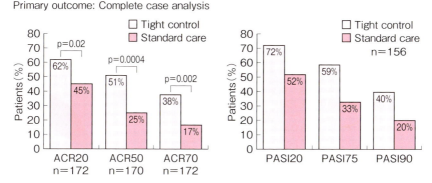

ITT with multiple imputation

Outcome measure	OR	Lower 95% CI	Upper 95% CI	p-value
ACR20	1.91	1.03	3.55	0.0392
ACR50	2.36	1.25	4.47	0.0081
ACR70	2.64	1.32	5.26	0.0058
PASI75	2.92	1.51	5.65	0.0015

ACR: American College of Rheumatology, ITT: intent-to-treat, OR: odds ratio,
PASI: Psoriasis Area Severity Index

図 A-133 TICOPA: Tight control/T2T in PsA の結果　48週後の ACR 反応率と PASI 反応率

1) Eshed I, et al. MRI of enthesitis of the appendicular skeleton in spondyloarthritis. Ann Rheum Dis. 2007; 66: 1553-9.
2) van Praet L, et al. Microscopic gut inflammation in axial spondyloarthritis: a multiparametric predictive model. Ann Rheum Dis. 2013; 72: 414-7.
3) 大阪大学医学部免疫アレルギー内科ホームページ．http://www.med.osaka-u.ac.jp/pub/imed3/lab 2/page4/as.html
4) ASDAS（Ankylosing Spondylitis Disease Activity Score）calculatorのサイト
http://www.asas-group.org/research/asdas_calculator/asdas.html
5) Ramiro S, et al. Higher disease activity leads to more structural damage in the spine in ankylosing spondylitis: 12-year longitudinal data from the OASIS cohort. Ann Rheum Dis online on May 7, 2014.
6) Wanders A, et al. Nonsteroidal antiinflammatory drugs reduce radiographic progression in patients with ankylosing spondylitis: a randomized clinical trial. Arthritis Rheum. 2005; 52: 1756-65.
7) Braun J, et al. Efficacy of sulfasalazine in patients with inflammatory back pain due to undifferentiated spondyloarthritis and early ankylosing spondylitis: a multicentre randomised controlled trial. Ann Rheum Dis. 2006; 65: 1147-53.
8) Clegg DO, et al. Comparison of sulfasalazine and placebo for the treatment of axial and peripheral articular manifestations of the seronegative spondylarthropathies: a Department of Veterans Affairs cooperative study. Arthritis Rheum. 1999; 42: 2325-9.
9) Chen J, et al. Methotrexate for ankylosing spondylitis. Cochrane Database Syst Rev. 2004; (3): CD 004524.
10) Haibel H, et al. No efficacy of subcutaneous methotrexate in active ankylosing spondylitis: a 16-week open-label trial. Ann Rheum Dis. 2007; 66: 419-21.
11) Braun J, et al. Computed tomography guided corticosteroid injection of the sacroiliac joint in patients with spondyloarthropathy with sacroiliitis: clinical outcome and followup by dynamic magnetic resonance imaging. J Rheumatol. 1996; 23: 659-64.

6. 脊椎関節炎（SpA）

12) Rudwaleit M, et al. Effectiveness of adalimumab in treating patients with ankylosing spondylitis associated with enthesitis and peripheral arthritis. Arthritis Res Ther. 2010; 12: R43.

13) Braun J, et al. Treatment of active ankylosing spondylitis with infliximab: a randomised controlled multicentre trial. Lancet. 2002; 359: 1187-93.

14) Van der Heijde D, et al. 2010 Update of the international ASAS recommendations for the use of anti-TNF agents in patients with axial spondyloarthritis. Ann Rheum Dis. 2011; 70: 905-8.

15) Rudwaleit M, et al. Prediction of a major clinical response (BASDAI 50) to tumour necrosis factor alpha blockers in ankylosing spondylitis. Ann Rheum Dis. 2004; 63: 665-70.

16) Sieper J, et al. Efficacy and safety of adalimumab in patients with non-radiographic axial spondyloarthritis: results of a randomised placebo-controlled trial (ABILITY-1). Ann Rheum Dis Published Online First 7 July 2012.

17) Braun J, et al. Decreased incidence of anterior uveitis in patients with ankylosing spondylitis treated with the anti-tumor necrosis factor agents infliximab and etanercept. Arthritis Rheum. 2005; 52: 2447-51.

18) Sieper J, et al. Analysis of uveitis rates across all etanercept ankylosing spondylitis clinical trials. Ann Rheum Dis. 2010; 69: 226-9.

19) The comparative one-year performance of anti-tumor necrosis factor α drugs in patients with rheumatoid arthritis, psoriatic arthritis, and ankylosing spondylitis: Results from a longitudinal, observational, multicenter study. Arthritis Care & Research. 2008; 59: 234-40.

20) Plasencia C, et al. Influence of immunogenicity on the efficacy of long-term treatment of spondyoloarthritis with infliximab. Ann Rheum Dis published online May 6, 2012.

21) Sieper J, et al. Efficacy and safety of infliximab plus naproxen versus naproxen alone in patients with early, active axial spondyloarthritis: results from the double-blind, placebo-controlled INFAST study, Part 1. Ann Rheum Dis. 2014; 73: 101-7.

22) Sieper J, et al. Maintenance of biologic-free remission with naproxen or no treatment in patients with early, active axial

chapter A ●関節リウマチの診断・薬物治療

spondyloarthritis: results from a 6-month, randomised, open-label follow-up study, INFAST Part 2. Ann Rheum Dis. 2014; 73: 108-13.

23) Baraliakos X, et al. Continuous long-term anti-TNF therapy does not lead to an increase in the rate of new bone formation over 8 years in patients with ankylosing spondylitis. Ann Rheum Dis. 2014; 73: 710-5.

24) Moll JMH, Wright V. Psoriatic arthritis. Sem Arthritis Rheum. 1973; 3: 51.

25) Gelfand JM, et al. Epidemiology of psoriatic arthritis in the population of the United States. J Am Acad Dermatol. 2005; 53: 573.

26) Wilson FC, et al. Incidence and clinical predictors of psoriatic arthritis in patients with psoriasis: a population-based study. Arthritis Rheum. 2009; 61: 233-9.

27) Soltani-Arabshahi R, et al. Obesity in early adulthood as a risk factor for psoriatic arthritis. Arch Dermatol. 2010; 146: 721-6.

28) Wu S, et al. Hypercholesterolemia and risk of incident psoriasis and psoriatic arthritis in US women. Arthritis Rheum. 2014; 66: 304-10.

29) Love TJ, et al. Obesity and the risk of psoriatic arthritis: a population-based study. Ann Rheum Dis. 2012; 71: 1273-7.

30) Mumtaz A, et al. Development of a preliminary composite disease activity index in psoriatic arthritis. Ann Rheum Dis. 2011; 70: 272-7.

31) Helliwell PS, et al. The development of candidate composite disease activity and responder indices for psoriatic arthritis (GRACE project). Ann Rheum Dis. 2013; 72: 986-91.

32) Antoni C, et al; IMPACT 2 Trial Investigators. Infliximab improves signs and symptoms of psoriatic arthritis: results of the IMPACT 2 trial. Ann Rheum Dis. 2005; 64: 1150-7.

33) Gladman DD, et al. Adalimumab for long-term treatment of psoriatic arthritis: forty-eight week data from the adalimumab effectiveness in psoriatic arthritis trial. Arthritis Rheum. 2007; 56: 476-88.

34) Gratacós J, et al. Prediction of major clinical response (ACR50) to infliximab in psoriatic arthritis refractory to methotrexate. Ann Rheum Dis. 2007; 66: 493-7.

6. 脊椎関節炎（SpA）

35) Griffiths CEM, et al. Comparison of Ustekinumab and Etanercept for moderate to severe psoriasis. N Engl J Med. 2010; 362: 118-28.

36) McInnes IB, et al. Efficacy and safety of ustekinumab in patients with active psoriatic arthritis: 1 year results of the phase 3, multicentre, double-blind, placebo-controlled PSUMMIT 1 trial. Lancet. 2013; 382: 780-9.

37) Mc Innes IB, et al. Ustekinumab is effective in inhibiting radiographic progression in patients with active psoriatic arthritis: Integrated data analysis of two phase 3, randomized placebo-controlled studies. Ann Rheum Dis online Feb 19, 2014.

38) Ritchlin C, et al. Efficacy and safety of the anti-IL-12/23 p40 monoclonal antibody, ustekinumab, in patients with active psoriatic arthritis despite conventional nonbiologic and biologic antitumor-necrosis-factor therapy: 6-month and 1 year results of the phase 3, multicenter, double-blind, placebo-controlled, randomised PSUMMIT 2 trial. Ann Rheum Dis. 2014; 73: 990-9.

39) Langley RG, Elewski BE, Lebwohl M, et al. Secukinumab in plaque psoriasis: results of two phase three trials. N Engl J Med. 2014; 371: 326-38.

40) Coates LC, ct al. Results of a randomised controlled trial comparing Tight Control Of Early Psoriatic Arthritis (TICOPA) With Standard Care: Tight Control Improves Outcome. Arthritis Rheum. 2013; 65 (suppl): S346.

41) Abuabara K, et al. Cause-specific mortality in patients with severe psoriasis: a population-based cohort study in the U.K. Brit J Dermatol. 2010; 163: 586-92.

chapter B

こんな時どうする？
困った時の
DMARDs 選択

chapter B ●こんな時どうする？ 困った時の DMARDs 選択

1 肝障害がある患者の RA 治療

a 抗リウマチ薬による肝障害

　メトトレキサートに代表される経口抗リウマチ薬ではすべての薬剤で少なからず有害事象としての肝障害があり，また生物学的製剤を含めた免疫抑制薬では肝炎ウイルスの活性化による肝障害も報告されている．よって，肝炎ウイルス感染のある RA 患者においては，抗リウマチ薬による直接の肝機能障害のリスクのみでなく，免疫抑制効果による肝炎ウイルスの再活性化にも注意する必要がある．

　B 型肝炎では，従来は既感染と考えられていた HBs 抗原陰性で HBc 抗体陽性もしくは HBs 抗体陽性の症例においても，移植後やリツキシマブのような B 細胞に対する抗体などの強力な免疫抑制により B 型肝炎ウイルス（HBV）再活性化による重症肝炎（de novo B 型肝炎）の発症が報告されており，予後不良のため注意が必要である．実際に RA に対してメトトレキ

表 B-1 肝障害・腎障害・肺障害のある患者での投与可能な DMARDs 選択

	慎重に投与可能な薬剤	禁忌・極力回避
肝障害（ウイルス性肝炎既感染含む）	サラゾスルファピリジン ブシラミン イグラチモド インフリキシマブ以外の生物学的製剤（MTX 併用必須でない）	メトトレキサート レフルノミド
腎障害	サラゾスルファピリジン，イグラチモド タクロリムス，ミゾリビン，レフルノミド インフリキシマブ以外の生物学的製剤（MTX 併用必須でない） JAK 阻害薬（バリシチニブ以外）	ブシラミン メトトレキサート
肺障害	サラゾスルファピリジン，ミゾリビン ブシラミン，グラチモド，タクロリムス インフリキシマブ以外の生物学的製剤（MTX 併用必須でない）	メトトレキサート レフルノミド

（注：それぞれの薬剤の本文を参照）

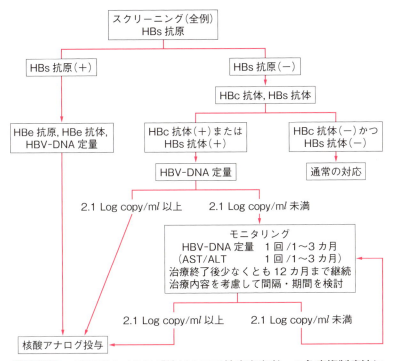

図 B-1 B 型肝炎ウイルス感染リウマチ性疾患患者への免疫抑制療法に関する提言（第 4 版改訂版）
（日本リウマチ学会 2014 年 4 月 23 日改訂）

サートや TNF 阻害薬を投与した症例でも，HBV キャリアの症例で再活性化による死亡例が複数報告されている．このような状況においてより安全に治療を行う指針として 2009 年 1 月に厚生労働省研究班から，「免疫抑制剤・化学療法により発症する B 型肝炎対策ガイドライン」が発表され，日本リウマチ学会から「B 型肝炎ウイルス感染リウマチ性疾患患者への免疫抑制療法に関する提言」として発表され，2014 年 4 月に改訂版が発表されている．欧州リウマチ学会誌に掲載された総論文とほぼ同様の推奨となっている（図 B-1）[1, 2]．RA の治療においては，免疫抑制作用を有する合成抗リウマチ薬（メトトレキサート，タクロリムス，レフルノミド，ミゾリビン，トファシチニブなど），中等量以上のステロイド（0.5 mg/kg/日を 2 週間以上投与），全ての生物学的抗リウマチ薬，リツキシマブ，免疫抑制薬（アザチ

chapter B ●こんな時どうする？　困った時の DMARDs 選択

オプリン，シクロホスファミド，シクロスポリン，ミコフェノール酸モフェチルなど）が現時点では該当し，投与時にはこのアルゴリズムを参考にすることが勧められているため詳細はホームページを参考にしていただきたい．以下簡単にポイントを述べる．

① HBs 抗原陰性で HBs 抗体または HBc 抗体陽性例（既往感染例）への対応

1）リアルタイム法（TaqMan PCR）により HBV DNA を定量する

• HBV DNA 量が 2.1 Log copies/m*l* 以上の場合：
免疫抑制療法を開始する前，できるだけ早期に核酸アナログ製剤の投与を開始し，日本肝臓学会肝臓専門医と共に経過を追う．核酸アナログ製剤は薬剤耐性の観点からエンテカビル水和物の使用を推奨する．

• HBV DNA 量が 2.1 Log copies/m*l* 未満の場合：
HBV DNA 定量と AST，ALT などの肝機能検査を定期的にモニタリングする．
モニタリングは免疫抑制療法施行中のみならず，治療終了後も少なくとも 12 カ月は継続する．モニタリングの間隔は，治療開始ないし治療法変更後 6 カ月は原則として毎月，その後は主治医の判断で 3 カ月毎まで延長可とするが，免疫抑制・化学療法の内容を考慮して間隔および期間を検討する．なお，HBV DNA 量が 2.1 Log copies/m*l* 未満でも検出された場合には，モニタリングの間隔を 1 カ月毎に短縮するのが望ましい．

a）モニタリング中に血清 HBV DNA 量が 2.1 Log copies/m*l* 以上となった場合：
直ちに核酸アナログ製剤を投与する．核酸アナログ製剤は薬剤耐性の観点からエンテカビル水和物の使用を推奨する．なお，その際，免疫抑制療法を中止すると免疫応答が活性化して肝炎を発症する可能性があり，治療は継続するのが望ましいと考えられている．

b）モニタリング中，2.1 Log copies/m*l* 未満の場合：
特に処置は不要である．厚生労働省研究班の調査では，既往感染者において，治療開始前の HBV DNA（リアルタイム PCR 法）が 2.1 Log copies/m*l* 未満で増幅反応シグナルが検出された症例，および治療中の HBV DNA

344

モニタリングで 2.1 Log copies/m*l* 未満で増幅反応シグナルが検出された症例では，その後必ずしも HBV DNA の上昇がみられたわけではないことから，HBV DNA が HBV DNA 量が 2.1 Log copies/m*l* 以上となった時点で再活性化と判断し，核酸アナログの投与を開始するのが妥当と考えられる．

② C 型慢性肝炎患者では

C 型慢性肝炎では肝硬変への移行は通常 20～30 年かけて緩徐に進行するが，そのリスクを血液検査（ウイルス量，肝機能検査）や画像検査のみによって推測することは難しく，肝生検での評価が必要とされる[3]．このため薬物の安全性を確認するためには長期にわたる症例の蓄積が必要となり，現段階では生物学的製剤のような免疫抑制薬に属する抗リウマチ薬の使用に関しては利益が危険性を上回ると判断される場合に限って慎重な経過観察のもとに投与する必要がある．

b 肝障害または肝炎ウイルス感染患者での DMARDs 選択（表 B–1 参照）

サラゾスルファピリジン，ブシラミンとも有害事象として肝障害が低頻度（各 2.8％，1.9％）で認められることから定期的な血液検査が必要であり（表 B–2），すでに肝障害のある患者において慎重に投与することが可能である（表 B–3）．肝機能が正常で活動性肝炎の所見が認められない HBV，C 型肝炎ウイルス（HCV）キャリアにおいても肝機能異常に注意をしながら処方可能である．同様にイグラチモドも重篤な肝障害肝障害患者では投与禁忌となるが，それ以外は肝機能異常の悪化がないか注意深くモニターしながら慎重投与可能（重篤な肝障害の頻度 0.49％）である．ただし，「1 日 50 mg から開始した場合，1 日 25 mg の場合と比較して，AST 増加（GOT 増加），ALT 増加の発現率が高かったため，投与開始から 4 週間は 1 日 25 mg を投与する」とされている．メトトレキサートは，慢性肝疾患の症例では添付文書上は禁忌（表 B–3）であり原則的には処方できない．ただ慢性肝疾患の定義は明確には示されていない．2008 年に発表された RA の治療推奨においてはメトトレキサートとレフルノミドは，原因が何であれ肝トランスアミナーゼが正常上限の 2 倍以上，HBV，HCV の急性肝炎および慢性肝炎では禁忌とされていたが（表 B–4），2015 年に発表された米国リウマチ学会（ACR）の RA に対する抗リウマチ薬使用に関する推奨（76 頁参照）では，

345

chapter B ●こんな時どうする？ 困った時の DMARDs 選択

表 B-2 経口 DMARDs の主な禁忌と必要な検査

薬剤名	禁忌	検査
サラゾスルファピリジン	サルファ剤またはサリチル酸製剤に対する過敏症	●投与開始前に血液学的検査（白血球分画を含む血液像），肝機能検査および腎機能検査 ●定期的に（投与開始後最初の 3 カ月は 2 週間に 1 回，次の 3 カ月間は 4 週間に 1 回，その後は 3 カ月ごとに 1 回），血液学的検査および肝機能検査．また，腎機能検査についても定期的に行う
ブシラミン	血液障害，骨髄機能低下，腎障害	●投与前に血液，腎機能，肝機能などの検査 ●投与中は毎月 1 回血液および尿検査などの臨床検査 ●下記の場合は投与中止：白血球数：3,000/mm³ 未満，血小板数：100,000/mm³ 未満，尿蛋白：持続的または増加傾向
イグラチモド	妊婦または妊娠している可能性，重篤な肝障害，消化性潰瘍，過敏症の既往歴，ワルファリンを投与中の患者	●投与前には血算，腎機能，肝機能検査を実施し，投与開始後最初の 2 カ月は 2 週 1 回，以降は 1 カ月 1 回定期的に同様の検査を実施．間質性肺炎の副作用が疑われる場合，胸部 X 線や KL6 および CRP（必要なら胸部 CT）を行う．また消化性潰瘍の発症も有害事象としてあり必要なら胃カメラ．
メトトレキサート	妊婦または妊娠の可能性，骨髄抑制，慢性肝疾患，腎障害，授乳婦，胸水，腹水	●投与開始前に胸部 X 線 ●投与開始前および投与中，4 週間ごとに臨床検査（血液検査，肝機能・腎機能検査，尿検査など）ACR2008 推奨では，投与前検査として血算，AST，ALT，クレアチニン，HBs 抗原，HBc 抗体，HBs 抗体，HCV 抗体
タクロリムス	シクロスポリンまたはボセンタン投与中，カリウム保持性利尿薬投与中，妊婦または妊娠している可能性	●頻回に臨床検査（クレアチニン，BUN，血清カリウム，空腹時血糖，アミラーゼ，尿糖，クレアチニンクリアランス，尿中 NAG，尿中 β2 ミクログロブリンなど） ●心電図，心エコー，胸部 X 線検査 ●定期的に血圧測定
ミゾリビン	妊婦または妊娠している可能性，過敏症の既往歴，白血球数 3,000/mm³ 以下	●投与前には血算，生化学検査（腎機能，肝機能，尿酸値含む）を実施する．投与開始後定期的に同様の検査を実施（プリン合成阻害薬であるため尿酸値上昇を認めることもある）．MMF 同様の作用機序を有し赤芽球労発現も注意し，網状赤血球数も定期的に測定する．また免疫抑制薬であり投与前ウイルス性肝炎や結核スクリーニングも行う．

表 B-2 経口 DMARDs の主な禁忌と必要な検査（つづき）

薬剤名	禁忌	検査
トファシチニブ	妊婦または妊娠している可能性，本剤の成分に対し過敏症の既往歴のある患者，重篤な感染症（敗血症など），活動性結核，重度肝機能障害，好中球数＜500/mm³，リンパ球数＜500/mm³，Hb＜8 g/dl	● 投与前に血算，生化学検査（コレステロール値を含む），胸部 X 線を含め生物学的製剤同様の検査，またウイルス性肝炎や結核スクリーニング検査が必要である． ● 投与中は，副作用である好中球/リンパ球減少，貧血，GFR の低下，肝障害，高脂血症，CK 上昇の発現がないか血算，生化学検査のモニタリングを行う．その際，好中球 500〜1000/mm³ では，1000/mm³ 以上となるまで投与を中断し，500/mm³ 以下の場合投与中止．同様にリンパ球数＜500/mm³ の場合には投与中止．Hb＜8 g/dl あるいは 2 g/dl 以上低下する場合，Hb が正常化するまで投与中断する．また，間質性肺炎が疑われる場合，胸部 X 線検査，胸部 CT 検査および血液ガス検査などを実施し，結核，PCP を含む感染症を含めた検査が必要となる．

表 B-3 RA に保険適応のある主な薬剤の添付文書の肝疾患に関する記載

項目	SSZ	BUC	MTX	TAC	LEF	MZB	抗 TNF	抗 IL-6	ステロイド	IGR	ABT	TOF
肝障害のある患者	慎重	慎重	慎重								慎重	慎重※5
重篤な肝障害のある患者											禁忌	禁忌
慢性肝疾患のある患者			禁忌	禁忌								
肝硬変の患者									慎重			
HBV キャリア					※1	※2	※3				※4	※4

SSZ：サラゾスルファピリジン，BUC：ブシラミン，MTX：メトトレキサート，TAC：タクロリムス，LEF：レフルノミド，MZB：ミゾリビン，抗 TNF：TNF 阻害薬，抗 IL-6：抗 IL-6 受容体抗体，IGR：イグラチモド，ABT：アバタセプト，TOF：トファシチニブ

※1 細菌感染症・ウイルス感染症・真菌感染症などを合併している患者〔ウイルス性肝炎においては，肝炎を増悪させることがある（骨髄機能抑制により，感染症を増悪させる恐れがある）〕とあり慎重投与が必要である

※2 モニタリングを行い，ウイルスの再活性化に注意をすること

※3 肝障害を起こす可能性のある薬剤と併用する場合や活動性肝疾患または肝障害の患者に投与する場合十分なモニタリングを行い，異常が認められた場合には投与を中止するなど適切な処置を行う

※4 投与前肝炎ウイルス感染の有無を確認し，B 型肝炎ウイルスキャリアの患者または B 型肝炎既感染者（HBs 抗原陰性かつ HBc 抗体陽性または HBs 抗原陰性かつ HBs 抗体陽性）では臨床症状と臨床検査値の観察を十分に行い，B 型肝炎再燃の徴候に注意する．

※5 肝機能障害があらわれることがあるので，トランスアミナーゼ値上昇に注意するなど観察を十分に行い，異常が認められた場合には，適切な処置を行うこと．なお，メトトレキサートを含む DMARDs など併用時に本剤単独投与時と比較して肝機能障害の発現率上昇が認められているため，肝機能障害を起こす可能性のある薬剤と併用する場合には特に注意すること

chapter B ●こんな時どうする？ 困った時の DMARDs 選択

表B-4 ACR による RA 患者における抗リウマチ薬の開始時または再開時の禁忌に関する勧告（肝疾患についてのみ抜粋）

項目	SSZ	MTX	LEF	抗 TNF
肝トランスアミナーゼ量が正常上限の 2 倍	禁忌	禁忌	禁忌	
急性 HBV または HCV 感染症	禁忌	禁忌	禁忌	禁忌
慢性 HBV 感染症，治療を受けている場合				
Child-Pugh 分類クラス A		禁忌	禁忌	
Child-Pugh 分類クラス B		禁忌	禁忌	禁忌
Child-Pugh 分類クラス C	禁忌	禁忌	禁忌	禁忌
慢性 HBV 感染症，治療を受けていない場合				
Child-Pugh 分類クラス A	禁忌	禁忌	禁忌	
Child-Pugh 分類クラス B, C	禁忌	禁忌	禁忌	禁忌
慢性 HCV 感染症，治療を受けている場合				
Child-Pugh 分類クラス A		禁忌	禁忌	
Child-Pugh 分類クラス B, C	禁忌	禁忌	禁忌	禁忌
慢性 HCV 感染症，治療を受けていない場合				
Child-Pugh 分類クラス A		禁忌	禁忌	
Child-Pugh 分類クラス B, C	禁忌	禁忌	禁忌	禁忌

禁忌と明記されていない項目に関しても，当該薬物の使用に関しての肯定的な推奨を示すものではないことに注意する.
SSZ：サラゾスルファピリジン，MTX：メトトレキサート，LEF：レフルノミド，
抗 TNF：TNF 阻害薬
（Saag KG, et al. Arthritis Rheum. 2008; 59: 762-84 より一部改変；岡田正人. 日本リウマチ財団ニュース. 2009; 93: 1-3）

活動性ウイルス性肝炎であっても抗ウイルス治療を受けていれば経口抗リウマチ薬および生物学的製剤を含めた薬剤も投与可能となっている. 日本リウマチ学会が 2010 年 9 月に発表したメトトレキサート治療診療ガイドライン[4]では，HBV キャリア・既感染患者に対しては「投与中あるいは投与中止後の再活性化・劇症肝炎が報告されており極力投与回避とされ，やむを得ず投与する場合には消化器内科専門医と連携しながら必要に応じて抗ウイルス薬の予防投与を併用し慎重にモニタリングを行う」と記載されている. HCV キャリア・既感染患者では「同様な肝炎増悪の可能性は否定できないためメトトレキサート開始前に消化器内科専門医などへのコンサルトを考慮しリスク・ベネフィットバランスを慎重に検討する」とされている.
　一方，メトトレキサート使用中の肝障害は用量依存性の副作用であるが，

最近行われたメタ解析[5] では平均投与量 10.5 mg/週, 約 5 年間で AST/ALT 上昇がみられたものは 20.2%, 正常上限の 2〜3 倍および 3 倍を超える上昇がみられたものはそれぞれ 12.9%, 3.7%であった. 実臨床では多くの症例で葉酸の投与により予防が可能である. ただ, 薬剤性肝硬変に至る症例も 1%未満と報告されており, 基礎疾患として慢性の肝障害のある患者においてはそのリスクが高い. 以下メトトレキサート使用中の肝炎ウイルス非感染者の肝障害への対処法につき欧米の推奨[6] を示す.

〔肝炎ウイルス非感染者におけるメトトレキサート肝障害の対処法〕

1. AST/ALT が正常上限の 3 倍以内に上昇した時はメトトレキサート投与量を調整する, あるいは葉酸を開始または増量する.

2. AST/ALT が正常上限の 3 倍以上に上昇した時にはメトトレキサートを一時中止もしくは減量し, 葉酸を連日投与する.

3. 上記によって肝機能が改善しない場合には, 肝機能障害の他の原因を検索するとともに消化器内科専門医へのコンサルトを考慮する.

タクロリムスは本邦では RA の治療に用いられるが, 海外では移植後において頻用されている. 添付文書では肝障害を有する患者では慎重投与 (肝障害 5%以上) となっている. 移植領域では肝炎ウイルスキャリアに対して使用されるが, 再活性化の報告も少なくない. RA 症例においても B 型肝炎の再活性化が学会報告 (織部元廣. 第 51 回日本リウマチ学会学術集会) されており注意が必要である.

一方, 同様にカルシニューリン阻害薬である**シクロスポリン**においては HCV による慢性肝炎患者の肝移植後の研究においてインターフェロンと併用することでウイルス量および肝炎の再発を非併用群よりも減少させることが示されており, タクロリムスにはないウイルス抑制作用の可能性が示唆されている. RA 治療においてはイタリア研究グループから HCV 陽性患者に対して TNF 阻害薬とシクロスポリンを併用した症例の安全性に関する報告がいくつかあるが, 実臨床では日本ではシクロスポリンは RA に適応外の薬剤であること, 腎障害が高頻度 (RA の研究で 1 年で約 30%) に認められることよりその使用は限られる.

chapter B ●こんな時どうする？ 困った時の DMARDs 選択

　ミコフェノール酸モフェチル（MMF）がC型慢性肝炎患者の肝移植後の研究において免疫抑制薬としてウイルス抑制効果がある可能性が示唆されており，同様の作用機序をもつミゾリビンもC型肝炎治療薬としての効果が将来的に期待されている薬剤である．しかしリウマチ性疾患の治療薬として肝炎ウイルスキャリアへ処方した場合の安全性は十分に検討されたとは言いがたい．肝炎ウイルスキャリアへの処方は極力慎重に行う（表B-3）．

　TNF阻害薬では，B型肝炎ウイルス（HBV）感染者（キャリアおよび既往感染者）に対しては，日本リウマチ学会による「B型肝炎ウイルス感染リウマチ性疾患患者への免疫抑制療法に関する提言」および日本肝臓学会「B型肝炎治療ガイドライン」を参考に対処する．C型肝炎ウイルス（HCV）感染者に対しては，一定の見解は得られていないが，TNF阻害療法開始前に感染の有無に関して検索を行い，陽性者においては慎重な経過観察を行うことが望ましい，とされている．HCVのキャリアへは，肝炎の悪化をきたさずに使用可能との報告が複数あり[7]，特にエタネルセプトにおいては慢性C型肝炎患者に対してインターフェロン・リバビリン（標準）治療にエタネルセプトの追加使用により48週時点でのウイルス抑制効果があったことがPhase 2のランダム化比較試験で示されている[8]．しかし，RAや乾癬性関節炎に対してインターフェロンとエタネルセプトを併用した症例報告は過去に3つしかなく[9-11]，ただ，長期に使用した場合の十分な安全性は確立していない．臨床症状および血液検査で異常を認めない症例に慎重な投与を行う時にも十分なモニタリングを行い，ACR2008推奨のとおり，Child-Pugh分類クラスB, C（表B-5）の症例については禁忌と考えるべきであろう．

　抗IL-6受容体抗体（トシリズマブ）やアバタセプトにおいてもHBV感染者（キャリアおよび既往感染者）にて日本リウマチ学会による「B型肝炎ウイルス感染リウマチ性疾患患者への免疫抑制療法に関する提言」および日本肝臓学会「B型肝炎治療ガイドライン」を参考に対処するよう推奨されている．またC型肝炎ウイルス（HCV）感染者（キャリア）への投与例は少なく，一定の見解は得られていない．したがって，現時点ではキャリアへの投与は避けるのが望ましいが，治療上の有益性が危険性を大きく上回ると判断される場合には，本剤の開始を考慮してもよい，とされている．また，トシリズマブにおいては慢性活動性EBウイルス感染（CAEBV）を伴う関節

| 表B-5 | Child-Pugh による肝疾患の重症度分類 |

スコア	1	2	3
腹水	なし	少量	中等量
総ビリルビン（mg/dl）	<2	2～3	>3
アルブミン（g/dl）	>3.5	2.8～3.5	<2.8
プロトロンビン時間（延長・秒）	<4	4～6	>6
プロトロンビン時間（INR・%）	>3.5	2.8～3.5	<2.8
肝性脳症	なし	1～2度	3～4度

クラスA　5～6点，クラスB　7～9点，クラスC　10点以上.
クラスCの予後は，1年生存率で　～50%となる.
（2009 Up To Date より改変）

リウマチ患者への投与がなされ，その急激な悪化により死亡した症例の報告があり，CAEBV を伴う患者への投与は禁忌とされている.

最後に，**トファシチニブ**は生物学的製剤と同様の効果と副作用の頻度をもつ経口 DMARDs であるが，肝障害の報告もあり，重度の肝機能障害を有する患者では禁忌となり，軽度～中等度の肝障害を有する場合，慎重に投与可能であるが，中等度の肝機能障害を有する患者では 5 mg を 1 日 1 回に減量するよう勧められている. また，ウイルス性肝炎患者では生物学的製剤同様の慎重な検討と，使用する場合にも同様のモニタリングが必須となる.

最後に 2015 年米国リウマチ学会の RA 治療推奨（76 頁参照）では，活動性 B 型，C 型ウイルス性肝炎においても抗ウイルス治療を受けていれば生物学的製剤，トファシチニブも使用可能となっているが前述のように長期のデータはなく，使用する場合には肝臓専門医と連携して慎重な対応が必要であろう.

C ステロイド薬

HBV 遺伝子には glucocorticoid enhancement element が存在するため，ステロイドにより直接的にウイルス複製が助長される. またステロイド薬の減量，中止によって免疫学的均衡の破綻により，重症肝炎が惹起されることがある. HCV に関してもウイルス量がステロイドパルス療法によって増加したとの記載がある. 安易に多量のステロイド薬を継続するのは慎むべきであるが，プレドニゾロン 7.5 mg/日未満の投与であれば問題はないとの報告

chapter B ●こんな時どうする？ 困った時の DMARDs 選択

もあり，ステロイドを処方する場合は消化器内科専門医との連携も考慮し少量の経口ステロイドを慎重に使用する．

d NSAIDs

肝障害のある患者には慎重に肝酵素をモニタリングしながら使用する．肝機能が正常な肝炎ウイルスキャリアにおいては，禁忌とはならない．

2 腎障害がある患者の RA 治療 （表 B-1）

サラゾスルファピリジンは有害事象として腎障害が低頻度（1.3％）で認められることから，定期的な血液・尿検査（表 B-2）を行いながら使用可能である．すでに腎障害のある患者においては有害事象が多く発生する可能性（特に骨髄抑制に注意）があり慎重投与が必要である（124 頁コラム参照）．

ブシラミンは，腎障害を有する患者では使用禁忌である．

イグラチモドは，腎障害のある患者に投与可能であるが副作用の増加するおそれがあり慎重投与するよう勧められている．

メトトレキサートは腎排泄性薬剤であり，GFR＜60 m*l*/分では骨髄抑制の副作用の危険因子とされ使いづらく（慎重投与），ACR2008 の推奨および日本リウマチ学会ガイドラインでは GFR＜30 m*l*/分未満は投与禁忌とされている．特に高齢患者では Cr が 1.0 でみかけ上正常範囲であっても GFR＜60 m*l*/分となるので，推定 GFR を計算するようにする（135 頁コラム参照）．また，GFR＜60 m*l*/分の腎障害を有する場合，葉酸を併用しながら低用量から開始し，末梢血，肝機能異常など注意深くモニターが必要である．

タクロリムスはループス腎炎にも使用される薬剤であるが，低頻度ではあるが急性腎不全，ネフローゼ症候群の報告がある．海外での RA 治療の研究では高用量 5 mg/kg/日の使用で約 3 割の患者で腎機能障害が認められており，使用用量（3 mg/kg/日以下）を順守する．薬剤添付文書では腎障害のある患者では腎障害が悪化する可能性があり慎重投与とされている．

レフルノミドは肝排泄（胆汁腸管排泄）の薬剤であり腎障害のある患者でも使用可能であるが，本邦における致死的間質性肺炎の副作用の報告があり慎重に使用する必要がある（267 頁参照）．

ミゾリビンはタクロリムス同様ループス腎炎にも使用される薬剤である

が，低頻度ではあるが急性腎不全，ネフローゼ症候群の報告がある．腎排泄の薬剤であるため薬剤添付文書でも腎障害のある患者では慎重投与とされており，低用量から開始して骨髄抑制，肝障害，腎機能悪化に注意をしながら慎重に投与する．

生物学的製剤においては，添付文書上腎機能障害患者への投与は禁忌ではない．蛋白製剤ということであり当然ではある．エタネルセプトの市販後調査の結果でも医師の判断した腎機能障害有無による有害事象の発症頻度の差はなく投与は可能である．ただし，一般的に RA に限らず腎機能障害患者では感染症のリスクは健常人より高く，さらに免疫抑制薬である生物学的製剤を使用することで感染症のリスクが増加することは否定できない．実臨床では，やむをえず生物学的製剤使用が必要な患者では，生物学的製剤の有害事象の中で頻度の高い感染症が発症しても速やかに排泄される（半減期の短い）薬剤としてエタネルセプトを選択し週 1 回 25 mg から慎重に投与することがある．また，アダリムマブ[12]，トシリズマブ[13]を腎障害のある患者に投与しても腎機能が悪化しなかったという報告は本邦よりある．

JAK 阻害薬（バリシチニブ以外）は，中等度〜重度の腎障害を有する場合，慎重に投与可能であるが，トファシチニブにおいては血中濃度が上昇し副作用のリスクが増加するため 5 mg を 1 日 1 回に減量するよう勧められている．使用する場合，生物学的製剤と同様の副作用モニタリングが必須となる．

NSAIDs は腎機能を悪化させる可能性があり，軽度腎機能障害患者では禁忌とはならないが腎機能をモニターしながら慎重に投与する必要がある．GFR＜30 ml/分以下の患者では投与を避ける．

3 肺障害がある患者の RA 治療（表 B-1）

サラゾスルファピリジン，ブシラミンとも有害事象として間質性肺炎，肺線維症が低頻度（各 0.08％，0.06％）で認められることから定期的な胸部 X 線撮影（6 カ月〜1 年に一度または症状発症時）を行い呼吸器症状の発症に注意しながら慎重に投与可能である．イグラチモドにおいても市販後調査において有害事象として間質性肺炎の報告が数例あり，疑われる場合には胸部 X 線検査を含め慎重にモニターを行うよう勧められている．

chapter B ●こんな時どうする？ 困った時の DMARDs 選択

メトトレキサートは，間質性肺炎など肺障害を有する症例では添付文書上は，症状が再燃または増悪するおそれがあり慎重投与とされている．メトトレキサート肺臓炎は一般的に用量依存性でない副作用として知られ，葉酸投与で予防できない副作用である．発生頻度は様々な報告があるが1～7％とされており，単純胸部X線で異常があるような症例ではさらに危険が増加するという報告もある（59頁参照）．発症時期は本邦でも海外でも開始後1年以内（約65％）とされているが，それ以降でも発症するといった報告もあり，慎重なモニターが必要である．本邦でもMTXと因果関係が否定できない361症例の死亡報告のうち31％を占め[4]，日本リウマチ学会診療ガイドラインでは以下の項目がある場合メトトレキサートの使用禁忌としている．

1. 低酸素血症の存在：$PaO_2 < 70\,Torr$ （room air）
2. 呼吸機能検査で％VC＜80％の拘束性障害
3. 胸部画像検査での高度の肺線維症の存在

禁忌事項があってもやむを得ず使用する場合には，発熱，咳，胸痛，呼吸困難が出現した時には連絡，受診するよう患者指導を行い，聴診および，定期的な単純胸部X線撮影やKL-6やSPD検査を実施し，慎重に投与する．

タクロリムスに関しては，炎症性筋炎に合併する間質性肺炎に対するランダム化比較試験で効果が示されており，リウマチ肺合併症例にも使用されている．しかし，既存の間質性肺炎の増悪は新規発症の報告も低頻度であるが報告があり，添付文書では間質性肺炎を合併している患者では慎重投与となっているため，メトトレキサート同様慎重なモニターを行う．

レフルノミドは致死的副作用としての間質性肺炎の報告があり使用禁忌である．

ミゾリビンは，頻度不明の低頻度であるが間質性肺炎の報告はあるが特に添付文書上は慎重投与にはなっていない．慎重に投与可能である．

生物学的製剤に関しては，投与禁忌ではないが，既存の肺疾患を有する患者では，生物学的製剤の副作用としての感染症（特に肺炎）や間質性肺炎の増悪・新規発症の危険因子増加が示されており注意が必要である．添付文書上はトシリズマブにおいては慎重投与，アバタセプトでは間質性肺炎，慢性閉塞性肺疾患を有する患者では慎重投与，TNF阻害薬においても慎重投与

となっている．疾患活動性が高くやむをえず生物学的製剤を使用する場合にはメトトレキサート併用の必要のない，インフリキシムマブ以外の生物学的製剤を選択し，メトトレキサートと同様慎重なモニターを行う．

最後にトファシチニブ（JAK阻害薬）においては，有害事象として間質性肺炎の増悪（0.1%）の報告があり，特に間質性肺炎の既往のある患者ではリスク増加の可能性があり慎重に投与するよう勧められており，定期的な胸部X線のモニタリングが必要である．また，間質性肺炎がみられた場合，生物学的製剤同様PCPなどの感染症を含めた対応が必要となる．

4 挙児希望のある患者のRA診療

関節リウマチは30〜40代前半の女性に発症することが多く，挙児希望の有無が治療選択に大きく影響することが多い．また，メトトレキサート，レフルノミド，アバタセプト，リツキシマブは妊娠前に一定期間前に中止する必要があり計画妊娠が必要になる．ここでは妊娠中の疾患活動性やその管理，またDMARDs選択まで簡単にまとめてみたい．

a RA患者は妊娠しにくいか[14]

1993年のケースコントロールスタディでは，RA患者は健常人コントロールと比べ1年の時点の不妊の危険がオッズ比1.4倍で増加することが示されている．加齢に加え，疾患活動性，つまり炎症が妊娠に対して何らかの影響があることが示唆されており，RA，JIA，その他の慢性炎症性関節炎患者における妊娠率が低下することが報告されているが，その低下率は10〜15%程度であり，ここから後で述べるような排卵などに影響のあるNSAIDsの使用患者を除いて計算すれば，一般人口との差は患者に不安を与えるほどの差ではないと考えられる．

b RA患者で早産が増えるか

表B-6に，北米で薬剤の胎児に対する影響を前向きに調査しているthe Organization of Teratology Information Specialists（OTIS）registry（http://www.otispregnancy.org/）から2004年にACRで発表されていたデータを示した．RA患者では早産がコントロール群よりもリスクが高く，

355

chapter B ●こんな時どうする？　困った時の DMARDs 選択

表 B-8　妊娠中の薬物服用と催奇形性の FDA カテゴリー

カテゴリー	
A	妊娠におけるヒトでの対照試験でリスクなしが証明されているもの
B	動物実験でのみ安全性が示されているが，ヒトでの対照試験がないか，動物実験で危険があってもヒトの対照試験でリスクなしが証明されているもの
C	動物実験で胎児奇形のリスクが示されているが，ヒトでの対照試験がないか，動物実験もヒト対照試験もともにないもの
D	ヒトの対照試験で胎児に何らかのリスクがあることが示されているが，場合によっては使用が容認されるもの
X	ヒトの対照試験で胎児に何らかのリスクがあることが示されており，さらに妊娠中は他のどんな利益よりも明らかにリスクの方が大きいもの

のリスクが認知され使用量が抑えられていることもあり最近のケースコントロールスタディではオッズ比は 1.7 倍と減少しており，影響はなかったという研究結果もいくつか報告されている．いずれにせよ骨格形成期である妊娠前期ではできれば使用を控えるか，使用する場合には患者と配偶者などに説明した上で用量をできる限り減量・最小量にするようにする．妊娠第 I 期にステロイドを使用した場合でも，口蓋裂の絶対リスクは約 300 人に 1 人であり，治療により活動性をコントロールする利益とのバランスを考慮する必要がある．妊娠後期の母体では妊娠中の血圧上昇，妊娠糖尿のリスク増加が示されており，いずれにしても用量を必要最小限にするように心がけるが，稀であるが新生児が副腎不全を発症したケースも報告されており理論的には胎児への影響も考えられるため（表 B-8，B-9），特に少量しか使用していない時の減量は慎重に患者と相談されるべきである．

　腫脹・発赤・熱感など炎症所見なく軽度の疼痛であるなら鎮痛作用は弱いがアセトアミノフェンを試みる．欧米においても妊娠中どの時期にも使用できるとされており疼痛コントロールのファーストチョイスとなる．

e 妊娠を希望する患者の経口 DMARDs 選択はどうするか

　挙児希望女性にいかなる薬剤を出すときにも，健常者妊娠でも約 3% の胎児奇形，約 15% の流産の可能性があることを理解していただく．また，妊

表 B-9 妊娠中服用薬剤と催奇形性

薬剤	FDA カテゴリ	注意事項または日本添付文書
NSAIDs	C（末期は D）	妊娠末期では動脈管が閉鎖するため投与禁忌（セレコックス，ハイペン，ロキソニン，ナイキサン，ブルフェン）モービック，ボルタレン，インドメタシンは妊娠中禁忌と記載
ステロイド	C	妊娠前期では口唇口蓋裂危険．早産の危険増加やまれだが新生児に副腎不全を起こすことがある
ヒドロキシクロロキン	C	1 日投与量 6.5 mg/kg 以下とする．発症率は低いが網膜毒性も考慮し，ベースラインおよびその後 1 年に 1 回（症状あればそれより早く）は眼科（眼底）スクリーニング検査
金剤	C	動物実験で催奇形性あり禁忌
アザルフィジン	B	慎重投与，葉酸拮抗で神経管閉鎖障害の危険可能性あり投与する場合は葉酸併用する．
MTX/LEF	X	妊娠中禁忌 MTX は妊娠 3 カ月前には中止．LEF は妊娠 2 年前に中止
ブシラミン	--	治療上の有益性が危険性を上回ると判断される場合にのみ投与［妊娠中投与に関する安全性は確立していない］
ミゾリビン	--	妊娠中禁忌（症例報告あり）
ケアラム	--	妊娠中禁忌
タクロリムス	C	妊娠中禁忌（海外では移植後の挙児希望患者への投与においてシクロスポリン同様慎重投与されることがある）
抗 TNF 製剤	B	治療上の有益性が危険性を上回ると判断される場合のみ投与［動物実験では催奇形性はないがヒト妊娠中投与に関する安全性は確立していない］

娠初期放射線曝露時に考えられている all or none 説を薬剤にも応用し，妊娠反応は受精後 7～14 日でわかるので生理が通常始まる日（予定日）に妊娠検査を行い，陽性ならすぐに DMARDs の服用を中止すれば DMARDs 曝露は最小限で済むことも話す．

　妊娠時使用できる薬剤の FDA カテゴリーではサラゾスルファピリジンが唯一 B であり，その他は C 以下のカテゴリーに属するため，DMARDs を使用する場合には注意が必要である．表 B-9 に日本で使用できる DMARDs

chapter B ●こんな時どうする？ 困った時の DMARDs 選択

188 例おり，平均 MTX 用量はそれぞれ 10 mg/週（Range: 1.9〜30 mg/週），15 mg/週（Range: 2.5〜30 mg/週）であった．妊娠判明後曝露患者では，平均投与期間は 4.3 週間（Range: 0.1〜28 週間）で，50%の患者が少なくとも妊娠 5 週まで服用し，14.4%は 10 週まで服用継続していた．これら曝露患者（MTX pre or MTX post）と，MTX 曝露のないリウマチ性疾患コントロール 459 例（DC），さらにはリウマチ性疾患を持たない妊婦 1107 人（Non-AD）の間で，流産および先天奇形のリスクにつき検討を行った．流産率は，妊娠判明後曝露で 42.5%と非常に高く，妊娠前 3 カ月以内の曝露患者ではリスク上昇はなかった．同様に，先天奇形率も妊娠判明後曝露患者で 6.6%と高く，妊娠前 3 カ月以内の曝露患者では 3.5%と健常者妊娠の先天奇形率とほぼ同等であった．

表 B-13 MTX 曝露による奇形

	MTX 妊娠前	MTX 妊娠後	Disease matched control	Non-AD control
n	136	188	459	1107
Major birth defects	4/114 (3.5%)	7/106 (6.6%)*	14/393 (3.6%)	29/1001 (2.9%)

*Non-AD control と比較し OR3.1（CI 1.03-9.5）
　Disease matched control と比較 OR 1.8（CI 0.6-5.7）
　他の DMARDs, Steroid 使用は影響しない

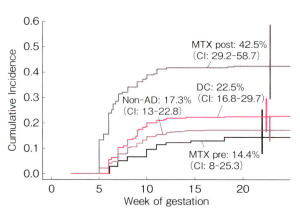

Adjusted Cox proportional hazards estimate for
・MTX post vs. DC: 2.1（95% CI 1.3-3.2）
・MTX post vs. non-AD: 2.5（95% CI 1.4-4.3）
・MTX pre vs. DC: 0.8（95% CI 0.4-1.4）
・MTX pre vs. non-AD: 1.3（95% CI 0.6-3.0）

他の DMARDs, Steroid 使用は有意差なし

図 B-2 MTX 曝露による流産

コラム

父親の薬剤使用における胎児への影響[40]

　RA 治療で使用する（またはその可能性のある）薬剤の中で添付文書に男性に投与する場合にパートナーが避妊するよう記載されている薬剤には，アザチオプリン，メトトレキサート，レフルノミドがある．その理由として，1）薬剤の精液中への移行，2）薬剤による遺伝毒性，3）精子形成能の異常があげられている．1）については精液が膣から子宮頸管を通って子宮内に入り胚に達することはないこと，精液 5 ml に含まれる薬剤の 100%が膣壁から吸収されたとしても，女性の血中濃度および胚の曝露濃度は 0.001%にしかならず，催奇形性のある薬剤であっても女性が直接服用した場合のような影響はないと考えられている．2）においては，ヒトの精子形成過程は精原細胞から精子になるまで約 64 日かかり，さらに精巣上体にて 2〜5 日で成熟するため，受精の約 70 日より前の薬剤の曝露の遺伝的影響はないと考えられる．また，通常ヒトの精液中には形態異常のある精子がかなりの率で含まれているがそのような精子は受精に至りにくいので薬剤によって生じた異常精子が胎児の異常に結びつく可能性があるとしても検出するのは難しいと考えられており，現時点では精子の数的・形態的異常と，妊娠に至った場合の先天奇形との関連はないものと考えられている．3）を引き起こす代表的な薬剤はシクロホスファミドなどのアルキル化剤を含む化学療法があり，一時的もしくは永続的な無精子症を引き起こすことが多い．このような薬剤を使用する際には可能であるならば精子凍結保存を考慮する必要がある．

　以上のような限界もあり，ヒトの疫学研究はあまり行われていないが，催奇形物質情報サービスの行った前向き調査では，受胎の 3 カ月前から受胎時の間に父親がメトトレキサートを使用していた妊娠 42 例（40 人の父親）の転帰は，36 例生産，3 例自然流産，3 例人工中絶で，生産例に先天奇形は認められなかった．

　上記薬剤以外にもサラゾスルファピリジンは無（乏）精子症の原因となることが知られているが多くの場合は可逆性であるため相談の上使用されることもある．しかし，不可逆性であった報告もあり使用しない方が無難かもしれない．男性 RA 患者で疾患活動性制御が必要な場合には，タクロリムスに加え少量のステロイドを使用している．それでも治療抵抗性の場合，生物学的製剤を使用することもあるが女性で使用する薬剤と同様の選択となる．特に TNF 阻害薬では，脊椎関節炎の症例報告で薬剤開始後精子の運動能が増加し妊娠につながったという報告がいくつか存在する[41,42]．

chapter B ●こんな時どうする？ 困った時の DMARDs 選択

　　　現在まで薬剤や化学物質によって誘導された遺伝的変化が児に受け継がれたという証明はされていない．現時点では情報が少ないため原則として添付文書の記載に従うことが望ましいが，必ずしも妊娠をあきらめる必要はないと考えられる．また，薬剤使用後に妊娠が判明した場合でも安易に中絶を勧めるようなことがあってはならない．

5 授乳中の抗リウマチ薬やその他の薬剤使用について

　妊娠中約 2/3 の患者で RA の活動性が低下することは述べたが，残念ながら産後数カ月以内で約 2/3 の患者は再燃すると考えられているため，母乳を継続するか中止するかの選択に迫られることも考えられる．授乳中に服用しても子供に 100％安全という薬剤はないため，あくまで動物実験，臨床研究におけるデータや経験を総合して検討される．授乳中に選択可能な薬剤の特徴としては，①半減期が短く蛋白結合性が高い，②乳幼児の臨床研究があり安全性が確かめられている，③腸管での吸収が低く脂溶性の低い薬，と考えられている．また，服用せざるを得ない場合には，上記の特徴をもち，①単回投与で乳幼児が長時間寝る前（寝る前のお乳の後）に服用，あるいは②複数回服用する場合には内服の直前に授乳するよう心がける[43, 44]．

　授乳中の患者の抗リウマチ薬使用に関しては，サラゾスルファピリジンを使用していた患者の乳児に血性下痢が認められたという症例報告があるが，表 B-14 に示すように ACR の報告ではサラゾスルファピリジンは使用可能としている[45]．他の DMARDs ではヒドロキシクロロキン，生物学的製剤では TNF 阻害薬は使用可能としている．その他消炎鎮痛薬としてプレドニゾロンと NSAIDs についても同様に使用可能薬剤としている．服用に際してプレドニゾロンは服用後 2 時間で母乳中濃度のピークがあり，その後急速に濃度が低下するため，服用後 4 時間空けて授乳するよう勧められている．また，NSAIDs に関しては半減期の長い薬剤（メロキシカム，ナプロキセン，スリンダクなど）よりも半減期の短い薬剤（ロキソプロフェンやイブプロフェンなど）が好まれる．また，消炎作用はないが鎮痛薬として妊娠中も使用可能なアセトアミノフェンも授乳中使用可能とされている．TNF 阻害薬以外の生物学的製剤に関しては，現時点では十分なデータがなく，今後さらなる安全性に関するデータ蓄積が必要であり "unsafe, avoid" の位置付け

368　　　JCOPY 498-02715

表 B-14 授乳中の薬剤使用の安全性

薬剤	Breast milk levels	Infant serum levels	日本の薬剤添付文書
NSAIDs	Low	Low	使用する場合授乳は中止する
グルココルチコイド	Low	Low	
抗マラリア薬	Low	Unknown	使用する場合授乳は中止する
アザチオプリン	Low	None	
スルファサラジン	Moderate	Low	
TNF 阻害薬	Low	Variable（initial elevation likely due to placental transfer not breastfeeding）	使用する場合授乳は中止する
免疫グロブリン（IVIG）	Detected	Detected	記載なし
シクロスプリン	High	Variable	
タクロリムス	Low	No data	
シクロホスファミド	Detected	No data	使用する場合授乳は中止する
メトトレキサート	Low	No data	使用する場合授乳は中止する
レフルノミド	No data	No data	使用する場合授乳は中止する
ミコフェノール酸モフェチル	No data	No data	使用する場合授乳は中止する
TNF 阻害薬以外の生物学的製剤	No data	No data	
トファシチニブ	No data	No data	

COLOR CODING
Green　likely safe
Yellow　possibly safe
Red　likely unsafe- avoid

（Drug safety and Lactation, Drug Safety quarterly, Vol.5（2）Summer 2014）[46]

である．また，メトトレキサートやレフルノミドは授乳中は禁忌であること
は確認したい．

　しかし，表 B-14 に示すように本邦の薬剤添付文書では記載がない場合を
除き「使用する場合には授乳を中止させること」「授乳は避けさせる」など
「使用する場合授乳は中止」が原則となっている．

　ここまであくまで母乳の利点を考え母乳継続を前提に述べてきたが，人工

chapter B ●こんな時どうする？ 困った時の DMARDs 選択

乳を選択することも可能であり，母体の関節リウマチの活動性と予後を十分
患者と相談して個々の患者にあった最良の方法を選択していただきたい．

6 高齢者での注意点

65 歳以上の人口は増え続け，今後さらなる高齢化社会を迎えようとしている．米国で行われた HANES–I study（1971–75）による国民調査の報告では，65 歳以上の高齢者の約60％に " 医師により診断された筋骨格系疾患 " が認められていた．高齢人口の増加により関節の疼痛をきたす様々な疾患が今後増加することが予想される．このような状況を踏まえ，リウマチ膠原病診療を行ううえで以下にあげる老化によるさまざまな変化が起こることを理解し日常診療に役立てていただきたい．

a 腱・靱帯・軟骨の老化

老化により腱，靱帯，軟骨の組織内の水分の低下，Type I コラーゲン架橋の増加で組織が硬くなり，可動域が低下し，軽い外的刺激に対しても損傷を起こしやすくなる．例えば腱や靱帯の老化の代表疾患として回旋筋腱板損傷は日常診療において肩痛の原因として高頻度で，関節リウマチやリウマチ性多発筋痛症などの膠原病に伴う症状と鑑別が難しい場合がある．さらに腱や靱帯の過度の伸展により付着部炎や滑液包炎も増加し局所疼痛の原因となる．同様に，椎間板や関節軟骨の老化により，頸・胸・腰椎症，脊柱管狭窄による背部痛，変形性関節症による関節の痛みも日常診療で非常に多く遭遇する．

b 老化に伴う筋力低下や骨粗鬆症の増加

老化に伴うサルコペニアや筋内ミトコンドリアの機能低下に伴う筋力低下，さらには筋力低下に伴い転倒の危険も含め運動することへの恐怖（kinesiophobia）も運動不足による筋力低下を助長する．サイトカインレベルでは老化に伴う IL–6 の増加はサルコペニアに関連していることも知られている．また，活動度の低下により日光曝露は低下し，食事摂取不足に伴うビタミン D の低下もサルコペニアと関連し，さらには転倒の増加，骨粗鬆症や疼痛の原因ともなる．その他，成長ホルモンやテストステロンの低下なども

370

サルコペニアに関連していると考えられている. 老化による筋力低下・運動不足により, 筋痛, 関節痛の増加, 転倒の増加が予想される.

c 免疫システムの変化

加齢とともにT細胞系では, 細胞の分化・増殖やIL-2産生能の低下, 遅発性過敏反応の低下や細胞性免疫機能が低下しAnergyがよりみられる. B細胞系では, 液性免疫機能の低下と, 抗体産生の増加により自己抗体の偽陽性がみられる. 実臨床では中年以降の女性では健常人にさえ抗核抗体が約20％で陽性になり, リウマトイド因子においても一般人口で5〜10％陽性となるが, 高齢者では20％前後という報告もあり, 診断時留意する必要がある. また, サイトカインレベルでは, IL-6, IL-4の増加, IL-2, IL-10, IL-12, IFNγの低下が報告されており, IL-6の増加により血沈値（ESR）が加齢とともに亢進することも知られている.

d 併発する合併症の増加

慢性炎症性疾患で動脈硬化が助長されリスクが増加する心血管疾患は, 高血圧, 糖尿病, 高脂血症を合併する患者ではさらにリスク増加が懸念されるばかりでなく, このようなリスク因子をもつ患者では腎障害を有していることも多く, 薬剤使用時には注意が必要となる. また, うつ病や認知症の合併の増加も予想され, 薬剤コンプライアンスが低下, 副作用管理など家族のサポートも必要となる場合も多い. もちろんover-treatmentに注意は必要であるが, 腎障害, 肝障害, 間質性肺炎など合併症の増加に伴い, 感染症のリスク増加を懸念しリウマチ膠原病疾患の治療がunder-treatmentとなり疾患コントロールが不十分となってしまうことも問題とされており, リスクベネフィットを十分考慮して治療計画を立てていく必要がある.

e 薬剤について

高齢者では, 合併症も多く, 多剤併用に伴うコンプライアンスの低下, 副作用の増加や薬剤相互作用にも注意が必要となる. 特にワルファリンやスタチン, コルヒチンなどの薬剤服用時, 他の薬剤を使用する時には相互作用に注意する. また, 高齢者ではNSAIDsの副作用である消化性潰瘍, 腎機能

chapter B ●こんな時どうする？ 困った時の DMARDs 選択

表 B-15 高齢者に対して薬剤使用時注意すること

原因	影響
↓腎機能	腎排泄の減少と血中濃度の上昇
↓肝機能	代謝の減少と蓄積
↓血清アルブミン	活性をもった非結合薬物の血中レベル増加
↓コンプライアンス	効果不十分
薬物相互作用	↑ or ↓血中濃度　副作用↑　効果↓

低下，血圧上昇，心血管疾患のリスクが増加することも留意し予防対策も行う．ステロイドの副作用についてはいうまでもない．また，前述のように高齢者では生理的または合併症に伴い腎機能障害を有する患者も多いが，筋肉量の低下により生理的に血清 Cr 値は低下しているため血清 Cr 値が成人の正常範囲内であっても GFR が低下している可能性も考慮し必ず GFR を確認する．低栄養や慢性炎症に伴いアルブミンが低下すると，浮腫や胸水，腹水の原因ともなり，特にメトトレキサート使用禁忌となることもあるため注意が必要である．また，生物学的製剤の副作用である感染症発現のリスク因子として "65 歳以上" が示されていることも考慮し薬剤選択は慎重に行う．表 B-15 に高齢者に対する薬剤使用時の注意点をまとめてみた．

f 高齢者におけるリウマチ膠原病疾患の注意点

　高齢者でみられる骨粗鬆症，変形性関節症，リウマチ性多発筋痛症，巨細胞性動脈炎は，高齢人口の増加とともにその頻度が増加していくことが予想され診断時鑑別疾患として考慮する．また老化とともに発症時の症状が異なる疾患もある．例えば，関節リウマチ（RA）では，通常小関節の関節炎（90％以上が手指の関節）を徐々に発症することが多いが，高齢者ではその25％がリウマチ性多発筋痛症（PMR）様に大関節を含み急性または亜急性で発症するという報告があり，発熱や体重減少など全身症状を伴う例も経験され PMR や多関節型の偽痛風，あるいは化膿性関節炎と鑑別が困難な場合も経験される．結晶性関節炎では通常単関節炎で発症することが多いが，高齢者では変形性関節症との合併も重なり，少〜多関節炎となる症例も多い．SLE の発症も高齢者では漿膜炎や関節炎，発熱を呈することが多く，SSA

抗体陽性例が多いという報告もあり，診断時注意が必要である．これら RA，SLE ともに通常女性に頻度が高いが，高齢者では男性でも発症する割合が増加することを留意する必要がある．筋疾患では，上記老化に伴う筋力低下や局所疼痛を考慮する必要があるばかりでなく，甲状腺疾患やビタミンD 欠乏に伴う筋症状の合併，他の疾患に対するステロイドの使用や，高脂血症に対するスタチン使用やアルコール過飲による筋症状も注意が必要となる．また，癌関連の炎症性筋炎の増加や，高齢者でその頻度が高くなる封入体筋炎の増加も予想されるため診断時留意するようにしたい．

　関節リウマチを代表とするリウマチ膠原病疾患に伴う関節炎の治療において，上記老化に伴う筋骨格系の変化や損傷により局所の疼痛を訴える患者さんが増加するため，リウマチ膠原病疾患に伴う関節炎と誤って over-treatment にならないよう注意が必要で，適宜整形外科と併診を行うことも必要であろう．

　以上，高齢者のリウマチ膠原病診療は，上記にあげた特徴を理解したうえで，診断・治療にあたっていかなければならず非常にチャレンジングである．一人でも多くの患者さんが幸せな健康寿命をまっとうできるお手伝いができれば幸いである．

コラム

米国リウマチ膠原病科医　幸福度調査 No.1[47]

　米国の医療情報サイト Medscape が行った約 3 万人の専門医の幸福度調査の結果でなんとリウマチ膠原病科医が幸福度 No.1 でした．これを受けて2012 年，米国リウマチ学会学会長の James O'Dell 医師による，なぜリウマチ膠原病専門医が No.1 になったのか，その 10 の理由が学会の新聞に掲載されていたので皆さんにご紹介します．

10. 我々は税金をそんなに払っていない．
解説：米国でリウマチ膠原病科の医師は決して高い給料をもらっているわけではない！
9. 我々はすべての年齢の患者を診てケアをしている．

chapter B ●こんな時どうする？ 困った時の DMARDs 選択

8. 我々は単に臓器を診ているのではなく，全人的に患者（whole patient）のケアを行っている．
7. 我々は，医学という科学（science of medicine）の側面ばかりでなく芸術（art）を実践している．
6. 我々は患者から多くの抱擁を得る（lots of hugs）．
5. リウマチ膠原病科は Happy people を選び出す．
4. 我々は素晴らしい治療法を持ち，素晴らしい結果を得ることができる．
3. 我々は診断医である～クリニックのシャーロックホームズ～最後の砦の中心となる．
2. 我々は患者をケアし，長期にわたって相互関係を作りあげていく．
1. 我々は，生活，診療，そして時間をコントロールすることができる．だから，我々の多くは子供たちの名前もわかる．

いかがでしょうか．

話はそれますが，私が米国の臨床研修を志したのは，当初は全人的医療が大変重要な老年科 geriatric medicine の研修を目標としていたからです．米国内科研修1年目にハワイ大学の Ken Arakawa 医師（リウマチ膠原病科専門医）の外来で1カ月研修を行っているときのことです．多くの高齢患者さんを診るばかりでなく，2001年当時日本では承認されていなかった Infliximab（レミケード：2003年日本でも承認）の注射を受けに2カ月毎にハワイに通院されている日本人患者さんを数人診察する機会がありました．上記4に挙げられているように，この最新治療のノウハウを米国で勉強して患者さんを Happy にし，研修医の指導をしたいと決意し，私自身リウマチ膠原病科をその後の Lifework として選択しました．

　上記に挙げた1～10の理由は日本においては多くの科の先生が実践されており，決してリウマチ膠原病科だけではないと思います．

文献

1) Calabrese LH, et al. Hepatitis B virus (HBV) reactivation with immunosuppressive therapy in rheumatic diseases: assessment and preventive strategies. Ann Rheum Dis. 2006; 65: 983–9.
2) 坪内博仁，他．免疫抑制・化学療法により発症するB型肝炎対策．肝臓．2009; 50: 38–42.
3) Vassilopoulos D, et al. Keep a hepatitis C infection from hindering RA treatment. the Rheumatologist. 2008; 2: 1–18.
4) 関節リウマチ治療におけるメトトレキサート治療診療ガイドライン（日本リウマチ学会）．2010年9月21日．

http://www.ryumachi-jp.com/info/guideline_MTX.pdf

5) Salliot C, et al. Long term safety of methotrexate monotherapy in patients with rheumatoid arthritis: a systematic literature research. Ann Rheum Dis. 2009; 68: 1100-4.

6) Visser K, et al. Multinational evidence-based recommendations for the use of methotrexate in rheumatic disorders with a focus on rheumatoid arthritis: integrating systematic literature research and expert opinion of a broad international panel of rheumatologists in the 3E Initiative. Ann Rheum Dis. 2009; 68: 1086-93.

7) Parke FA, et al. Anti-tumor necrosis factor agents for rheumatoid arthritis in the setting of chronic hepatitis C infection. Arthritis Rheum. 2004; 51: 800-4.

8) Zein NN, et al. Etanercept as an adjuvant to interferon and ribavirin in treatment-naive patients with chronic hepatitis C virus infection: a phase 2 randomized, double-blind, placebo-controlled study. J Hepatol. 2005; 42: 315-22.

9) Mederacke I, et al. Successful clearance of hepatitis C virus with pegylated interferon α-2a and ribavirin in an etanercept-treated patient with psoriatic arthritis, hepatitis B virus coinfection and latent tuberculosis. Ann Rheum Dis. 2010 Dec 3. [Epub ahead of print]

10) Niewold TB, et al. Concomitant interferon-alpha therapy and tumor necrosis factor alpha inhibition for rheumatoid arthritis and hepatitis C. Arthritis Rheum. 2006; 54: 2335-7.

11) Behnam SE, et al. Etanercept as prophylactic psoriatic therapy before interferon-alpha and ribavirin treatment for active hepatitis C infection. Clin Exp Dermatol. 2010; 35: 397-8.

12) Sumida K, et al. Adalimumab treatment in patients with rheumatoid arthritis with renal insufficiency. Arthritis Care Res. 2013; 65: 471-5.

13) Mori S, et al. Effectiveness and safety of tocilizumab therapy for patients with rheumatoid arthritis and renal insufficiency: a real-life registry study in Japan (the ACTRA-RI study). Ann Rheum Dis Published Online First 5 January 2015.

14) Marianne W, et al. Fertility in women with chronic inflammatory arthritides. Rheumatology. 2011; 50: 1162-7.

15) De Man YA. Disease activity and prednisone use influences birth weight in rheumatoid arthritis pregnancies. Arthritis

chapter B ●こんな時どうする？　困った時の DMARDs 選択

Rheum. 2006; 54(9 Suppl): 1319.

16) de Man, YA, et al. Association of higher rheumatoid arthritis disease activity during pregnancy with lower birth weight: results of a national prospective study. Arthritis Rheum. 2009; 60.11: 3196–206.

17) Barrett JH, et al. Does rheumatoid arthritis remit during pregnancy and relapse postpartum? Results from a nationwide study in the United Kingdom performed prospectively from late pregnancy. Arthritis Rheum. 1999; 42: 1219–27.

18) de Man YA, et al. Disease activity of rheumatoid arthritis during pregnancy: Results from a nationwide prospective study. Arthritis Rheum. 2008; 59: 1241–8.

19) De Man YA, et al. Women with rheumatoid arthritis negative for anti–cyclic citrullinated peptide and rheumatoid factor are more likely to improve during pregnancy, whereas in autoantibody–positive women autoantibody levels are not influenced by pregnancy. Ann Rheum Dis. 2010; 69: 420–3.

20) Bonnie BL. Non–steroidal anti inflammatory drugs, glucocorticoids and disease modifying anti–rheumatic drugs for the management of rheumatoid arthritis before and during pregnancy. Curr Opin Rheumatol. 2014; 26.3: 334–40.

21) Lessan–Pezeshki M. Pregnancy after renal transplantation: points to consider. Nephrol Dial Transplant. 2002; 17: 703–7.

22) Kainz A, et al. Analysis of 100 pregnancy outcomes in women treated systemically with tacrolimus. Transpl Int. 2000; 13 Suppl 1: S299–300.

23) Costedoat–Chaulumeau N, et al. Safety of hydroxychloroquine in pregnant patients with connective tissue diseases: a study of one hundred thirty–three cases compared with a control group. Arthritis Rheum. 2003; 48: 3207–11.

24) Tacrolimus. In: Briggs GG, et al. Drugs in pregnancy and lactation 9th ed. Philadelphia: Lippincott Williams and Wilkins; 2011. p.1381–5（III）．

25) 産婦人科診療ガイドライン産科編2017（2017年4月出版）．

26) Simister NE. Placental transport of immunoglobulin G. Vaccine. 2003; 21: 3365–9.

27) Berthelot JM, et al. Exposition to anti–TNF drugs during pregnancy: outcome of 15 cases and review of the literature.

376

Joint Bone Spine. 2009; 76: 28–34.

28) Østensen M. Therapy: are TNF inhibitors safe in pregnancy? Nat Rev Rheumatol. 2009; 5: 184–5.

29) Katz JA, et al. Outcome of pregnancy in women receiving infliximab for the treatment of Crohn's disease and rheumatoid arthritis. Am J Gastroenterol. 2004; 99: 2385–92.

30) Roux CH, et al. Pregnancy in rheumatology patients exposed to anti–tumour necrosis factor TNF-α therapy. Rheumatology. 2006; 46: 695–8.

31) Hyrich K, et al. Pregnancy outcome in women who were exposed to anti–TNF agents: results from a national population register. Arthritis Rheum. 2006; 54: 2701–2.

32) Ventura SJ, et al. Trends in pregnancies and pregnancy rates by outcome: estimates for the United States, 1976–96. Vital Health Stat. 2000; 56: 1–47.

33) Chambers CD, et al. Pregnancy outcome following early gestational exposure to leflunomide: the Otis rheumatoid arthritis in pregnancy study. Pharmacoepidemiol Drug Saf. 2004; 13: S1–334.

34) Chambers CD, et al. Pregnancy outcome in women exposed to adalimumab: the OTis Autoimmune Diseases in Pregnancy Project. Arthritis Rheum. 2006; 54: 251–7.

35) Carter JD, et al. A safety assessment of TNF Antagonists during pregnancy: a review of the Food and Drug Administration database. J Rheumatol. 2009; 36: 635–41.

36) Mahadevan U, et al. Intentional infliximab use during pregnancy for induction or maintenance of remission in Crohn's disease. Aliment Pharmacol Ther. 2005; 21: 733–8.

37) Chambers CD, et al. Pregnancy outcome in women exposed to anti–TNF-α medications: the OTIS Rheumatoid Arthritis in Pregnancy Study. Arthritis Rheum. 2004; 50: s479–80.

38) Østensen M, et al. Management of RA medication in pregnant patients. Nat Rev Rheumatol. 2009; 5: 382–90.

39) Weber–Schoendorfer C, et al. Pregnancy outcome after rheumatologic MTX treatment prior to or during early pregnancy: a prospective multicenter cohort study. Arthritis Rheum 2014; 66: 1101–10.

40) 伊藤真也, 村島温子. 父親への薬剤使用における胎児への影響 (第一章総論), 薬物治療コンサルテーション妊娠と授乳. 第2

版. 南山堂; 2014.

41) Villiger PM, et al. Effects of TNF antagonists on sperm characteristics in patients with spondyloarthritis. Ann Rheum Dis. 2010; 69: 1842-4.

42) Micu MC, et al. TNF-α inhibitors do not impair sperm quality in males with ankylosing spondylitis after short-term or long-term treatment. Rheumatology. 2014; 53: 1250-5.

43) Østensen M, et al. Therapy insight: the use of antirheumatic drugs during nursing. Nat Clin Pract Rheumatol. 2007; 3: 400-6.

44) Spencer JP, et al. Medications in the breast-feeding mother. Am Fam Physician. 2001; 64: 119-26.

45) 米国リウマチ学会Drug Safety Quarterly, Sep 2010. Access at http://www.rheumatology.org/publications/dsq/dsq_2010_03.pdf

46) Drug safety and Lactation, (ACR) Drug Safety quarterly, Vol.5(2) Summer 2014.

47) James O'Dell. The Rheumatologist, July, 2012号.

内科医が知っておきたい
関節リウマチの手術療法・装具療法

chapter C ●内科医が知っておきたい関節リウマチの手術療法・装具療法

1 関節リウマチ治療における手術療法の位置づけ

リウマチ治療は薬物療法を軸として，これに手術療法，リハビリテーション療法，患者支援・教育を加えた４つの柱からなる．本章ではこのなかの手術療法に焦点をあて，その基本的な考え方と各関節における代表的な手術法を解説する．また装具療法を含めたリウマチのリハビリテーション療法，生物学的製剤時代を迎えてもなお課題として残るリウマチ性骨粗鬆症についても述べたい．

まず強調しておきたい点は，手術は決して薬物療法が失敗した症例に行うものではないということである．関節リウマチに対して十分な薬物療法を行い，その上でなお滑膜炎が制御できずに骨破壊が進行してしまう関節にはタイミングを逃さず手術を行い，患者の QOL を維持・向上させるべきである．

とはいっても，2003 年に我が国に生物学的製剤が登場して以降，リウマチ手術には大きな変容がもたらされた．日本の代表的なリウマチコホートである IORRA と NinJa のいずれにおいても，リウマチ手術の総件数は 2003 年以降の 10 年間で半減している[1,2]．特に人工関節手術（主として膝・股関節）の減少は著しいものがある．その一方，手指，肘，肩，足趾・足部，脊椎に対する手術や骨粗鬆症による骨折に対する手術などの人工関節以外のリウマチ手術件数はほぼ横ばいである．このことは生物学的製剤時代においてもなお，その立ち位置は変わるものの手術的治療の意義が残ることを意味している．リウマチ内科医にとって手術の考え方，適応，基本術式を知っておくことは，整形外科医への適切なタイミングでのコンサルテーションを行う上で必要かつ有益な知識となるであろう．

2 関節リウマチにおける手術療法の基本的な考え方

■ 3 つの部位と 3 つの選択肢 ■

リウマチ手術の対象となるのは上肢・下肢・脊椎の 3 つの部位，つまり全身のあらゆる関節といっても過言ではない．また手術法も大別すると 3 種類になる．つまりリウマチの手術といっても体系的に考えれば決して複雑なものではなく，図 C-1 に示すように「3 つの部位と 3 つの選択肢」とい

380

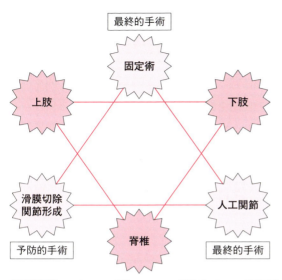

図 C-1 リウマチ手術：3つの部位と3つの選択肢

表 C-1 リウマチ手術の種類とその特徴

	長所	短所
関節固定術 （最終的手術）	・支持性：大 ・除痛効果：大 ・再手術：必要なし	・動きを犠牲 ・骨癒合まで期間を要する ・偽関節（骨癒合不全）の可能性
人工関節 （最終的手術）	・支持性：大 ・除痛効果：大 ・関節の動きが保たれる	・感染に弱い ・耐久年数あり ・部位により脱臼の危険性
関節形成・ 滑膜切除術 （予防的手術）	・自分の関節を温存する手術	・関節破壊が進むと適応なし ・除痛効果：上記2つより劣る

う極めて単純な図式にまとめることができる．

　手術方法を概説する（表 C-1）．「関節固定術」これは文字通り関節を固定する手術である．長所は除痛と支持性の獲得である．ひとたび関節（骨）癒合が得られればその効果は生涯持続し，再手術の必要がないという利点もある．短所は骨癒合までに期間を要すること（8〜10週間），骨癒合不全（偽関節という）を生じる場合があること，関節が動かなくなることである．つまり関節固定術とは関節の動きを犠牲にして痛みをとり，かつ支持性を得

chapter C ●内科医が知っておきたい関節リウマチの手術療法・装具療法

る手術といえる．これに対して「人工関節手術」は人工物（インプラント）を用いて関節可動性を残しつつ除痛と支持性を獲得する手術である．関節固定術と比べて関節の可動性を残す点が優れているが，「感染」と「耐久性」という短所がある．ひとたび細菌感染を生じるとその制圧には人工関節の抜去を要することもあり，患肢の切断を含めた悲劇的な経過をたどる場合もある．また人工関節には耐久年数があり，将来の入れ換え手術（再置換術）の可能性があることも短所のひとつである．「関節固定術」にしても「人工関節手術」にしても優れた手術方法であるが，固定や人工物を挿入することで元々の関節を犠牲にしてしまう「最終手術」である．それに対して「関節形成術・滑膜切除術」は関節の予防的手術といえる．リウマチによって壊れかけた関節の形を整え（関節形成術），リウマチの炎症の場である滑膜を切除する（滑膜切除術）ことで，できる限り関節破壊の進行を止め自分の関節を温存しようという手術である．したがって関節形成術・滑膜切除術の場合には手術のタイミングが重要となる．関節破壊が進行してしまえば手術の適応がなくなってしまうからである．

　ところで，これら3つの手術法は全身のすべての関節に適応される訳ではない．手術の選択肢はそれぞれの関節に応じてある程度限定される（図C-2）．例えばリウマチ性股関節症に対しては滑膜切除や固定術は行われず，人工関節手術だけが選択される．また肘関節には関節破壊の進行度に合わせて関節形成術と人工関節手術の2つの選択肢があるが，関節固定術は選択されない．固定された肘では顔に手が届かないからである．また脊椎には椎間関節という小さな関節があるが，リウマチ性脊椎病変に対しては脊髄や馬尾神経を除圧した上で固定術が行われる．厚生労働省研究班によるEBMに基づくリウマチ治療ガイドラインの中から手術部位と推奨AおよびBの手術術式を抜粋した（表C-2）[3]．手関節において関節形成術と固定術が推奨AでなくBになっている点，足関節で人工関節が関節固定と同列の推奨Aでなく滑膜切除術と同等の推奨Bになっている点など，個人的には若干の違和感を覚える部分はあるものの，手術選択において参考にすべき指針である．

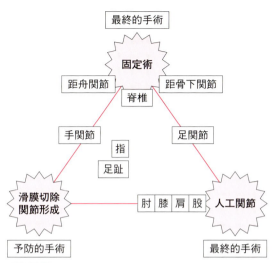

図 C-2 各関節におけるリウマチ手術法の選択

表 C-2 リウマチ手術の部位別術式・推奨度・タイミング

	手術の目安	推奨 A	推奨 B
股関節	疼痛による歩行困難	・人工関節	なし
膝関節	疼痛・関節不安定性による歩行困難	・人工関節 ・滑膜切除術	なし
足関節	疼痛による歩行困難	・関節固定術	・人工関節 ・滑膜切除術
足趾関節	有痛性胼胝	・関節形成術	・関節固定術
肩関節	Face care 困難	・人工関節	・滑膜切除術
肘関節	Face care 困難	・人工関節 ・滑膜切除術 ・関節形成術	なし
手関節	3 カ月以上継続する関節腫脹・伸筋腱断裂	・滑膜切除術	・関節形成術 ・関節固定術
手指関節	美容的発想の手術は避ける	・人工関節 ・関節固定術	・滑膜切除術 ・関節形成術
頸椎	進行する麻痺	・関節固定術	なし

A: 行うよう強く勧められる　B: 行うよう勧められる
(厚生労働省研究班，関節リウマチの診療マニュアル．日本リウマチ財団：2004 年より改変)

chapter C ●内科医が知っておきたい関節リウマチの手術療法・装具療法

❸ リウマチ手術療法のタイミング

■ここまで放っておくのは考えもの■

　リウマチ手術に関して重要なことはそのタイミングである．無論手術の時期は個々の症例により異なるし，まして画像所見のみで決めるものではない．その決定においては，画像上の関節破壊と患者の日常生活活動（ADL）の制限，この2点を重視する．下肢であれば「自分の足で歩く」ことが困難になってきたら手術を検討する．そして歩行を困難としている原因が股関節にあるのか，膝関節なのか，足関節や足趾なのかを画像所見を含めて診断し，各関節にあわせた手術法を選択する．上肢であれば「自分の手で食事をしたり洗顔する」ことが困難になってきた時に，脊椎においては麻痺によって「自分の意志で手足を動かしたり自分で排泄する」ことが障害され始めた時には手術を考えるべきである．

　具体的なイメージをもって頂くために「手術のタイミングが遅れた」と考えられる症例を提示する．図C-3はリウマチ性股関節症に特徴的な中心性脱臼の終末像である．ここに至る過程ではかなりの痛みがあったが，これまで治療の選択肢として手術の可能性を説明されたことはなかったという．ここまで進行してしまうと関節の動きがなくなるため痛みはほとんど感じないが，無論歩行はできない．実際，我々の外来を初診したときにはすでに3年間歩いていない状態であった．こうなってはたとえ股関節の人工関節手術を行っても，関節周囲の筋肉が萎縮してしまっているために歩行することはできないし，術後脱臼の危険性すらある．つまり手術時期を逸してしまったのである．

　図C-4は急速に進行したリウマチ性膝関節破壊の症例である．通常の人工関節ではなく蝶番式人工膝関節の使用と膝蓋靱帯の再建を余儀なくされた．一方，リウマチでは骨性関節強直をきたす場合や，関節近傍に巨大骨嚢腫が生じることもあり，注意深い診察や時としてCTによる精査が必要な場合がある（図C-5）．図C-6はリウマチによる肘関節の脱臼例である．この症例では手でスプーンを持てても口まで運べないし，顔を洗おうとしても肘がぶらぶらであるため手が顔に届かない．無論，外傷による脱臼と異なり徒手整復してギプス固定しても再脱臼してしまう．この症例では1年以上も

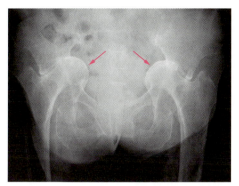

図 C-3 リウマチによる股関節の中心性脱臼
両側大腿骨頭が骨盤腔内へ突出している．

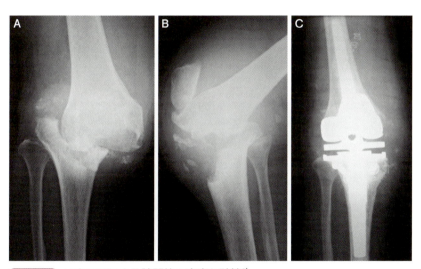

図 C-4 リウマチによる膝関節の高度な破壊[3]
A: 単純 X 線正面像．B: 側面像．C: 術後正面像．手術には蝶番式人工膝関節を使用した．

肘関節の脱臼が続いており，この間，食事や洗顔の動作は左手で行っていたという．やはり蝶番式人工肘関節を用いた手術を行ったが（図 C-6C），もっと早い時期に手術を勧める必要があったのではないか．手指の伸筋腱断裂も手関節の滑膜炎に対して手術を躊躇しすぎたケースである（図 C-7）．薬物療法に反応しない手関節の滑膜炎に対しては後述する手関節形成術を積

chapter C ●内科医が知っておきたい関節リウマチの手術療法・装具療法

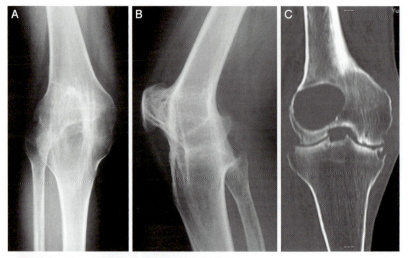

図 C-5 様々な終末像を呈するリウマチ膝
A: リウマチによる膝関節の骨性強直．単純 X 線正面像．B: 同側面像．
C: 巨大骨嚢腫を伴うリウマチ膝．CT 前額断像[4].

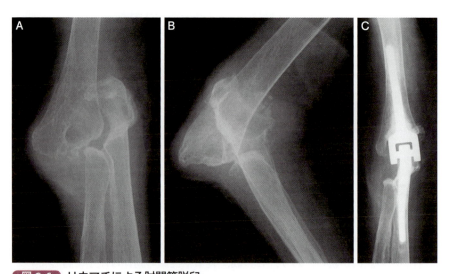

図 C-6 リウマチによる肘関節脱臼
A: 単純 X 線正面像．B: 側面像．C: 術後正面像．
ルースヒンジ型人工肘関節全置換術（Coonrad-Morrey 型）を行った．

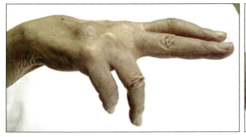
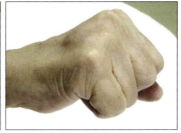

図 C-7 手指伸筋腱断裂
A: 手指を伸展するように指示しても環指・小指を伸ばすことができない.
B: 手指を握ることはできる.

極的に行い,伸筋腱断裂を防ぐべきである.

4 リウマチ下肢の手術①:股関節と膝関節

　下肢の関節には股関節,膝関節,足関節,距骨下関節,距舟関節,中足基節骨関節を含めた足趾の関節が含まれるが,最も手術となることが多い関節は膝関節,次いで股関節である.膝関節や股関節に対する人工関節手術はこの 10 年で減少したとはいえ,リウマチ外科のなかでは依然として重要な手術法である.関節痛のために「自分の足で歩く」ことに困難を感じるようになったら手術を検討することが基本である.

a 股関節の手術

　リウマチ性股関節症の単純 X 線における典型像は「関節裂隙の狭小化」と「大腿骨頭の内上方化(中心性脱臼)」の 2 つである.同じ股関節の疾患である変形性股関節症(OA)と比較すると,関節裂隙の狭小化という点は共通するが「OA の骨頭は外上方化」するという点が異なっている(図 C-8).選択すべき手術は人工股関節全置換術(THA: total hip arthroplasty)である(図 C-2,表 C-2).骨頭の内上方化によって臼蓋底の骨が菲薄化するため,我々は切除骨頭から採取した自家骨を臼蓋底に植骨して厚みを復元する方法を推奨している(図 C-9).THA に際して術前に説明しておかねばならないことは「脱臼」「感染」「耐久性(股関節の場合は 20 年程度)」の 3 点である.脱臼は手術が後方アプローチで行われている場合には「股

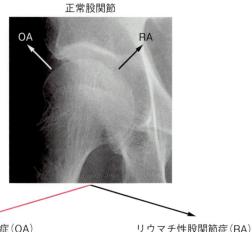

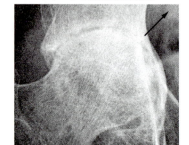

図 C-8 股関節破壊の典型的な進展様式 関節リウマチ（RA）と変形性股関節症（OA）の違い

関節の屈曲・内旋・内転」により生じる（図 C-10）．いわゆる女性が足袋をなおす姿勢が THA の脱臼肢位である．THA 脱臼の発生頻度については多くの報告があるが 0.4〜4.8％とされている[4]．

　人工関節手術では周術期の感染症も問題であるが，むしろ術後数年経過してから発症する遅発性感染が重要である．肺炎・膀胱炎・虫歯の化膿といった感染症が人工関節へ血行感染する場合がある．人工関節感染の発生頻度にも多くの報告があるが 1％程度とされている．人工関節がひとたび細菌に感染するとその制圧には人工関節の抜去を要する場合もある．そのため患者指

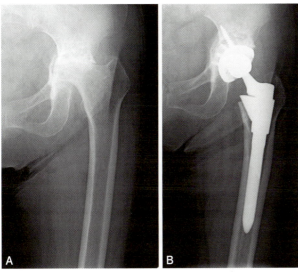

図 C-9　リウマチによる股関節の中心性脱臼
A: 術前単純 X 線正面像．B: 人工股関節全置換術，術後正面像．菲薄化した臼蓋底に自家骨を植骨している．

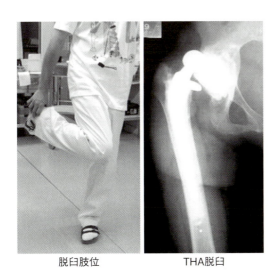

脱臼肢位　　　　　THA脱臼

図 C-10　人工股関節（THA）の脱臼
A: THA の脱臼肢位：屈曲・内転・内旋位．
B: THA 脱臼の単純 X 線像．

 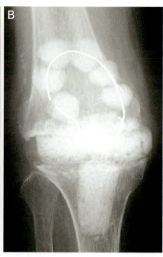

図 C-11 人工膝関節の遅発性感染
A: 肉眼像，人工関節が皮膚から露出している．B: 人工関節を抜去し抗生物質含有セメントスペーサーを挿入した（単純X線正面像）.

導を含めた十分な注意が必要である．これは股関節に限ったことではなく，膝関節，肘関節など人工関節と名前がつくものならすべてに当てはまる最も避けるべき合併症である（図 C-11）．

　特に生物学的製剤を使用している患者では免疫力の低下に伴い感染症のリスクが高まると考えられる．例えばTNFαは生体内で組織修復や感染防御に関与しているため，これを抗体製剤や受容体製剤で阻害すれば，感染リスクが上がり創傷治癒遅延をきたす可能性が高まる．実際，抗TNF製剤による治療では深部感染のような重篤な感染症の発生は従来の治療法と変わらないものの，軟部組織や皮膚表層感染の合併症が有意に増加することが報告されている[5,6]．GilesらはTNF製剤使用中のリウマチ患者の周術期感染症に関して，その感染率が有意に上昇したと報告した[7]．また抗IL-6受容体抗体であるトシリズマブでは投与後に急激に好中球数が減少すること[8,9]，炎症性マーカーである血清CRP値が強力に抑制されることから人工関節感染に対する一層の注意が必要となる[10]．そこで日本リウマチ学会のガイドラインを参考に術前術後に半減期の2倍程度の休薬期間を設けることが推奨されている．生物学的製剤がリウマチ手術に及ぼす影響については後述す

る.
　一方，耐久性とは長年使用している人工関節に磨耗やゆるみが生じる問題をいい，すべての人工関節に生じうる問題である．股関節の場合は 20 年程度であるが使用機種や術者によって多少の長短はある．したがって 40 歳代のリウマチ患者に人工関節手術を行う場合，60〜70 歳の頃に入れ換え手術（人工関節再置換術）の可能性を予め説明する必要がある．

b 膝関節の手術

　リウマチ性膝関節症の特徴は同じ膝関節の代表的疾患である変形性膝関節症（OA）と比較すると理解しやすい．OA 膝では 90％以上が「関節裂隙の狭小化が内側関節裂隙に生じ内反膝（いわゆる O 脚）になる」のに対して（図 C-12），リウマチ膝では「内外側の関節裂隙がほぼ均等に狭小化」する場合，「関節裂隙の狭小化が外側関節裂隙に生じ外反膝（いわゆる X 脚）になる」場合，「内反膝になる」場合がほぼ均等に生じうる．

　選択すべき手術は 2 つあり滑膜炎による関節の腫脹は強いものの画像上

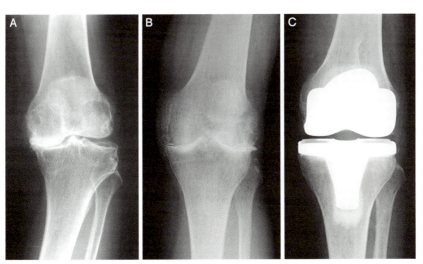

図 C-12　膝関節破壊の典型的な進展様式
A: 変形性膝関節症．内側関節裂隙が狭小化し内反膝を呈している．B: リウマチ性膝関節症．内外側の関節裂隙が均等に狭小化している．C: 人工膝関節全置換術．

関節破壊が進行していない段階では滑膜切除術を，関節裂隙の狭小化が進行し関節破壊に至ったものには人工膝関節全置換術（TKA: total knee arthroplasty）を選択する（図 C-2，表 C-2）．膝関節に対する滑膜切除術では関節鏡を用いた鏡視下滑膜切除術を行うことが多い．人工膝関節の手術成績は極めて安定しており，ほぼ確立された手術といってよい．術後感染や骨折による人工関節のゆるみなどの合併症がなければ術後 25 年程度は安定した成績が得られている．一方，膝関節に対する滑膜切除術はおよそ 5 年で滑膜炎が再発する場合が多いが，今後生物学的製剤による疾患活動のコントロールが成果を挙げれば膝滑膜切除の手術成績も向上する可能性がある．リウマチ膝に対して関節固定術を行うことはない．固定された膝は確かに支持性もよく痛まないが，椅子からの立ち上がり動作，階段昇降など日常生活の遂行に極めて不便だからである．

　術前に説明しておかねばならない合併症は「感染」（図 C-11）「耐久性（膝関節の場合は 25 年程度）」「皮膚問題」の 3 つである．前者 2 つは THA と同じであるが，TKA の場合人工関節が脱臼することは極めて稀である．一方，皮膚問題はリウマチ膝に対する TKA ではときおり問題となる（図 C-13）．手術に際しては皮膚切開を正中すなわち膝蓋骨の直上に置くが，この創の一部に縫合不全を生じることがある．これはリウマチ患者の皮膚が脆弱であることに加え，膝関節の場合，皮膚と膝蓋骨との間の皮下組織が薄い点，術後早期から膝の関節可動域訓練を積極的に行うために手術部位の局所安静を保ちにくいことが原因と考えられる．

　ひとたび人工膝関節手術を行えば，その関節に滑膜炎が再燃することは稀

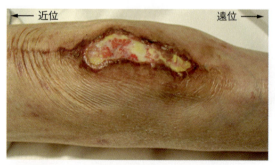

図 C-13　人工膝関節全置換術後の皮膚壊死

である．しかしその後の疾患コントロールが悪ければ残存する滑膜組織が再び炎症を起こし，増殖滑膜による関節腫脹やインピンジメント（関節のひっかかり）をきたす場合がある[11]（コラム1）．疾患活動のコントロールが手術の有無にかかわらずリウマチ治療の根幹であることはいうまでもない．

コラム1

人工関節手術術後にも薬物治療は重要である

ひとたび人工関節手術を行えば，その関節に滑膜炎が再燃することは稀で

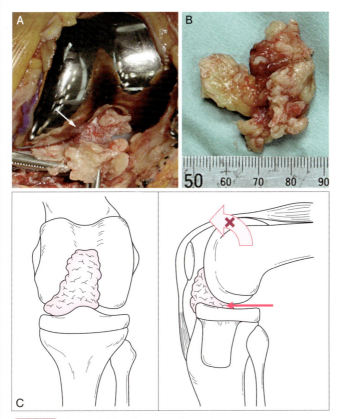

図 C-14　Synovial impingement syndrome.
A: 術中所見．関節内の顆間部から増生した炎症滑膜組織が人工関節の内側間隙に挟み込まれている（矢印）．B: 切除した滑膜組織．C: 伸展障害の想定機序

chapter C ●内科医が知っておきたい関節リウマチの手術療法・装具療法

あると考えてよい．しかしその後の疾患コントロールが悪ければ残存する滑膜組織が再び炎症を起こす場合がある．リウマチ歴 25 年，55 歳の高疾患活動性の女性に人工膝関節全置換術を行った．術中所見として炎症滑膜の旺盛な増殖を認めたため可及的な滑膜切除術も合わせて行った．術後経過は良好であったが術後 3 カ月の時点で膝の伸展障害が生じた．振り返るとこの間のリウマチコントロールは良好ではなかった．再手術に踏み切ると，関節内の顆間部から炎症滑膜組織が増殖していた（図 C-14）．この滑膜組織が内側の大腿骨コンポーネントと脛骨コンポーネントの間に挟み込まれ膝の伸展障害を起こしたものと考え synovial impingement syndrome と名付けた[11]．再度十分な滑膜切除を行い，術後インフリキシマブを導入して寛解に導いた．15 年経過した現在でも症状の再発はない．手術の有無にかかわらず，リウマチ疾患活動のコントロールの重要性を思い知らされた症例である．

5 リウマチ下肢の手術②：足関節・足部の手術

　関節リウマチにおいては，その 20％が足関節・足部に初発するといわれている[12]．また晩期には 90％を超える患者がこれらの部位に何らかの愁訴を訴え，その日常生活活動が制限される[13]．リウマチの足部変形の病態は多彩である．大切なことは患者の足部をよく診て触ること，そして主たる変形が外反母趾・開帳足に代表される前足部変形なのか，扁平足に代表される中足部変形なのか，足関節の外反変形に代表される後足部変形なのかを見極めることである[14]（表 C-3，コラム 2）．

表 C-3　リウマチ足関節・足部変形の考え方

	前足部型	中足部型	後足部型
特徴的変形	・外反母趾 ・開帳足	扁平足	アライメント異常（外反）
出現時期	RA 発症初期〜5 年より出現	RA 発症 5〜10 年より出現	RA 発症 10 年〜晩期に出現
装具	・バンド装具 ・外反母趾装具 ・足底装具	・アーチサポート ・内側アーチ付アンクルサポーター	足関節装具（アンクルサポーター）
手術の要点	MTP 関節を温存し変形矯正を行う	内側アーチの回復	アライメントの正常化

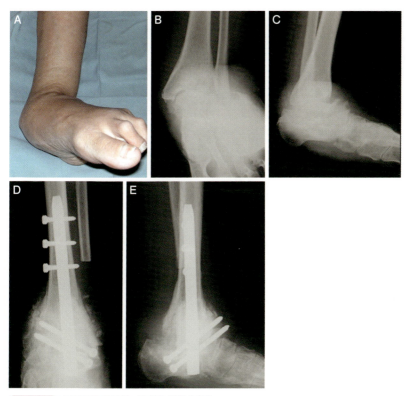

図 C-15 足関節固定術（伊藤式髄内釘）
A: 術前肉眼所見．足関節は強く外反変形しており荷重軸は保たれていない．
B: 術前単純 X 線正面像，C: 同側面像，D: 術後正面像，E: 同側面像．距骨下関節固定術も行っている．

a 足関節の手術

　足関節に対して選択すべき手術は関節固定術と人工関節手術の 2 つで，関節形成術を行うことはまずない（図 C-2）．足関節固定術（図 C-15）にしても人工足関節置換術（TAA: total knee arthroplasty）（図 C-16）にしても先に述べた利点と欠点を考慮して症例に応じた使い分けが必要である（表 C-1）．双方の術式も臨床症状を改善し，どちらかの手技が他方より優れているわけではないため[15]，その選択基準について確立した見解はない．我々は表 C-4 のような基準で術式を選択している．

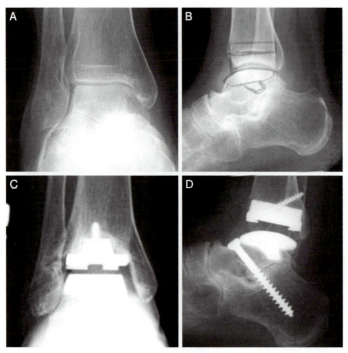

図 C-16 人工足関節全置換術（高倉式）
A: 術前単純 X 線正面像, B: 同側面像, C: 術後正面像, D: 同側面像. 距骨下関節固定術も追加している（スクリュー）.

表 C-4 リウマチ足関節手術の種類とその特徴

	人工足関節置換術	足関節固定術
活動性	あまり高くないもの	高くてもよい
年齢	70 歳以上	若年者でも可
関節の変形	変形が強くなく，関節荷重軸が保たれているもの	変形が強くても可. ただ両側固定は避けたい
長期成績	10 年で 30〜50% にゆるみ	骨癒合不全が約 5% に生じる

b 足趾の手術

　足趾の変形は日常診療でしばしば遭遇する問題である．大切な点は変形があるだけで，即手術と考えずに「歩行時・立位時の痛み」についてよく問診することである．痛みの原因は中足基節骨関節（MTP 関節）が足底方向に

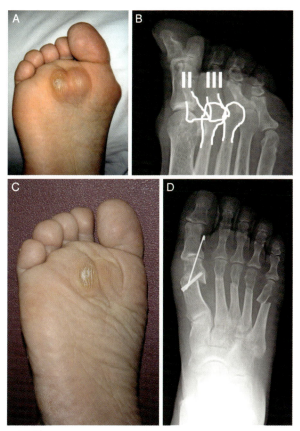

図 C-17　リウマチの足趾変形
A: 生物学的製剤（エタネルセプト）で寛解を達成したが，外反母趾を伴う扁平三角変形と足底の有痛性胼胝が生じた．B: 足部単純 X 線斜位像．第 2，3 の中足骨頭が足底に脱臼している．C: 中足骨短縮骨切り術後 8 週．足底胼胝は消失している．D: 術後単純 X 線正面像．

脱臼し，その部分の皮膚が床と脱臼した中足骨頭との間に挟まれて有痛性胼胝を形成することによる（図 C-17A，B）．手術は関節形成術，人工関節手術，関節固定術の中から選択するのであるが，それぞれの外科医が独自の工夫を行っている．以前は MTP 関節に対して関節切除術が行われていたが，歩行時の踏み返しで力が地面に伝わりにくいなどの機能障害が生じるため現在では行われなくなりつつある（図 C-18A）．近年の薬物治療の進歩が足趾の関節破壊を抑制しうるという知見から，羽生らは MTP 関節を温存する新

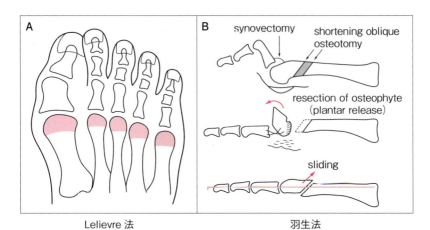

図 C-18　リウマチ足趾手術の変遷
A: 中足骨頭を切除する MTP 関節切除術（Lelievre 法）では歩行の踏み返し時に力が床に伝わらない．B: 中足骨斜め骨切り短縮法（羽生法）では MTP 関節が温存され前足部の機能を損なうことなく変形を矯正できる[17]．

しい術式を開発し良好な成績を上げている（図 C-18B）[16]．現在では羽生らの「中足骨を遠位部で斜め骨切りして短縮する関節温存術（中足骨斜め骨切り短縮法）」が足趾形成術の主流になりつつある（図 C-17C, D）．

C 足関節・足部の装具療法

　前足部障害である外反母趾や扁平三角状変形に対しては，変形が軽度な場合，足趾バンドや外反母趾装具を疼痛緩和や変形の進行を予防する目的で作製する（図 C-19）．

　一方，中足部変形のほとんどは内側縦アーチが消失する扁平足である．これに対してはアーチを保持するアーチサポーターが効果的であり，市販の靴に挿入できる足底装具を作製することが多い（図 C-20）．

　また後足部変形である踵骨の内・外反に対しては足関節のアライメント調整や運動時痛・関節不安定性を軽減するために足底装具や足関節装具などを個々の症例に応じて処方する．足関節の不安定性を制御し，同時に内側アーチをサポートする簡便な装具も市販されている（図 C-20）．

　靴型装具は足部変形が進行して，足底装具による工夫に限界が生じたときに適応となる．すなわち変形部分と靴との不適合によって生じる疼痛が市販

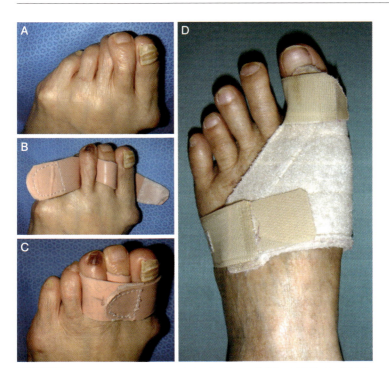

図 C-19 A, B, C: 軽度の扁平三角変形に対して作製した足趾バンド装具. D: 外反母趾装具. 変形が軽度な場合や矯正骨切り術の術後装具として用いる（写真は中村ブレース社製スーパートービック®）.

の靴や装具では対応できない場合に処方を考えるとよい[17]（コラム 3）.

コラム2

関節リウマチにおける足部の破壊をパターン化してみよう

　リウマチの足部変形といえばまず外反母趾と扁平足が思い浮かぶであろうが，その病態は複雑である．我々は単純X線写真を用いてリウマチ患者 274 例の 542 足を横断的に調査した[14]．リウマチ足の関節破壊のパターンをクラスター解析により分析したところ，外反母趾を含む開帳足に代表される前足部型，扁平足に代表される中足部型，足関節の外反変形に代表される後足部型，さらにはこれらの特徴が混合する複合型に分類することができた．患者の罹患期間に基づく各群の分布により，前足部型はリウマチ発症から比較的早期（5 年）から生じるのに対し，中足部型は罹患期間 5〜10 年で

chapter C ●内科医が知っておきたい関節リウマチの手術療法・装具療法

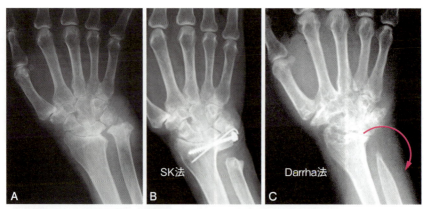

図 C-27 リウマチ性手関節病変に対する関節形成術
A: 術前単純X線正面像，B: Sauvé-Kapandji（SK）法，術後正面像．切除した尺骨頭を用いて支えを作るのでDarrha法（C）のような術後の尺側偏位変形が生じにくい．

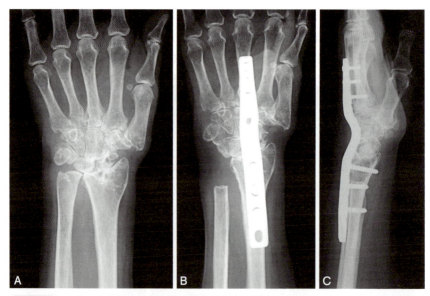

図 C-28 リウマチ性手関節病変に対する関節固定術（プレートを用いた内固定）
A: 術前単純X線正面像，B: 術後正面像，C: 同側面像．

には手関節固定術を選択する（図 C-28）．手関節に対する人工関節には優れたものがなく成績が安定しないために推奨されない．手関節は手指にとっ

て要の関節であるため，適切な時期に関節形成術を行うことで，手関節自体の関節破壊を予防するだけでなく，後述する手指の尺側偏位変形（図C-30）や伸筋腱の断裂を予防する効果がある．

ここでリウマチにおける手指伸筋腱断裂の発生機序を簡単に説明する（図C-29）．手関節にリウマチ性滑膜炎が生じると尺骨頭が背側に脱臼する．尺骨頭の直上には手指の伸筋腱（総指伸筋腱，小指伸筋腱，固有示指伸筋腱）を含む第Ⅳ，第Ⅴコンパートメントが存在する．脱臼した尺骨頭はこのコンパートメント内でリウマチ性腱鞘滑膜炎によって脆弱化した腱と機械的摩擦を起こす．その結果，伸筋腱は小指側から順に断裂していく（図C-7，C-

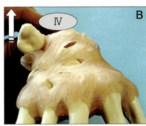
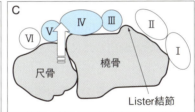
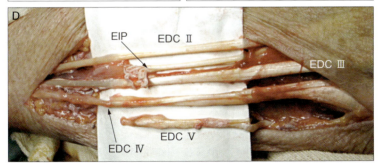

図C-29 リウマチにおける伸筋腱断裂の発生機序
　　尺骨頭が背側に脱臼し（A, B矢印），直上の第Ⅳ，Ⅴコンパートメント内（C）を走行する腱と機械的摩擦を生じる．腱は小指側から順に断裂する（D）．

chapter C ●内科医が知っておきたい関節リウマチの手術療法・装具療法

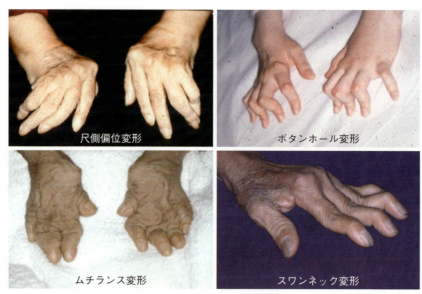

図 C-30　リウマチ手の典型的な変形

29D）．

　したがってSauvé-Kapandji法による関節形成術の目的は関節内および腱鞘滑膜の滑膜切除と脱臼した尺骨頭を元の位置に内固定することにある．もちろん腱断裂が生じている場合には，同時に腱移植術や腱移行術によって伸筋腱を再建しなくてはならず手術の難易度が格段に上がる．

d 手指の手術

　リウマチによる手指の変形は日常診療でしばしば遭遇する古くからの問題であるが，今日でもなおリウマチ治療の未解決問題でもある．その意味でリウマチ手の外科は古くて新しい分野といえる．限られた紙面では到底尽くせないが要点を整理する．

　リウマチ手の典型的な変形には尺側偏位変形，ボタンホール変形，スワンネック変形，ムチランス変形の4つがある（図C-30）．これらの変形を人工関節術・関節固定術・滑膜切除術を様々に組み合わせながら矯正し，手としての機能を向上させる．治療にあたって特に念頭におくべきことは「外傷とは異なり変形と障害がゆっくり進行するため患者は見た目の変形ほど不便

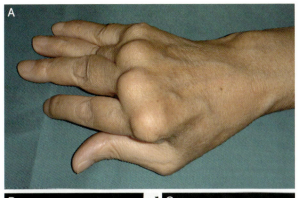

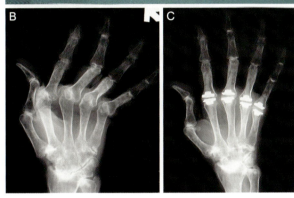

図 C-31 尺側偏位変形をきたしたリウマチ手
MCP 関節をスワンソン型人工指関節（シリコン製）に置換した．A: 術前肉眼所見，B: 術前単純 X 線正面像，C: 術後正面像.

さを感じていない」「個々の変形ばかりに目を奪われずに機能としての手を評価する」「病型を念頭にその自然経過を考える」「隣接関節への影響を考える」「マニュアル的思考は通用しない」という点である．

　図 C-31 は典型的な手指の尺側偏位変形であり，主たる変形の原因は中手基節骨関節（MCP 関節）にある．そこでシリコン製のスワンソン型人工指関節に置換することで変形を矯正し機能的な向上をはかった．図 C-32 は母指 IP 関節変形をきたした症例である．糖尿病を併発しインスリンの自己注射を行っているが，力を入れると母指が IP 関節で曲がってしまい力がうまく伝わらなかった．そこで指専用に開発された髄内釘（reverse fix nail）を

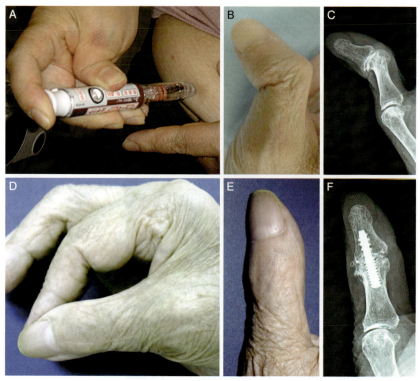

図 C-32 リウマチ性母指変形と IP 関節固定術（reverse fix nail 髄内釘）
A, B: 術前肉眼所見，C: 術前単純 X 線像，D, E: 術後肉眼所見．F: 術後単純 X 線像．

用いて IP 関節を固定した[19]．術後，つまみ動作・押す動作にもしっかり力が入るようになり患者の満足度は高い．

7 リウマチ脊椎の手術

脊椎は 7 つの頚椎，12 の胸椎，5 つの腰椎，5 つの仙椎からなり頭部から体幹を支える機能を持つ．それとともに内包する脊髄神経を外力から守る役割も担っている．リウマチ性脊椎病変というとまず頭に思い浮かぶものは環軸椎（第1/2頚椎）脱臼であるが，実はリウマチ性脊椎病変は頚椎のみならず胸椎や腰椎にも生じる．

例えばリウマチ患者に生じる胸腰椎圧迫骨折はリウマチに伴う骨脆弱性に

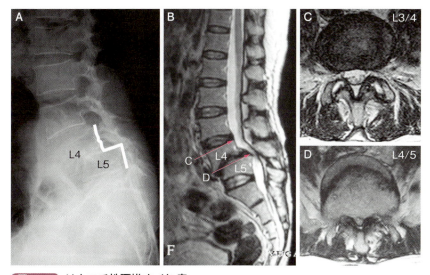

図 C-33　リウマチ性腰椎すべり症
A: 腰椎単純 X 線側面像，B: MRI 矢状断 T2 強調像，C, D: MRI 冠状断 T2 強調像．第 4 腰椎の前方すべりと第 4/5 腰椎椎間レベルでの脊柱管の強い狭窄がみられる．

ステロイド性骨粗鬆症が加わるため，骨癒合不全に陥りやすく遅発性麻痺をきたし手術となる．また胸腰椎の圧迫骨折では体幹を支えることができない程の耐えがたい頑固な疼痛も手術対象となる．さらに腰椎にはリウマチによる高度なすべり症が生じ頑強な腰痛と下肢のしびれ・運動麻痺・膀胱直腸障害の原因となる（図 C-33）．

手術の基本的な考え方は脊椎除圧固定術すなわち「脊髄・馬尾神経の除圧」と「脊椎の固定」である．近年，様々なインストルメンテーションやスクリュー刺入の技術が開発されている．しかし脊椎手術の侵襲は大きいため，除圧固定の範囲をどこまでにするのかについては患者の年齢や合併症を含めた全身状態を考慮しながら，総合的かつ慎重に決定しなくてはならない．

リウマチの頚椎病変には先に述べた環軸椎亜脱臼（AAS）を含めて 3 つの病変が存在する（図 C-34）．軸椎が頭蓋内に陥入し脳幹圧迫にいたる軸椎垂直亜脱臼（VS），中下位頚椎が亜脱臼して脊髄圧迫にいたる軸椎下亜脱臼（SAS）である．いずれにしても手術のタイミングは麻痺の出現，つまり

chapter C ●内科医が知っておきたい関節リウマチの手術療法・装具療法

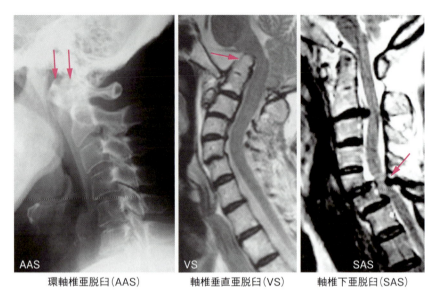

図 C-34　リウマチ性頚椎病変
　　　　　AAS: atlanto-axial subluxation
　　　　　VS: vertical subluxation
　　　　　SAS: subaxial subluxation

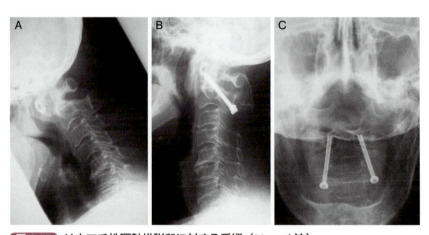

図 C-35　リウマチ性環軸椎脱臼に対する手術（Magerl 法）
　　　　　A: 術前単純 X 線側面像，頚椎屈曲位，B: 術後側面像，C: 同正面像．東 成一先生（国立病院機構相模原病院整形外科）のご厚意による．

「自分の意志で手足を動かしたり自分で排泄する」ことが障害され始めた時である．図 C-35 に代表的な手術法である Magerl 法による環軸椎間固定術を示す．リウマチ外科医は基本的に関節外科を専門とする場合が多い．脊椎手術の考え方や手技は関節外科のそれと異なっている上に，昨今の整形外科手術の日進月歩の進歩を考えると，脊椎外科と関節外科の双方に精通し手術を極めることは現実的に難しい．有効かつ安全な脊椎手術のためにはリウマチ関節外科医と脊椎外科医との連携が欠かせないであろう．

8 生物学的製剤時代のリウマチ手術

　我が国で関節リウマチの治療に抗 TNF 製剤が導入されてから約 15 年の歳月が流れた．現在では経口薬である JAK 阻害薬も含めて生物学的製剤は 10 製剤となり大きな治療効果をあげている．また非荷重関節の関節破壊の抑制効果のみならず，荷重関節の関節破壊を抑制しうるという報告もある[20]．一方，生物学的製剤によりリウマチ患者の日常生活活動が改善され膝などの荷重関節への力学的負担が増加し，その結果，変形性関節症様の変化が生じて人工関節手術に至る症例も珍しくない．図 C-36 に示す自験例でもインフリキシマブ投与によってリウマチ性の関節破壊は生じていないものの内側関節裂隙の狭小化（変形性関節症変化）が進行して TKA に至っている．言い換えれば生物学的製剤によって「RA の OA 化」が起こったともいえる．こういった経験から我々は，これまでリウマチ膝には適応がないとされてきた人工膝単顆置換術（UKA）を深い寛解を達成しリウマチが OA 化したと考えられる膝に対して行う場合もある（図 C-37）．

　一方，生物学的製剤によって関節破壊の進行が止まっても腱バランスが崩れて関節機能が障害されることがある．図 C-38 はエタネルセプトによって寛解を達成した症例であるが，中指と環指にスワンネック変形をきたした．これに対して過屈曲する DIP 関節を中間位で固定した後に，伸展拘縮の残る PIP 関節を指ナックルベンダーによって矯正した．8 年経過した現在も症状の再発はない．

9 関節リウマチのリハビリテーションと生活指導

　関節リウマチに対するリハビリテーション・生活指導に関しては，「関節

chapter C ●内科医が知っておきたい関節リウマチの手術療法・装具療法

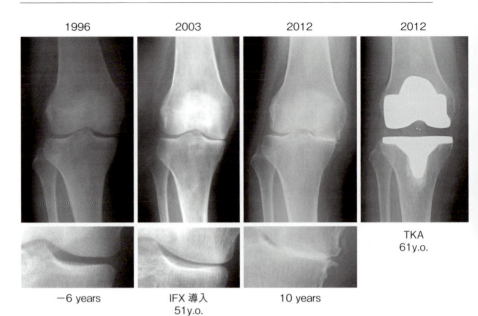

図 C-36 荷重大関節に対する生物学的製剤の影響
51歳女性．インフリキシマブ（IFX）投与の6年前から投与後10年，計16年間の膝関節単純X線正面像．IFX投与により膝関節の腫脹・疼痛は消退した．一方，関節裂隙の狭小化（変形性関節症変化）は徐々に進行し，最終的に61歳時にTKA（人工膝関節全置換術）となった．IFX投与により手術時期を10年遅らせることができた症例である．

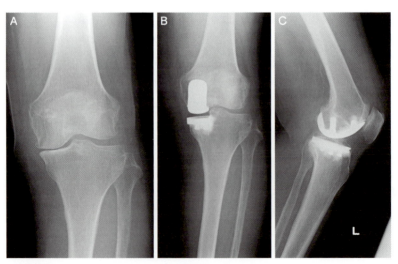

図 C-37 リウマチ膝に対する人工膝単顆置換術（UKA）
薬物治療により深い寛解を維持しているリウマチ症例．膝変形を変形性膝関節症に起因するものと考えUKAを行った．

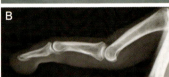

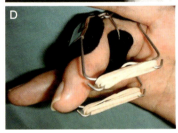

図 C-38 スワンネック変形に対する手術療法と装具療法

エンブレルによって寛解導入されたがスワンネック変形をきたした70歳男性．A: 術前肉眼所見，B: 術前単純X線側面像，C: DIP関節固定術（reverse fix nail 髄内釘），D: 指ナックルベンダーによる装具療法（後療法）．

表 C-6 関節リウマチのリハビリテーション治療

運動療法の具体例：キーワードは関節保護
①筋力維持・増強運動は関節保護のために等尺性収縮運動が基本
②関節疼痛には温熱療法も選択肢のひとつ 注）人工関節や金属が挿入されている部位に極超短波をあてると金属の加熱により熱傷を引き起こす危険があるので禁忌である．
③水中運動訓練の有効性： 　a．浮力による免荷，b．流体抵抗による運動負荷， 　c．温水の温熱効果，d．リラクゼーション効果

chapter C ●内科医が知っておきたい関節リウマチの手術療法・装具療法

表 C-10 ステロイド性骨粗鬆症薬物治療の推奨度

製剤	薬品名	推奨度
ビスフォスフォネート製剤	アレンドロネート	A
	リセドロネート	A
	エチドロネート	C
	ミノドロン酸	C
	イバンドロネート	B
活性型ビタミン D3 製剤	アルファカルシドール	B
	カルシトリオール	B
	エルデカルシトール	C
ヒト副甲状腺ホルモン（1-34）	遺伝子組換えテリパラチド	B
	テリパラチド酢酸塩	C
SERM（選択的エストロゲン受容体モジュレーター）	ラロキシフェン	C
	バゼドキシフェン	C
ヒト型抗 RANKL モノクローナル抗体	デノスマブ	C

推奨度．A：第1選択薬として推奨する薬剤．B：第1選択薬が禁忌などで使用できない，早期不耐用である，あるいは第1選択薬の効果が不十分であるときの代替薬として使用する．C：現在のところ推奨するだけの有効性に関するデータが不足している．
（ステロイド性骨粗鬆症の管理と治療ガイドライン：2014年改訂版）

骨壊死が生じたため，骨吸収阻害剤関連顎骨壊死（ARONJ）という名称になった．

　発生率についてはいくつかの報告があるが，経口ビスフォスフォネート製剤の場合，約1名/10万人・年とされている．不良な口腔衛生，癌，高齢，透析，ステロイドの服用などが顎骨壊死発症のリスクファクターである．したがって関節リウマチ患者における ARONJ の発生リスクは高いと考えられている．

　顎骨壊死検討委員会ポジションペーパー 2016 の見解では，抜歯などの侵襲的歯科治療前にビスフォスフォネート製剤を休薬するか否かについては，様々な議論があるものの「休薬を積極的に支持する根拠には欠ける」としている．たとえばアレンドロネートの半減期が2年であるように，ビスフォ

424

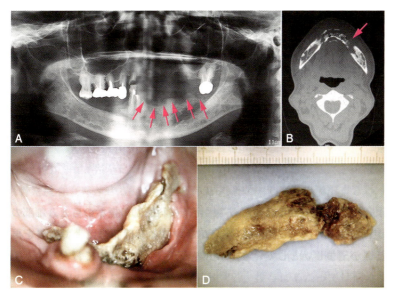

図 C-47　骨吸収阻害剤関連顎骨壊死（anti-resorptive agents-related osteonecrosis of the jaw: ARONJ）
A. 単純X線. B. CT. 下顎骨に顎骨壊死を認める（矢印）. C. 肉眼所見.
D. 切除した壊死骨.
（福岡歯科大学 口腔・顎顔面外科学教授の池邉哲郎先生のご厚意による）

スフォネート製剤は骨に蓄積されるため骨における半減期は年単位となる．したがって歯科治療前に3カ月といった短期間の休薬期間をおいても顎骨壊死予防に効果があるかは疑問が残るという訳である．

以上のことから，ポジションペーパー2016ではARONJの予防策として①ARONJは感染が引き金となって発症するので，歯科治療前のビスフォスフォネート製剤の休薬は基本的に行わず口腔衛生の改善と感染対策を徹底することで顎骨壊死を予防する．②4年以上投与を受けている患者では骨折リスクを含めた全身状態が許容すれば2カ月前後の休薬について主治医と協議・検討する．③デノスマブの場合，血中半減期は約1カ月であり，かつ投与間隔は6カ月であるので投与タイミングを考慮しながら歯科治療の時期や内容を検討する，といった点が提唱されている．

またビスフォスフォネート製剤を休薬した場合の再開のタイミングは，①十分な骨性治癒がみられる歯科処置後2カ月前後が望ましい，②主疾患の

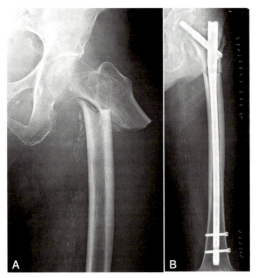

図 C-49 大腿骨転子下骨折
骨粗鬆症に対して 8 年間ビスフォスフォネート製剤を服用していた 82 歳の女性．A．受傷時単純 X 線正面像．大腿骨転子下骨折を認める．B．術後単純 X 線正面像．ガンマネイル（ロングタイプ）による観血的整復内固定術が行われた．
（地域医療機能推進機構リハビリテーション科　間部毅先生のご厚意）

では錠剤の大きさが最も小さく，服用しやすい．薬価もミノドロン酸の月 1 回製剤に比べて安価である．

　ミノドロン酸（ボノテオ®，リカルボン®）：連日服用の 1 mg 錠，月 1 回服用の 50 mg 錠がある．週 1 回製剤はない．

　イバンドロネート（ボンビバ®）：海外では連日経口製剤があるが，わが国では 1 カ月に 1 度の静注製剤（1 mg＝1 ml をボーラス投与）が承認・販売されている．経口薬に比べて胃腸障害がない，服用に際しての煩雑さがないこと，アドヒアランスの向上という利点がある．

　ゾレドロネート（リクラスト®）：1 年に 1 度の点滴静注製剤（5 mg）で，わが国では 2017 年に承認・販売された．経口投与ができないもの，通院ができないものに利便性・アドヒアランスが高くなる利点がある．その一方，インフルエンザ様症状の発生が月 1 回製剤よりさらに高いのではという懸

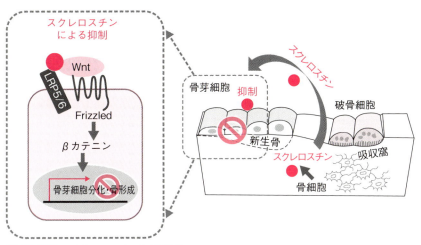

図 C-50　スクレロスチンと骨形成
骨細胞で産生・分泌されるスクレロスチンは Wnt シグナルを阻害して骨芽細胞分化と骨形成を抑制している．

念もある．

5. 今後期待される骨粗鬆症治療薬：抗スクレロスチン抗体ロモソズマブ

　スクレロスチンは骨細胞で産生・分泌される蛋白で，Wnt シグナルを阻害し骨芽細胞分化と骨形成を抑制する（図 C-50）．スクレロスチンをコードする SOST 遺伝子の欠損やスクレロスチン蛋白の発現抑制はそれぞれ硬化性骨化症（sclerosteosis）と van Buchem 病をきたす．これらの疾患では骨密度が著しく増加していた．

　そこでスクレロスチンに対する抗体製剤の開発が進められた．アムジェン社が開発したロモソズマブは閉経後骨粗鬆症女性を対象にした第 3 相臨床試験（FRAME 試験）で 12 カ月および 24 カ月の新規椎体骨折発生率を抑制した．特筆すべきことにロモソズマブは骨形成促進と骨吸収抑制という 2 つの効果を併せ持っている．近い将来，骨粗鬆症治療において新しい作用機序を持つ強力な薬剤が登場することとなる．

おわりに

　生物学的製剤の登場はリウマチという疾患そのものをトランスフォームさせただけでなく，リウマチの手術療法にもパラダイムシフトを起こした．一

方，生物学的製剤時代になっても関節リウマチに併発する骨粗鬆症は大きな臨床的問題であり十分な対策が必要である．

今後，理想的なリウマチ治療を遂行するためにはリウマチ内科医とリウマチ外科医が連携を密にすることはもちろんのこと，脊椎外科医や理学療法士・作業療法士，看護師，薬剤師，社会福祉士，管理栄養士を巻き込んだチームを組むことが大切である．またリウマチ専門医を志す若手医師も初期研修において内科・外科志望にかかわらず，生物学的製剤を含めた薬物治療と手洗いをした上での手術への参加の双方を経験すべきであると考えている．

 文献

1) Momohara S, et al. Recent trends in orthopedic surgery aiming to improve quality of life for those with rheumatoid arthritis: data from a large observational cohort. J Rheumatol. 2014; 41: 862-6.
2) Matsumoto T, et al. Trends in treatment, outcomes, and incidence of orthopedic surgery in patients with rheumatoid arthritis: an observational cohort study using the Japanese national database of rheumatic diseases. J Rheumatol. 2017; 44: 1575-82.
3) 日本リウマチ学会，編．関節リウマチ診療ガイドライン2014．大阪：メディカルレビュー社；2014. p.75-87.
4) 仲村一郎，他．人工股関節全置換術の術後脱臼〜予後に基づいた分類と治療指針の提案〜．整形・災害外科．2007; 50: 1031-7.
5) Dixon WG, et al. Rates of serious infection, including site-specific and bacterial intracellular infection, in rheumatoid arthritis patients receiving anti-tumor necrosis factor therapy: results from the British Society for Rheumatology Biologics Register. Arthritis Rheum. 2006; 54: 2368-76.
6) den Broeder AA, et al. Risk factors for surgical site infections and other complications in elective surgery in patients with rheumatoid arthritis with special attention for anti-tumor necrosis factor: a large retrospective study. J Rheumatol. 2007; 34: 689-95.
7) Giles JT, et al. Tumor necrosis factor inhibitor therapy and risk of serious postoperative orthopedic infection in rheumatoid arthritis. Arthritis Rheum. 2006; 55: 333-7.

8) Nakamura I, et al. Blockade of interleukin-6 signaling induces marked neutropenia in rheumatoid arthritis patients. J Rheumatology. 2009; 36: 459.

9) 仲村一郎, 他. 抗IL-6受容体抗体製剤トシリズマブ投与による関節リウマチ患者の白血球数の変化. 内科. 2011; 108: 739-42.

10) 仲村一郎, 西野仁樹. 周術期あるいは術後晩期感染症早期発見のための新しい方法論. 分子リウマチ治療. 2014; 7: 93-8.

11) Nakamura I, et al. Synovial impingement after posterior cruciate retaining total knee arthroplasty in rheumatoid arthritis. J Orthop Sci. 2006; 11: 303-7.

12) Fleming A, et al. Early rheumatoid disease. I. Onset. Ann Rheum Dis. 1976; 35: 357-60.

13) Michelson J, et al. Foot and ankle problems in rheumatoid arthritis. Foot Ankle Int. 1994; 15: 608-13.

14) Matsumoto T, et al. Radiologic patterning of joint damage to the foot in rheumatoid arthritis. Arthritis Care Res (Hoboken). 2014; 66: 499-507.

15) van Heiningen J, et al. The mid-term outcome of total ankle arthroplasty and ankle fusion in rheumatoid arthritis: a systematic review. BMC Musculoskelet Disord. 2013; 14: 306.

16) Hanyu T, et al. Arthroplasty for rheumatoid forefoot deformities by a shortening oblique osteotomy. Clin Orthop Relat Res. 1997; 338: 131-8.

17) 仲村一郎, 滝澤祐子. 関節リウマチ. In: 伊藤利之, 赤居正美, 編日本整形外科学会・日本リハビリテーション医学会, 監修. 義肢装具のチェックポイント. 東京：医学書院；2014. p.306-12.

18) 小泉泰彦, 他. リウマチ肘に対する近位棚形成術の成績. 整形外科. 2013; 64: 407-12.

19) Matsumoto T, et al. Distal interphalangeal joint arthrodesis with the reverse fix nail. J Hand Surg Am. 2013; 38: 1301-6.

20) Seki E, et al. Radiographic progression in weight-bearing joints of patients with rheumatoid arthritis after TNF-blocking therapies. Clin Rheumatol. 2009; 28: 453-60.

21) Lamb SE, et al. Exercises to improve function of the rheumatoid hand (SARAH): a randomised controlled trial. Lancet. 2015; 385: 421-9.

22) Harada S, Rodan GA. Control of osteoblast function and regulation of bone mass. Nature. 2003; 423: 349-55.

23) 骨粗鬆症の予防と治療ガイドライン作成委員会, 編. 骨粗鬆症の予防と治療ガイドライン2015年版. 東京: ライフサイエンス出版; 2015.

24) Suzuki Y, et al. Guidelines on the management and treatment of glucocorticoid-induced osteoporosis of the Japanese Society for Bone and Mineral Research: 2014 update. J Bone Miner Metab. 2014; 32: 337-50.

25) Bone HG, et al. 10 years of denosumab treatment in postmenopausal women with osteoporosis: results from the phase 3 randomised FREEDOM trial and open-label extension. Lancet Diabetes Endocrinol. 2017; 5: 513-23.

26) Leder BZ, et al. Denosumab and teriparatide transitions in postmenopausal osteoporosis (the DATA-Switch study): extension of a randomised controlled trial. Lancet. 2015; 386: 1147-55.

27) 仲村一郎. 関節リウマチ患者に合併した骨粗鬆症の治療: 抗TNF製剤は有効か? リウマチ科. 2014; 52: 621-5.

28) Chopin F, et al. Long-term effects of infliximab on bone and cartilage turnover markers in patients with rheumatoid arthritis. Ann Rheum Dis. 2008; 67: 353-7.

日常臨床に活かす
関節超音波（関節エコー）
（関節超音波の基礎）

chapter D ●日常臨床に活かす関節超音波（関節エコー）（関節超音波の基礎）

　2010ACR/EULAR 分類基準による診断，DAS や SDAI, CDAI のような疾患活動性評価など関節リウマチ診療では関節評価を正確に行うことが欠かせない．特に早期診断の重要性が認知されつつある昨今では，骨びらんや変形を伴わない軽微な関節腫脹でも所見を拾い上げる必要があるが，理学所見は検者の主観や技術に大きく左右される面があるため検者間での差異や再現性の問題などが生じる可能性がある．関節超音波は軽微な滑膜炎の描出に優れ，客観的に関節腫脹や滑膜炎を評価することが可能なツールである．この稿では関節超音波の特徴や検査の基礎をご紹介したい．

1 関節超音波検査の特徴

　関節リウマチ診療に用いられる画像検査には超音波の他に単純 X 線写真・MRI が広く用いられている．まず単純 X 線写真と比較した場合，超音波検査は滑膜病変・滑液などの軟部組織病変の描出に優れており，さらにパワードプラ法（後述）の使用によって単純 X 線写真では評価できなかった血流および炎症性の変化を検出することができる．放射線被曝がないため安心して何度でも検査を行うことができる点も日常臨床で使い易い．MRI と比較した場合には，安価でリアルタイムな状況を把握することができ，かつはるかに低コストである点が特徴である．一方で，深部では音波の減弱により観察が不鮮明になり易く，血流も検出し難くなる．また骨表面で反射されてしまうため，MRI のように骨髄を観察することはできない．

2 機器の設定

　超音波では観察する目的ごとに様々な設定がプリセットされており，検査前にこれらの中から筋骨格系用または表在用を選択する．これらの設定がない場合や，操作方法がわからない場合などは各メーカーへ問い合わせればよい．プローブ（探触子）は一般的にリニア型が用いられ（図 D-1），周波数では高周波が表在，低周波が深部の観察に適している．関節の観察では通常 10 MHz 程度の高周波リニア型（図 D-1）を用いるが，股関節などの深部を観察するためには 10 MHz 以下の低周波が望ましい．基本設定ができていれば，最低限の知識として B モード（グレイスケール）ではゲインとフォーカス，パワードプラ法ではドプラゲインの調節さえできれば検査は可

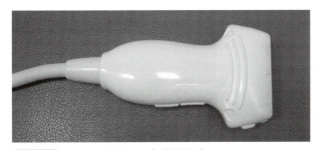

図 D-1　リニア型プローブ（探触子）

能である．他にも様々な設定を行うことができるが詳細は成書に譲ってまずはプローブを当ててみていただきたい．

a　Ｂモード（グレイスケール法）

　超音波ビームを送信し，反射エコーの時間と強さを処理して白黒の二次元画像が得られる方法である．反射エコーの強度が強いほど高エコー輝度で表現されるため，輝度の違いによって構造物の形状を描出することができる（図 D-2）．RA 患者では滑膜肥厚/滑液貯留や骨びらんなどをグレイスケールで観察することができる．

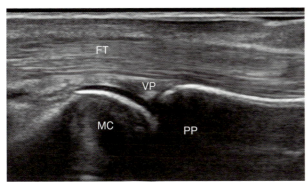

MC：中手骨，PP：基節骨，FT：屈筋腱，VP：掌側板
正常では滑液や滑膜はほとんど同定できない．

図 D-2　正常な超音波所見（MCP 関節掌側）

chapter D ●日常臨床に活かす関節超音波（関節エコー）（関節超音波の基礎）

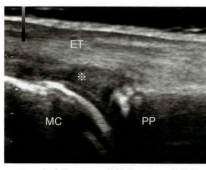 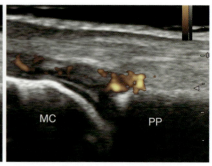

MC：中手骨，PP：基節骨，ET：伸筋腱
グレイスケール法で関節内で肥厚した滑膜が低エコー領域（※）として描出され（左図），
パワードプラ法では肥厚した滑膜内に異常な血流シグナルを認める（右図）．

図 D-3 RA 患者における滑膜肥厚とパワードプラシグナル（MCP 関節背側）

● 滑膜肥厚/滑液貯留

　滑液は関節腔内でほぼ無エコーを，肥厚した滑膜は低エコーを示す．しかし両者ともに時に中〜高エコーを示すこともあるためエコー輝度による判別は困難である．プローブによる圧迫を加えた際に滑液は圧縮性や移動性を示すのに対して，滑膜肥厚は圧迫によっても形状が変化しない点が鑑別のポイントである（図 D-3）．理学所見は PIP 関節や MCP 関節では鋭敏に滑膜炎を検出できるが，手関節・膝関節・MTP 関節では超音波の方が滑膜炎の検出力に優れることが示唆されている[1]．特に膝関節で関節鏡所見を gold standard として超音波と理学所見の比較が行われており，結果としては感度・特異度ともに超音波の方が優れていた（感度 98％ vs 85％，特異度 97％ vs 77％）[2]．

● 骨びらん

　骨びらんは関節腔内における骨皮質の不連続性として描出される．骨表面の自然な形状をびらんと誤認することがあるため，縦断と横断の 2 方向でともに欠損が描出されることを確認する必要がある（図 D-4）．早期の骨びらんは微小で部位によっては X 線で捉え難い場合もあるため，拡大能に優れ関節を隈なく検索できる超音波での検出が有用である．RA 患者の手指関節での骨びらん検出能を単純 X 線写真と比較した場合，超音波は早期 RA 患者では 6.5 倍，罹病期間が長い RA 患者では 3.4 倍の数の骨びらんを検出

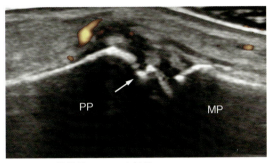

PP：基節骨，MP：中節骨
滑膜肥厚および骨びらん（矢印）を認める．

図 D-4 RA 患者に認めた骨びらん（PIP 関節背側）

し MRI とも高い一致率を示したことが報告されている[3]．

b パワードプラ法

　超音波による血流評価が可能なドプラ法にはパルスドプラ法・カラードプラ法・パワードプラ法など数種類の方法がある．パワードプラ法は比較的流速が遅い血流の評価に向き，滑膜内の異常血流を検出するのに最も適している．グレイスケール法で認めた滑膜肥厚や滑液貯留に活動性の炎症が存在するかを判断するための指標として，パワードプラ法による血流評価を行う．正常の滑膜にはほぼ血流は認められないが，滑膜炎が存在する場合には炎症の結果生じる血管拡張と新生血管によって血流シグナルが認められ（図 D-2），滑膜のドプラシグナルは組織学的なパンヌスの存在や MRI おける滑膜炎と良好な相関を示すことが複数の研究から示されている[4,5]．体表に近い部位ではプローブによる圧迫によって容易に血流シグナルが消失するため，可能な限り圧をかけずに観察することに留意する．また，体動や気温などにも左右されやすいため室内安静後の検査が望ましい．

3 RA 早期診断への応用

　滑膜を直接観察できる超音波は RA の早期診断に有用性が期待されている．しかし問題となる点はどの程度の滑膜所見を有意な滑膜炎と解釈すべきか，という点である．Nakagome らは 109 人の未診断の早期関節患者にお

chapter D ●日常臨床に活かす関節超音波（関節エコー）（関節超音波の基礎）

いて 38 関節（DAS28 関節＋両側足関節＋両側 MTP 関節）に関節エコーを施行しグレイスケールおよびパワードプラ所見を半定量（0: なし，1: 軽度，2: 中等度，3: 高度）し，超音波所見を盲検化された医師による診察で 1 年以内に MTX 投与を予測するか前向きの検討を行っている[1]．この患者群では臨床所見による 2010ACR/EULAR 分類基準 6 点以上は 1 年以内の MTX 投与を感度 58.5%・特異度 79.4%で予測していたが，グレイスケール法による軽度以上の滑膜肥厚を滑膜炎と定義して分類基準に適用した場合には，MTX 投与に対する感度・特異度はそれぞれ 78.0%，79.4%となった．さらに滑膜炎の定義をより厳しい基準（中等度以上の滑膜肥厚またはパワードプラシグナル陽性）とした場合には感度・特異度はそれぞれ 56.1%，93.7%となり，特異度が著しく上昇する結果となった．これらの結果より関節超音波における滑膜肥厚やパワードプラシグナルは真に治療を必要とする滑膜炎を反映している可能性が示唆される．

4 疾患活動性評価への応用

　一般的に超音波検査は理学所見を取るよりも時間を要する．そのため日常的な疾患活動性評価に応用するにあたって問題となるのが，どの関節をいくつ評価するべきか，という点である．2005 年に Naredo らは DAS28 で評価する 28 関節の超音波評価が 60 関節評価と良好に相関していることを報告し[6]，以後 12 関節[7]，7 関節[8]での評価など様々な提案がされているが現時点では標準化されていない．日常臨床レベルの疾患活動性評価では，理学所見で腫脹の有無に迷う関節で超音波を用いて滑膜炎の残存を判断し，活動性評価に補助的に利用するのが現実的と思われる．

5 予後予測への応用

　Ikeda らが 69 人の MTX または生物学的製剤使用中の RA 患者を対象として行った研究では，ベースラインにおける 28 関節のパワードプラスコアの合計点は DAS28–CRP よりも強く 24 週後の関節破壊の進行と相関したと報告されている[9]．このように，腫脹の有無を定性的に判断する理学所見に対して，スコアリングによる定量化が可能な関節超音波にはより正確な予後予測が期待されている．また，臨床的に寛解に至っている患者であっても超

音波所見が残存していることがあり再燃や構造的破壊の予測因子として複数の検討が行われている．それら結果をまとめた近年の meta–analysis では DAS28 寛解患者のうち 85％にグレイスケール所見が，44％にパワードプラ所見が残存することが報告された．このうち，グレイスケール所見とパワードプラシグナルの両方の残存は，1〜2 年以内の再燃（OR 3.2），各患者における関節破壊の進行（OR: 9.13），そして各関節における関節破壊の進行（OR: 6.95）とそれぞれ関連していた[10]．しかし寛解患者における超音波検査でも，どの関節をいくつ評価するべきか，という点が未だコンセンサスを得られておらず，日常臨床での応用は標準化されていない．

6 その他の利点

関節超音波の撮像を学ぶことで，関節や関節周囲の解剖への理解が深まることは多くの医師が感じていることである．特に手術で直接組織を眼にすることが少ない非整形外科医は，複雑な筋肉・腱の走行や滑液包の部位などを理解することが難しく，結果として診察所見や診断が曖昧となってしまう恐れがある．そのような際に超音波を用いることで，日々の診察の中で自然と正常構造や疾患への理解が深まっていくことが期待できるのである．実際に超音波所見で自分にフィードバックをかけることで超音波を使わない関節診察の技術が向上することを報告したユニークな研究もある[11]．また患者に向けて病態や病状を説明するコミュニケーションツールとしても使うことができ，痛みやこわばりのような患者本人にしかわからない自覚的な症状を可視化して家族へ伝えることもできる．特に診断を伝える際，治療方針を転換する際などにはぜひ利用していただきたい．

本稿では簡単に関節超音波についての紹介をさせていただいた．日常臨床で少しでも超音波を用いていただければ関節リウマチの診断・活動性評価・治療効果判定など様々な面で心強いサポートとなることを実感されることと思う．全くの初心者という方への参考のため章末に検査手順を掲載しておくので，まずはプローブを握って当ててみることから始めてみていただきたい．興味が出てきた方が具体的な撮像の基本と正常/異常像を学ぶには日本リウマチ学会が編集する撮像ガイドラインやアトラスなどがお勧めである．

chapter D ●日常臨床に活かす関節超音波（関節エコー）（関節超音波の基礎）

関節超音波検査の手順

1. **検査前準備**

   □検査前説明（必要に応じて着替えなど）

   □室温で 5 分程度の安静

   □機器の立ち上げと患者情報の入力

2. **機器設定**

   □プローブの選択（小関節 10～13 MHz，中～大関節 7.5～10 mHz）

   □アプリケーションの選択（※）

3. **B モード（グレイスケール）法による観察**

   □ゲイン・フォーカスの調整

   □滑膜肥厚/滑液の貯留は無いか？→あれば圧迫による識別

   □骨びらんは無いか？→あれば縦断・横断の 2 方向での確認

   □画像の保存

4. **パワードプラ法による観察**

   □パワードプラゲインの調節

   □滑膜に異常な血流シグナルは無いか？

   □プローブによって圧迫しすぎていないか？

   □画像の保存

5. **検査後**

   □結果説明

   □プリントした所見を患者さんにお渡しする

   □レポート作成・カルテ記載

   ※機器によって "関節リウマチ用" "整形用" "表在用" などアプリケーションが異なる.

1) Nakagomi D, et al. Ultrasound can improve the accuracy of the 2010 American College of Rheumatology/European League against rheumatism classification criteria for rheumatoid arthritis to predict the requirement for methotrexate treatment. Arthritis Rheum. 2013; 65: 890-8.
2) Karim Z, et al. Validation and reproducibility of ultrasonography in the detection of synovitis in the knee: a comparison with arthroscopy and clinical examination. Arthritis Rheum. 2004; 50: 387-94.
3) Wakefield RJ, et al. The value of sonography in the detection of bone erosions in patients with rheumatoid arthritis: a comparison with conventional radiography. Arthritis Rheum. 2000; 43: 2762-70.
4) Stone M, et al. Power Doppler ultrasound assessment of rheumatoid hand synovitis. J Rheumatol. 2001; 28: 1979-82.
5) Szkudlarek M, et al. Power Doppler ultrasonography for assessment of synovitis in the metacarpophalangeal joints of patients with rheumatoid arthritis: a comparison with dynamic magnetic resonance imaging. Arthritis Rheum. 2001; 44: 2018-23.
6) Naredo E, et al. Ultrasonographic assessment of inflammatory activity in rheumatoid arthritis: comparison of extended versus reduced joint evaluation. Clin Exp Rheumatol. 2005; 23: 881-4.
7) Naredo E, et al. Validity, reproducibility, and responsiveness of a twelve-joint simplified power Doppler ultrasonographic assessment of joint inflammation in rheumatoid arthritis. Arthritis Rheum. 2008; 59: 515-22.
8) Backhaus M, et al. Evaluation of a novel 7-joint ultrasound score in daily rheumatologic practice: a pilot project. Arthritis Rheum. 2009; 61: 1194-201.
9) Ikeda K, et al. Correlation of radiographic progression with the cumulative activity of synovitis estimated by power Doppler ultrasound in rheumatoid arthritis: difference between patients treated with methotrexate and those treated with biological agents. J Rheumatol. 2013; 40: 1967-76.
10) Nguyen H, et al. Prevalence of ultrasound-detected residual synovitis and risk of relapse and structural progression in rheumatoid arthritis patients in clinical remission: a system-

atic review and meta-analysis. Rheumatology (Oxford). 2014; 53: 2110-8.
11) Ogasawara M, et al. Autofeedback from ultrasound images provides rapid improvement in palpation skills for identifying joint swelling in rheumatoid arthritis. J Rheumatol. 2012; 39: 1207-14.

プライマリで役立つ
リウマチ膠原病の漢方

chapter E ●プライマリで役立つリウマチ膠原病の漢方

1 胃部不快感・食欲不振・るい痩

　リウマチ膠原病領域の専門とする症状は，主に発熱と疼痛だが，経過が長くなってくると，胃もたれや食欲不振を愁訴とする患者は少なくない．ステロイド剤や NSAIDs の副作用もあるが，長期にわたる慢性炎症で消耗が続いた後，思うように食欲が回復しない，といったケースもある．

　漢方では消化器症状の治療に特別な重要性をおいている．点滴による治療を発明しなかった漢方は，内服療法が主であり，内服が不可能になると治療を断念せざるを得なかったということもあるが，現在でも「難しい症例では消化器症状の治療を優先する」「まずは消化器症状に戻れ」と説く治療家は多い．

　胃部不快感・食欲不振の基本処方は四君子湯（75）である．昔から少食で，すぐに満腹になる，やせていて太れない，といったタイプによい．胃の弱い人が，食欲がなくても「食べなきゃいけない」ということで，普通の食事量を無理に食べていると，消化管に負荷がかかる．その場合は六君子湯（43）が適している．この処方は四君子湯に胃の負担を低下させる 2 種の生薬（半夏・陳皮）がプラスされている．漢方では胃の状態を舌苔で評価する．四君子湯がよいケースでは舌苔がほとんどない状態だが，六君子湯の適応症は白い舌苔が比較的厚く付着している．六君子湯では「無理をすれば食べられる」が，四君子湯では「無理しても食べられない」ので，四君子湯の方が消耗が進んでいることに留意されたい．

　また，急性胃炎を思わせるような心窩部痛が強い場合には安中散（5）が，逆流性食道炎には茯苓飲（79）がよい．

2 便秘

　疼痛や微熱，疲労倦怠感など，不定愁訴がいくつもあるとき，便通の問題を解決すると，その他の症状も好転することがあり，患者満足度やコンプライアンスの向上に資することも多く経験される．

　便秘の治療では，主に下記のような生薬が用いられるが，類似する作用の西洋薬と対応させるとイメージがつかみやすい．

　　大黄…センナ（大腸刺激性下剤）

446

芒硝…マグネシウム（塩類下剤）
麻子仁…ポリカルボフィル（高分子膨張性下剤）
杏仁…油脂系の下剤（界面活性を持った浸潤性下剤）
芍薬…ブスコパン（鎮痙薬）

以上より，便秘によく処方される漢方薬は，次のように考えると理解しやすい．
　　大黄甘草湯（84）…センナ下剤単独処方に類似．
　　調胃承気湯（74）…センナ下剤とマグネシウム下剤の合剤．
　　大承気湯（133）…センナ・マグネシウム・ジメチコンの合剤．頑固で
　　　腹満傾向の強い便秘に．

　このように，西洋薬では複数種の下剤を組み合わせて処方する必要がある場合でも，漢方では単剤化することが可能である．また，西洋医学にはない知識として，漢方では「腸管が冷えると，動きが悪くなり，下剤の効きも悪くなる」といわれており，上述した漢方薬の中では芒硝が特に腸管を冷やすとされている．虚弱者や高齢者の便秘では，腸管が冷えてサブイレウス気味になっていることが多く，そのような場合には芒硝を含まない漢方薬を選択する．判断に迷う場合は，腹部の触診の際に冷感を感じるかどうかを基準とする．冷感を感じた場合は芒硝を含まない下記処方から選択する．

　　桂枝加芍薬大黄湯（134）…ブスコパン＋センナに類似．過敏性腸症候
　　　群の処方（桂枝加芍薬湯）に大黄が追加されており，便秘型過敏性
　　　腸症候群によい適応がある．
　　麻子仁丸（126）…センナ下剤に，ポリカルボフィル・油脂系下剤・ブ
　　　スコパン・ジメチコンを配合．センナ下剤を飲むと腹痛を起こした
　　　り，軟らか過ぎる便でまとまらない場合によい．芍薬が腹痛を緩和
　　　し，麻子仁が便中の過剰な水分を吸収する．
　　大建中湯（100）…上述した下剤成分を一切含まず，腸管を強力に温め
　　　る4種の生薬によって構成される処方．様々な下剤を使用して無
　　　効で，むしろ腸管の冷えを悪化させている場合，下剤を一旦全て中

chapter E ●プライマリで役立つリウマチ膠原病の漢方

止して大建中湯に変更すると，有効なことがある．

3 感冒・上気道炎

　免疫抑制療法施行時は，感冒や上気道炎に罹患しやすくなり，重症化も懸念される．しかし，感冒の原因の多くは特異的な治療が存在しないウィルス感染症であり，細菌の二次感染を念頭に抗生物質を処方することには，アレルギーや耐性菌出現のリスクもある．

　漢方では，虚弱者の感冒は通常とは異なる特徴があり，特別な対応が必要であるとされている．強い咽頭痛で始まることが多く，悪寒はするが，あまり熱は高くない．すぐに横になりたがる，ぐったりしている，下痢を伴うことがある，などの特徴がある虚弱者の感冒には，麻黄附子細辛湯（127）が第一選択とされている．筆者も免疫抑制状態の患者には，あらかじめ麻黄附子細辛湯を処方しておき，「感冒にかかったかもしれない」と感じたときは即座に白湯に溶いて服用するように指導している．服用後比較的速やかに効果が表れ，重症化や遷延化を防ぐことができ，予定外受診の回数も減らせている印象を得ている．

　麻黄を含む薬剤は胃もたれや動悸，不眠の副作用がある．麻黄附子細辛湯がこれらの副作用のため服用できないという患者には麻黄を含まない処方を選択する．咽頭痛が強い場合には桔梗湯（138），くしゃみや鼻水，水様の喀痰が多い場合は苓甘姜味辛夏仁湯（119），副鼻腔炎様症状で鼻閉・濃い鼻汁がみられる場合には辛夷清肺湯（104），乾燥性の咳嗽が続く場合は麦門冬湯（TJ-29，N29など），感冒後に気分の落ち込みや不定愁訴が続く場合は香蘇散（70）を選択する．

4 月経不順・月経困難・不妊

　膠原病は女性に圧倒的に多い疾患であり，疾患そのものや心理社会的ストレスが原因で婦人科系のトラブルを抱える患者も多い．治療薬も直接的な影響を与えることがあり，シクロホスファミドによる卵巣機能不全や，医原性クッシング症候群による無月経や稀発月経もしばしば問題となる[1]．

　膠原病治療と併行しての婦人科的治療にはさまざまな制約があるが，漢方治療は安全性と効果のバランスにおいて優れており，一度は試してもよい治

療である．

　色白で痩せ型，やや浮腫傾向，冷え症を伴う場合は，当帰芍薬散（23）が適応である．冷えが強い場合は附子末（TJ-3023, S-01, SG-205, AP61など）を 0.5 g～1.5 g/日を併用すると効果的である（附子に関しては後述する）．胃腸障害を伴う場合は紅参末（TJ-3020, AP-99）を 1～3 g/日を併用するか，当帰芍薬散ではなく胃腸障害や食欲不振の治療を優先して四君子湯や六君子湯の投与を考慮する．

　月経前の精神不安や不眠，イライラといった月経前緊張症（PMS）症状が目立ったり，のぼせや火照り，上半身の発汗が強いなどの症状を伴うときは，加味逍遥散（24）がよい．「逍遥」とは，目的なく症状が動き回る，という意味であり，月経異常を伴う不定愁訴症候群に広く用いられる．

　体格が比較的がっちりしており，月経困難が強く，目の下の隈や肝斑が目立つ場合は桂枝茯苓丸（25）がよい．吹き出物が多いときは桂枝茯苓丸加薏苡仁（125）が，便秘を伴う場合は桃核承気湯がよい．桃核承気湯は漢方薬の中では最強ランクの下剤であり，便秘の程度が強くなければ少量から漸増したほうがよい．顆粒剤（TJ-61, N61 など）1 包（2.5 g）が錠剤（EKT-61）6 錠相当であるため，錠剤を処方して用量を患者に自己調節してもらうのも一つの手段である．

5 冷え症・レイノー

　冷え症は原因によりいくつかの治療パターンに分かれる．まず，基礎代謝量の減少により体熱産生そのものが低下しているケースである．体熱産生を増加させる生薬は，トリカブト（附子）である．トリカブトは元来有毒植物であり，主成分のアコチニンは徐脈性不整脈を引き起こす作用がある．アコニチンは熱に不安定で，一般的に使用されている製剤は加熱処理されて無毒化した附子末である．

　体熱産生が低下している患者のうち，胃腸が弱くカロリー摂取に支障をきたしている場合は四君子湯や六君子湯などと附子末を併用する．下痢症状がメインの場合は，処方に附子を含んでいる真武湯（30）を使用する．月経不順，浮腫傾向で冷えが強い場合は，当帰芍薬散加附子（S-29）または当帰芍薬散に附子末を組み合わせる．用量については，元来有毒な生薬である

ため最大用量を 2 g 程度にすべきとする意見もあるが，冷えの症状が強く徐脈性不整脈がなければ筆者は慎重に 4 g 程度まで増量している．

　もうひとつのパターンは，精神的ストレスにさらされていて，交感神経優位になっているとき，手掌や足蹠の発汗と蒸散，および末梢血管の収縮が起こり，手足のみが冷える場合である．このような場合は熱が体幹部に籠もり，自覚的には上半身の熱感やのぼせを訴えることも多い．漢方では四肢厥逆と呼び，四逆散（35）という処方の適応であるとされる．四逆散に含まれる生薬の柴胡に，精神的ストレスを緩和する作用があり，先述した加味逍遥散も柴胡を含有し，月経不順に伴う四肢末端の冷えと上半身ののぼせに効果がある．

　さらに，血行障害をメインとする冷えもある．血管攣縮と血管内皮のリモデリングを主な機序とするレイノーや，閉塞性動脈硬化症やバージャー病による下肢の冷感などが該当するケースである．漢方薬としては桂枝茯苓丸が血行障害の基本的処方であるが，体熱産生の低下も合併しているならば，当帰四逆加呉茱萸生姜湯（38）がよい．また，血行障害に便秘が重なっているときは桃核承気湯や通導散（105）が選択される．レイノーが血管攣縮のみで起こっていれば，漢方処方で比較的早く改善するケースもあるが，リモデリングが強く起こっている状況では長期間の投与が必要となってくる．

6　乾燥症状

　乾燥症状には西洋薬では塩酸セビメリンのほかに有効な薬剤がないためか，麦門冬湯を中心とする漢方薬が試される機会が多い．たしかに麦門冬湯には外分泌腺や粘液の分泌を高めて乾燥症状を改善させる作用があるが，大野らの研究[2]によると，高度に唾液腺の破壊が進んでしまったあとになると麦門冬湯単独では効果がないようである．

　漢方医学では血虚という概念があり，血液の単なる不足（いわゆる「貧血」）のみならず，血液によって栄養される組織の損傷，および修復不全も「血虚」の概念に含まれる．この「血虚」の改善作用をもつ代表的生薬は地黄である．地黄は様々な漢方処方に含まれているが，加齢性の組織修復不全，いわゆる「老化」現象を適応とする処方が六味丸（87）や八味地黄丸（7）である．大野ら[2]は麦門冬湯無効例でもこれらの処方を併用すると有効

である可能性を示唆しており，「血虚」の改善を通じて唾液腺組織の修復機転が働くと期待される．八味地黄丸は，六味丸に桂枝と附子を追加した処方であり，冷えや血行障害を伴う場合に使用される．六味地黄丸は冷えを伴わず，むしろのぼせや火照りが強い場合に用いる．いずれの処方も，高齢者に多い症状（腰痛や下肢痛，視力や聴力の低下，頻尿，集中力の低下など）を伴っていれば積極的な適応がある．

　地黄を含んでいる処方としては，便秘に処方される潤腸湯（51），慢性下気道感染に使用される滋陰降火湯（93），結節性紅斑や皮膚の炎症に効果のある温清飲（57），関節痛に用いられる大防風湯（97）などがあり，随伴症状に依って使い分けるとよい．

　ただし，地黄は胃腸障害が出やすい．食欲不振やむかつきの症状がみられたときは，四君子湯の生薬を一緒に含む処方〔十全大補湯（48）や人参養栄湯（108）〕に変更するか，麦門冬湯のように地黄を含まない処方を選択する．ほかに地黄を含まず麦門冬を含む処方としては，手指・口唇の荒れや末梢の火照り，生理不順にも効果がある温経湯（106）や，精神不安や慢性咳嗽に使用される滋陰至宝湯（92）があり，麦門冬湯と同様に乾燥症状に対する効果も期待できる．

7 関節炎に対する漢方治療

　メトトレキサートや生物学的製剤による治療の進歩が著しく，漢方薬の出番はかなり減っているが，副作用や有害事象の懸念から通常の西洋薬による治療が不可能な場合には漢方治療が試されることがある．また，更年期関節症や線維筋痛症など，組織の炎症所見が全く証明できない慢性疼痛において，漢方治療が有利な場合がある．

　炎症の四徴（発赤・熱感・腫脹・疼痛）のうち，全てに効果を発揮するのは麻黄であり，麻黄が関節炎におけるキードラッグである．このほか，発赤・熱感を緩和する生薬は石膏であり，腫脹を軽減する生薬は水分代謝を改善する蒼朮・茯苓・防已・薏苡仁などであり，疼痛を鎮める生薬は附子である．

　急性期の関節炎では，発赤・熱感・腫脹を抑えられれば疼痛は自然と軽快する．そのため，麻黄・石膏・蒼朮を含む越婢加朮湯（28）が第一選択と

451

chapter E ●プライマリで役立つリウマチ膠原病の漢方

なる. 関節リウマチのように骨びらんや関節破壊を伴う場合は腫脹や疼痛に対する生薬も追加する. 筆者は越婢加朮湯に桂枝加苓朮附湯（18）を加えて処方することが多い. 一方, 慢性に経過する変形性膝関節症で, 関節水腫と疼痛が目立ち, 発赤や熱感に乏しいものは防已黄耆湯（20）の適応である. 線維筋痛症のように, 腫脹も目立たず疼痛がメインのものは, 教科書的には麻黄＋薏苡仁の組み合わせがよいとされる〔薏苡仁湯（52）や麻杏薏甘湯（78）など〕が, 実際には心因性の要素が絡んでいることが多く, 半夏瀉心湯（16）や香蘇散といった「気鬱」（からだのエネルギーである「気」が鬱滞した状態）を改善する処方が意外な効果をあげることが多い. 更年期関節症の場合は様々で, ホットフラッシュや月経前緊張症のような症状を伴う場合は柴胡をふくむ処方（加味逍遥散または柴胡桂枝乾姜湯（11））がよいし, 冷えで増悪する疼痛で発赤や腫脹に乏しいものは桂枝加苓朮附湯（18）, ヘバーデン結節なども伴っていてやや炎症性変形性関節症の傾向がみられるものは防已黄耆湯と越婢加朮湯を組み合わせて用いている.

　また, すでに関節強直を起こし, 炎症の遷延や廃用により関節周囲の筋肉が萎縮してしまっているようなケースには, 大防風湯や桂芍知母湯（180）が適応である. 大防風湯は地黄を含み, 組織修復を期待した処方の構成になっており, 桂芍知母湯には麻黄を含んでいるので関節の炎症所見が完全に消えきらない場合によい.

8 原因のハッキリしない発熱

　膠原病は原因不明の発熱を主訴として診断されることが多い. 38.5℃以上の発熱が持続するか, 周期的に繰り返し, なおかつ採血検査でも炎症反応高値であるような場合には, 西洋医学的処置が優先され, 漢方薬の出番は少ない. 一方, 体温が37℃台前半程度でも「熱が出る」としきりと訴え, 採血検査などでも特に異常は認められず, 皮疹や関節炎といった随伴症状も明確ではない, というようなケースでは, 解熱鎮痛剤やステロイド剤の安易な投与は憚られる. 精神安定剤も必ずしも有効ではなく, 治療に難渋することも少なくない.

　H.A. Reimann は常習性高体温（Habitual hyperthermia）という概念を提唱し, 神経質な性格の人や若い女性に多い, 筋痛や倦怠感など日常生活に

452　　JCOPY 498-02715

支障をきたす症状を伴う，などの特徴があることを記載した[3]．また，慢性疲労症候群のような疾患では，体温の概日リズムが崩れ，最も体温の低いはずの早朝に36℃後半〜37℃前半の「平熱高値」に達していることがあり，それが患者にとって，自覚的な「倦怠感」をよく反映しているように感じられるようである．筆者は治療を始めるにあたり，患者と何が本当に生活の支障となっている症状であるかについて，よく話し合い，体温計の数値を治療するわけではないことを理解してもらうようにしている．

　疲労倦怠感に対する代表的な漢方処方は補中益気湯（41）であるが，この処方が有効な症例では，「微熱」の訴えはむしろ少ない印象がある．補中益気湯よりも，加味逍遥散や柴胡桂枝乾姜湯のように，更年期症状のホットフラッシュに用いられる処方を用いる機会が多い．いずれの処方も柴胡を含んでおり，ストレスがらみの症状に効果が期待できるが，補中益気湯の適応は疲労倦怠感がメインであり，後二者は四肢の冷え・上半身ののぼせを伴っている場合によい．華奢な体格で神経過敏な傾向であることが多く，「微熱」を訴える一方で同時に悪寒を感じると言うこともある．月経不順や，月経周期と関連して症状が悪化する場合は加味逍遥散がより有効である．

　体格が華奢ではなく平均的で，感冒様症状の後に微熱が遷延し，嘔気など軽い消化器症状を伴っている場合は柴胡桂枝湯（10）がよい．体格ががっちりしていて，神経過敏な傾向はないが，それでいて「微熱」を訴える場合は，大柴胡湯（8）や柴胡加竜骨牡蛎湯（12）を用いる．便秘の傾向があれば大柴胡湯が，なければ柴胡加竜骨牡蛎湯を選択する．

　以上のように，原因のハッキリしない発熱の漢方治療は，専ら柴胡を含む処方が中心であるが，それでも効果がみられないときは，桂枝茯苓丸や桃核承気湯などを併用するとよいことがある．女性の患者で月経困難を伴う場合は，最初から大柴胡湯＋桃核承気湯，または柴胡加竜骨牡蛎湯＋桂枝茯苓丸の組み合わせで処方することが多い．

　さらに，夏バテの症状で「微熱」や「熱がこもる感じ」を訴える患者もいる．その場合は白虎加人参湯（34）や清暑益気湯（136）を用いる．口渇感が強いときには前者を，食欲不振や下痢を伴うときには後者を処方する．

chapter E ●プライマリで役立つリウマチ膠原病の漢方

9 漢方薬の副作用

　最もありふれた有害事象の一つは消化管障害である．葛根湯（1）などに含まれる麻黄や，補血剤の地黄・当帰などは，胃もたれが起こりやすい．温清飲や当帰芍薬散に含まれる当帰や川芎は，セリ科の植物で，その風味を嫌う患者がいるため，それらの生薬を含む漢方薬を処方する場合には「セロリは食べられますか？」と訊いてみるとよい．セロリが食べられない場合は他剤に変更したほうがよい．また，桂枝（シナモン）に対するアレルギーも比較的多く，「アップルパイは食べられますか？」「八ッ橋は食べられますか？」などと質問しておくと，桂枝アレルギーもスクリーニング可能である．

　甘草は医療用エキス製剤の約80％に含まれており，主成分グリチルリチンが優れた抗炎症作用を発揮するが，同時に 11β dehydrogenase 阻害作用を有しており，アルドステロン過剰状態を引き起こす可能性がある．この副作用は偽アルドステロン症の名でよく知られており，甘草を含有する漢方薬を使用している場合は，浮腫・低カリウム血症・高血圧に留意する．また，甘草は，調味料としてポテトチップスや醤油，キャンディーにも含まれており，食事指導により偽アルドステロン症を回避できる可能性がある．

　1980年代後半から，慢性肝炎に対してインターフェロン治療が施行されるようになり，それまで肝炎に使われていた漢方治療と併用される機会が増えて行った．そのうち，小柴胡湯（9）の使用例で重篤な間質性肺炎の報告が相次ぎ，1994年に小柴胡湯とインターフェロンの併用は禁忌となった．漢方薬は西洋薬に比べ，特別に間質性肺炎の副作用が多いわけではないが，西洋薬との併用は，古典的知識や経験で想定されていない事態であり，予期せぬ有害事象が起きる可能性が完全には否定できない．なお，インターフェロンとほかの漢方製剤は「禁忌」の扱いにはなっていないが，柴胡桂枝湯（＝小柴胡湯＋桂枝湯），柴朴湯（96）（＝小柴胡湯＋半夏瀉心湯），柴苓湯（114）（＝小柴胡湯＋五苓散），柴陥湯（73）（＝小柴胡湯＋小陥胸湯）なども，インターフェロンとの併用は「禁忌」に準じた扱いをすべきであろう．

　また，漢方薬関連の薬剤性肝障害は，そのほとんどがオウゴンという生薬を含む処方によって引き起こされており，3カ月以内の発症が多い[4]．した

454

がって，オウゴン含有処方を使用するときは，採血で数週おきに肝機能をチェックしておいた方がよい．植物由来の漢方薬は，薬効成分に mitogen 活性をもつものが多く，薬剤リンパ球刺激試験（DLST）は偽陽性に出やすいので施行する意義は低い[5]．

近年，腸間膜静脈硬化症という比較的まれな疾患で，漢方薬の長期投与例が多数例認められることが明らかにされた[6]．いずれも山梔子という生薬を含む漢方薬を 5 年以上にわたり投与されていた．漢方薬の長期投与例で，便秘・下痢・嘔気などの消化器症状，あるいは便潜血陽性を認める場合は，腹部 CT や大腸内視鏡検査を検討すべきである．

文献

1) Aron DC, et al. Cushing's syndrome and pregnancy. Am J Obstet Gynecol. 1990; 162: 244-52.
2) Ohono S. Roles of Kampo medicine in treating rheumatic diseases. J Trad Med. 2007; 24: 73-80.
3) Hobart A, et al. Habitual Hyperthermia. JAMA. 1932; 99: 1860-2.
4) 五野由佳理，他．漢方薬による薬物性肝障害の症例検討．日本東洋醫學雜誌．2010; 61: 828-33.
5) 萬谷直樹．漢方薬と薬物性肝障害．医学のあゆみ．2005; 214: 827-31.
6) Hiramatsu, et al. Mesenteric phlebosclerosis associated with long-term oral intake of geniposide, an ingredient of herbal medicine. Aliment Pharmacol Ther. 2012; 36: 575-86.

chapter F ● Dr. 岡田の関節リウマチ診療実況中継

診断
CDAI, MDHAQ, RF, 抗 CCP, ANA, 抗 SS-A/Ro, CRP, ESR, CXR, hand/foot Xray, CBC, Cre, alb, Ca, IP, Glu, LDH, AST, ALT, HBsAb, HBcAb, HBsAg, HCVAb, TSH, fT4, IGRA, 尿検査

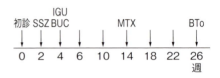

初診時の処方
NSAIDs
ハイペン　　　200mg 1日2回 or
モービック　　10mg 1日1回 or
セレコックス　200mg 1日2回

1〜2 週間後再診　説明①　説明②
血液検査, 画像説明, 3段階の治療の説明
アザルフィジン 500mg 1日1回朝を追加
+/-プレドニン 20mg までの隔日
+/-関節注射
ケナコルト1：2％キシロカイン2
PIP, MCP, MTP (0.2ml), 手首, 肘, 足首 (1ml)
ケナコルト1：2％キシロカイン1
膝 (1〜2ml)

さらに 2 週間後再診
アザルフィジン 500mg 1日2回に増量
プレドニン 15mg 隔日に減量
+/-関節注射

さらに 2 週間後再診
アザルフィジン 500mg 1日2回
リマチル 100mg 朝1回
　or ケアラム 20mg 朝夕2回
プレドニン 10〜12.5mg 隔日に減量
+/-関節注射

4 週間後再診
アザルフィジン 500mg 1日2回
リマチル 100mg 朝1回〜朝夕2回
　or ケアラム 20mg 朝夕2回
プレドニン 7.5〜10mg 隔日に減量
+/-関節注射

4 週間後再診　説明③
KL-6
MTX 6mg/週
アザルフィジン 500mg 1日2回
リマチル 100mg 朝1回〜朝夕2回
　or ケアラム 20mg 朝夕2回
プレドニン 5〜7.5mg 隔日に減量
+/-関節注射

4 週間後再診　説明④
PPD, β-D グルカン
MTX 8mg/週以上に増量
アザルフィジン 500mg 1日2回
リマチル 100mg 朝1回〜朝夕2回
　or ケアラム 20mg 朝夕2回
プレドニン 2.5〜5mg 隔日に減量
+/- 関節注射

4〜8 週間後再診
胸部 CT, 手足 X 線
生物学的製剤
MTX 8〜16mg/週
アザルフィジン 500mg 1日2回
リマチル 100mg 朝1回〜朝夕2回
　or ケアラム 20mg 朝夕2回
プレドニン中止

説明①　3 段階治療の説明
説明②　アザルフィジンの過敏症（発熱, 皮疹）が 2 週間ほどで出る可能性の説明
説明③　MTX による間質性肺炎（風邪の症状なく空咳, 労作時呼吸困難）, 肝障害などの説明
説明④　生物学的製剤の感染症, 費用などに関して再度説明

図 F-1d　関節リウマチ診療の流れの一例

リウマチ膠原病センター　初診問診表　診察券番号＿＿＿＿＿＿＿＿＿＿　名前＿＿＿＿＿＿＿＿＿＿＿＿＿

ご面倒ですがもう1枚の毎回の診察前用の問診表とあわせて2枚ご記入ください.

本日来院された主な理由・症状

●

●

●

服用している薬（ビタミン剤，ホルモン剤，健康食品，漢方薬，鎮痛薬も含む）　　　なし　　　　あり

名前・量・回数

●

●

●

薬に対するアレルギー　　　　　　　なし　　　　　あり

名前・症状（皮疹・むくみ　など）

〈既往歴〉（該当するものを丸で囲ってください：例 （高血圧））

心臓（高血圧，不整脈，狭心症，心筋梗塞，心雑音，他）　血液（貧血，輸血，静脈血栓症，他）

消化器（かいよう，胃炎，肝炎，脂肪肝，すい炎，胆石，他）　尿路系（尿路結石，慢性腎炎，ぼうこう炎，腎盂腎炎，他）

呼吸器（喘息，慢性気管支炎，肺気腫，気胸，他）　　　　筋骨格（関節炎，腰痛，膠原病，他）

感染症（結核，ちくのう症，中耳炎，リウマチ熱，他）　　神経（けいれん，脳こうそく，クモ膜下出血，他）

内分泌・代謝（甲状腺，糖尿病，高脂血症，他）　　　　　アレルギー（花粉症，アトピー，食物アレルギー，他）

海外渡航歴（　　　　）国へ（　　　）カ月前　　　　　　その他（腫瘍，目，皮膚，耳，他）

〈手術〉（盲腸，ヘルニア，胆石，へんとう摘出，帝王切開，他）

〈最近の症状〉（該当するものを丸で囲ってください：例 （咳））

熱（最高　　　　度，　　　　日前）寒気，体重減少（　）kg 過去（　　）カ月，夜間発汗

口の乾き，眼の乾き，腹痛，はき気，嘔吐（　　回/日），下痢（　　回/日）

胸の痛み，動悸，呼吸困難，咳，痰（色：白，黄色，緑，茶色，血痰），手足のむくみ，

胃の痛み，胸焼け，黒色便，血便，痔，便秘（　　日），口内炎，口内かいよう

頭痛，めまい，耳鳴り，聴力低下，筋力低下，視力障害，けいれん発作，意識を失う

皮膚炎，かゆみ，じんましん，レイノー症状，日光過敏症，脱毛

関節痛，朝の手のこわばり，腰痛，けんしょう炎，筋肉痛，筋力低下，手足のしびれ，感覚低下，

排尿時の痛み，血尿，失禁，排尿困難，頻尿

うつ，不安，睡眠障害，その他

〈生活習慣〉

喫煙歴：1日　約　　本　×　　年間（禁煙　　　年前から）

飲酒：平均1日　ワイン＿＿＿杯，ビール＿＿＿本，日本酒・焼酎＿＿＿合，その他＿＿＿＿

〈健診歴〉（受けたことがある検査を丸で囲って，最後に受けた年を記入してください：例 （胃カメラ）（2008 年））

胃カメラ（　　　　）大腸カメラ（　　　　）便潜血（　　　）子宮ガン検診（　　　）乳ガン検診（　　　）

CT 検査（胸・腹など）（　　　）その他の健診での異常（　　　　　　　　　　　　　　　　）

〈家族歴〉（血縁のあるご家族で該当するものの横に続柄を記入してください．例 高血圧　祖父）

心筋梗塞　　　　突然死　　　　　脳血管障害　　　　高血圧　　　　アトピー　　　　結核

喘息　　　糖尿病　　　　甲状腺疾患　　　偏頭痛　　　　膠原病

癌ー胃　　　大腸　　　肝臓　　　肺　　　乳房　　　子宮　　　前立腺　　　他

〈閉経前女性のみ〉最終生理開始日（年/月/日）　/　/　　出産　　　回，自然流産　　　回

図 F-2　初診問診票

chapter F ● Dr. 岡田の関節リウマチ診療実況中継

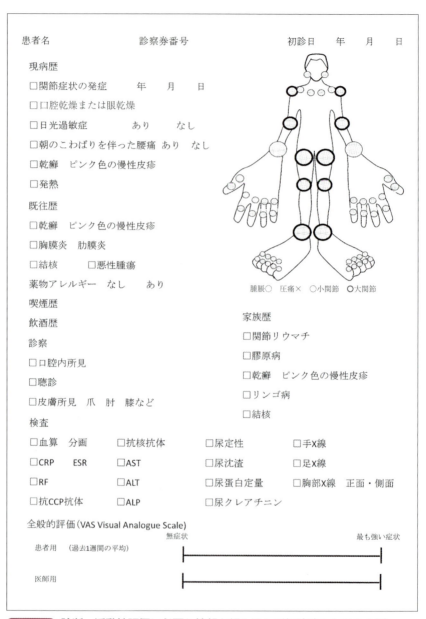

図 F-3 診断，活動性評価に必要な情報を組み込んだ初診時カルテの 1 例

関節リウマチの評価のために

関節評価　ACR/EULAR2010基準は28関節ではなく図の関節はすべて含めるため、通常の28関節の診察所見で基準を満たさない場合は、スコアリングのため図の関節すべての所見をとる必要がある。

炎症反応

ベースラインとしてX線撮影

患者VAS、医師VASを記録

全身性エリテマトーデス（SLE）の鑑別のために

病歴　　日光過敏症、胸膜炎

診察　　皮疹　蝶形紅斑、ディスコイド疹（疑わしければ内科、皮膚科にコンサルト）

検査　　抗核抗体　特に160倍以上では精査を考慮、陰性ではSLEをほぼ除外

　　　　　　その他のSLEを示唆する所見　血算　血球減少、分画　リンパ球減少、CRPに比してESRが異常に高値、尿蛋白/クレアチニン比　0.5以上

変形性関節症OAの鑑別のために

鑑別の必要なPIP関節腫脹においてX線での関節裂隙の狭小化、骨硬化像、骨形成像はOAを示唆する

乾癬性関節炎・強直性脊椎炎の鑑別のために

皮疹、家族歴、炎症性腰痛（朝のこわばりを伴う腰痛）

ウイルス性関節炎の鑑別のために

肝酵素の上昇、リンゴ病（ヒトパルボウイルスB19感染症）の家族歴など

リウマチ性多発筋痛症（PMR）

高齢者の関節炎においてALPの単独高値はPMRを示唆するため測定。朝寝返りをうつ時に肩から大腿背側に筋肉痛がないかなどの病歴聴取が必要となる

結核、悪性腫瘍

結核性関節炎（時に慢性化）、傍腫瘍症候群としての関節炎（下肢優位の非対称性関節炎が多い）の鑑別のみでなく、治療選択に影響を与えるため

爪床毛細血管の診察、アキレス腱の診察、甲状腺機能検査、Ca、IPなどの電解質、尿酸値、MMP-3、関節超音波など鑑別や関節リウマチにおける評価に有用と考えられる項目はあげられるが、あくまで最低限の初診時の情報として整形外科、リウマチ膠原病内科、一般内科外来で使用可能な初診時セットとしての一例である。これ以上の検査は必要ないという意図ではなく、個々の患者の病歴、診察所見などから随時必要な検査を行うことが推奨される。

図 F-4　初診時カルテの注釈

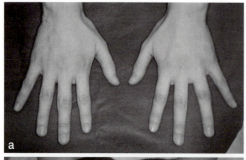
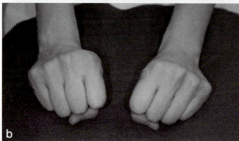
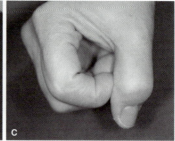

図 F-5　手指の視診
a: 両側を比べることにより，軽度の腫れも確認しやすい．右第2・3指MCPが左と比べ腫脹している．
b: 握り拳を作ると関節の腫脹がよりわかりやすくなることがある．
c: PIPに腫脹があると屈曲が制限されるため指が完全に折り曲がらない．

2　検査

　前述したようにSLEなどの膠原病に関しては関節リウマチと診察上は全く区別がつかない関節炎を起こすこともあるため，抗核抗体をルーチンで測ることは2007年のEULARからの早期リウマチ診療に関する推奨でも記載されている．もちろん抗核抗体が陽性だからといって関節リウマチ以外の膠原病と確定するわけではなく，また，関節リウマチの患者でも20～30%程度で抗核抗体が弱陽性になる．しかしながら，抗核抗体が640倍以上などの高い値で出た場合はSLEや全身性硬化症などの他疾患を考える必要もあり，また，抗核抗体が陽性になるような他の膠原病を通常診療していない整形外科の先生においては，抗核抗体を測っておくことにより，陽性であれば（少なくとも160倍以上では）一度内科に紹介し膠原病を除外してもらうことは一つの大切なセーフガードになると考えられる．ESRとCRPを同時に測定し，ESRのみ高値の場合はSLEのヒントとなる．
　TNF阻害薬はご存知のとおり薬剤性ループスを稀に起こすことが知られており，関節リウマチとして診療されていた患者にTNF阻害薬を投与した

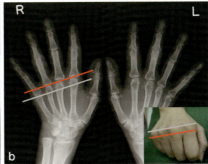
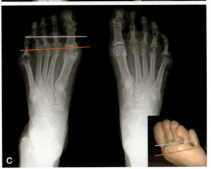

図 F-6 手指，足趾の触診

a: MCP 関節は下から支えて 2 本の指で左右から軽く圧迫視触診する．
b: MCP 関節の触診は拳の頂の部分（白線）から 5 mm ほど遠位（赤線）の部分を抑える．
c: MTP 関節の触診は指の付け根（白線）より 1 cm 近位の部分（赤線）を抑える．

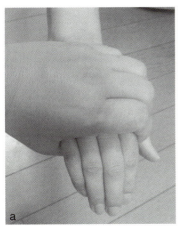
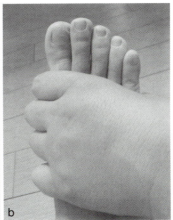

図 F-7 Squeeze テスト

ことにより病状が変化し，膠原病内科に紹介されて SLE と診断されたという報告もあるため注意が必要である．

シェーグレン症候群は関節リウマチに合併することが多く，特に抗核抗体，抗 Ro/SS-A 抗体陽性（細胞質抗原であるため，抗核抗体陰性のことも多い）症例では TNF 阻害薬以外を考慮することも選択肢となる（Ann Rheum Dis. 2020; 79: 3-18）.

カルシウム代謝の疾患もそれほど多いわけではないが決して少なくはなく，また患者による関節の痛みの訴えが，実は骨の痛みの症状の原因であることもあるため，カルシウム測定は簡単な血液検査であり，一度はルーチンで測ってしまうことがよいのかもしれない.

甲状腺疾患に関しても同様に関節症状を起こすことが少なくなく，他の症状が全く出ないことも多いためルーチンとして初診時には測っている．周期性四肢麻痺の発作が起こるまで全く甲状腺の異常に気付いていなかった患者の TSH が振り切るような高値であることは多くの内科医が経験している.

B 型肝炎と C 型肝炎に関してもいずれメトトレキサートなどの薬剤を使う時には評価が必要になること，また，急性 B 型肝炎・C 型肝炎において黄疸などの症状が出る前に関節症状が顕著となることから，トランスアミラーゼと共に初診時に測ってしまうことが効率的と考えている．また，他のウイルス感染による一時的な急性多関節炎においても肝酵素が上昇することが多く，これがウイルス感染による関節炎の診断の一つのヒントとなるかもしれない.

尿検査で蛋白尿をみることも他の膠原病のスクリーニングという目的のみでなく，ブシラミンなどを将来使う時にベースラインとして蛋白尿がないことのチェックになる．尿検査に関しては単なる尿検査と尿沈渣ではなく，通常のスポット尿検査における尿中クレアチニンと尿中蛋白濃度の定量をお勧めしている．この検査は比較的安価な検査で，蓄尿と比べ非常に簡便であるため患者にも負担が少ない．尿中蛋白の値を尿中クレアチニンで割った値がおおよその 1 日の蛋白尿の量となる．単なる尿検査における蛋白の＋，2＋，3＋などの値は尿の濃度により大きく左右されるため，尿が非常に薄い場合は実は蛋白尿が 1 g/日以上出ていてもマイナスになることもあり，また，非常に濃い尿では蛋白尿が 0.3 g/日以下の正常値であっても 2＋，3＋になってしまうことがある.

紹介状により十分な情報が得られれば，初診時に DMARDs を開始するこ

表 F-1 関節リウマチの薬物療法

- ・1 カ月以内の症状緩和
  - ーNSAIDs・ステロイド，生活指導など必要に応じて併用
- ・初期薬剤の選択は患者背景から
  - ーまずは安全性と利便性
- ・薬剤の調整は治療反応性から
  - ー治療反応性が良好なうちに積極的な治療
- ・足はもちろん手関節，肘の腫脹に注意
  - ー非可逆的な変化を残さないように
- ・荷重関節は生活習慣指導も大切
  - ー薬物療法だけに頼らない，足関節の使い方など
- ・3 カ月以内には患者さんがこれで大丈夫と思える日常生活での症状と機能回復，
  CRP は最悪でも正常範囲内に

表 F-2 関節リウマチの鑑別診断（下線は特に RA との鑑別に役立つ所見）

鑑別診断	RA と異なる診察所見	RA と一致する診察所見	RA と異なる病歴	RA と異なる検査所見
変形性関節症	DIP 関節腫脹，MCP 関節正常	PIP 関節腫脹	より高齢	血清反応，炎症反応正常
SLE	蝶形紅斑，脱毛，口腔潰瘍	PIP，膝関節腫脹	光線過敏，移動性関節炎	ANA，補体低下，血球減少
ウイルス性（HPVB19，肝炎，風疹，HIV）	皮疹，肝脾腫	PIP，MCP，手関節腫脹	子供（HPVB19；リンゴ病）への曝露，STD	肝酵素上昇，ウイルス抗体検査
リウマチ性多発筋痛症	近位筋の痛み，手の浮腫	PIP，手関節腫脹	高齢，寝返りにおける疼痛	抗 CCP 陰性，高度の炎症反応
CPPD	軟骨の石灰化 単関節が多い 指趾が多い	手関節炎	高齢 糖尿病，甲状腺疾患など 急な発症	血性反応陰性 関節液内結晶
乾癬性関節炎	皮疹，DIP，nail pitting，腱付着部炎，脊椎炎	PIP 関節腫脹	乾癬の家族歴，大動脈弁閉鎖不全	血清反応陰性
反応性関節炎	腱付着部炎 結膜炎，尿道炎	下肢の中・大関節炎	若年男性，痛みが強い 尿路消化器感染症の既往	血性反応陰性 尿道培養，PCR 所見
更年期	関節熱感なし	PIP，MCP 関節腫脹，こわばり	更年期に発症し数カ月で寛解	血清反応，炎症反応正常

とももちろん可能であるが，血液検査・手足の単純X線などの全ての結果を一応確認し，また1～2週間で患者の症状が急激によくなってくるようなウイルス感染を除外するためにも，まずはNSAIDsなどを処方し1～2週間後に再診してもらう必要があることが現実的には多い．

関節リウマチと他の疾患との鑑別について表F-2にまとめた．

関節X線写真の見方

　関節X線は診断に用いるのではなく，ベースラインを撮影しておいて個々の患者においてのわずかな変化をモニタリングする目的で行われることと，ベースラインですでに変化が認められ，不十分な治療では予後不良となるハイリスク群の診断における重要性が高い．

　しかしながら，ベースラインからの比較を適切に行うには，どのような変化がどこに起こりやすいかを念頭に読影することが必要である．

関節リウマチ

　まずはベースラインとして症状があるなしにかかわらず，胸部正面，側面，手，足の正面と斜位は撮影する．小さな骨びらんを疑わせる病変は，骨皮質を侵襲しているか正面と側面で一致するかの確認が必要になることがある．

　関節破壊の病態としては，滑膜内の破骨細胞による骨びらんと滑膜線維芽細胞による軟骨の菲薄化である．破骨細胞は破軟骨細胞ではないので軟骨の上から関節破壊を起こすことはなく，よって骨びらんは滑膜が骨に付着している部分で軟骨のない辺縁（bare area）から始まるため骨皮質の侵襲がある．また，軟骨は骨と異なり関節内の滑液に直接曝露されているため，軟骨を溶かすMMP-3などの酵素に滑液からは均一に曝露される．よって，荷重関節以外では関節裂隙の狭小化は均一に認められる．また，破骨細胞もマクロファージ系の細胞であるが滑膜内の活性化したマクロファージから分泌されるDkk1,2．などがsclerostinとともに骨芽細胞による骨形成に重要なwntシグナルを抑制するため，骨びらんの再生が起こりにくいのと同様に炎症所見の少ない変形性関節症などで認められる骨新生も認められない．

　骨びらんが早期に認められやすい関節としては，第5MTP関節などがあげられる．

罹患関節の主なものは，病態の主座である滑膜が多くの滑液を産生する必要のある可動域の大きな関節が含まれる．

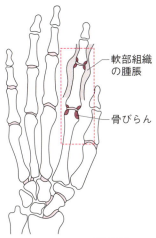

軟部組織の腫脹

骨びらん

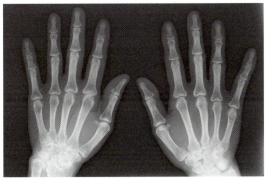

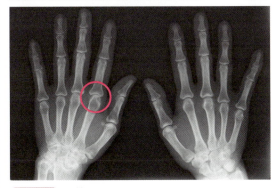

図 F-8　関節リウマチ

chapter F ● Dr. 岡田の関節リウマチ診療実況中継

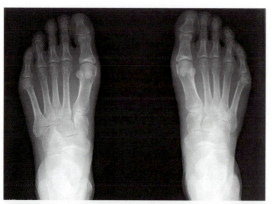

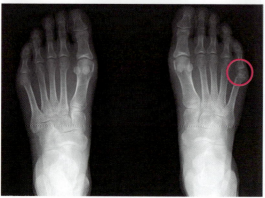

図 F-8　つづき

乾癬性関節炎

　基本的に腱付着部炎が最初に発生する病態である．関節外であるため腱付着部の炎症では細胞浸潤による骨びらんよりも，炎症性サイトカインによる骨新生が刺激される．乾癬では，いわゆるケブネル現象として摩擦によって皮疹が誘発されるため，眼鏡をかける患者の耳介後部，ベルトをする患者の臍周囲，体重過多の患者の臀部などに皮疹が多く認められるが，頭皮も洗髪時の摩擦のためか好発部位である．同様に深部ケブネル現象と呼ばれる腱付着部に腱による張力によって惹起される炎症が認められる．よって，これは足関節の側面像などで踵骨の足底筋膜付着部やアキレス腱付着部でも認められるが，手指の末節骨の腱付着部でも頻繁に骨新生が認められる．腱付着部から始まった炎症はやがて関節内に波及し滑膜炎を惹起し中節骨遠位端の骨びらんとなり，末節骨の変化と併せて pencil-in-cup と呼ばれる変化となる．また，腱付着部においては骨膜下吸収像として fluffy periostitis が認められることがある．

　罹患関節としては，腱の付着する張力の大きな関節が含まれるが，1回の大きな張力で直線状に負荷のかかった関節に炎症が起こることがあるので，Ray 現象と呼ばれるレーザー光線のように一直線に1本の指の MCP, PIP, DIP 関節が罹患することがあり，また非対称性なことも多い．

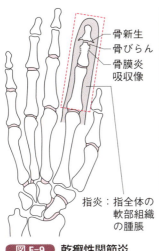
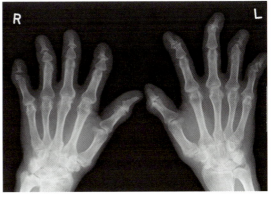

図 F-9 乾癬性関節炎

変形性関節炎

　軟骨は関節における骨と骨の間のクッションとしての役割があり，経年変化としてせんべい布団のように薄くなる．変形性関節症は軟骨の菲薄化とともに，生体防御反応としての骨硬化や骨新生が起こることによる関節症と考えると理解しやすい．骨折が治癒する時に接合部が太くなることと類似する．よって，関節裂隙の狭小化，関節面の骨硬化（関節面に接する部分の白い線状の変化），そして腱の張力にかかわらず関節の遠位部と近位部の両方に骨新生による骨過形成が認められる．

　罹患関節としては，軟骨が薄くなるような角度での荷重がかかる関節に多く，荷重関節すべてに加え，手指関節では DIP，PIP に加え親指で押しつけたとき圧力のかかる CMC 関節が侵されやすい．逆に，空手の突きの練習を繰り返した場合やヘモクロマトーシスがなければ MCP 関節が侵されることはまれである．

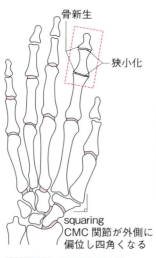
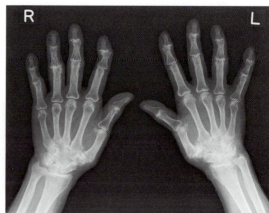

図 F-10　変形性関節炎

痛風

罹患関節は尿酸が温度の低い関節で結晶化しやすいため，地面に強い圧力で押しつけられる第 1 MTP 関節，外気にさらされることの多い足関節，膝関節などが多く，逆に多くの筋肉と血流によって囲まれた股関節や肩関節ではまれである．皮下の痛風結節は罹患関節の周囲でも認められるが，体温の低い耳介や肘の伸側にも多く認められる．骨変化は，痛風結節と同様の尿酸の塊が骨を侵襲することにより，関節リウマチのような bare area から始まる必然はない．

尿酸結晶を自然免疫系が貪食し Ready-to-be-activated の形で細胞内に貯蔵してあった IL-1，IL-18 などのサイトカインを大量に放出することにより，強度の炎症を惹起する．よって，炎症のピークは発症から 24 時間以内に訪れ，皮膚表面に糸を垂らして引くだけでも強い痛みが生じると表現されるほどの関節周囲も巻き込んだ軟部組織炎症が併発する．尿酸の代謝系の解明と薬剤の開発により予後が飛躍的に改善しているが，適切な治療が行われなかった症例での変化は現在でも同様であり，痛風結節の骨内への浸潤による骨びらんを起こす．炎症は痛風結節の表面で起こるため，池端から波が伝わるように囊胞状のびらんとなり Sharp な Edge となる．

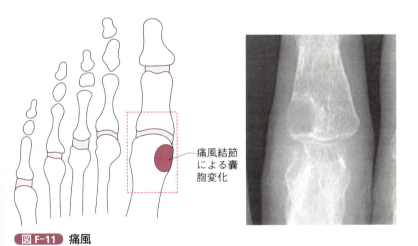

図 F-11 痛風

コラム

診断の告げ方

　関節リウマチの診断がついたところで，患者さんに適切な治療を積極的に受けていただけるように，安心していただく必要があります．患者さんが不安をもつと，効果のはっきりとしない治療などに時間と費用を使ってしまい，せっかくの Windows of Opportunity を逃してしまうかもしれません．

　同じ内容を説明する場合でも，順番によって印象は変わるといわれています．これは Positive-Negative-Positive といって，まずはよいこと，次にしっかりと注意点を話して，最後にまた明るい情報で終わるという方法です．色々な場面で，色々なバリエーションが考えられますので，試してみてはいかがでしょうか（図 F-13, 14 15）．

図 F-13

図 F-14

図 F-15

chapter F ● Dr. 岡田の関節リウマチ診療実況中継

診察日　（　　　/　　　/　　　）

リウマチ膠原病センター問診票　　氏名＿＿＿＿＿＿＿　診察券番号＿＿＿＿＿＿＿

●前回受診時から比べて本日の状態はどうでしょうか.
1. 自覚症状なし　2. 改善している　3. 変化なし　4. 悪化している
●前回受診時から問題となるような変化, 本日特に気になっていることが
　あれば下にご記入ください.

※) 医師記入欄 医師名：	
CRP	
ESR	
Dr.VAS	

●本日必要なお薬
1. いつもどおり
2. 余っているので少なく処方する薬がある　　薬品名
3. 前回は処方されていないが必要な薬がある　薬品名
●次回の予約に都合の良い日をお書きください. (最終的には本日の診察の所見を考慮して決定します)
　　　　　　月　　　　　日　　　曜日　　　　時ごろ

各項目の日常動作について，1週間の状態を 平均して✓印をつけて下さい.		困難 なし (0)	いくら か困難 (1)	かなり 困難 (2)	でき ない (3)
靴紐を結びボタンかけも含めて身支度できますか.	a				
就寝, 起床の動作ができますか.	b				
水がいっぱいの茶碗やコップを口元まで運べますか.	c				
戸外で平坦な道をあるけますか・	d				
身体全体を洗い, タオルで拭くことができますか.	e				
腰を曲げ床にある衣類を拾い上げられますか.	f				
蛇口の開閉ができますか.	g				
車の乗り降りができますか.	h				
歩こうと思えば, 3キロメートル歩けますか.	i				
やる気になれば, 体を動かす趣味はできますか.	j				
夜は良く眠れますか.	k				
不安や神経質になっても, 身の周りのことができますか.	l				
気持ちが落ち込んでも, 身の周りのことができますか.	m				

●関節に問題のある方は下の図に×で印をしてください.

　　　　　おさえると痛みのある関節　　　　　　　　　　腫れのある関節

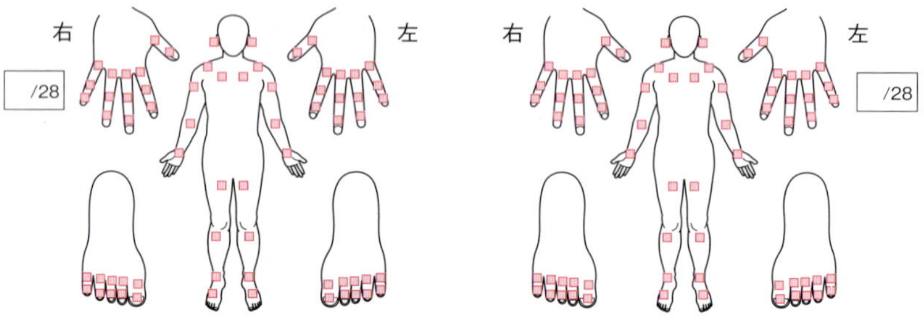

右　　　　　　　　　　　　　　左　　　　　右　　　　　　　　　　　　　　左

/28　　　　　　　　　　　　　　　　　　　　　　　　　　　　　　　　　　/28

今日の関節症状と痛みはどのくらいの位置にありますか, 下の線上にX印で示してください.

症状全般　無症状 ┣━━━━━━━━━━━━━━━━┫ 最も強い症状
　　　　　　　　　　　　　5　　　　　10

疼痛　痛みなし ┣━━━━━━━━━━━━━━━━┫ 最も強い痛み
　　　　　　　　　　　　　5　　　　　10

図 F-16　再診問診票

この再診問診票では，まず患者が自覚症状としてよくなっていると感じているのか，それとも悪化していると感じているのかを聞くようになっていて，これにより患者の QOL もしくは満足度がある程度把握できる．そして患者の質問を先に書いてもらうことにより，こちらも質問に安心して答えることができる．混んでいる時などはいつ質問が終わるかわからず，急いでしまう傾向になりがちであるが，いくつ質問があるかがわかっていれば，落ち着いて，まとめて答えることができるので非常に便利である．さらに薬に関してもどうしても 1 日に 2 回，3 回の薬は飲み忘れて余ってしまうことがあるため，そういう場合は少なく処方してほしい，というのを処方箋を出してから言われるとまた時間がかかってしまうので，最初から書いてもらうことは非常に有意義で時間の節約になっている．服薬状況の把握にもなる．MDHAQ に関しても患者に簡単に記入してもらえるため問診票に入れてあり，これも最初の 1 回目は患者もいちいち読むのが面倒かもしれないが，毎回同じ問診票を使うことで，患者にもほとんど負担がなく記入してもらえる．腫脹関節や圧痛関節に関しては，ヨーロッパでは病院でも看護師が検査をするのがルーチンとなっており，また，患者自身が評価をしたものを参考にしている施設もある．もちろん最初から全て上手くできるわけではないが，患者にまず記入してもらい，最初の数回，医師が診察し直してそこを赤ペンで直すことによって，患者も「あっ，これはそうなんだ」とわかるようになると，大体 2〜3 回目からは正確になり直すところが減ってくると経験している．また，実際に診察をする時にも患者がすでに書いていると，やはり目安がつけやすいため見落としも少なく，医師の診察時間も節約できる．症状全般評価のパスも，わざわざ 10 cm の目盛を出して"この辺"という風に示してもらうよりも，問診票に既に記入してあればとり忘れもなく効率的である．ということで，このような問診票を使うことは医師の診察の効率化のみでなく，患者が納得して治療を受けるためにも有用と考えている．この問診票の医師記入欄に医師評価 VAS を入れておくことにより，のちに CRP や ESR を記入し，CDAI，SDAI，DAS28 や ACR の改善度など現在主に使われている関節リウマチの活動性の指標をあとで計算することが可能であり，紙カルテではこれをただ貼り付けておくことにより簡単に患者の状況と治療効果を把握することができる．

chapter F ● Dr. 岡田の関節リウマチ診療実況中継

　急性や亜急性多関節炎で来院した患者さんは，機能障害が起こっていない
ように考える若い先生もいるが，実は MDHAQ を取ってみると関節の痛み
のためにある程度の機能障害が起こっていることもある．しかし，急性期の
機能障害は可逆性であり，炎症を早く取るように治療することにより，患者
の QOL や満足度の改善が得られる．このためにコントローラーとしての
DMARDs や生物学的製剤だけでなく，作用発現の早いリリーバーとしての
NSAIDs や短期のステロイドなども重要となってくる．画像診断に関しては
胸部単純写真は明らかな間質性肺炎の検索に重要であり，ご存知のとおりメ
トトレキサートなどにおける間質性肺炎も単純写真により明らかな間質性肺
炎が元々関節リウマチのためにある患者においては頻度が 10% 以上という
報告があるが，単純写真で明らかな間質性肺炎が認められない患者において
は非常に低い頻度となっている．また，頻度は低いがブシラミンや他の抗リ
ウマチ薬においても間質性肺炎の報告があるため，ベースラインとして一度
撮影しておくことは非常に重要である．また，手と足の単純写真に関しては
投薬を調整しているような初期の段階では半年毎に撮影し骨びらんの出現な
どを評価することが勧められており，まずはベースラインとして初診時に
撮っておくことが勧められる．足に関してはあまり症状を訴えない患者にお
いても実はびらんが存在し，患者が靴があたる痛みと思っていたので訴えな
かったと後でわかることもあり，やはりこれもルーチンで検査をしておくべ
きと考えている．

　1〜2 週間後の再診では画像も含め初診時に行った検査を全て説明し，関
節リウマチの確定診断となったことを納得してもらった上で今後の治療に関
して説明するようにしている．というのは，抗リウマチ薬というのはどの薬
剤もやはり副作用が全くないわけではなく，ある程度の可能性で起こってく
る．最初の薬のみでよくなる患者はどちらかというとマイノリティであり，
その都度新しい薬の副作用を説明していくと，あんなに副作用の強い薬を
使ったのに十分効果が得られず，また他の副作用の強い薬を使うのかという
ふうに患者が治療に関して落胆してしまうこともあり，終わりがみえないた
め安心して通院してもらえなくなってしまう．最初の段階で，「まずは，そ
れほど強くはないけれどもこれでも十分治る人がいる軽いお薬から始めて，
副作用が出ないようにやっていきましょう．そして，3 カ月経ったところで

482　　JCOPY 498-02715

十分でなければ，メトトレキサートというようなもう少し強いお薬がありま
す．そちらの方もそれほど副作用はないけれども，最初の段階の軽いお薬で
上手くいけばその方がいいですよね」という話をする．また，「そのメトト
レキサートが効かなくても，その後3カ月以内には生物学的製剤というす
ごくよいお薬が今はあります．でもそちらの方は値段も高く，また注射薬
で，さらに稀ではあるけれども強い副作用が出た時には問題となるので，経
過をみながら段階を追ってやっていきましょう」という話をする．そうする
と患者としては「この先生は副作用が出ないようによく考えてやってくれ
る．そして一段階・二段階と進むことになっても，いずれは自分の症状がほ
とんど治まる治療になっていく」と理解するので，安心して通院してもらえ
るようになる．

5 DMARDs の開始と併用療法

DMARDs の使い方であるが，欧米においてはメトトレキサートが最初に
使う DMARDs の最も代表的なものとなっているが，もちろんサラゾスル
ファピリジン（アザルフィジン）やイグラチモド（ケアラム）から始める患
者もおり，絶対にメトトレキサートでなければということではない．本邦で
もメトトレキサートが16 mg/週まで投与可能となり，また第1の
DMARDs として処方することも可能となったため，欧米の多くの患者と同
様に MTX から開始することがスタンダードとなった．しかしながら，
MTX が第1の DMARDs として処方することが添付文書上認められていな
かった時期には，サラゾスルファピリジンにブシラミン（リマチル）をすぐ
に併用し，必要に応じて3カ月後には MTX を併用，その3カ月後には
TNF 阻害薬を開始するというプロトコールでほとんどの早期関節リウマチ
患者を問題なく治療してきた．これは，日本の保険制度と一般病院の外来と
いう融通性の利点により，必要な患者を1～2週間以上待たせることなく受
診していただけることと，それぞれの患者の状況に応じて個別化してリリー
バーを使用し，高活動性の時期には頻回に外来受診していただき炎症を早期
にとる工夫ができるという状況が影響していると考えられる（表F-3）．

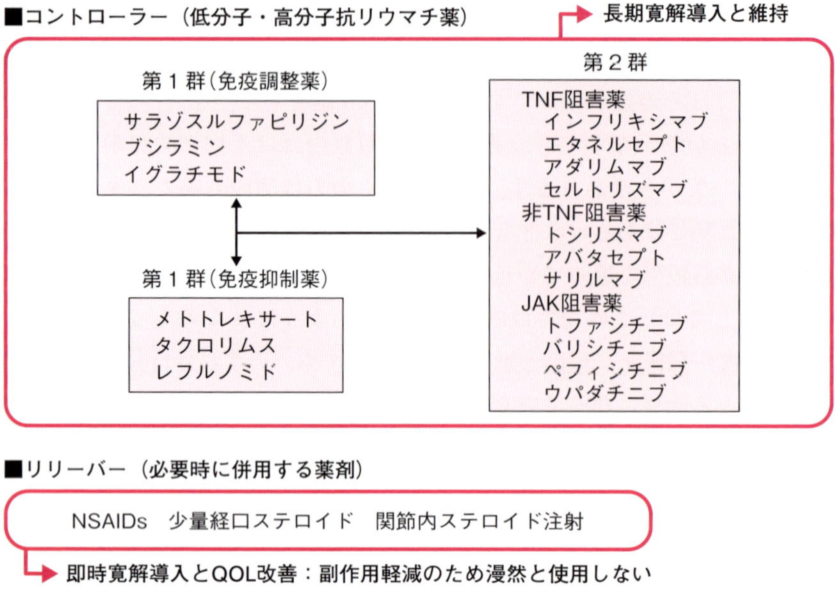

chapter F ● Dr. 岡田の関節リウマチ診療実況中継

■コントローラー（低分子・高分子抗リウマチ薬）　　　　→ 長期寛解導入と維持

第1群（免疫調整薬）

サラゾスルファピリジン
ブシラミン
イグラチモド

第2群

TNF阻害薬
　インフリキシマブ
　エタネルセプト
　アダリムマブ
　セルトリズマブ
非TNF阻害薬
　トシリズマブ
　アバタセプト
　サリルマブ
JAK阻害薬
　トファシチニブ
　バリシチニブ
　ペフィシチニブ
　ウパダチニブ

第1群（免疫抑制薬）

メトトレキサート
タクロリムス
レフルノミド

■リリーバー（必要時に併用する薬剤）

NSAIDs　少量経口ステロイド　関節内ステロイド注射

→ 即時寛解導入とQOL改善：副作用軽減のため漫然と使用しない

図 F-17 関節リウマチ治療方針

表 F-3 抗リウマチ薬の選択例

・SASP ＋ BUC/IGU → MTX 追加→生物学的製剤 /JAK 阻害薬
　　－若年女性，高齢者などで MTX の服用を可能であれば避ける症例など
・MTX → SASP ＋ BUC/IGU 追加→生物学的製剤 /JAK 阻害薬
　　－活動性が高く，MTX を特に避ける理由のない症例など
・MTX →生物学的製剤 /JAK 阻害薬
　　－治療開始が遅れ，関節破壊の危険が迫っている症例など
いずれの場合でも 3 カ月以内の評価でステップアップ

SASP: サラゾスルファピリジン，BUC: ブラシミン，MTX: メトトレキサート
IGU: イグラチモド

6 サラゾスルファピリジン（SASP）とブシラミン（BUC）

　ある程度の有効性が示され，また日本のリウマチ学会からも推奨薬とされているメトトレキサート以外の DMARDs としては，サラゾスルファピリジンとブシラミンがある．サラゾスルファピリジンの副作用として頻度の高い

ものは過敏反応であり，発熱・全身の皮疹・肝酵素の上昇などが主な症状であるが，これは服用から1〜3週間程で起こることが最も多い．抗菌薬などの薬剤過敏症状が数日もしくは服用後すぐに起こることが多いため，この点は患者にきちんと説明しておかないと大きな事故の元になる．また，サラゾスルファピリジンの添付文書には最初の3カ月間は2週間毎に血液検査を行うこととなっており，これは稀ではあるが血球減少などの副作用があるためと考えられる．欧米のガイドラインではサラゾスルファピリジンの投与を開始した最初の3カ月間は月に1回の血液検査，その後は3カ月に1回の血液検査となっており，明らかに日本の添付文書のほうが検査は多くなっているが，最初の2週間から4週間に薬剤過敏反応が多いことを考えて，まず2週間後に採血と再診をしてもらい，そこで増量し，4週間後にもう一度来てもらうことはこれらの副作用が重篤化することを回避する上でとても役に立つ．その後2週間毎に患者が3カ月間通うことは患者への負担も多く，また診察の予約を必要な患者に割り振ることも重要であるため，通常患者に説明をしてその後は1カ月毎の検査としている．ということで，まずサラゾスルファピリジンを500 mg投与し，その後2週間後に再診した時に肝酵素の上昇や皮疹などの薬剤過敏反応が起こっていないことを確かめて1,000 mgに増量し，サラゾスルファピリジンの増量から2週間後，つまりサラゾスルファピリジンの最初の投与から4週間後の再診の時に副作用が出ていなければ，すぐに妊娠予定の患者でなければその時点でその他のcsDMARDsを併用するようにしている．ブシラミンの併用を1カ月後からするのは，最初から同時に投与してしまうとどちらで過敏反応が起こったのかということがはっきりしなくなり，もちろん頻度的にはサラゾスルファピリジンによるものが多くても，両方とも中止しなくてはならなくなってしまうことがあるからである．サラゾスルファピリジンの効果は1カ月では十分に出ないので併用が必要ではない患者もいるかもしれないが，患者の症状を注意深く聴き，毎回しっかりと診察することで，徐々に必要な患者とそうでない患者の区別が早期につけられるようになっていく．欧米では3剤併用の場合はサラゾスルファピリジン・ヒドロキシクロロキン・メトトレキサートの3剤となり，これは15年ほど前にNew England Journal of Medicineにも記載された有名な3剤併用療法である（図F-18）．

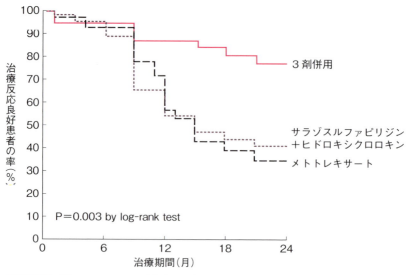

図 F-18 経口 DMARDs 3 剤併用の有用性試験
（O'Dell JR, et al. N Engl J Med. 1996; 334: 1287-91）

　生物学的製剤が使用できるようになってからも SWEFOT スタディ，TEAR スタディ，RACAT スタディなどでも経口剤の 3 剤併用の有用性は認められており，患者群によっては生物学的製剤とほぼ同等の効果が多くの患者で期待できると報告されている．関節リウマチの治療の比較として最も有名なスタディの一つである BeSt スタディは抗リウマチ薬を単剤ずつ，有効性がなければ変更していくグループⅠ（単剤療法）と，1 つずつ足していくグループⅡ（ステップアップ療法），最初ステロイド剤で急激に炎症を取るグループⅢ（COBRA 療法），最初から TNF 阻害薬をメトトレキサートに併用するグループⅣ（生物学的製剤療法）に分けられていた．このスタディにおいても 1 つずつ変更していく単剤投与よりも 1 つずつ追加投与した群のほうがいくつかの点で予後がよく，追加投与の有効性が示されている．しかしながら追加投与の群でもやはり骨破壊の進行はグループⅢやグループⅣよりは早く，この点で追加投与のステップをより早く行うことや，また，リリーバーにより早めに炎症を取ることの重要性が示唆されていると考えられる．もちろんこれは生物学的製剤が必要ではないということではなく，経口剤 3 剤を併用しても十分に炎症のコントロールがつかない患者において生

物学的製剤を使うことはもちろん有用である．色々な治療法に精通していれば，どの患者で併用療法が有用でどのような症例では生物学的製剤を優先すべきかの判断も自明であることが多い．csDMARDs をまず最大限に利用し，しかし必要な患者に生物学的製剤を投与することにより，医療経済的にも本当に必要な患者のみに生物学的製剤を処方するということになる利点があり，患者においても医療費の負担，医師にとっても副作用などのリスクの軽減となる．進行の速い患者，手作業などの完全な機能保持が重要な患者においては，3 剤併用よりも早期の生物学的製剤もしくは JAK 阻害薬の導入により，早期に寛解導入し，減量（授与量，投与間隔）する方法がより好まれることも多い．個別化医療が重要である．

　csDMARDs を 3 剤併用した場合の副作用に関しては，最初から 3 剤を同時投与した場合には 3 剤の副作用が全て一緒に出るため，1 剤ずつ投与した場合よりも副作用の発現頻度が高いとされているが，1 剤ずつ順序よく足していった場合には各薬剤で副作用が出る患者はそれまでにその薬剤を中止しているため，3 剤服用した時点での副作用は単剤で投与した場合と変わらないと報告されている．また，もちろんサラゾスルファピリジンやブシラミンなどだけでも寛解になる患者はある程度いるため，最初から 3 剤併用するのではなく追加投与がよいと考えている．抗リウマチ薬において追加投与にするか，もしくは 1 剤ずつ変更して投与していくかに関しては色々な考え方があるが，欧米では追加投与が主流であり，英国では 3 剤併用を受けている患者は 2002 年の 2％から 2009 年には 35％に増加していると報告されている[1]．

　3 剤併用に関しては，副作用が多く続けられないとか，多くの薬を飲むのを患者が嫌がるので，アドヒアランスが低いなどという意見もあるが筆者はそのような経験はあまりない．生物学的製剤を使用して治療することは簡単であるが，通常の csDMARDs で多くの患者で完全な寛解を達成することが専門医の腕の見せ所であり，医療経済的にも患者の経済的なことも含めた，QOL にとっても大変重要である．

　コントローラーに関しては 2 週間後の再診時に確定診断がついていればサラゾスルファピリジン 500 mg を 1 日 1 回で開始し，それから 2 週間後の再診時にサラゾスルファピリジンを我が国の最大量の 500 mg を 1 日 2

chapter F ● Dr. 岡田の関節リウマチ診療実況中継

回に増量，さらにまた 2 週間後の再診時にブシラミン 100 mg を投与，そこから 1 ～ 2 カ月間でサラゾスルファピリジンとブシラミンの併用療法の効果を確認し，メトトレキサートを開始するという方法もあるが，イグラチモドをも含め併用薬の選択も開始する順序も患者の合併症，社会的状況などから調整する．サラゾスルファピリジンの投与量は欧米では 40 mg/kg であるため，50 kg の患者で 2 g，75 kg の患者では 3 g となっているが，この薬は用量依存性がそれほどあるとは考えられず，1 g でも十分反応のある患者は経験する．ブシラミンに関しては 300 mg までの投与が認められているが，高用量では蛋白尿などの副作用の発現率も高く，また，効果も用量依存性がそれほど強いわけではないので，通常は 100 mg，多くても 200 mg までの投与にとどめている施設も多い．

7 イグラチモド（IGU）

　イグラチモドは，COX-2 阻害薬のような直接の抗炎症鎮痛作用があり，それが自覚症状の早期改善に関連する．Th17 や B 細胞による IgG 産生を軽度抑制するが重篤な感染症のリスクを有意に増加させるほどではないようである．投与前と投与後の IgG の測定も，一般的には必須ではない．また，NF-κB の抑制を介して，IL-6，TNF などの炎症性サイトカインも抑制する．

　使い慣れる必要はあるが比較的安全で効果は特に MTX との併用では有効性が高く，一般的にリウマトイド因子高値の患者において効果が高い．また，自己抗体産生抑制作用があるため，シェーグレン症候群を始めとする抗核抗体関連膠原病との合併症例でも使用しやすく，有効な印象である．COX-2 阻害薬と類似の作用があるということは，類似の副作用も気をつける必要があり，腎障害に関してはクレアチニンの経時的変化を正常値内であっても気をつけてフォローするべきである．日本以外では最初から 25 mg 1 日 2 回投与が原則となっているが，本邦では 4 週間は 1 日 1 回 1 錠 25 mg 朝食後から開始し，肝酵素の上昇などの副作用がないことを確認して，1 日 2 回 1 回 1 錠に増量することになっている．定期 NSAIDs との併用は，理論的に予想されるとおり胃炎，消化性潰瘍などの副作用が増加するため一般的には勧められない．少なくとも 1 日 2 回に増量してからは，定

期NSAIDs内服との併用は避けるべきである．また，MTXと同様に間質性肺炎も報告されていることから，患者への咳嗽や息切れが出現した時には中止して連絡するようには説明するが，この時に過度の心配を与えないように薬剤性肺炎は市販の風邪薬や漢方薬でも報告されている副作用で，イグラチモドでも頻度は高くないが早期に対処するために知っておくべき副作用なので説明していることを理解してもらう．KL-6を治療前からモニタリングすることは必須ではない．しかしながら臨床上問題となるようなリウマチ肺がある症例では，特に注意すべきかもしれない．

　具体的使用例としては，シェーグレン症候群，特に抗SS-A/Ro抗体陽性の症例では，サルファ過敏症のリスクが高いためSASPの代わりに初期から投与することも可能である．もしくは，SASP，BUCに加えて感染症のリスクの高い患者や，悪性腫瘍の既往のある患者に併用することも理にかなっている．また，SASP，BUC，MTXの3剤併用で落ち着いていた患者で，軽度の増悪傾向が認められた時に4剤目として追加投与して再度寛解になる患者もよく経験している．このような複数の薬剤の併用のエビデンスは系統だった解析によって確立されるべきであるが，代謝系などからの相互作用が問題とならなければ，難治性高血圧患者に対する降圧薬の併用と同様に，臨床的な反応を慎重にモニタリングしながら使用することは問題ないと考えられる．もちろん，寛解導入後は減量もしくは中止できる薬剤があるかを慎重に試すことも必要となることがある．ステロイド性骨粗鬆症のような累積性の副作用はDMARDsでは臨床的に問題となることは少なく，治療効果に合わせて追加投与していくことは副作用の面からも切り替え投与と大きな違いはない．

　MTXがリンパ球の増殖を抑制するがサイトカインの産生は抑制しないのと比して，イグラチモドはリンパ球の増殖抑制はほとんどないが炎症性サイトカインの産生を抑制することが報告されている．MTXが生物学的製剤の2次無効予防に役立つのに対し，イグラチモドはステロイドと同様に生物学的製剤の1次無効を予防する可能性もある．

8 リリーバー

ではこの3カ月間のサラゾスルファピリジンとブシラミンを使った初期

治療の段階で関節が腫れている患者の様子をそのままみてよいであろうか．もちろん csDMARDs が効いてくれば関節の炎症が取れて患者の痛みも取れるわけであるが，やはり歯医者に行った時に歯が痛い患者をそのまま帰すことはないように，関節が痛い患者においてもできるだけ早く症状を取ることは QOL の改善だけではなく，機能障害や，長期的には関節破壊の抑制にも繋がると考えられる．有名なスタディの一つである TICORA スタディでは，毎月患者を診察し，その時の活動性の評価によって薬物の調整とリリーバーとしてのステロイド関節腔内注射などを行い，生物学的製剤を使用した他のスタディと比べ遜色のない寛解率を得ている．リリーバーの使用としては初診時には NSAIDs を処方しているが，関節リウマチの診断がある程度確定した 2 週間後の再診時には選択としてプレドニゾロンの隔日の経口投与や関節注射も加わる[16]．

9 経口ステロイド

　まずプレドニゾロンの経口投与であるが，初期治療としてのステロイドの用量は 10 mg 以下で使用するような関節リウマチ，10〜20 mg で開始するリウマチ性多発筋痛症，0.5 mg/kg で開始する膠原病の軽度の内臓病変に対する治療，また，1〜2 mg/kg で開始する通常の膠原病や血管炎の治療，また，急速進行性や非常に重篤な症状に対してパルス療法として非常に大量を投与することがある．また，量だけではなく，1 日 1 回で投与するのか，1 日 2〜3 回に分けるのか，または 2 日に 1 回の隔日投与にするのかの選択肢がある．また，1 日 2〜3 回に分ける場合も，均等に分配する方法と，朝多く，その次は昼，夜は一番少なく，というように分割する方法がある．これは生理的なステロイドの分泌が朝に多いため，より生理的な投与法により副腎の機能を抑制することを防ぐという医療的なものである．関節リウマチに対しては 10 mg 以下を使用するのであまり分割投与する理由はなく，ほとんどの場合朝 1 回投与が最も多く用いられている．朝のこわばりを防ぐために夜飲むことを推奨する先生もいるが，これはやはり副腎抑制の危険が少し増えると考えられている．また，欧米では遅放性のステロイドも開発されており，これにより夜飲んだステロイドが早朝に効き始めることにより朝のこわばりを改善するとされている．では実際に使う場合に隔日投与と 1 日 1

| 表F-4 | ステロイド投与法 |

	1日3回 (15 mg q 8h)	1日1回 (45 mg qd)	隔日 (90 mg qod)
Hgb（0→4wk）	11.4→14.1	11.3→13.3	11.3→12.5
ESR	96→14	94→21	96→45
寛解	90%	80%	30%
ムーンフェイス	9/20	7/20	none

側頭動脈炎の患者 60 人の RCT（メイヨークリニック，1975）.
PMR 症状の反応に関してはグループ間に違いはなかった.

回の投与とではどういう差があるであろうか．隔日投与においては骨粗鬆症はあまり変わらないという結果になっているが，感染症や糖尿病，そして患者が最も気になるムーンフェイスなどの副作用に関しては隔日投与により劇的に減少することが知られている．これに関してはアメリカのリウマチ膠原病科医の重鎮であるメイヨークリニックの Gene G. Hunder 教授が若い時に行ったスタディが有名である．既に 30 数年前のスタディであるが，未だに引用されることが多い（表F-4）[2]．このスタディでは巨細胞性動脈炎の患者において 15 mg を 1 日 3 回，1 日 1 回 45 mg，もしくは 2 日に 1 回 90 mg という，2 日間の投与量としてはどれも 90 mg となる同じ量を使っているが，実際の効果と副作用はどうかを検討している．効果としては 1 日 3 回がもっとも高いが，副作用に関しては隔日投与が最も少なく，ムーンフェイスも全く認められなかったとされている．巨細胞性動脈炎のような血管炎は初期からの隔日投与は有効ではないと書かれている教科書の根拠は，実はこのスタディであることが多い．しかしこの論文をよく読むと PMR（リウマチ性多発筋痛症）の症状に関してはグループ間に差はなかったことになっており，隔日投与でも血管炎でなければ十分に効果が出ることは経験される．ということで，関節リウマチ患者においては全員隔日投与で始めることとしており，15〜20 mg の隔日投与を行っている．20 mg の隔日投与は 1 日量としては 10 mg で，効果としては毎日 7.5 mg を服用するよりもわずかに弱いかもしれないが，副作用が非常に少ないため投与しやすい．また，2 日に 1 回の投与では副腎からの内因性ステロイドの分泌を抑制

しないため，減量していった時に内因性のステロイドが十分残っているため患者の訴えが少なく，減量・中止が容易であることは経験されている[16]．これも理論的なことになるが，やはり内因性のステロイドというのも毎日同じ量が分泌されているわけではなく，ストレスがかかった時，もしくは急性疾患などにおいては体内で多く分泌されるホルモンであるため，この機能を残しておくことにより必要な時に内因性ステロイドが関節リウマチ以外の理由で必要な分作られることが，関節リウマチの治療の安定にも役立っていると考えている．しかしながら，隔日投与とはいえ経口ステロイドをだらだらと投与し続けることは，関節リウマチ自体でも頻度が増える骨粗鬆症の増悪やそれによる圧迫骨折などでの QOL の不可逆的な低下に繋がるため，ある程度のスケジュールで減らしていく．一般的に 4 週間は初期量を維持するが，その後 csDMARDs の効果が期待できる時期（6〜8 週）までは隔日であれば余り急激に減量する必要はない．EULAR の関節リウマチ診療推奨 2019 でもステロイドは寛解導入に生物学的製剤が必要であるかの判断の前に csDMARDs と併用してみるべき治療とされており，寛解維持には長期的な副作用のため問題となるが，導入としては併用薬として重要である．寛解は一度達成されなければ維持ももちろんできないので，短期的にステロイドを併用し寛解導入することは，長期的な維持にも大きな意味をもつ．ステロイド減量・中止の重要性を示す例として，欧州の生物学的製剤の使用ガイドラインとしては多くの国がメトトレキサート 0.3 mg/kg/週以上でも高疾患活動性，もしくはメトトレキサートを含む csDMARDs の併用でも低疾患活動性以下にならない場合とされているが，これは経口ステロイドを中止していることが仮定とされている．これはステロイドをある程度服用すれば活動性を低下させることは容易であるが，ステロイドを併用し続けることは結局は長期的には患者の QOL や予後の改善にはならないため医療費も多くかかることとなり，ステロイドがやめられないような患者においては早目に生物学的製剤や JAK 阻害薬を早期に導入した方がよいという考え方に則っている．しかしながらこれは決して早期の短期経口ステロイド剤の効果を否定するものではなく，ご存知のとおり欧州では経口ステロイドは csDMARDs，つまり早期に短期使用するだけでも長期の疾患修飾作用があると考えられている．これは最初の短期間に経口ステロイドを服用していた患者としていな

かった患者においては，経口ステロイドを中止して数年後の発症から5年後においてもやはり関節破壊の度合いがステロイドを初期に経口投与された群のほうが少なかったという報告があることによる[3]．また，2019年のEULARで発表された関節リウマチの治療指針においても，短期の経口ステロイドはアルゴリズム上も一般的な治療とされている[4]．ということで，ステロイドに関しては2週間後の再診時，関節リウマチと確定診断がついた時点で必要な患者においては（10〜）20 mgの隔日で開始し，その後，再診毎に患者と相談し減量していく．というのは，少し多めの量で始めた場合には減量してもそれが必ず悪化に繋がるということはなく，2週間後に5 mg減量し，さらにその2〜4週間後に5 mg減量し，10 mgになってから2.5 mgずつ減量することによってもコントローラーとしてのcsDMARDsの効果が出ていれば問題なく減量できることが多い．しかし，隔日での短期投与の副作用は少ないので，減量してすぐに悪化を自覚した場合は，患者の判断で減量前の量に戻してもよいように話し合っておくことも一案である．また，ステロイドを投与しても十分な効果が得られない場合にはその時点で投与していたcsDMARDsが十分ではないと考えcsDMARDsを追加していくことが推奨されるため，ステロイドの量というのは常に減量していく努力が必要と考える．今回示しているアルゴリズムでは少なくともメトトレキサートを開始し，生物学的製剤を考慮する時点ではステロイドがほとんどなしとなるようなプロトコールになっている．〔関節リウマチ初期治療の一例（北欧）（上記理由から筆者はステロイドを隔日にしている）〕

🔟 ステロイド関節注射

　関節注射に関してはどうであろうか．内科の医師にとっては関節注射はなじみのないこともあると思うが，欧米では当然のごとく使用されている治療であり，多くのスタディにおいて関節注射は併用されている．関節注射だけをただ繰り返すのは副作用の面や長期的な予後の観点からよくないが，あくまでリリーバーとして補助的な役割で使う分には即効性もあり，また，炎症を速やかに抑えることにおいて非常に有効である．サラゾスルファピリジンやメトトレキサートなどのcsDMARDsも有効な薬剤であるが，非常に強い炎症を正常まで下げていくには時間がかかることもあり，また十分でないこ

chapter F ● Dr. 岡田の関節リウマチ診療実況中継

ともある．しかし，関節注射により強い炎症を抑えた時点でその状態を維持するという面ではより経口 csDMARDs の力が発揮されやすい．一般に寛解導入と寛解維持に必要な治療は異なることは少なくない．

一例としては筆者が 1998 年にフランスで診療していた時に，フランスの最も有名な大学病院から関節リウマチの患者が転院してきたので，どのような治療を行ったのか聞いてみた．1998 年は筆者がアメリカの Yale 大学からフランスに移った年であり，まだフランスの治療が実際にどのように行われているのか完全には把握していなかった．

患者が教えてくれた治療は非常に衝撃的なものであった．それは，関節リウマチの確定診断がついた時点で 1 週間の入院を勧められ，入院すると同時に 20 カ所くらいの腫れていた関節全てに関節注射を打たれ，メトトレキサートを 0.3 mg/kg，つまりは 50 kg の患者に 15 mg を服用するように勧められ，1 週間ベッド上でできるだけ安静をとるように勧められた後，退院前にもう一度全ての腫れている関節に関節注射を打ち，メトトレキサート 2 回目の 15 mg を服用し退院したということであった．それから数日して筆者の外来に患者がやってきた時にはほとんど寛解状態であり，その後もメトトレキサートの継続により良好な経過をとった．

これはとても極端な例ではあるが，その時のフランスの有名な大学病院ではルーチンの治療選択肢であった．これはヨーロッパで生物学的製剤が発売される 2 年前の治療であるので，もちろん現在では変わっているかもしれないが，とても大切な原則をいくつか守っている．関節注射に関しては筆者は Daniel J. McCarty 先生という米国の大御所の先生に直接話を聞いたことがある．彼は 1972 年の若い時に関節注射の有効性に関する論文を発表しており[5]，それによれば患者によっては 3 年間有効性が持続している．ここまでの有効性を得るのは名人芸であり誰でもできるものではないが，彼の教えてくれた原則はとてもその後の診療にも役に立っている．というのは，関節注射をした時には最初の 48 時間で炎症が治まるほどその後も効果が持続するので，注射を打ってから 48 時間はできるだけ安静を取るように指導するということであった．彼は下肢に関節注射を打った場合には松葉杖を処方し，2 日間は必ずそれを使うように指導していた．なかなかそこまではしていないが，患者によっては金曜日に来院できれば金曜日に関節注射を行い，

週末の 2 日間はゆっくり休むように指導している．また，指などに打った場合も隣の指と一緒に軽くテーピングすることによってその指をあまり使わないように 2 日間はできるだけ安静を取るようにというように指導している．

　患者には「せっかく痛い思いをして関節注射を打ったので，もちろん必要な範囲では使ってもいいのだけれども，2 日間できるだけ休めば休むほど効くので注意してみてください」と説明している．これはまた膝や足首（または手首）などの荷重関節においては有効性だけでなく安全性という面でも重要で，関節注射の後は痛みをあまり感じないため通常以上に無理な使い方をしてしまうことにより，シャルコー関節と同じような障害が起こりやすくなる．よって，最初の 48 時間日常生活に支障のない範囲で，できるだけ安静にすることによりこのような外的な障害の副作用も減らすことができると考えている．関節注射は特に MCP 関節や肘などにおいてもとても有効で，また膝が腫れている場合にはある程度多い量が注入できるため全身にも短期的によい効果が認められることがある．ということで，フランスのように全ての腫れている関節に注射をする必要はないのではないかと考えているが，最も腫れの強い関節数カ所に注射を打つことは QOL の改善や早期の関節リウマチの炎症のコントロールにはとても役に立つと経験している．

　注意する関節としては手関節がある．複雑な構造のため繰り返しのステロイド注射では軟骨の菲薄化が起こりやすく，長期的な可動域制限につながることもある．1 回目で十分な効果が得られるように十分な csDMARDs の併用と注射後数日の関節安静が特に重要である．

　関節注射において重要なことはまずは感染をできるだけ起こさないことである．原則としてはアルコール綿でこすって付着物や皮脂を取り，それが乾いた時点でイソジンなどで 2，3 回消毒をしっかりし，それからキシロカインやケナコルトなどの薬液を用意するようにしている．そうすることによって，急いで消毒液の効果が十分である前に注射をしてしまうというようなミスを防ぐことができるルーチンのやり方である．また，イソジンなどで消毒する時には，「ちゃんと消毒しますけれども，これでも 1,000 人に 1 人くらいはばい菌が入ってしまうんですよ．ごめんなさいね」というように言いながら消毒すると，患者も「この先生はしっかり消毒してくれているな」と

思ってくれるかもしれない．実際には約20年間関節注射を行っていて筆者は感染を1人も経験したことはないが，他の医師により感染を起こした患者をみたことはあるので，常に慎重に処置をするよう心がけている．

　また，関節注射のような，軽度とはいえ侵襲を伴う手技は患者が乗り気でない場合には無理に行わないほうがよい．また，若い女性においては手首などでケナコルトが漏れることにより脂肪組織の萎縮により皮膚変化が起こり，美容的に少し問題となることもあるため，患者には十分説明し，また，脂肪萎縮の起こりにくいデキサメタゾンやベタメタゾンを使ったり，リドカインの混合比率をリドカインを2，ケナコルトを1というふうに希釈して使うこともある．関節注射はてきぱきと行えば5分ほどで済むもので，決して診療上大きな負担にはならないとも言えるが，やはり外来が混んでしまい待ち時間が長くなっている場合には行うことは難しい．

　患者に余裕があれば関節注射のためだけに後日まとめて来てもらうという方法もあるが，当院では後期研修医が当番制となって各外来からの関節注射の依頼を受け，処置室で関節エコーとともに関節注射を行う制度にして大変効率的に行えるようになっている．この当番医は生物学的製剤を投与する場合の投与前診察やルーチンの検査が行われているかどうかの確認も行うことになっており，忙しい外来診療の効率化に役立っている．関節注射の頻度に関しては，特に荷重関節は最低3カ月間間隔を置くようにしている．しかし違う関節に打つ場合には2週間連続で関節注射を行うこともももちろん可能であり，また，指などの関節は1カ月ほどで再投与することもある．しかし，48時間の安静をしっかりとった場合にはほとんどの場合，3〜6カ月以上の間隔を置くことは可能であり，再投与が全く必要ないことのほうが多い．関節注射はcsDMARDsだけでなく，生物学的製剤やJAK阻害薬を開始した場合にも1カ所，2カ所の関節の腫れが残っている場合に追加投与することによりその後の寛解が容易に得られることが多く，関節リウマチの診療においてどのステップにおいても利用可能である．

11 メトトレキサート

　リウマチ肺の懸念のある患者さんで，メトトレキサートを開始する1つ前の診察時に呼吸機能検査をオーダーすることがある．これは呼吸機能検査

によって DLCO（拡散能）が 70% 以下の患者においてはメトトレキサート
による間質性肺炎の頻度が高いのではないか，もしくは起こった時に重篤化
しやすいのではないかという示唆がされているからである．しかしながら胸
部単純写真だけのスクリーンにおいても十分予防が可能というデータになっ
ているので，大きな病院などで呼吸機能検査が簡単に行える施設でなければ
決して必須ではない．また，メトトレキサートを開始する日の血液検査には
KL-6 を入れている．というのは KL-6 は個人差があり，一応正常値は 500
以上ということにはなっているが，300〜500 の間でも間質性肺炎を反映し
ていることも膠原病においては少なくないという報告もあり，またベースラ
インで一度測定しておくことにより間質性肺炎が疑われた場合に正常値内で
も有意に上昇がみられる場合にはやはり診断の確率が上がるとも考えられる
ため，ベースラインでとっておくことをお勧めする．

　メトトレキサートは，未だに RA 治療における最も重要な薬剤の一つであ
り，十分な効果を比較的安全に得るために慎重かつ大胆な用量調整が必要と
なる．

　寛解導入のための初期量としては，欧米では，7.5 mg の試験投与で特異
体質などを除外したらすぐに 15 mg に増量して，その後数週間で 0.2〜0.3
mg/kg/週まで増量することが一般的であり，EULAR の 2019 年治療推奨に
おいても，最初の 4〜6 週で必要であれば 0.3 mg/kg/週まで増量することが
推奨されている．本邦の添付文書では，"通常 6 mg とする．4〜8 週ごとに
2〜4 mg ずつ増量する" とされている．開始量は "通常" と書かれている
ので，高疾患活動性の患者においては，とくに他の問題がなければ 8 mg で
開始することも可能と考えられる．しかし，増量は 4 週間ごとに 4 mg まで
であるので，高疾患活動性の非高齢者であれば，8 mg で開始，4 週間後に
12 mg，その 4 週間後に MTX の 14〜16 mg への増量，もしくは生物学的
製剤・JAK 阻害薬の併用という選択肢がある．

　維持量としては，生物学的製剤を併用する場合には 10 mg 程度でも十分
なことが多いとも書かれており，結局は生物学的製剤や JAK 阻害薬が必要
になれば，寛解導入とともに MTX を減量し日本人であれば倦怠感や嘔気な
どの症状にも応じて 8〜10 mg/週まで減量されることが多い．しかし，
MTX の副作用の中には用量依存性でないものも多く，また，用量依存性の

ものでもフォリアミンを併用することにより多くは防ぐことが可能である．

メトトレキサートの副作用として，用量依存性でフォリアミンの投与により予防もしくは治療可能なものとしては，肝酵素の上昇・血球減少・口内炎や胃腸症状がある．逆に用量依存性でないものはフォリアミンでも予防は不可能で，その中には間質性肺炎がある．つまり間質性肺炎は 6 mg でもそれ以上でも投与前スクリーニングに問題がなければ，それほど頻度は変わらないと考えられる．週に 1 回投与のメトトレキサートでは感染症のリスクもほとんどないため，これまでのスタディでもメトトレキサートの通常量内での増量による副作用の頻度の上昇は明らかには示されていない．

メトトレキサートによる間質性肺炎は早期発見・早期治療が原則である．以前は 3% 程度の頻度とされていたが，最近の報告では 1% 未満というものも多い．日本からのデータでは胸部単純写真で明らかな間質性肺炎が認められなかった患者においてはほとんどメトトレキサートによる間質性肺炎は起こらなかったとされており，日本では関節リウマチにおいて間質性肺炎が単純写真で検出される率は 10% 程度となっているため，90% の患者において最も重要と考えられている抗リウマチ薬であるメトトレキサートが処方可能となる[6]．しかしながら CT スキャンを撮ると約半数までの患者において軽度のものも含めた間質性肺炎は認められるとされており，メトトレキサートを処方するかどうかの判断のために胸部 CT を撮ることは，逆に必要な患者に重要なメトトレキサートを投与できなくなる可能性が高くなるため勧められない．CT を撮ってしまい間質性肺炎が検出されていた場合にメトトレキサートを投与し，実際に間質性肺炎が起こった場合にも添付文書上慎重投与となっているためトラブルの元となる．メトトレキサートの間質性肺炎は通常の肺炎のように風邪の症状（鼻水や喉の痛み，熱など）の後に痰を伴った咳や息切れが起こるというものではなく，薬により直接肺炎が起こるため空咳と労作時息切れで始まる，ということで患者には，メトトレキサートによる間質性肺炎はほとんどの人で起こらないため過度に心配したりとか怖がったりする必要は全くないが，もし起こった場合のために患者自身が理解していることが重要であることは話し，「普通の感染症からの肺炎と違い，いきなり空咳が出て軽い労作時の呼吸困難，つまり駅の階段を以前は問題なく全部上れたのが半分ぐらいで少し息切れがしてしまうようになった場合，もし

くはそれと共に熱が出た場合などは疑いがあるためすぐに連絡するように，そしてすぐに服用を止め，来院してもらってレントゲンを撮って早期に治療すればほとんどの場合問題ないものですよ」と説明している.

　また，亜急性に起こることもあり，その場合は週1回の投与であれば例えば土・日曜日に服用した場合に月曜日に咳が出て，次の週にまたそれがもう少し強くなって出るというようなことも経験されるため，メトトレキサートの服用後に起こる呼吸器症状に関しては特に注意してもらうことが必要である．稀に患者によってはとても神経質になってしまい症状を訴えてくることがあるが，その場合は胸部X線写真を撮りパルスオキシメーターで酸素飽和量をとり，また，KL-6を測定し，後日KL-6も正常で所見もなければ「やはり大丈夫でしたよ」と示すことができ，やはりKL-6のような数字で出るものは患者も納得しやすいため非常に役立つことがある．間質性肺炎に関しては説明が強すぎるために患者が軽度の症状で止めてしまい，その後使われなくなっている症例を時々経験するため説明する時には注意が必要である．メトトレキサートをその患者の最大量に増量する段階で，次には，ある程度の患者でTNF阻害薬などの生物学的製剤が必要になるため，ツベルクリン反応やβ-Dグルカンを測っておく．β-Dグルカンは，ニューモシスチス肺炎などの早期診断に有用と考えられており，日本リウマチ学会でも生物学的製剤やJAK阻害薬の使用ガイドラインで推奨されている．よってこれらの薬剤を開始する日に測るのでは遅いため，予め検査しておくことが勧められる.

12 薬剤の副作用と注意点の説明

　薬剤の副作用は軽微なものから重篤なものまであるが，重篤になりうる副作用の多くは早期に発見することにより軽度なものとなることが多くある．早期発見にはやはり患者さんの協力が必要で，患者さん自身が薬剤の注意点をよく理解し副作用が発現した場合に，すぐに連絡をとってくれることもしくは受診してくれることがとても重要となる．しかしながら重篤な副作用とその考えられる危険性を強調しすぎると必要な薬を副作用を懸念しすぎて適切に使えないという可能性が出てくる．ということで，ここで再度同じ方法であるがPNPを使って説明するようにしている．またここで重要なこと

図 F-19

は，現在の関節リウマチの治療は医師のみでなく看護師，薬剤師，理学療法士など多くのスタッフとチーム医療を行うことが最善のアウトカムを得るのに必要だということである．この際に医療スタッフが共通の理解をもって患者さんに接し，正しい情報を同じように伝えることを確認する必要がある．このPNPの方法をそれぞれのスタッフが理解し実践するようにすることによって，医師からのみ説明受けた場合よりもはるかに患者さんの理解と安心感が改善される（図 F-19〜23）．

13 生物学的製剤/JAK阻害薬

　そして確定診断から3〜9カ月経った時点で生物学的製剤/JAK阻害薬を開始するかどうかを判定する時には，患者の症状と治療効果の満足度，関節の診察所見，血液検査における炎症反応，関節エコーによる滑膜炎の有無，手足の単純X線写真での，骨びらんや関節の狭小化など関節破壊の所見などを総合して患者さんと相談する．生物学的製剤を使用しないことによる日常生活への支障や関節破壊のリスクが重要な判断の基準になるが，患者のバックグラウンドによっては早期寛解導入の必要性や感染症などのリスクの

図 F-20

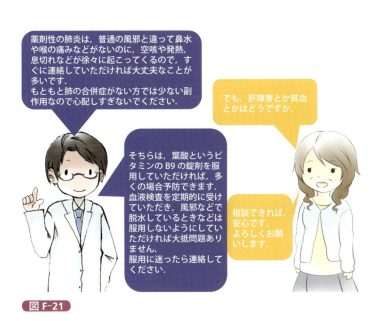

図 F-21

図 F-22

図 F-23

高さも大きく影響する．現在は全く骨びらん・関節破壊が起こらないように治療することが可能な時代であり，それを現実的な目標として治療していくことが望まれる．また，ツベルクリン反応で紅斑が 20 mm 以上，もしくは硬結が少しでも存在すればイソニアジドの予防投与を考慮する．しかしながら，IGRA（IFNγ 遊離試験，IFNγ release assay）（クォンティフェロンもしくは T-SPOT）が陽性の場合は原則予防投与を行う．というのはツベルクリン反応陽性患者の割合は日本では非常に高く，特に若年者や罹患率の低い地域では実際には BCG などの影響も十分考えられる．しかしながら IGRA では BCG の影響を受けないため IGRA 陽性患者はさらにハイリスクと考える．また，ツベルクリン反応陰性でも IGRA が陽性であることも稀にはあり，やはりイソニアジドの併用療法を行っている．イソニアジドの投与量は 5 mg/kg とされており，もちろん結核のきちんとした治療をする場合には 300 mg を投与している施設も多いと思うが，やはり予防投与の場合には副作用を最小限に抑えることも重要と考え，低体重者には 300 mg を投与しないようにしている．例えば 40 kg の患者では 200 mg であるため錠剤でよいが，50 kg の患者においては 5 mg/kg は 250 mg であり，100 mg の錠剤を半分に割る，もしくは散剤により 250 mg を投与することにより必要以上の量を投与することがなくなる．ピリドキサールも副作用予防のため併用される．結核の治療時には 10 mg で十分というデータはあるが，予防投与での副作用はできる限り避けるということと，ピリドキサールの併用によ

表 F-5　年齢相応悪性腫瘍スクリーニング

女性	男性
25-65yo 　子宮がん検診（q1y-3y） 40yo- 　胃カメラ（q1-2yr） 　（ピロリ菌感染既往のある場合） 40-49yo 　乳房エコー（q1-2y） 50yo- 　マンモグラフィー（q2y） 　便潜血（q1y） 　大腸カメラ（q5-10y）	40yo- 　胃カメラ（q1-2yr） 　（ピロリ菌感染既往のある場合） 50yo- 　便潜血（q1y） 　大腸カメラ（q5-10y）

chapter F ● Dr. 岡田の関節リウマチ診療実況中継

表F-6 生物学的製剤投与前検査

	before	1 month	3 months	6 months	12 months
PPD	○				
QFT or T SPOT	○				○
年齢相応 悪性腫瘍スクリーニング	○				○
Chest X ray	○	○	○	○	
KL-6 β-D-glucan	○		○	○	
IgG, lymphocyte＞1000	○			○	
HBsAg, HCVAb, HBsAb, HBcAb	○				
SDAI/CDAI	○	○	○	○	○
Hand and foot X ray	○			○	○
肺炎球菌ワクチン	○				○

る副作用が最低限であるためリウマチ学会のガイドラインのとおり当院では 30 mg の投与としている.

　胸部 CT に関しては欧米では生物学的製剤開始前には行っていない. 日本では結核の罹患率も高いため行ってしまったほうが安全であると考えられるが, CT の設備のない医療機関では決して必須ではない. それに加え, 生物学的製剤を投与する前には年齢相応の悪性腫瘍のスクリーニング, つまり内視鏡, 乳がんや子宮がん検診などは行っておいたほうが後々トラブルになることが少ないと考えている.

　生物学的製剤/JAK 阻害薬を投与し始めた時には, やはり最初の 6 カ月が副作用に最も気をつけなければならない. 感染症などの副作用は 65 歳以上の高齢者, 糖尿病のある人, または間質性肺炎などの肺に疾患が既にある人ではハイリスクであるため, より注意が必要である. 逆に言うと 50 代までの比較的若い患者で糖尿病も間質性肺炎もなければ, ほとんどの患者で感染症などの副作用は認められない. 生物学的製剤/JAK 阻害薬をまだたくさん使っていない医療機関ではこのような低リスクの患者から始め慣れていくこ

表 F-7　検査と被曝量

検査	典型的な被曝量 （mSv）	胸部との相対比	自然被曝量との比較
骨密度検査（DXA）	0.0005	1/40	2 時間分
手，足単純	0.005	1/4	1 日分
胸部単純	0.02	1	3 日分
腰椎単純	0.7	35	1 カ月分
腹部単純	1.0	50	半年分
頭部 CT	2	100	1 年分
胸部 CT	8	400	3.5 年分
腹部 CT	10	500	4.5 年分
ガリウムシンチ	18.5	925	8 年分

（Berrington de González A, et al. Lancet. 2004; 363: 345-51; Mazrani W, et al. Arch Dis Child. 2007; 92: 1127-31）

とは有用である．初めからある程度ハイリスクの患者に投与し副作用が起こってしまうとその後も怖くて使えなくなってしまうので避けるべきかもしれない．生物学的製剤/JAK阻害薬を使用し始めてからの定期フォローに関してはルーチンはルーチンで行うことが非常に重要である．開始前には胸部CTや単純X線写真を撮ったがその後1年半撮らなかったら大きな感染症が見つかった，などとならないため，ルーチンの検査を投与前に毎回確認し行われているかをチェックすることにしている（表F-6）．また，帯状疱疹は年齢などにかかわらず経験するため，痛みを伴う皮疹が出現したらすぐに連絡するように指導している．

　胸部単純X線やKL-6，β-Dグルカンを投与時だけでなく，1カ月後，3カ月後，6カ月後，1年後に行うようにしている．胸部単純X線に関しては放射線被曝が胃のバリウム検査の1/100とされており（表F-7），集中治療室などでは毎日撮ることもあるような検査であるため，1カ月後，3カ月後に本当に必要かどうかという議論はあるかもしれないが，撮ってしまったほうが安全ではないかと考えている．

　また，KL-6やβ-Dグルカンに関しても保険で問題となるようなことが

なければ 1 カ月後，3 カ月後，6 カ月後程度は測定したほうが安心で，また血液検査であり非侵襲性であるのでさらにこまめに測っている医療機関もある．このような検査がルーチンに行われるようにするにはパスを作る，もしくは係を決めてチェックするように工夫するなどが重要であり，個々の患者の来院時にその時々で対応していくことはなかなか難しい．

予防接種に関しては，肺炎球菌ワクチンと帯状疱疹ワクチンに関して，患者と相談が必要である．2020 年から肺炎球菌に対して高い効果の持続が期待できるプレベナー 13 が，65 歳以下の成人でも医師が必要と認めれば自費で接種可能となった．欧米では，プレベナー 13 を先に摂取し，ニューモバックスを 6 カ月以上（通常は 6 カ月から 4 年以内）空けて接種することが勧められている．先にニューモバックスを自治体からの援助などで摂取している場合は，1 年以上空けてプレベナー 13 を接種する．いずれの場合も，ニューモバックスのみ最初のニューモバックスから 5 年以上ごとの再接種となる (https://www.jrs.or.jp/uploads/uploads/files/information/haienkyukin_chart.pdf)．

帯状疱疹に関しては，免疫抑制薬使用中でも投与可能なシングリックスが本邦でも使用可能となった．初回投与から 2 カ月後（遅くとも 6 カ月以内）に再投与し完了となる．プレベナーは 1 万円以上かかることも多く，シングリックスに関しては 2 回で 4 万円以上かかるので，予め患者に説明しておくようにしている．

コラム

生物学的製剤の選び方

生物学的製剤の選択には，多くの考慮すべき事項があるが，実はほとんどの患者においてどの生物学的製剤でも問題ないことが多い．生物学的製剤の一時無効は生物学的製剤に丸投げするのではなく，導入前にしっかりと抗リウマチ薬とリリーバーを併用しできる限り炎症性サイトカインの血中濃度もしくは関節の炎症を押さえた上で開始することにより防ぐことが可能である．また重篤な感染症やその他の合併症なども投与前にルーチンのスクリーニングをしっかり行い，また投与開始から 6 カ月の感染症の多い時期には，より慎重にモニタリングを行うこと，さらに患者と医師の信頼関係により副

作用発現時に早期に受診してもらうことなどで多くの場合には予防することができる．生物学的製剤においては大規模試験のデータにおける有効性や安全性よりは，個々の医療機関における患者背景を考慮した使い方が重要になるかもしれない．特別な場合としては皮下注射ができない患者，MTX が飲めないような間質性肺炎のある患者などがあるが，このような場合を除いては現在使用可能な生物学的製剤は非常に有効性が高くまた安全性もある程度確立している．

間質性肺炎，憩室症，COPD など

間質性肺炎はリウマチ患者において単純 X 線写真で 10%，CT スキャンにて 40%程度までで認められるとされている．一般に MTX は単純 X 線写真で認められるような間質性肺炎がある場合は避けることが望ましいとされているが，CT スキャンによってのみ検出されるような軽微のものに関しては回避しなければならないというデータは確立していない．TNF 阻害薬は間質性肺炎自体に対して悪影響がある可能性が示唆されている．よって，特に 10%程度の頻度で遭遇する MTX が服用できないような間質性肺炎がある患者においては TNF 阻害薬よりも他の生物学的製剤を最初の製剤として選択することも可能である．TNF 阻害薬以外の生物学製剤としてはトシリズマブ，サリムマブとアバタセプトがあるが，一般的には重篤な感染の既往のある患者においてはアバタセプトのほうが安全性が高いと考えられている．

また大腸などに憩室症がある患者さんにおいては，腸管穿孔のリスクを考えトシリズマブやサリムマブを回避することもある．逆に喫煙歴が長く COPD のある患者においてはアバタセプトを避けることも勧められる．いずれにせよ間質性肺炎などの肺合併症があり呼吸器感染を繰り返しているような患者においては，それが軽度であったとしてもサラゾスルファピリジンか ST 合剤併用なども考慮すべきである．

皮下注射と点滴

間質性肺炎もなく MTX も使用可能な患者においてはすべての生物学的製剤が使用可能である皮下注射の利点としては病院の滞在時間が少ないため仕事の忙しい患者などにおいては有利であり，またゴリムマブの皮下注射以外は自宅で自己皮下注射を行うことが可能であるため，2 カ月に 1 回の外来通院なども可能でありさらに時間的に有利である．皮下注射を希望しない患者においては，点滴製剤が適応となるがインフリキシマブ，アバタセプト，トシリズマブのうち，インフリキシマブは 8 週間毎の投与も可能であるので

仕事も忙しい患者にとっては有利となる.

また投与間隔という点では,エタネルセプト,アバタセプトは1週間に1回であり,海外旅行・海外出張などが多い患者においては飛行機の持ち込みが問題なくとも着いてからすぐにホテルの冷蔵庫に入れるという作業は実際上なかなか面倒である.アダリムマブ,トシリズマブなどの2週間に1回の投与の製剤においては,投与時期を少し調整することによってほとんどの場合海外への持ち出しは回避できるという利点がある.しかしながらエタネルセプトやアバタセプトは中和抗体の非常にできにくい薬剤であるため,効果が十分であれば少しずつ投与間隔を延長することが可能で,この場合海外への持ち出しなどは問題にならなくなるかもしれない.

妊娠希望

妊娠を希望する患者においては,原則としてMTXは妊娠予定の3カ月前から中止することが推奨されている.よって生物学的製剤に関してもMTXを併用しない製剤が優先される.30歳前後までの比較的若い患者においては患者の同意が得られれば,まずはMTXも使用ししっかりと関節リウマチをコントロールした上で薬剤を減量中止し妊娠を計画するということも可能であるが,ある程度年齢の高い患者においてはMTXを開始しても効果が出るまでに3から6カ月その後6カ月継続投与して,その後中止して3カ月という1年から2年の期間は非常に長く,またMTXを減量中止した際に悪化してしまうリスクも考慮すると,妊娠を1年以内に希望する患者においては現実的ではない.よって初めからMTXを使用しない方法を試みる.本邦においてはサラゾスルファピリジンに加えてタクロリムスなどの製剤もあり,決してMTXを使用しなければ関節リウマチのコントロールができないということではないので,患者や患者家族とよく話し合い治療を行うことが重要である.妊娠中の薬剤の使用は,患者と配偶者が十分理解していることを確認する.また妊娠がわかった時点で生物学的製剤は中止が可能であれば中止するが,その後どうしても関節リウマチのコントロールができず再開する場合は患者および配偶者と話し合いリスクとベネフィットを理解した上で使うことになる.しかしながら妊娠前に使っていなかった製剤を妊娠中に使いはじめることが実際上困難であるため,このような患者においては妊娠中安全性がある程度確保できるものを勧めることとなる.その場合,胎盤移行性を考えセリトリズマブ ペゴルや,これまでの経験からエタネルセプトが使用されることがある.胎盤移行性はセルトリズマブではFc部分がないため胎盤移行性が乏しく臍帯血の濃度は大変低い.よって,欧州では2017年

にセルトリズマブ ペゴルの妊娠中および授乳中の使用が認可された. 逆に通常の抗体製剤においては臍帯血のほうが母体血中濃度により高くなる傾向がある. エタネルセプトも臍帯血濃度は母体の血清濃度の 10 分の 1 以下であることが報告されている, また母乳中への移行は, 消化されるのでほとんど問題とならない.

バイオフリー

次に考慮すべきこととしてバイオフリーを達成する確率がある. 20 代から 30 代などの若い患者においては初期にしっかりとした治療でバイオフリーを達成してから妊娠もしくはその後の生活と疾患のコントロールを行うという選択肢は重要である. その場合どの製剤においてもバイオフリーの達成は可能ではあるが, 抗 TNF 抗体製剤が, 本当に生物学的製剤が必要であった患者においてバイオフリーの達成する確率が高いことを示す大きなデータがあるため, 患者に説明しやすいかもしれない. 実際の臨床上意味のあるバイオフリーとしては本当に生物学的製剤が臨床的寛解と関節破壊防止や機能回復に必要な患者において生物学的製剤を使用し, その後中止した後も患者が満足する臨床的に有意義な寛解状態といえる炎症のおさまった状態, 関節破壊の進行の防止, 機能維持が長期間において継続できることと考えると, 中止前の実質的な寛解の評価（圧痛・腫瘍関節のないこと, CRP が 0.1 未満であること, RF の低下など）が重要である. また, あらかじめ再発時には速やかに再開する必要があることを説明しておく, 生物学的製剤中止時に csDMARDs を強化するなどの対策も工夫されている.

効果発現の早さ

効果発現の早さは, 仕事が忙しく職場復帰がいそがれる患者, もしくは体を使う職業などの機能障害が不可逆的になる前に炎症を速やかに抑えることが必要な患者においては特に重要である.

作用発現の速さは, 最初にローディングドーズを行うインフリキシマブやセルトリズマブにおいて効果が強調されることが多いが, 実際には十分な抗リウマチ薬とリリーバーの併用を行うことにより大きな影響がある. アバタセプトにおいても最初の 3 回の点滴時にメチルプレドニゾロン 40 mg を投与することはステロイドの副作用という面においてはそれほど大きな問題ではなく, 作用発現の速さにおいては臨床的に意味のある改善が得られるというのが印象である. 他の皮下注製剤においても非常に印象が強い状態で単に生物学的製剤を追加するのではなく, 必要に応じてプレドニゾロン 10 から 20

chapter F ● Dr. 岡田の関節リウマチ診療実況中継

mg の隔日投与を数週間処方することで，効果発現に大きな改善が得られる．

コストとバイオシミラー

　生物学的製剤のコストは薬価改定により 25% 前後急に低下することもあるため正確に長期的な予測を立てることは容易ではない．現時点ではトシリズマブの皮下注射は他の製剤と比べコストが低い．しかしながら生物学的製剤のコストにはフルドーズを使っている場合のみでなく，減量できるかどうか，もしくはバイオフリーとなって中止できるかどうかという面も考慮する必要がある．これまでのデータと経験からはエタネルセプトなどで半量に減量することは 80% 以上の患者において可能であるが，臨床的に意味のあるバイオフリーを達成する確率は抗体製剤でもその半分程度であり，これらもコスト計算において考慮されるべきことであろう．インフリキシマブの臨床的データが Lancet に発表されたのが 1994 年であり，それから 20 年を経てとうとう日本では 2014 年にバイオシミラーが発売となった．バイオシミラーは一般的な低分子化合物の後発品であるジェネリックと異なり，高分子化合物であるため構造が類似しているが全く同じではないということを示している．ということで先発品であるインフリキシマブなどとも効果の同等性を臨床試験において比較検討してから発売されている．一般的にバイオnaive の患者において投与開始する場合においては，バイオシミラーは医療経済的にも非常に有用な選択肢となると考えられるが，低分子化合物のジェネリックのように先発品から安定している患者をスイッチするということは理論的にも問題がないわけではない．また効果に関しても重症度別に同等の効果を検証しているわけではないので注意が必要である．いずれにせよインフリキシマブのバイオシミラーは先発品であるレミケードと比べ 30% 以上もコスト削減になることは留意すべきである．しかしながらトシリズマブの皮下注射と比べるとその差は大きくなく，増量や投与間隔の短縮などが行われた場合には逆にトシリズマブのほうが低コストとなる．またエタネルセプト，アバタセプト，トシリズマブのような中和抗体のできにくい自己皮下注射が可能な製剤においては，投与間隔を症状に合わせて延長することによりコストの削減が可能であり，その場合もインフリキシマブのバイオシミラーとのコスト計算が複雑となる．しかしながらエタネルセプトなどにおいてもバイオシミラーが発売されたため，私たちが生物学的製剤を使用するさいには，製剤自体のコスト，バイオフリー達成の確率，投与量もしくは投与間隔の調整なども常に念頭におき，患者と相談する必要があると考えられる．

　一般的な投与例（8 週分）（20　20　4）

510

レミケード（35〜65kgの患者 3mg/kg）200mg（4〜8週ごと）

約15万円

インフリキシマブ（35〜65kgの患者 3mg/kg）200mg（4〜8週ごと）

（CTH・セルトリオン　約7万2千円）　（その他）約8万7千円

アクテムラ　皮下注　2週毎　8週　約13万円

エンブレル　50mg/週　8週　20万3千円

25mg/週　8週　約10万3千円

エタネルセプト　50mg/週　約13万6千円

25mg/週　8週　約6万9千円

表 F-8　生物学的製剤の薬価とバイオシミラーの例（2020年4月）

薬品名	規格	薬価	後続	メーカー
レミケード点滴静注用 100	瓶	75009	−	田辺三菱
インフリキシマブ BS 点滴静注用 100mg「CTH」	瓶	35715	後続	Celltrion のみ
インフリキシマブ BS 点滴静注用 100mg「NK」	瓶	43229	後続	日本化薬/ 日医工など
アクテムラ点滴静注用 80mg 4ml	瓶	15429	−	中外（ロシュ）
アクテムラ点滴静注用 200mg 10ml	瓶	38014	−	中外（ロシュ）
アクテムラ点滴静注用 400mg 20ml	瓶	75198	−	中外（ロシュ）
アクテムラ皮下注 162mg シリンジ 0.9ml	筒	32485	−	中外（ロシュ）
アクテムラ 162mg オートインジェクター 0.9ml	キット	32608	−	中外（ロシュ）
エンブレル 50mg ペン	キット	12861	−	ファイザー
エタネルセプト 50mg ペン	キット	16796	−	持田など

表 F-9　医療コスト

疾患活動性と強く関連	選択薬剤の影響
症状による日常経済活動の質の低下	通院による勤務時間による労働量の低下
診察費，通院交通費	診察費，通院交通費
	薬剤費
合併症 　疾患自体の活動性と関連するもの	合併症 　薬剤の副作用と関連するもの
離職による社会的損失	
手術，リハビリ	

JAK 阻害薬の選び方

発売から1年間の2週間投与の縛り以外にも，腎機能，肝機能，併用薬，から選択は容易なことも多く，その他にも1日1回と2回の製剤，用量調整のしやすさ，寛解後減量したときの薬価なども考慮する（治療薬のJAK阻害薬の項目を参照）．生物学的製剤との直接比較試験の結果，帯状疱疹の頻度などは，それぞれの薬剤における報告にある程度の差は認められるが，JAK阻害薬同士の直接比較はない．まずは，必要な患者で使い慣れることも重要かもしれない．

表 F-10　JAK 阻害薬の薬価

	寛解導入時などの通常量と薬価			維持期などの減量できた場合		
ゼルヤンツ	5 mg 錠	1日2回	5320 円/日	5 mg 錠	1日2回	5320 円/日
オルミエント	4 mg 錠	1日1回	5275 円/日	2 mg 錠	1日1回	2706 円/日
スマイラフ	100 mg＋50 mg 錠	1日1回	5087 円/日	100 mg 錠	1日1回	3362 円/日
リンヴォック	15 mg 錠	1日1回	4973 円/日	7.5 mg 錠	1日1回	2551 円/日

14 治療目標

ということでこれが関節リウマチの治療の一例であるが，早期に寛解導入もされ炎症も取れると患者のアドヒアランスもよく，患者への説明では3段階の治療の説明をした時点で，「抗リウマチ薬1つでも1/3ぐらいの人はよくなって，従来の抗リウマチ薬を併用すれば残りの半分以上の人は問題なくなります．しかし1/3～1/4の人では生物学的製剤/JAK阻害薬が必要になることがありますが，そうするとほとんどの患者さんでよくなるので，結局はほとんどの患者さんで問題なく生活ができるようになる疾患ですから，安心して通院してください」と説明している．またステロイドに関しては，「ステロイドは毎日飲むと副作用が出やすく，体の中でもともと必要な分のステロイドを作る力がなくなってしまうので，なかなか止めることもできなくなってしまいます．でもとても効果が早く痛みを取ったり，炎症を抑えるのに有効な薬ですから必要であれば2日に1回の飲み方ではじめていきましょう．そうすれば副作用が出たときにはすぐ止められますし，また効果が

十分に出た後では早めに中止することができます．そして「もちろん100%全員がよくなるわけではないし，どの治療でも副作用というのは全くないお薬というのはないので，それに関しては注意してやっていきましょう」と説明していくことは重要である．とにかく早く痛みをとって腫れも抑えることで将来的にも関節の機能を保持することができますから，相談しながらお薬を調整していきましょう」と説明している．

　現在の関節リウマチの治療は進行を遅らせるということが目標ではなく，患者が全く通常の生活を送れるようにする，関節破壊を起こらないようにするということを現実的な目標としてできるようになっている．つまりは患者が普通に働き，普通に余暇を過ごし，好きなレジャーを楽しみ，結婚，出産をし，また，日常生活において他の人からみてこの人は関節リウマチということが一見してわかることがないように治療を行うことができる時代となっている．高血圧の人をみても誰もその人が高血圧だとわからないのと同じように，関節リウマチの患者も社会において特別な目でみられるようなことがないようにすることが現実的な目標とすることができる．このようなことは患者にはしっかりと説明することが必要であり，あまり悲観したり，治療に関して消極的にならないように配慮する．もちろん治療に関しては個別化医療は重要であって，例えば85歳のご婦人で，こたつでみかんが剝ければもうそれでいいんです，という患者さんに寛解の定義に当てはまらないからといってどんどん強い治療を勧める必要はないであろう．しかし，まだ若く，ある程度生活や仕事において手を使わなければならないような患者に，10個腫れていた関節が3個になったのでこれくらいよくなってよかった，だから満足でこれ以上治療は必要ないという勘違いをされないように説明しておくことは重要で，私たち医療従事者としても全ての関節腫脹を抑えるような完全寛解を目標とした治療設定が多くの患者においては必要となる．

　残念ながら現在の保険制度では必要な薬剤，最善と考えられる薬剤をすべての患者が享受できないことがある．実は，欧州でも当初は同じ状況であったが，興味深いことに，2000年の生物学的製剤発売と同時に，実際の生物学的製剤の使用患者は数%であるにもかかわらず，多くの患者で関節リウマチのコントロールは大きく改善している（図F-24）．生物学的製剤の登場で関節リウマチがコントロール可能な疾患であるという医師の意識が変化し

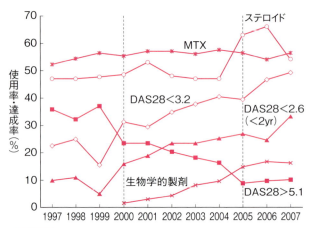

図 F-24 ドイツにおける 1997-2007 年の変化
(National Registry, N=38,723)
(Ziegler S, et al. Ann Rheum Dis. 2010; 69: 1803-8)

たことが大きく影響したと考えられる．生物学的製剤が使えない状況ではよりきめ細やかな治療調整が必要になるが，csDMARDs の併用，必要に応じてのステロイドなどで，多くの場合寛解を達成できる．

　最後に関節リウマチの治療における頭の中の考え方を図で少しみておくと，関節リウマチの治療を考える上では臨床的寛解・画像的寛解・機能的寛解の 3 つを分けて，頭の中で X・Y・Z 軸のように浮かべる必要がある（図 F-25）．

　臨床的寛解というのはつまり腫脹関節痛や圧痛関節痛の数，そして炎症反応などによって計算される臨床的指標によるが，それだけがよければよいというものではない．というのは例えば MTP 関節などは腫脹関節かどうかの判断が診察だけではしにくいこともあるが，多くの指標には MTP 関節は含まれていない．また，診察によって検出されなかったような軽い炎症が続いていることによって画像的に進んでしまうこともあるため，やはり定期的に手足の単純 X 線写真を撮り，画像的にも進んでいないことを確認していくことは重要である．画像的寛解はシャープスコアのようなもので数値化されるが，ほとんどの臨床の現場では腫れている関節，症状のある関節を特に入念に検査し，全般の関節の破壊が起こっていないかを定期的にみていく．し

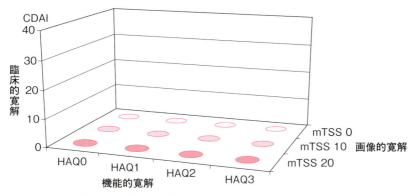

図 F-25　関節リウマチにおける 3 つの寛解

かし最も重要なものとしてやはり機能的寛解というものもあり，これはMDHAQなどの指標が使われるが，実際に患者にも聞いてみて日常生活に支障がないかどうかをみていく．機能障害に関しては早期に起こる可逆的な機能障害は炎症をコントロールすることにより正常な状態にもっていくことは可能であるが，この可逆的機能障害を適切に治療せず長く放置しておくことにより関節硬直や関節破壊が起こり，それが不可逆的なものになってしまうことがあるため常に念頭においておかなければならない．

　では関節リウマチを発症したところで受診できた患者はどのような状態になるかというと，臨床的指標だけが上がっていると考える医師もいるが，実は可逆的な機能障害もある．この場合にNSAIDsなどの対症療法だけで治療していくと，炎症は一時的にはよくなるが，結局は画像的な関節破壊が進み，それと共に機能障害も進んでいってしまうことになる．ではステロイドを大量に使ったらどうなるかと言うと，もちろん一時的に画像的にも機能的にも炎症も治まることにはなるが，ステロイドの長期投与だけでは画像的な寛解を保つことはできないため，徐々に関節破壊も進み，また，圧迫骨折などが起こると機能的障害につながるため長期的な予後は決してよいとは言えない．では遅行性のDMARDsだけを使って徐々に炎症を取っていった場合はどうなるかというと，その場合もやはり長く炎症が続いた部分でわずかな関節破壊が起こったり，それによる関節強直などで機能障害が残ってしまう．

ということで，関節リウマチの治療は，コントローラーを開始した場合にもリリーバーを使ってできるだけ早く炎症をとり，しかしリリーバーに関しては長期にだらだらと漫然と投与するものではないので，コントローラーの本当の効果が出た時点で一時リリーバーをオフにしてコントローラーだけで寛解が維持できるかどうかを評価する．そしてそれが十分でなければまた新しくコントローラーを追加しリリーバーを使ってまた炎症を取るというシーソーのような治療を繰り返し，最終的にはコントローラーによって臨床的・画像的・機能的寛解を長期にわたって保てるようにもっていくことが必要である．そしてこれからはこれに加えて，この3つの寛解が長期に達成できた場合にはシステマティックに薬を減量していくということが2013年のEULAR，2015年のACRのガイドラインでも示されており，その減量の速度やシステマティックなやり方を構築していくことが将来的な関節リウマチの治療の課題と今なっている．

　関節リウマチは外来で扱う疾患としては，重篤で進行が速く，1回の外来での治療調整の決断の遅れが，その後の薬剤反応性，患者の症状とQOL，機能保持，そして患者の人生すべてに影響してしまう可能性があることを常に念頭に置き，真摯に向き合うことを忘れないようにしたい．

コラム

EULAR の台頭

　米国の大学で研修を終えて欧州に移って驚いたことが，専門医の守備範囲の違いである（図 F-26）．

　日本ではリウマチ・膠原病内科というのは最近で，元々は膠原病内科が細々と一部の大学で診療していた．膠原病内科は血管炎や膠原病などが主な疾患であり，関節リウマチも外来ではフォローするという形であり，膠原病専門医としては狭い専門性の高い分野を診る科であるが，病院経営としては患者数が非常に限られるため全ての大学病院で膠原病科が存在するというものではなかった．現在でも日本ではリウマチ・膠原病を専門とする内科医は他の先進国と比べ少数である．しかし内科医の活躍する機会の多い生物学的製剤などの薬剤が中心となった今ではなんとか解消しなければならない問題かもしれない．米国ではリウマチ内科医というと，つまり Rheumatologist

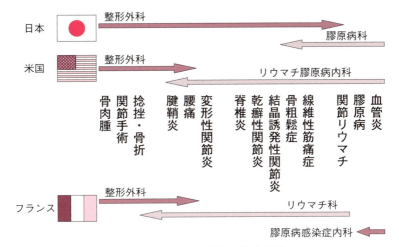

図 F-26 日欧米におけるリウマチ専門医の診療分野

であるが，関節疾患を専門とする内科医と定義されている．もちろん膠原病，関節炎，血管炎などは診るが，それに加えて淋菌性関節炎や腰痛，腱鞘炎なども専門としている．例えばドゥ・ケルバン腱鞘炎に対してステロイド注射をしたり，腰痛に関して生活指導したり，変形性関節症の高齢者に運動療法や関節注射をしたりするのもリウマチ内科医の仕事である．一方，整形外科医の数は日本と比べ非常に限られており，ほとんどは手術が中心の診療となっており術前診察と術後のフォロー以外はリウマチ内科医に任されることが多い．もちろん骨折などの外傷は整形外科医の仕事である．欧州で診療するようになり米国時代の恩師から紹介された大学病院のカンファレンスに参加するようになると少し様相が違うことに気付く．というのは，欧州のリウマチ内科医というのは米国のリウマチ内科医よりもさらに整形内科的なことに対して診療の重点を置いており，捻挫や軽度の外傷などを診ることもある．よって欧州のリウマチ内科医は関節に関する手技にアメリカのリウマチ内科医よりもさらに優れており，関節注射も非常に上手く，診察に関しても非常に入念である．逆に膠原病や血管炎などの，いわゆる結合組織疾患に関してはリウマチ内科医の仕事ではない．つまり SLE や血管炎のような膠原病に関してはもう一つ違う．直訳すると総合内科という科があり，そちらのほうで感染症と共に専門科として扱われている．ACR などに行った時にポスターをみるとわかるのだが，SLE や血管炎のフランスからの発表はどれも Rheumatologie からではなく，Médecine Interne と書かれた科からの発表である．ということで，フランスの大学病院のカンファレンスに行っても変形

性関節炎や腰痛などのカンファレンスが多く，関節リウマチに関する時以外はあまり実際の診療に関係なかったため総合内科のカンファレンスにも紹介してもらい参加するようにしていた．しかし逆に言うと欧州のリウマチ内科医は関節リウマチを中心とする関節疾患に対してより多くの時間を割いているため，現在のように関節リウマチの治療が大変積極的になり，関節リウマチが学会の中心になると EULAR が ACR を凌ぐ勢いとなっている．私が研修医であった 20 年ほど前にはまだ生物学的製剤の治験も始まっておらず，学会における関節リウマチの話題というのは非常にマイノリティで，多くはSLE や血管炎などの膠原病であった．その頃は欧州のリウマチ学会を各国が独自に開催しており，EULAR の年次総会というのも，実は私がフランスに渡った年に始まったものである．

　関節リウマチの診断基準改定においてもイニシアチブをとったのはEULAR であり，ACR からの代表も選ばれてはいるが，ACR の重鎮からみるとあくまで欧州で作った基準という捉え方をしている医師も多い．しかしながら，寛解基準の改定では ACR の主張を EULAR が受け入れた形となっており，単純さを好む米国にあった SDAI，CDAI のような基準が採用されている．

文献

1) Nikiphorou E, et al. Initial DMARD therapy for early RA. Changing trends of monotherapy to triple therapy in earn (early rheumatoid arthritis network), an inception cohort. Ann Rheum Dis. 2010; 69 Suppl 3: 150.
2) Hunder GG, et al. Daily and alternate-day corticosteroid regimens in treatment of giant cell arteritis: comparison in a prospective study. Ann Intern Med. 1975; 82: 613-8.
3) Jacobs JW, et al. Followup radiographic data on patients with rheumatoid arthritis who participated in a two-year trial of prednisone therapy or placebo. Arthritis Rheum. 2006; 54: 1422-8.
4) Smolen JS, et al. EULAR recommendations for the management of rheumatoid arthritis with synthetic and biological disease-modifying antirheumatic drugs: 2019 Update. 2020; 79: 685-99.
5) McCarty DJ. Treatment of rheumatoid joint inflammation with triamcinolone hexacetonide. Arthritis Rheum. 1972; 15: 157-73.

6) Ohosone Y, et al. Clinical characteristics of patients with rheumatoid arthritis and methotrexate induced pneumonitis. J Rheumatol. 1997; 24: 2299-303.

7) Emery P, et al. Sustained remission with etanercept tapering in early rheumatoid arthritis. N Engl J Med. 2014; 371: 1781-92.

8) Tanaka Y, et al. Discontinuation of infliximab after attaining low disease activity in patients with rheumatoid arthritis: RRR (remission induction by Remicade in RA) study. Ann Rheum Dis. 2010; 69: 1286-91.

9) Berthelsen BG, et al. Etanercept concentrations in maternal serum, umbilical cord serum, breast milk and child serum during breastfeeding. Rheumatology. 2010: keq185.

10) Murashima A, et al. Etanercept during pregnancy and lactation in a patient with rheumatoid arthritis: drug levels in maternal serum, cord blood, breast milk and the infant's serum. Ann Rheum Dis. 2009; 68: 1793-4.

11) Dörner T, et al. The role of biosimilars in the treatment of rheumatic diseases. Ann Rheum Dis. 2013; 72: 322-8.

12) Park W, et al. A randomised, double-blind, multicentre, parallel-group, prospective study comparing the pharmacokinetics, safety, and efficacy of CT-P13 and innovator infliximab in patients with ankylosing spondylitis: the PLANETAS study. Ann Rheum Dis. 2013; 72: 1605-12.

13) Perez-Alvarez R, et al. Interstitial lung disease induced or exacerbated by TNF-targeted therapies: analysis of 122 cases. Seminars in arthritis and rheumatism. Vol. 41. No. 2. WB Saunders; 2011.

14) Smolen, J, et al. Efficacy and safety of certolizumab pegol plus methotrexate in active rheumatoid arthritis: the RAPID 2 study. A randomised controlled trial. Ann Rheum Dis. 2009; 68: 797-804.

15) Nakashita T, et al. Potential risk of TNF inhibitors on the progression of interstitial lung disease in patients with rheumatoid arthritis. BMJ Open. 2014; 4: e005615.

16) Suda M, et al. Safety and efficacy of alternate-day corticosteroid treatment as adjunctive therapy for rheumatoid arthritis: a comparative study. Clin Rheumatol. 2018; 37; 2027-34.

索引

金剤	359
グセルクマブ	240
靴型装具	398
クラミジア感染症後	273
クラミジアトラコマティス感染	276
グレイスケール	436
クローン病	227
経口ステロイド	490
憩室症	507
結核	20, 184
月経前緊張症	449, 452
結晶性関節炎	13
結節性紅斑	451
結節性多発動脈炎	60
肩関節の手術	402
腱板	402
抗核抗体	38
抗 CCP 抗体	11, 12, 15, 19
抗 CCP 抗体陽性	54
抗 IL-6 受容体抗体	350
虹彩炎	278, 279, 283
更年期	37
更年期関節症	452
股関節の手術	387
骨吸収阻害剤関連顎骨壊死	422
骨性関節強直	384
骨粗鬆症	416
骨びらん	32, 438
骨びらんスコア	47
個別化医療	90
ゴリムマブ	163, 164, 182, 218
コントローラー	84

■ さ行

細菌感染症	184
細菌性下痢症	273
再診問診票	480
サブイレウス	447

サラゾスルファピリジン	84, 88, 121, 296, 342, 345, 346, 352, 353, 360, 484
サリルマブ	163, 212
サルコイドーシス	13
軸椎下亜脱臼	411, 412
軸椎垂直亜脱臼	411, 412
シクロスポリン	344, 349
シクロホスファミド	364
指趾炎	274, 277, 296
尺側偏位変形	406, 407, 408
手関節固定術	406
手関節の手術	405
手指伸筋腱断裂	387, 407
手指の視診	466
手指の手術	408
手指の触診	467
手術療法	380
授乳中の薬剤使用	369
消化性潰瘍	96
上強膜炎	55
常習性高体温	452
掌蹠膿疱症	280
初診時カルテ	464
初診問診票	463
心外膜炎	62
人工関節感染	388
人工関節再置換術	391
人工関節手術	382
人工肩関節全置換術	402
人工股関節全置換術	387
人工股関節脱臼	389
人工膝関節全置換術	392
人工膝単顆置換術	413, 414
人工足関節全置換術	396
人工足関節置換術	395, 396
人工肘関節全置換術	401, 404, 405
腎障害	342
身体機能障害	5

身体機能評価	6			

身体機能評価　6
診断の告げ方　478
診断未確定関節炎　28
ステロイド　3, 105, 106, 109, 352, 359
ステロイド関節注射　493
ステロイド剤　446, 452
ステロイドの副作用　107
スワンソン型人工指関節　409
スワンネック変形　408
生物学的製剤　158, 164, 353, 354, 500
生物学的製剤使用時重症感染症
　リスク予測スコア　190
生物学的製剤投与前検査　504
生物学的製剤の作用部位　168
赤沈　19
脊椎関節炎　13, 273
セクキヌマブ　229
セルトリズマブペゴル　163, 224
線維筋痛症　452
全身性エリテマトーデス　34
仙腸関節　274, 285
仙腸関節炎　286
早期関節炎　27
早期関節炎クリニック　10
早期診断　8
早期リウマチ　21
早期 RA　27
装具療法　400
ソーセージ指　276
足関節固定術　395, 396
足関節装具　398
足関節の手術　395
足趾形成術　398
足趾の手術　396
足趾の触診　467
足趾バンド　398, 399
足底装具　398, 400

■ た行

第一 CMC 関節　13
体軸関節炎　296
帯状疱疹ウイルス感染　187
大動脈弁閉鎖不全症　279
多関節炎　12
タクロリムス　87, 88, 261, 342, 343, 349, 352, 354, 359
竹様脊椎　286
遅発性感染　388, 390
肘関節脱臼　386
肘関節の手術　404
注射時痛　199
中心性脱臼　384, 385, 387, 389
中足基節骨関節　396
中足骨短縮骨切り術後　397
中足骨斜め骨切り短縮法　398
腸管穿孔　208
腸間膜静脈硬化症　455
痛風　475
トシリズマブ　163, 165, 166, 182, 206, 350, 353
トファシチニブ　140

■ な行

内側アーチサポート　400
内側縦アーチ　398
ナックルベンダー　413
二次性 Sjögren 症候群　54
日本リウマチ学会生物学的製剤
　使用ガイドライン　169
ニューモシスチス肺炎　114, 184
妊娠　198
妊娠希望　130, 508
膿漏性角化症　280

■ は行

バージャー病　450

523

索引

バイオシミラー	510
バイオフリー	509
バイオフリー寛解	191
肺障害	353
バリシチニブ	145
パワードプラ法	439
反応性関節炎	274, 277
ヒトパルボウイルス B19	37
病期分類	53
ブシラミン	84, 88, 125, 127,
	342, 345, 352, 353, 484
付着部炎	275, 278, 296
プレドニゾロン	298
プローブ	436
ブロダルマブ	234
プロトンポンプ阻害薬	96, 103
分類不能関節炎	27
米国リウマチ学会関節リウマチ	
治療推奨 2015	76
閉塞性動脈硬化症	450
ペフィシチニブ	148
変形性関節症（炎）	13, 37, 38, 474
変形性膝関節症	391, 452
扁平三角状変形	398
扁平三角変形	399
扁平足	394, 399
房室ブロック	279
母指が IP 関節	409
ボタンホール変形	408

■ ま行

末梢性関節炎	275, 296
慢性疲労症候群	453
ミコフェノール酸モフェチル	350
ミソプロストール	96
ミゾリビン	87, 269, 343,
	352, 354, 359
ムチランス変形	408
メタタルザルアーチ	400

メタボリック症候群	334
メトトレキサート	87, 88, 128,
	297, 342, 345,
	352, 354, 369, 451, 496
メトトレキサート肺炎	59

■ や行

薬剤性肝障害	454
薬剤リンパ球刺激試験	455
有痛性胼胝	397
葉酸	130
予後不良因子	53

■ ら行

リウマチ手術の部位別術式	383
リウマチ手術療法のタイミング	384
リウマチ上肢の手術	401
リウマチ性血管炎	54, 60
リウマチ性腱鞘滑膜炎	407
リウマチ性多発筋痛症	37
リウマチ肺	54
リウマトイド因子	15, 54, 273
リウマトイド結節	54, 55, 56, 60
リサンキズマブ	244
リツキシマブ	182, 363
リハビリテーション	380
リリーバー	84
淋菌性関節炎	13
臨床的寛解	3
レイノー	449, 450
レフルノミド	266, 352,
	354, 360, 369

■ わ行

ワルファリン	371

■ A

AAS	411, 412
ABT	213

ACR コアセット	45
ACR 臨床的寛解基準	67
ACR/EULAR 寛解基準	67
ACR/EULAR 寛解基準変更	66
ACR/EULAR 関節リウマチ 分類基準 2010	30
ACR SLE 分類基準 1982 年 （1997 年改訂）	38
ACR/SPARTAN AS および Nonradiographic-Axial SpA 治療推奨	303
ACR 20 response	45
ACR 1987 RA 分類基準	9
ACR2017 ステロイド性骨粗鬆症 治療推奨	116
ACR2018 乾癬性関節炎 ガイドライン	329
ADA	201
ARONJ（anti-resorptive agents- related osteonecrosis of the jaw）	422
AS（ankylosing spondylitis）	273, 285
AS 予後不良因子	292
AS 診断のための改訂 ニューヨーク基準	282
ASAS 反応性基準	290
ASAS 分類基準	284
AVERT 試験	184

B

B 型肝炎	342
B 型肝炎ウイルス	350
B 型肝炎対策	343
B モード	436
bamboo spine	286
BAR	145
BASDAI	289, 300
BASFI	288

BASMI	289
BeSt study	49, 63
Bouchard 結節	13
BUC	125

C

CASPAR 乾癬性関節炎分類基準	38, 311
CDAI（clinical disease activity index）	43, 62, 67
Coonrad-Morrey 型	405
COPD	507
COX-2 選択的阻害薬	96, 100, 103
CPPD	476
CZP	224

D

dactylitis	274, 277
Darrha 法	406
DAS（disease activity score）	43
DAS28	62
DAS28 の評価関節	45
DLST	455
DMARDs	84, 483
DMARDs 併用治療	3
DREAM 試験	184

E

enthesitis	274
ESSG による SpA 分類基準	282
ETN	195
EULAR RA 治療推奨	69, 71
EULAR response	45

F・G

Felty 症候群	54, 55
GIO 新治療ガイドライン	115

525

索引

H

habitual hyperthermia	452
HAQ（health assessment questionnaire disability index）	5
HBV キャリア	343
Heberden 結節	13
HIV 感染症	285
HLA–B27	279, 285
HLA–B27 関連疾患	273
HONOR 試験	184

I

IFX	190
IGU	488

J

JAK 阻害薬	500
JAK 阻害薬の選び方	512

M

Magerl 法	412, 413
mHAQ（modified HAQ）	5
MMP3	54
MRI	19, 47
MTP 関節	396
MTX	128
MTX 増量方法	132
multicentric reticulohistiocytosis	13
MZR	269

N・O

NSAIDs	2, 96, 97, 98, 292, 299, 352, 353, 357, 359, 446
OMERACT	46
OP	60

P

PAN（polyarteritis nodosa）	60

PEF	148
PMS	449
PRIZE 試験	184
PsA（psoriatic arthritis）	273, 306

R

RA（rheumatoid arthritis）	273
RA の OA 化	413
remission	3
RF（rheumatoid factor）	15
rotator cuff	402

S

SAPHO 症候群	280
SAS	411, 412
SASP	121
Sauvé–Kapandji（SK）法	406
SDAI（simplified disease activity index）	43, 62
SHS（modified Sharp/van der Heijde）スコア	46, 47
Sjögren 症候群	13, 19, 40, 55, 57
SLE	13, 34, 37, 40
SpA（spondyloarthritis）	273
SpA 分類の概念	274
Squeeze テスト	467
Steinbrocker の class 分類	53
Steinbrocker の stage 分類	53
syndesmophytes	286

T

T2T TICOPA 研究	332
T2T（treating RA to target）	64, 65, 68
TAA（total knee arthroplasty）	395
TCZ	206
TEA（total elbow arthroplasty）	401, 404
THA	387

526

THA 脱臼	388, 389	UPA	150
TKA	392	uSpA（undifferentiated SpA）	273
TNF 阻害薬	292, 343, 361, 363		

■ V

開始基準	299	VACTERL 連合奇形	362
継続基準	301	VS	411, 412
効果の違い	174
用量	301

■ W

TNF 阻害薬誘発性乾癬　　326

TOF　　140

Whipple 病	13
windows of opportunity	8

TSA（total shoulder arthroplasty）
　　402

■ 数字

■ U

2015 GRAPPA 治療推奨	315
2019 EULAR 治療推奨	320
2019 EULAR PsA 治療推奨	324

UKA　　413, 414

undifferentiated arthritis　　28

関節リウマチの診かた，考えかた ver. 4 ©

発　行	2011 年 5 月 20 日　1 版 1 刷
	2011 年 7 月 20 日　1 版 2 刷
	2013 年 1 月 20 日　1 版 3 刷
	2014 年 7 月 20 日　1 版 4 刷
	2015 年 4 月 30 日　2 版 1 刷
	2017 年 8 月 10 日　2 版 2 刷
	2018 年 12 月 1 日　3 版 1 刷
	2020 年 9 月 20 日　4 版 1 刷

編著者　　岸　本　暢　将
　　　　　岡　田　正　人

発行者　　株式会社　中外医学社
　　　　　代表取締役　青　木　　滋
　　　　　〒 162-0805　東京都新宿区矢来町 62
　　　　　電　話　　(03) 3268-2701 (代)
　　　　　振替口座　　00190-1-98814 番

印刷・製本/横山印刷㈱　　　　　　〈HI・HO〉
ISBN978-4-498-02715-2　　　　　Printed in Japan

JCOPY　<（社）出版者著作権管理機構 委託出版物>

本書の無断複製は著作権法上での例外を除き禁じられています．
複製される場合は，そのつど事前に，（社）出版者著作権管理機構
（電話 03-5244-5088, FAX 03-5244-5089, e-mail: info@jcopy.
or.jp）の許諾を得てください．